LE FILS

Originaire de Baltimore, Philipp Meyer est reconnu comme l'un des écrivains les plus doués de sa génération. Lauréat du *Los Angeles Times* Book Prize pour son premier roman, *Un arrière-goût de rouille* (Denoël, 2010), il a connu un formidable succès avec son deuxième livre, *Le Fils*, salué par l'ensemble de la presse américaine comme l'un des cinq meilleurs romans de l'année 2013 et qui va être traduit en plus de vingt langues.

PHILIPP MEYER

Le Fils

ROMAN TRADUIT DE L'ANGLAIS (ÉTATS-UNIS)
PAR SARAH GURCEL

ALBIN MICHEL

Titre original :
THE SON
Publié par HarperCollins, New York, en 2013.

À ma famille

« Au second siècle de l'ère chrétienne, l'Empire romain comprenait la plus grande partie du monde, et la portion la plus civilisée de l'humanité.

(...) [S]on génie mordit la poussière ; des armées de Barbares inconnus, venues des régions glacées du Nord, avaient établi leur règne victorieux sur les plus belles provinces de l'Europe et de l'Afrique.

(...) [L]es vicissitudes de la Fortune, qui n'épargnent ni l'homme ni son plus bel ouvrage (...), ensevelissent villes et empires dans une même tombe. »

Edward GIBBON

Les McCullough

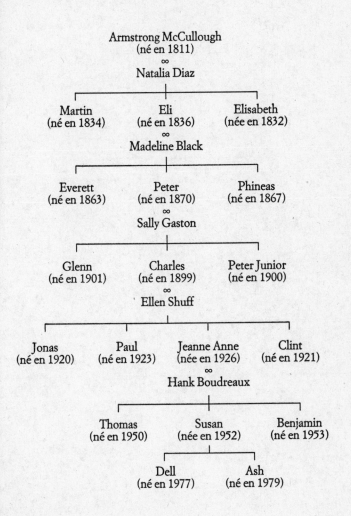

Armstrong McCullough
(né en 1811)
∞
Natalia Diaz

Martin
(né en 1834)

Eli
(né en 1836)
∞
Madeline Black

Elisabeth
(née en 1832)

Everett
(né en 1863)

Peter
(né en 1870)
∞
Sally Gaston

Phineas
(né en 1867)

Glenn
(né en 1901)

Charles
(né en 1899)
∞
Ellen Shuff

Peter Junior
(né en 1900)

Jonas
(né en 1920)

Paul
(né en 1923)

Jeanne Anne
(née en 1926)
∞
Hank Boudreaux

Clint
(né en 1921)

Thomas
(né en 1950)

Susan
(née en 1952)

Benjamin
(né en 1953)

Dell
(né en 1977)

Ash
(né en 1979)

Chapitre premier

LE COLONEL ELI McCULLOUGH

Extrait d'archives sonores, 1936

On a prophétisé que je vivrais jusqu'à cent ans et maintenant que je suis parvenu à cet âge je ne vois pas de raisons d'en douter. Je ne meurs pas en chrétien bien que mon scalp soit intact et si les prairies des chasses éternelles existent, alors c'est là que je vais. Là ou droit vers le Styx. M'est avis à cette heure que mon existence a été beaucoup trop courte : tout le bien que je pourrais faire si on me donnait ne serait-ce qu'une année de plus sur pied. Au lieu de quoi je suis rivé à ce lit, à me souiller comme un nourrisson.

Si le Créateur juge bon de m'en donner la force, j'irai jusqu'aux eaux qui coulent au milieu des pâturages. Le coude oriental de la Nueces. Même si j'ai toujours préféré la Devil's River. En rêve je l'ai rejointe trois fois et on sait bien qu'Alexandre le Grand, lors de sa dernière nuit parmi les vivants, a quitté son palais en rampant pour tenter de se noyer dans l'Euphrate, sachant qu'en l'absence de corps son peuple le croirait monté au ciel parmi les dieux. Sa femme l'a rattrapé sur la berge ; elle l'a ramené de force chez lui où il s'est éteint en mortel. Et après on me demande pourquoi je ne me suis jamais remarié.

Si d'aventure mon fils faisait une apparition, j'aimerais autant qu'on m'épargne son sourire victorieux. Graine de ma destruction. Je sais ce qu'il a fait. Mais je crois qu'il a depuis longtemps honoré de sa présence les rives du Jourdain, vu que Quanah Parker, le dernier chef comanche, n'a donné au gamin qu'une maigre chance d'atteindre l'âge de cinquante ans. En échange de cette information j'ai offert à Quanah et ses guerriers un jeune bison non castré, une bête exceptionnelle que nous avons chassée à l'ancienne, à la lance, dans ces pâturages qui furent jadis leur terrain de chasse et qui aujourd'hui m'appartiennent. Parmi les compagnons de Quanah se trouvait un vénérable chef arapaho ; tandis qu'assis ensemble nous partagions le foie encore chaud du bison, trempé selon la tradition dans la bile de l'animal, il me donna une bague en argent qu'il avait ôtée en personne du doigt du général George Armstrong Custer, à la bataille de Little Bighorn. Sur la bague il est gravé « 7ᵉ Cav » ; un coup de lance y a laissé une profonde cicatrice. Comme je n'ai pas d'héritier digne de ce nom, je l'emporterai avec moi dans le fleuve.

Ma date de naissance est bien connue. La déclaration d'indépendance qui arracha la République du Texas à la tyrannie mexicaine fut ratifiée le 2 mars 1836 dans une humble bicoque sur les bords du Brazos. La moitié des signataires avaient la malaria ; les autres étaient venus au Texas pour échapper à la potence. Je fus le premier enfant de sexe masculin de cette nouvelle république.

Des siècles de présence au Texas n'avaient mené les Espagnols nulle part. Depuis Christophe Colomb, ils soumettaient tous les indigènes se trouvant sur leur route. Je n'ai jamais croisé d'Aztèques, mais ça devait être une jolie bande d'enfants de chœur parce que les Apaches Lipans ont arrêté net les vieux conquistadors. Et puis sont arrivés les Comanches. Le monde n'avait rien vu de tel depuis les Mongols : ils ont jeté les Apaches à la mer, détruit l'armée espagnole et fait du Mexique une foire aux esclaves. Je me souviens d'avoir vu des Comanches mener, comme on mène du bétail, des villageois mexicains par centaines le long du Pecos.

Après la raclée infligée par les autochtones, le gouvernement mexicain recourut à une mesure désespérée pour coloniser le Texas : tout homme, d'où qu'il fût, prêt à s'établir à l'ouest de la Sabine River recevrait deux mille hectares de terres. Les petits caractères au bas du contrat étaient écrits en lettres de sang. La philosophie comanche à l'égard des étrangers était d'une exhaustivité quasi papale : torturer et tuer les hommes, violer et tuer les femmes, emporter les enfants et en faire des esclaves ou les adopter. Il y eut peu de gens du Vieux Monde pour accepter la proposition des Mexicains. En fait, personne ne vint. Sauf des Américains. Un vrai raz-de-marée. Ils avaient des femmes et des enfants à revendre, et puis cette promesse biblique : *Au vainqueur, je ferai manger de l'arbre de vie.*

En 1832, mon père débarqua dans la péninsule de Matagorda. Assez banal à l'époque pour qui voyait dans le risque de se faire fusiller par un peloton d'exécution mexicain ou scalper par les Comanches un message codé de Dieu quant aux récompenses à venir. Entre-temps, inquiet de voir grossir sur son territoire la horde des Anglos, comme on les appelait, le gouvernement mexicain avait interdit l'immigration américaine au Texas.

Mais c'était toujours mieux que les États du Sud où, à moins d'hériter d'une plantation, il n'y avait rien à espérer que les glanures. Qu'on regarde les archives : les familles fortunées, les Austin, les Houston... tous d'accord pour rester citoyens du Mexique tant qu'on leur laisserait leurs terres. Leurs descendants ont mené de vraies guerres de propagande pour qu'on les réhabilite et qu'on les reconnaisse comme « Fondateurs du Texas ». Faux. N'ont poussé le Texas à la guerre que ceux qui, comme mon père, n'avaient rien.

Comme tous les Écossais valides, il contribua humblement à la débâcle mexicaine de San Jacinto et, après la guerre, il travailla comme maréchal-ferrant, armurier et arpenteur. Il était grand et d'un abord facile. Il avait le dos droit et les mains calleuses ; les gens se sentaient en sécurité près de lui – ce qui, globalement, se révéla illusoire.

Mon père n'était pas croyant ; je lui impute d'ailleurs mes mœurs païennes. N'empêche qu'il était homme à sentir la Grande Faucheuse sur ses talons. Son credo : pas de temps à perdre. Nous vécûmes d'abord à Bastrop, à cultiver le maïs et le sorgho, à élever des cochons et défricher la terre, jusqu'à ce qu'arrivent les nouveaux colons, qui attendaient la fin de la menace indienne pour débarquer avec leurs avocats et contester les titres de propriété de ceux qui avaient civilisé le pays et vaincu les «Peaux-Rouges». Ces premiers Texans-là avaient payé leur terre en vies humaines, la monnaie originelle, et ne savaient pour la plupart ni lire ni écrire. À dix ans j'avais déjà creusé quatre tombes. Le moindre bruit de galop dans le lointain suffisait à réveiller toute la famille, et le temps qu'arrive la nouvelle – tel ou tel voisin charcuté comme un porcelet à Thanksgiving –, mon père avait vérifié ses munitions et disparu dans la nuit avec le messager. Les braves meurent jeunes : un proverbe comanche, certes, mais valable aussi pour les premiers Anglos.

Pendant les dix ans d'indépendance de la nation texane, le gouvernement chercha désespérément à attirer des colons, et notamment des colons riches. Un télégraphe invisible fit ainsi passer le message aux États du Sud : la région est sûre à présent. C'est en 1844 que le premier étranger se présenta chez nous : coupe de cheveux professionnelle, vêtements achetés en magasin, ambleur alezan pour dames. Il demanda du grain ; son cheval allait dépérir s'il ne mangeait que de l'herbe. Un cheval à qui l'herbe ne suffisait pas : je n'avais encore jamais vu ça.

Deux mois plus tard, les Smithwick virent leur titre de propriété contesté et puis ceux des Hornsby et des MacLeod furent rachetés pour une bouchée de pain. Il y avait alors au Texas plus d'avocats par tête que partout ailleurs sur le continent ; en quelques années, tous les colons d'origine perdirent leurs terres et furent chassés plus à l'ouest pour se trouver à nouveau en territoire indien. Les classes aisées, non contentes d'avoir volé la terre, manigançaient déjà une guerre pour protéger leurs Noirs ; le Sud allait y laisser son âme, mais le Texas, fils de l'Ouest, s'en sortirait indemne.

Voici qu'au même moment ma mère, qui était de vieille souche castillane, sombre de peau mais fine de traits, fit l'objet d'une cabale : les nouveaux venus prétendirent qu'elle était octavonne. Le gentleman planteur se piquait d'avoir l'œil pour ces choses-là.

En 1846, nous avions dépassé la ligne de colonisation pour rejoindre la concession de mon père au bord de la Pedernales River. En territoire comanche. Les arbres ne connaissaient pas le son de la hache et la terre était luisante et grasse, comme la faune qui y vivait. De l'herbe à hauteur de poitrine, un épais terreau noir dans les vallons, des fleurs à foison sur le flanc des collines, même les plus escarpées. Ce n'était pas l'endroit sec et rocailleux qu'on connaît aujourd'hui.

Un lasso suffisait à s'approprier des Longhorn sauvages – au bout d'un an notre troupeau comptait cent têtes. Cochons et mustangs aussi étaient à disposition. Il y avait des biches, des dindons, des ours, des écureuils, un bison de-ci de-là, des tortues et des poissons, des canards, des pruniers, des vignes sauvages, des nids d'abeilles dans les arbres creux et des kakis – le pays était alors aussi riche de vie qu'il est pourri de gens aujourd'hui. Le seul problème, c'était de garder son scalp.

Chapitre 2

JEANNE ANNE McCULLOUGH

3 mars 2012

Des murmures, des voix étouffées, trop peu de lumière. Elle se trouvait dans une grande salle qu'elle prit d'abord pour une église ou un tribunal. Bien qu'éveillée, elle ne sentait rien ; c'était comme de flotter dans un bain chaud. Des lustres qui éclairaient à peine, des bûches fumantes dans la cheminée, du mobilier jacobéen, des bustes de Grecs anciens. Un tapis, cadeau du shah d'Iran. Elle se demanda qui la trouverait.

C'était une grande maison blanche de style espagnol ; dix-neuf chambres, bibliothèque, salle de réception et salle de bal. Elle et ses frères y étaient tous nés, mais ce n'était plus à présent qu'une résidence secondaire, un décor pour réunions de famille. Les domestiques ne reviendraient qu'au matin. Son esprit était parfaitement alerte, mais pour le reste c'était comme si on l'avait débranchée, et elle était à peu près sûre qu'elle devait à quelqu'un d'être dans cet état. Certes, elle avait quatre-vingt-six ans, mais si elle répétait à l'envi avoir hâte de passer sur l'autre rive, ça n'était pas tout à fait vrai.

Le plus important dans la vie, c'est un homme qui fait ce que je lui dis de faire. Voilà ce qu'elle avait déclaré à un journaliste de *Time Magazine* : elle s'était retrouvée en couverture, la quarantaine toujours sensuelle, debout sur sa Cadillac devant un champ de potirons. Elle était petite et menue, ce qu'on oubliait vite quand on la rencontrait. Sa voix portait et le gris de ses yeux évoquait un vieux pistolet ou un *blue norther*, ce phénomène météorologique dont les Texans s'imaginent avoir l'exclusivité, front froid avançant brutalement pour laisser le ciel clair et glacé. Sans être d'une beauté classique, elle avait vraiment quelque chose. Ce qui n'avait visiblement pas échappé au photographe yankee. Il lui avait fait ouvrir un peu plus son chemisier et avait arrangé ses cheveux pour qu'elle ait l'air de sortir d'une décapotable. Elle n'était pas au faîte de sa puissance – ça viendrait bien plus tard – mais c'était un moment important. On s'était mis à la prendre au sérieux. L'homme derrière l'objectif était mort à présent. *Personne ne va te trouver*, se dit-elle.

Ça devait se passer comme ça, c'était écrit ; même enfant, elle avait été seule. La ville entière appartenait à sa famille. Elle trouvait les gens absurdes. Les hommes, avec qui elle avait des tas d'affinités, ne voulaient pas d'elle. Les femmes, avec qui elle n'en avait aucune, souriaient trop grand, riaient trop fort, et lui faisaient surtout penser à de petits chiens aux vies noyées dans la décoration d'intérieur et l'observation des tenues d'autrui. Il n'y avait jamais eu de place pour quelqu'un comme elle.

Elle devait avoir huit ou dix ans, elle était assise sur la galerie. C'était une fraîche journée de printemps et les collines vertes s'étalaient à perte de vue – les terres des McCullough, à perte de vue. Mais quelque chose clochait : sa Cadillac était garée sur la pelouse et elle ne voyait pas les vieilles écuries que son frère n'avait pourtant pas encore brûlées. *Je vais me réveiller*, se dit-elle. Puis voilà que le Colonel – son arrière-grand-père – s'était mis à parler. Son père aussi était présent. Elle avait bien eu un grand-père, Peter McCullough, mais il avait disparu et il n'y avait personne pour en dire du bien ; elle savait qu'elle ne l'aurait pas aimé non plus.

« Je me disais que peut-être tu te montrerais à l'église, dimanche », tenta son père.

Le Colonel estimait qu'il valait mieux laisser ça aux nègres et aux Mexicains. Il avait cent ans et n'hésitait jamais à dire à quelqu'un qu'il avait tort. Des bras en baguettes de fusil, un visage tacheté comme un vieux cuir brut : la prochaine fois qu'il tomberait, ce serait droit dans sa tombe, disait-on.

« Le problème, avec les prédicateurs, clamait-il, c'est que quand ils sont pas en train de reluquer vos filles ou de piller votre glacière, ils arnaquent vos fils dans des histoires de chevaux. »

Son père faisait deux fois la taille de l'aïeul, mais, comme le soulignait tout le temps le Colonel, il n'était charpenté que de corps, pas d'esprit. Clint, l'un des frères de Jeannie, avait acheté un cheval et une selle au pasteur; eh bien, la couverture cachait une plaie de la taille d'une petite crêpe.

Elle, son père l'obligea quand même à aller à l'église, la réveillant à l'aube pour faire la route jusqu'à Carrizo où il y avait un cours de catéchisme pour les enfants. Elle avait faim et luttait pour garder les yeux ouverts. Quand elle demanda à la maîtresse ce qu'il adviendrait du Colonel, qui à cet instant même était chez lui, sans doute en train de boire un *mint julep*, la maîtresse dit qu'il irait en enfer, où il serait torturé par Satan en personne. *Eh ben alors j'irai avec lui*, dit Jeannie. Elle n'était qu'une petite vaurienne et elle aurait dû avoir honte. Mexicaine, elle aurait eu droit à une bonne correction.

Sur le chemin du retour, elle ne comprit pas que son père donnât raison à la maîtresse qui avait un nez en bec d'aigle et sentait comme si elle était morte en dedans. Une vraie mocheté, pire qu'un seau à goudron. *Pendant la guerre*, avait commencé son père, *j'ai promis à Dieu que si je survivais, j'irais à l'église tous les dimanches. Mais juste avant que tu naisses, j'ai arrêté parce que je n'avais pas le temps. Et tu sais ce qui s'est passé ?* Elle le savait, l'avait toujours su. Il le lui rappela quand même : *Ta mère est morte.*

Quand Jonas, son frère aîné, objecta qu'il ne fallait pas l'effrayer, son père lui dit de se taire. Clint pinça le bras de sa sœur : «Quand tu vas en enfer, le premier truc qu'ils font, c'est de t'enfoncer une fourche dans le cul.»

Elle ouvrit les yeux. Ça faisait soixante ans que Clint était mort. Rien dans la pénombre de la pièce n'avait bougé. *Les papiers*, se dit-elle. Elle les avait jadis sauvés des flammes ; ensuite elle n'avait pu se résoudre à les détruire. Voilà qu'on allait les trouver.

Chapitre 3

JOURNAL DE PETER McCULLOUGH

10 août 1915

C'est mon anniversaire. Aujourd'hui, sans l'aide du moindre bourbon, je suis arrivé à la conclusion suivante : je ne suis personne. En me retournant sur mes quarante-cinq années, je ne vois rien qui vaille la peine – ce que j'avais pris pour une âme m'apparaît plutôt comme un abîme de ténèbres –, j'ai laissé les autres faire de moi ce qu'ils voulaient. À entendre le Colonel, je suis le pire fils qu'il ait jamais eu – il a toujours préféré Phineas et même ce pauvre Everett.

Il n'y aura que ce journal pour dire la vérité sur cette famille. Une cérémonie pour les quatre-vingts ans du Colonel se prépare à Austin ; je me demande bien ce qu'on y entendra d'honnête sur cet homme que tout le monde met sur un piédestal. En attendant, l'été sanglant continue. Impossible de maintenir en état les câbles téléphoniques jusqu'à Brownsville – chaque fois qu'on les répare, les rebelles les font sauter. Le ranch King a été attaqué par quarante *sediciosos* hier soir, ça s'est tiré dessus pendant trois heures à Los Tulitos et le président de la Ligue pour le maintien de l'ordre public de Cameron s'est fait descendre. Qu'il faille ou non déplorer ce dernier point, je ne saurais dire.

Quant aux Mexicains, on les retrouve pendus aux arbres ou criblés de balles dans les fossés en nombre tel qu'on les croirait aussi nuisibles que les panthères et les loups. Le *San Antonio Express* ne mentionne plus leur mort – ça prendrait trop de place – et ces Texans d'origine hispanique, ces *Tejanos*, comme on les appelle ici, meurent donc dans l'anonymat, enterrés, quand ils le sont, dans des fosses à peine creusées, ou traînés au lasso là où ils ne gêneront personne.

Après la mort de Longino et d'Estaban Morales le mois dernier (tués par qui, on ne sait pas, même si je soupçonne Niles Gilbert), le Colonel a rédigé un mot pour chacun de nos *vaqueros :* «Cet homme est un bon Mexicain. Merci de le laisser tranquille. Quand j'en aurai assez, je le tuerai moi-même.» Nos gars exhibent ces papiers comme si c'étaient des médailles ; ils adulent le Colonel (rien de très original) – *nuestro patrón*.

Malheureusement pour les *Tejanos*, les ranchs du coin continuent à perdre du bétail. Dans les pâturages de l'ouest, la semaine dernière, Sullivan et moi avons trouvé toute une section où les fils des clôtures avaient été coupés, et le soir nous n'avons compté que deux cent soixante-trois vaches et veaux sur les quatre cent soixante-dix-huit dénombrés au rassemblement de printemps. Une perte de vingt mille dollars, et toutes les preuves – les preuves indirectes, en tout cas – qui vont dans le même sens. Pour ma part je préférerais être damné plutôt que d'accuser un innocent. Mais c'est un sentiment peu partagé.

J'ai toujours pensé que j'aurais dû naître dans le Vieux Sud, au sol certes encore plus imbibé de sang que le nôtre mais où du moins on a rangé les armes. Sauf que, bien sûr, ce n'est pas dans mon tempérament. Même Austin m'oppresse, comme si ses soixante mille habitants me criaient dessus en même temps. J'ai toujours eu du mal à me vider la tête – les images et les sons m'habitent pendant des années – et c'est pourquoi je reste ici, le seul endroit qui soit vraiment à moi, que j'y sois le bienvenu ou pas.

Tandis que nous examinions les clôtures, Sullivan s'est cru obligé de souligner que les traces allaient droit chez les Garcia ; leurs terres bordent le fleuve, lequel se traverse facilement un peu partout vu comme il a fait sec ces derniers temps.

« J'ai rien contre le vieux Pedro, a-t-il dit, mais ses gendres sont des nègres de la pire espèce ou je m'y connais pas.

— Tu as trop fréquenté le Colonel.

— Il les connaît, ses Mexicains.

— Je trouve qu'il les connaît très mal, au contraire.

— Dans ce cas, *boss*, j'espère que vous allez m'expliquer comment qu'on se retrouve sans aucune malhonnêteté avec deux cents têtes de bétail en moins et un trou dans la clôture qui va droit chez Pedro Garcia. Dans le temps, on serait allé tout droit les récupérer, mais c'est un peu au-dessus de nos forces, ces jours-ci.

— Le vieux Pedro ne peut pas plus surveiller chaque pouce de ses terres que nous ne pouvons surveiller chaque pouce des nôtres.

— Vous êtes un homme qui en impose physiquement, dit-il, je comprends pas pourquoi vous vous comportez comme un avorton. »

Il s'en est tenu à ça. Sullivan prend comme une insulte personnelle qu'un Mexicain puisse aujourd'hui posséder tant de terres. Et puis les vaqueros n'aident pas, c'est vrai : son poids et sa voix font qu'ils le surnomment *Don Castrado* par-derrière.

Quant à Pedro Garcia, on le dirait poursuivi par les ennuis comme par un chien errant. Deux de ses gendres font l'objet d'une enquête des autorités mexicaines pour vol de bétail : un véritable exploit quand on connaît la position du Mexique sur le sujet. J'ai bien tenté de lui rendre visite la semaine dernière, mais José et Chico m'ont éconduit. *Don Pedro malade.* Ils ont fait semblant de ne pas comprendre mon espagnol. Je connais Pedro depuis que je suis né : il m'aurait reçu, je le sais. Mais, bien sûr, j'ai fait demi-tour sans rien dire.

Pedro manque de bras depuis si longtemps que ses terres sont envahies par les broussailles et, ces deux dernières années, il n'a réussi à marquer que la moitié de ses veaux. Il gagne chaque année moins d'argent, ce qui fait qu'il embauche chaque année moins d'hommes et que chaque année ses revenus diminuent encore.

Il n'a pourtant rien perdu de son caractère affable. J'ai toujours préféré l'atmosphère de sa maison à la nôtre. Nous avons tous deux connu le bon vieux temps, quand cette terre était plus clémente, avec ses routes de caliche blanches, ses murs en pisé, pas le moindre buisson d'épines en vue et de l'herbe à hauteur d'étriers. Aujourd'hui les broussailles envahissent tout et les vieux villages de pierre sont à l'abandon. On ne construit que des horreurs en bois toutes tordues : ça pousse comme des champignons et ça pourrit tout aussitôt.

À bien des égards, Pedro a été un père pour moi, davantage que le Colonel ; s'il a jamais eu des paroles dures à mon endroit, je ne les ai pas entendues. Il a toujours espéré que je m'intéresserais à une de ses filles, et j'ai un temps été passablement épris de María, l'aînée ; mais je sentais bien que le Colonel était farouchement contre, alors, lâchement, j'ai laissé mes sentiments s'étioler. María est partie étudier à Mexico et ses sœurs ont épousé des Mexicains qui tous convoitent les terres de leur beau-père.

Ce que je redoute le plus, c'est que Sullivan ait raison et que les gendres de Pedro soient effectivement mêlés au vol de nos bêtes. Sans doute n'en mesurent-ils pas les conséquences. Sans doute ne comprennent-ils pas que Don Pedro ne peut pas les protéger.

11 août 1915

Sally et le docteur Pilkington emmènent Glenn, notre benjamin, à San Antonio. Il a été blessé la nuit dernière quand des cavaliers nous ont tiré dessus dans le noir. C'est le haut de l'épaule qui a été touché et sa vie n'est absolument pas en danger ; sans le Colonel, j'aurais accompagné mon fils à San Antonio.

Mais le Colonel a décidé que les tireurs n'étaient autres que nos voisins. Quand j'ai protesté qu'il faisait trop sombre pour reconnaître nos agresseurs, je suis passé pour un traître.

« Tu n'as donc rien retenu de ce que je t'ai appris, a-t-il dit. C'étaient Chico et José, là, sur ces chevaux.

— Ah bon ? Tu dois vraiment avoir des yeux de lynx pour voir dans le noir à plus de deux cents mètres.

— Comme tu le sais, j'ai toujours vu bien plus loin que les autres. »

Un quart de la ville (le quart blanc) est en bas. Avec les Rangers, tous nos vaqueros et ceux des Midkiff. D'ici quelques minutes, nous marcherons sur les Garcia.

Chapitre 4

Eli McCullough

Printemps 1849, dernière pleine lune. Nous exploitions depuis deux ans notre propriété des bords de la Pedernales, non loin de Fredericksburg, quand notre voisin se fit voler deux chevaux en plein jour. Syphilis Poe, comme l'appelait mon père, était descendu des Appalaches, se figurant le Texas comme le paradis des paresseux, une terre où le bois se coupait tout seul, où la nourriture vous tombait toute cuite dans le bec et où les pipes ne désemplissaient pas d'herbe-aux-fous. Les types comme lui étaient légion sur la Frontière, même s'il y en avait aussi des tas dans le genre de mon père – bien décidés à faire fortune s'ils restaient en vie assez longtemps –, et puis il y a eu les Allemands.

Avant leur arrivée, on tenait pour impossible de faire du beurre dans ce climat méridional. Impossible aussi, pensait-on, de cultiver du blé. Tels sont les dégâts d'une économie esclavagiste sur l'esprit humain. Mais les Allemands, n'étant pas prévenus, se mirent à faire du beurre de premier choix et à produire d'abondantes récoltes de la noble céréale qu'ils vendirent un bon prix à leurs voisins ahuris.

L'Allemand de base n'était pas allergique au travail : il suffisait de voir leurs propriétés pour s'en convaincre. Si, en longeant un champ, vous remarquiez que la terre était plane et les sillons droits, c'est qu'il appartenait à un Allemand. S'il était plein de pierres et qu'on aurait dit les sillons tracés par un Indien aveugle, ou si on était en décembre et que le coton n'était toujours pas cueilli, alors vous saviez que c'était le domaine d'un Blanc du coin qui avait dérivé jusqu'ici depuis le Tennessee dans l'espoir que, par quelque sorcellerie, Dame Nature, dans sa largesse, lui pondrait un esclave.

Mais je m'emballe. Le problème de mon père ce matin-là, c'était le vol de deux pauvres carnes et des traces flagrantes de sabots non ferrés allant vers les collines. Le sens commun voulait que les criminels fussent encore dans les parages – aucun voleur de chevaux digne de ce nom ne se serait contenté des juments miteuses et ensellées de Poe –, mais la loi de la Frontière exigeait qu'ils soient poursuivis. Mon père partit donc avec d'autres hommes, nous laissant, mon frère et moi, avec un fusil chacun et deux pistolets à montures d'argent pris à un général au cours de la bataille de San Jacinto. Ça devait largement suffire à défendre une maison solide : l'armée surveillait la Frontière et les grands raids indiens du début des années 1840 étaient censément terminés.

Les hommes partirent vers midi. Adolescents mal dégrossis persuadés d'être des adultes, mon frère et moi n'étions pas inquiets. Nous n'avions pas peur des autochtones ; il y avait dans la région des dizaines de Tonkawas notamment qui attendaient que le gouvernement leur établisse une réserve. Ils volaient parfois les Yankees égarés mais ne se seraient pas risqués à s'en prendre aux gens du coin : ici, tout le monde rêvait d'une descente de lit en peau d'Indien et se serait jeté sur la première occasion venue.

À douze ans, j'avais déjà tué le plus gros puma jamais vu dans le comté de Blanco, j'étais capable de pister un chevreuil sur un sol sec et mon sens de l'orientation égalait celui de mon père. Même mon frère, malgré son faible pour les livres et la poésie, était une meilleure gâchette que les gars du Vieux Sud.

Mon frère, j'avais honte pour lui. Je lui signalais des traces qu'il ne voyait même pas, lui précisant de quel côté le chevreuil avait tourné la tête, s'il avait le ventre plein ou vide, et ce qui l'avait rendu nerveux. Je voyais plus loin, je courais plus vite, j'entendais des choses qu'il croyait imaginaires.

Lui s'en fichait. Il se pensait supérieur pour des raisons qui m'échappaient. Contrairement à moi qui détestais la moindre trace fraîche de chariot, le moindre signe d'un nouvel arrivant, mon frère avait toujours su qu'il s'en irait dans l'Est. Il était intarissable sur la supériorité des villes et son rêve ne tarderait pas à se réaliser – nos récoltes étaient bonnes, notre troupeau de plus en plus fourni : nos parents pourraient bientôt louer des bras pour le remplacer.

Grâce aux Allemands de Fredericksburg, localité qui comptait plus de livres que tout le reste du Texas, un garçon comme mon frère ne passait pas pour anormal. Il comprenait l'allemand parce que nos voisins le parlaient, le français parce que c'était une langue «supérieure» et l'espagnol parce qu'il était impossible sans cela de vivre au Texas. Il avait terminé *Les Souffrances du jeune Werther* dans le texte et travaillait soi-disant à sa propre version, «supérieure», bien qu'il ne laissât personne la lire.

En dehors de Goethe et de Byron, ma sœur était l'objet principal de ses pensées. Elle était belle, et jouait du piano presque aussi bien que lui lisait et écrivait; de l'opinion générale, il était fort dommage qu'ils fussent frère et sœur. Quant à moi j'avais plutôt un visage en lame de couteau. Les Allemands me trouvaient l'air français.

Pour ce qui est de mon frère et ma sœur, il n'y avait à ma connaissance rien d'inconvenant entre eux, même si elle ne s'adressait à lui qu'avec des mots de coton, des douceurs qu'on laisse fondre sur la langue, alors qu'à moi elle parlait comme à un chien. Mon frère passait son temps à lui écrire des pièces de théâtre: ils y tenaient le rôle des amants maudits tandis que je jouais l'Indien ou le méchant, cause de leur perte. Mon père feignait d'être intéressé tout en me jetant des regards entendus. Mon frère ne trouvait grâce à ses yeux que parce que j'étais moi-même si proche de la perfection. Mais ma mère en était fière. Elle fondait de grands espoirs sur ses deux autres enfants.

La maison se composait de deux pièces reliées par un passage couvert. Elle était nichée sur un promontoire; une source jaillissait de la roche et coulait rejoindre la Pedernales. Les bois étaient épais comme à la Création et mon père disait que le jour où on serait cernés par les voisins plutôt que par les arbres, on partirait. Ma mère ne voyait bien sûr pas les choses du même œil.

Nous avions construit une barrière autour de la cour et un portail pour la délimiter, un enclos pour le bétail, un fumoir, un séchoir à maïs et une écurie où mon père ferrait les chevaux. Nous avions du plancher, des fenêtres vitrées équipées de volets et un poêle de fabrication allemande qui chauffait toute la nuit avec trois fois rien. Fabriqués au tour à bois et passés à la chaux par les mormons de Burnet, les meubles avaient l'air d'avoir été achetés en magasin.

Dans la pièce principale, mes parents se réservaient un lit à baldaquin et ma sœur avait un petit lit à part ; mon frère et moi en partagions un autre dans la pièce non chauffée de l'autre côté du passage couvert, même si je dormais souvent dehors dans un grand morceau de cuir suspendu aux branches d'un vieux chêne à une dizaine de mètres du sol – mon frère allumait volontiers une chandelle pour lire (un luxe qu'autorisait ma mère) et ça me gênait pour dormir.

Un piano droit espagnol, seul héritage de ma mère, tenait la vedette dans la pièce principale. C'était une rareté, et nous recevions le dimanche la visite des Allemands, venus chanter et subir les pièces de mon frère. Ma mère échafaudait le projet d'aller vivre à Fredericksburg, ce qui aurait permis à mon frère et ma sœur de reprendre leurs études. Moi, elle me considérait comme une cause perdue, et si elle n'avait pas été témoin de ma venue en ce monde, elle aurait nié toute participation à ma création. Sitôt que j'en aurais l'âge, je comptais rejoindre une patrouille de Rangers et en découdre avec les Indiens, les Mexicains, ou n'importe qui d'autre.

Rétrospectivement, il est évident que ma mère savait ce qui allait se passer. L'esprit humain était réceptif, à l'époque ; on sentait la moindre perturbation, le moindre remous – même les gens comme mon frère étaient en phase avec les lois de la nature. Aujourd'hui, l'homme vit dans un cercueil de chair. Sourd et aveugle. La Terre et la Loi sont corrompues. Le Grand Livre dit : je vous rassemblerai à Jérusalem pour vous mettre au creuset de ma fureur. Il dit : tu es une terre qui n'a point été purifiée. Je confirme. Il nous faut un grand feu qui balaie la terre d'un océan à l'autre et je jure de me doucher au kérosène si on promet de laisser brûler ce feu.

Mais je digresse. Cet après-midi-là, je me rendais utile, comme faisaient les enfants d'alors, en taillant un joug dans du bois de cornouiller, quand ma sœur sortit de la maison : « Eli, va dans la réserve et rapporte à Maman tout le beurre et les confitures de raisin. »

Je ne répondis tout d'abord pas, car je ne la trouvais supérieure en rien ; quant à ses soi-disant charmes, voilà bien longtemps qu'ils ne me faisaient plus d'effet. Encore que, je l'avoue, j'étais souvent mortellement jaloux de mon frère et des sourires qu'ils partageaient, assis tous les deux à des affaires qui ne concernaient qu'eux. Je n'étais pas non plus vraiment dans ses petits papiers, ayant récemment volé le cheval de son prétendant préféré, un Alsacien du nom de Hiebert. J'avais beau avoir rendu le cheval plus vif, lui ayant fait goûter aux joies d'avoir un bon cavalier, Hiebert n'était pas revenu faire sa cour.

« Eli ! » Elle n'appelait pas, elle grouinait. Décidément, je plaignais le pauvre diable sur qui elle mettrait le grappin.

« On n'en a presque plus, du beurre ! criai-je en retour. Papa sera furieux s'il ne trouve rien à son retour. » Je me remis à l'ouvrage. J'étais bien, à l'ombre, sans rien devant moi que les collines vertes et soixante kilomètres de vue. Juste au-dessous, la rivière formait une série de petites cascades.

En plus du joug, je devais fabriquer un nouveau manche pour ma hache. J'avais trouvé un jeune tronc de bois d'arc lors d'une de mes expéditions. Le manche serait plus souple que n'aimait mon père, et il se finirait par un pied-de-biche pour éviter aux mains de glisser.

« Debout, dit ma sœur, plantée devant moi. Va chercher le beurre, Eli. Je ne plaisante pas. »

Je levai les yeux vers elle, dressée là dans sa plus belle cotonnade bleue, et remarquai un nouveau bouton qu'elle avait tenté de maquiller. Quand je finis par apporter beurre et confitures, ma mère avait rempli le poêle et ouvert toutes les fenêtres pour garder la maison fraîche.

« Eli, dit ma mère, tu veux bien aller attraper quelques poissons ? Et peut-être un faisan, si tu en vois un.

— Et les Indiens ?

— Eh bien, si tu en attrapes un, ne le ramène pas. Rien ne sert d'embrasser le diable avant de l'avoir rencontré.

— Et saint Martin, il est où ?

« — Il ramasse des mûrons. »

Je descendis avec précaution la pente calcaire qui menait à la rivière, muni de ma canne à pêche, de mon sac de survie et de la Jaegerbuchse de mon père. Avec sa balle de presque trente grammes et sa double détente, c'était une des meilleures carabines de la Frontière, mais mon père la trouvait pénible à recharger à cheval. Mon frère y avait droit en priorité, sauf que le recul était visiblement trop violent pour sa constitution de poète. Elle faisait des dégâts du côté de la crosse comme de celui du canon, mais ça m'était égal. Sa balle traverserait même le plus vieux des anciens de la tribu d'Ephraïm, ou, si vous préférez, dégommerait un écureuil à presque n'importe quelle distance. Cette carabine m'allait très bien.

La Pedernales traçait son cours étroit, encaissé dans la roche, avec en général très peu d'eau : peut-être cent mètres de large sur un ou deux mètres de fond. Sur les berges se côtoyaient vieux cyprès et sycomores, et la rivière elle-même était pleine de bassins naturels, de cascades et de vasques ombragées grouillantes d'anguilles. Comme la plupart des cours d'eau texans, elle ne faisait guère l'affaire des bateliers, ce qui me semblait plutôt une bonne chose puisque ça nous épargnait leur présence.

Je récupérai des vers sur la rive, ramassai des noix de galle comme bouchons et m'installai au bord d'une vasque, à l'ombre d'un cyprès. Juste au-dessus de moi, sur la butte, se trouvait un énorme mûrier si chargé de fruits que même les ratons laveurs n'avaient pu tout manger. J'ôtai ma chemise et ramassai tout ce que je pouvais, dans l'idée de les rapporter à ma mère.

Je me mis à pêcher, bien qu'il me fût difficile de me détendre car je ne voyais pas la maison, loin au-dessus de moi sur le promontoire. Les Indiens empruntaient volontiers le lit des rivières et mon père avait pris nos seules armes à répétition. Mais ça n'était pas plus mal d'une certaine façon : ça m'obligeait à tout observer – l'eau miroitant par-dessus les pierres, les traces de moufette dans la boue, un héron dans une cuvette au loin. Un lynx fantomatique rôdait sous les saules pleureurs, persuadé d'être invisible.

Plus haut sur la berge se trouvait un bosquet de pacaniers ; un écureuil mordait dans les noix vertes avant de les laisser tomber au sol où elles allaient pourrir. Je me demandais pourquoi les écureuils gâchaient comme ça la moitié des noix avant qu'elles ne soient mûres. Je fus tenté de donner une leçon à celui-ci – le foie d'écureuil est un appât de premier choix : si le Créateur pêchait, il n'utiliserait que ça – mais je rechignais à sacrifier une balle de trente grammes pour cette bestiole. J'aurais dû prendre la Kentucky .36 de mon frère. Je me mis à grignoter les mûres, qui furent bientôt finies. De toute façon, ma mère préférait les mûrons. Les mûres, comme le thé de sassafras, elle trouvait ça vulgaire.

Je continuais à pêcher quand, une heure plus tard, un troupeau de dindons se présenta sur la berge opposée ; je visai un jeune volatile. J'étais à soixante-dix mètres mais il se trouva proprement décapité. C'est que, contrairement à mon frère, j'avais le droit de viser la tête. L'oiseau se mit à battre frénétiquement des ailes, comme pour s'envoler, sous un geyser de sang. Un tir d'anthologie.

Je calai ma canne à pêche sous une pierre puis, ayant essuyé le canon de ma carabine, soigneusement mesuré une dose de poudre, introduit une balle et amorcé, je traversai la rivière à gué pour aller chercher ma prise.

Près de l'endroit où le jeune dindon gisait dans un delta de sang, une pointe de lance violette émergeait du sable. Elle faisait une douzaine de centimètres et je passai un bon moment assis là, à l'examiner ; de sa base partaient deux cannelures que l'homme moderne serait encore bien en peine de reproduire. Le fait que les silex des environs aillent de blanc cassé à marron disait autre chose sur cette pointe : elle avait beaucoup voyagé.

Quand je revins à ma canne à pêche, le bouchon tirait vers l'aval et je vis qu'un gros poisson-chat avait mordu à mon hameçon : encore une chance sur un million. Je ferrai, persuadé de perdre ma prise, mais je la sortis de l'eau sans peine. Tout ça méritait réflexion. Assis là, je vis soudain quelque chose dans le ciel ; en regardant au-travers de mon poing, je m'aperçus que c'était Vénus – je voyais Vénus en plein jour. Un mauvais présage à coup sûr. Je ramassai le dindon, le poisson-chat et ma chemise maculée par les mûres, et rentrai à toutes jambes.

« Tu as fait vite, dit ma mère. Un seul poisson ? »

Je brandis le dindon.

« On s'est inquiétées quand on a entendu le coup de feu, dit ma sœur.

— Je ne crois pas que ce soit une bonne idée de s'éloigner de la maison.

« — Tu n'as rien à craindre des Indiens, dit ma mère. L'armée est partout.

— C'est pour Lizzie et toi que je m'inquiète, pas pour moi, dis-je.

— Oh, Eli, dit ma mère. Mon petit héros. » Elle semblait ne pas remarquer ma chemise toute tachée. Elle sentait le brandy qu'on réservait aux hôtes de marque, et ma sœur aussi. Il lui était monté à la tête et elle me pinça affectueusement la joue. J'étais fâché contre elle. J'eus envie de lui rappeler que Miles Wallace avait été kidnappé un mois plus tôt. Mais contrairement au petit Wallace, emporté par les Comanches pour être scalpé quelques kilomètres plus loin, je n'étais ni boiteux ni bigleux. Et puis ça me plaisait certainement de me faire enlever vu que les Comanches passaient leur temps à monter à cheval et à se battre.

Après avoir vérifié une nouvelle fois nos réserves de calepins et de balles, je grimpai à l'arbre ; de mon hamac, je voyais les berges de la rivière, la route et la campagne avoisinante. J'accrochai la Jaegerbuchse à un clou. J'avais bien espéré tirer quelque chose tout en me balançant – la vraie vie, quoi – mais je n'avais pas eu de succès jusque-là. À travers les cornouillers, près de la source, j'apercevais mon frère qui ramassait des mûrons. Le vent était calme ; c'était agréable d'être couché là, à respirer les effluves de la cuisine de ma mère. Mon frère avait bien sa carabine, mais posée loin de lui – une sale habitude. Mon père était strict là-dessus : si tu te donnes la peine de prendre une arme, donne-toi celle de la garder à portée de main.

Mais cet après-midi, mon frère était en veine, on ne vit pas d'Indien. Peu avant le coucher du soleil, je vis bouger dans les rochers au-dessus de l'eau, apparaissant et disparaissant entre les genévriers, ce qui se révéla être un loup. À cette distance, ça aurait aussi bien pu être un coyote, mais les loups courent la queue droite et fière, tandis que celle des coyotes tombe entre leurs pattes, tels des chiens à l'amende. Or cette bête-là avait la queue droite et le pelage gris clair, presque blanc. Comme les branches me gênaient, je descendis de l'arbre pour me glisser jusqu'au bord du promontoire et me caler confortablement, ma ligne de tir bien au-dessus du dos du loup. Il s'était immobilisé, museau en l'air, reniflant le fumet de notre repas. J'armai avec la première détente, ce qui réduisait le poids de la seconde à moins de trois cent cinquante grammes, et je fis partir le coup. Le loup se redressa d'un bond et tomba mort. Sur instruction de notre père, nous enveloppions nos balles de calepins en daim graissé : ça permettait de tirer bien plus loin et plus droit qu'avec les calepins de coton couramment utilisés sur la Frontière.

« Eli, c'est toi qui viens de tirer ? » C'était ma sœur.

« Ça n'était qu'un loup ! » criai-je en retour. J'envisageai de descendre récupérer la peau – un loup blanc, je n'en avais encore jamais vu –, mais la nuit tombante me fit renoncer.

Étant donné la quantité de nourriture en préparation, nous ne passâmes à table que tard dans la soirée. Autre luxe, nous allumâmes sept ou huit chandelles réparties dans la maison. Ma mère et ma sœur avaient passé la journée à cuisiner et les plats se succédaient. Nous savions tous que c'était une façon de punir mon père de nous avoir laissés seuls et s'être fait entraîner dans une poursuite inutile, mais personne ne dit rien.

Mon frère et moi buvions du babeurre froid, ma mère et ma sœur une bouteille de vin blanc que nous tenions des Allemands. Mon père la gardait pour une grande occasion. Le dîner commença par du pain blanc, du beurre et les dernières confitures de cerises, puis il y eut du jambon, des patates douces, du rôti de dinde, du poisson fourré à l'ail sauvage et frit dans le suif, des steaks frottés de sel et de piment et cuits directement sur la braise, les dernières morilles du printemps, également cuites au beurre, et une salade tiède de drageline et de baselle cuites, là encore, au beurre et à l'ail. Jamais de ma vie je n'avais mangé autant de beurre. Pour le dessert, il y avait deux tourtes, une aux mûrons et l'autre aux prunes, fruits ramassés plus tôt par mon frère. Ne restait plus dans le garde-manger que de la galette dure et du porc salé. S'il veut courir les prés avec Syphilis Poe, dit ma mère, il n'a qu'à manger ce que mange Syphilis Poe.

Je me sentais coupable, mais ça ne m'empêcha pas d'engloutir ma part. Ma mère, qui ne se sentait pas coupable du tout, aurait voulu plus de vin. Nous étions tous en train de nous assoupir.

Je rapportai l'os de jambon dans la réserve, puis m'assis pour regarder les étoiles. Je les avais baptisées moi-même – le chevreuil, le crotale, l'homme qui court – mais mon frère m'avait convaincu d'utiliser les noms donnés par Ptolémée, des noms absurdes. La constellation du Dragon ressemblait à un serpent, pas à un dragon ; et la Grande Ourse ressemblait à un homme qui court, je ne voyais d'ours nulle part. Mais mon frère ne pouvait tolérer autant de bon sens, et c'est ainsi que firent long feu mes tentatives de nommer les cieux.

Je rentrai les chevaux dans l'écurie, mis la barre à la porte de l'intérieur, puis sortis en grimpant par l'interstice sous les avant-toits. Il faudrait un sacré bout de temps à des Indiens, quels qu'ils soient, pour mettre la main sur nos chevaux. Lesquels semblaient calmes, ce qui était bon signe : ils flairaient les Indiens mieux que les chiens.

Le temps que je revienne dans la maison, ma mère et ma sœur s'étaient couchées dans le lit de mes parents et mon frère dans celui de ma sœur. Lui et moi dormions d'habitude dans l'autre pièce, mais je le laissai tranquille. Après avoir disposé ma carabine, mon sac de survie et mes bottes au pied du lit, je me glissai près de lui sous les couvertures.

Aux alentours de minuit, j'entendis nos chiens donner de la voix. J'avais de toute façon du mal à dormir, aussi je me levai pour regarder par la fenêtre, en espérant que ma mère et ma sœur ne verraient pas ce qui pointait sous ma chemise de nuit.

Ce que j'oubliai aussitôt. Une douzaine d'hommes se tenaient près de la barrière, d'autres dans l'ombre près de la route, et d'autres encore dans la cour. J'entendis un glapissement, puis je vis le plus petit de nos chiens, un roquet appelé Perdida, s'enfuir dans les fourrés. Elle était ramassée sur elle-même comme une biche blessée au ventre.

« Debout tout le monde, dis-je. Réveille-toi, M'man. Réveille les autres. »

La lune était haute, on y voyait comme en plein jour. Les Indiens conduisirent nos trois chevaux hors de la cour pour leur faire descendre la colline ; je me demandai comment ils avaient bien pu entrer dans l'écurie. Notre bouledogue suivait un brave comme si c'était son meilleur ami.

« Pousse-toi », dit mon frère.

Ma mère, ma sœur et lui s'étaient levés et se tenaient debout derrière moi.

« Il y a plein d'Indiens.

— Sûrement Joe le Coq et sa bande de Tonkawas », dit mon frère.

Je le laissai me pousser de côté et j'allai à la cheminée ranimer le feu pour qu'on ait de la lumière. Depuis que nous faisions partie des États-Unis, nous avions eu de bonnes années, côté Indiens. Le gros des troupes américaines étaient stationnées au Texas pour surveiller la Frontière. Où donc étaient-elles ? Il fallait que je charge les carabines – ah non, c'était déjà fait. Une chanson me vint en tête : *manche de bison et lame Barlow, le meilleur couteau d'ici à l'Ohio*. Je savais bien ce qui allait se passer : les Indiens frapperaient, nous refuserions d'ouvrir, ils essaieraient d'entrer tant que ça les amuserait, après quoi ils mettraient le feu à la maison et nous tireraient dessus dès que nous sortirions.

« Alors, Martin ? dit ma mère.

— Il a raison. Ils sont au moins une vingtaine.

— Alors ce sont des Blancs, dit ma sœur. Un gang de voleurs de chevaux.

— Non, ce sont bien des Indiens. »

Je pris ma carabine et m'assis dans un coin face à la porte. Tout n'était qu'ombres et rougeoiements. Je me demandai si j'irais en enfer. Mon frère faisait les cent pas, ma mère et ma sœur s'étaient assises sur le lit. Ma mère caressait les cheveux de ma sœur en disant : *chhh, Lizzie, chhh, tout ira bien*. Dans la pénombre, leurs yeux n'étaient plus que des orbites creuses, comme si les vautours s'en étaient déjà chargés. Je détournai le regard.

« Ta carabine a une cheminée, dis-je à mon frère. Pareil pour les pistolets. »

Il secoua la tête.

« Si on se défend, peut-être qu'ils se contenteront des chevaux. »

De toute évidence il n'était pas d'accord, mais il alla dans le coin chercher sa carabine à écureuils, tâtant la cheminée pour voir s'il y avait une amorce.

« Je l'ai amorcée, répétai-je.

— Peut-être qu'ils penseront qu'on n'est pas là », dit ma sœur. Elle chercha des yeux l'approbation de mon frère, mais il dit : « Ils voient bien qu'il y a du feu dans la maison, Lizzie. »

On entendait les Indiens remuer des choses dans l'atelier de ferronnerie de mon père et se parler à voix basse. Ma mère se leva, plaça une chaise devant la porte et monta dessus. Il y avait en hauteur une autre ouverture pour tirer ; elle retira la planche et approcha son visage : « Je n'en vois que sept.

— Ils sont au moins trente, lui dis-je.

— Papa va arriver, dit ma sœur. Il saura qu'ils sont là.

— Quand il verra les flammes, peut-être, dit mon frère.

— Ils approchent.

— Descends de là, M'man.

— Pas si fort », dit ma sœur.

Quelqu'un donna un coup de pied dans la porte et ma mère faillit tomber de son perchoir. *Salir, salir.* Ça tambourinait. La plupart des tribus sauvages, quand elles parlaient autre chose qu'indien, s'exprimaient en espagnol. Je me dis que la porte ne résisterait qu'à quelques balles et je fis signe à ma mère de descendre.

Tenemos hambre. Nos dan los alimentos.

« C'est complètement ridicule, dit mon frère. Qui va croire ça ? »

Il y eut un long moment de silence, puis ma mère nous regarda et dit de sa voix de maîtresse d'école : « Eli et Martin, posez vos armes par terre, s'il vous plaît. » Elle se mit à débarrer la porte d'entrée et je compris soudain que tout ce qu'on disait des femmes était vrai : elles n'ont aucun bon sens, on ne peut pas leur faire confiance.

« N'ouvre pas la porte, M'man.

— Empêche-la », dis-je à Martin. Mais il ne bougea pas. Tandis que la barre se soulevait, je calai ma carabine sur mon genou. Le feu blanc du clair de lune dardait par les fentes, mais ma mère ne le remarquait pas ; elle posa la barre de côté, comme pour accueillir un vieil ami, comme si elle s'était préparée à ce moment depuis notre naissance.

À croire les journaux, les mères de la Frontière gardaient leurs dernières balles pour leurs enfants, afin que les sauvages ne les emportent pas ; mais qui entendait jamais parler d'une mère passant vraiment à l'acte ? Dans la réalité, c'était le contraire. Nous savions tous que j'avais l'âge idéal : les Indiens me voudraient vivant. Quant à mon frère et à ma sœur, ils étaient peut-être un peu trop vieux, mais elle était jolie et lui faisait plus jeune. Ma mère, elle, avait presque quarante ans. Elle savait parfaitement ce qui l'attendait.

La porte s'ouvrit d'un coup et deux hommes se saisirent d'elle. Un troisième se tenait derrière, dans l'encadrement de la porte, plissant les yeux devant l'obscurité de la pièce.

Lorsque ma balle l'atteignit, il fit un grand moulinet d'un bras et tomba en arrière. Les deux autres sortirent à toutes jambes et je hurlai à mon frère de fermer la porte. Comme il ne bougeait pas, je courus la fermer moi-même, mais le cadavre gisait en travers du seuil ; je m'apprêtais à le saisir par les chevilles pour dégager l'entrée quand il me décocha un coup de pied sous la mâchoire.

Lorsque je revins à moi, des arbres se balançaient dans le clair de lune. Les détonations se succédaient. De chaque côté de l'entrée, des Indiens se penchaient pour tirer sur nous puis reculaient aussitôt à l'abri du mur. Ma sœur dit : *Martin, je crois qu'ils m'ont eue.* Mon frère était assis, immobile. Je me dis qu'il avait dû prendre une balle. Quand les Indiens firent une pause pour laisser la fumée de la poudre se dissiper, je lui arrachai sa carabine des mains et vérifiai que le percuteur était armé ; j'étais en train de la tourner vers les Indiens quand ma mère m'arrêta.

L'instant d'après, j'étais couché sur le ventre ; je crus d'abord que la maison s'était effondrée, mais c'était le poids d'un homme. Je l'agrippai à la gorge mais ma tête n'arrêtait pas de cogner le sol. Un instant plus tard encore j'étais dehors sous les arbres.

Je tentai de me lever, mais je pris un coup ; une nouvelle tentative, un nouveau coup. Je vis les pieds d'un homme, et puis le sol à côté d'eux, et puis ses jambes recouvertes de peau de daim. Je lui mordis le pied et pris un troisième coup, puis il me tira les cheveux à les déraciner. J'attendis la morsure de la lame.

J'ouvris les yeux sur un gros visage peau-rouge qui sentait l'oignon et les latrines mal tenues. M'ayant indiqué de son couteau que si je ne restais pas tranquille, il me couperait la tête, il me fouetta les mains avec une cordelette.

Quand il s'éloigna, je vis qu'il ne ressemblait à aucun des Indiens que j'avais croisés jusqu'ici. Les autochtones vivant parmi les Blancs étaient minces, de constitution légère, émaciés. Celui-ci était grand et charpenté, il avait une tête carrée et un gros nez ; il ressemblait plus à un nègre qu'à un pauvre Indien efflanqué, et il marchait en bombant le torse, comme si tout ce que nous possédions lui revenait de droit.

Il y avait quinze ou vingt chevaux devant notre portail, et autant d'Indiens appuyés contre la clôture, qui riaient et plaisantaient. Aucune trace de ma mère, mon frère ou ma sœur. Les Indiens étaient torse nu, couverts de peintures et de dessins, comme échappés d'un cirque ambulant. L'un d'eux s'était peint le visage en tête de mort ; un autre portait ce même motif sur la poitrine.

Quelques Indiens fouillaient la maison, d'autres les écuries et les dépendances, mais la plupart ne bougeaient pas de la barrière, regardant leurs amis travailler. Tous les Blancs que j'avais pu observer après une bataille restaient nerveux pendant des heures, marchant de long en large et parlant si vite qu'on les comprenait à peine. Mais les Indiens s'ennuyaient, bâillant comme au retour d'une promenade de santé. Sauf celui sur qui j'avais tiré, à présent assis par terre, adossé à la maison. Il avait du sang plein la poitrine et de la bave au coin de la bouche. Il s'était peut-être jeté de côté quand le marteau avait percuté l'amorce : la rumeur prêtait aux Indiens des réflexes de cerf. Ses amis me virent qui le fixais et l'un d'eux s'approcha de moi pour me dire *taibo nʉ wʉkupatʉʔi* avant de m'assommer.

Je fis un long rêve où je comparaissais devant un homme censé me juger pour mes péchés. C'était saint Pierre, sous les traits de notre maître d'école de Bastrop. De tous ses élèves j'étais celui qu'il aimait le moins. J'irais en enfer, c'était réglé.

Puis je vis presque tous les Indiens regarder quelque chose au sol : une jambe blanche pliée en l'air et, par-dessus, les fesses nues et les jambières en daim d'un guerrier. Je compris qu'il s'agissait de ma mère ; à la façon dont l'homme se mouvait et au tintement des grelots sur ses jambes, je compris aussi ce qu'il était en train de lui faire. Au bout d'un moment, il se leva et renoua son pagne, et un autre se précipita à sa place. Je venais de me mettre debout quand mes oreilles se mirent à sonner : le sol se rapprocha brutalement et je me dis que j'étais mort pour de bon.

Un peu plus tard, j'entendis à nouveau du bruit. Il y avait un second groupe d'Indiens un peu plus loin vers la barrière. Mais cette fois je reconnus dans les gémissements la voix de ma sœur. Elle était en train de subir le même traitement que ma mère.

Je finis par comprendre que je dormais. C'était un rêve. Ce fut agréable jusqu'à ce que je me réveille complètement au son de cris victorieux et constate que j'étais toujours dans la cour. Ma mère, nue, s'éloignait des Indiens en rampant ; elle avait atteint la galerie et tentait de rejoindre la porte. À l'intérieur, quelqu'un tapait comme un sourd sur le piano. Du dos de ma mère sortait quelque chose qui se balançait : une flèche.

Les Indiens devaient être déterminés à ce qu'elle ne rentrât pas dans la maison : ils lui décochèrent d'autres flèches. Elle continua pourtant à ramper. Puis l'un d'eux finit par aller jusqu'à elle pour poser le pied entre ses épaules et la plaquer au sol. Il rassembla ses longs cheveux comme s'il se préparait à les laver, puis les tira vers l'arrière d'une main et de l'autre sortit son couteau de boucher. Ma mère, qui n'avait pas émis le moindre son depuis que je m'étais réveillé, et ce malgré les flèches, se mit à hurler ; je vis alors un autre Indien aller vers elle avec la hache de mon père.

J'avais gémi et pleuré jusque-là, mais à ce moment précis, mes cris et mes larmes se tarirent pour de bon. Je ne regardai pas ; peut-être entendis-je un son, peut-être pas. Je tentai de repérer Martin et Lizzie. À l'endroit où j'avais vu ma sœur, je distinguai une petite tache blanche, puis une autre, et je compris que c'était elle, qu'elle gisait là où ils l'avaient laissée. Plus tard, quand ils nous emmenèrent, je vis un corps aux seins coupés, aux intestins éparpillés. Tout en sachant que c'était ma sœur, je ne pus la reconnaître.

On me traîna vers la barrière près de mon frère. Il pleurait, s'arrêtait, se remettait à pleurer. Mes yeux étaient secs. Je rassemblai mon courage pour regarder ma mère. Elle était sur le ventre, hérissée de flèches. Les Indiens entraient et sortaient de la maison. Mon frère, assis là, regardait. J'eus un haut-le-cœur et me mis à vomir, après quoi il me dit : «J'ai cru que tu étais mort. Je t'ai observé longtemps.»

C'était comme si on m'avait planté un coin entre les yeux.

«J'espérais que Papa arriverait, mais je crois maintenant que le temps que l'alerte soit donnée, on sera à des kilomètres.»

Un jeune Indien nous vit parler et nous menaça de son couteau si nous ne nous taisions pas. Une fois qu'il se fut éloigné, Martin dit : «Lizzie a été touchée au ventre.»

Je savais où il allait en venir et je le revis, immobile tandis que notre mère débarrait la porte, immobile quand je tentais de dégager le seuil du corps de l'Indien, immobile avec une carabine chargée alors que des Indiens tiraient dans la maison. Mais j'avais trop mal à la tête pour dire quoi que ce soit. Des point reparurent devant mes yeux.

«Tu as vu ce qu'ils lui ont fait, et à M'man aussi ?
— Un peu.»

Les Comanches continuaient à entrer et sortir de la maison, emportant ce qu'ils voulaient, jetant le reste en tas dans la cour. Quelqu'un s'attaqua au piano à la hache. J'aurais voulu qu'ils nous tuent, j'aurais voulu m'évanouir de nouveau. Mon frère ne quittait pas ma sœur des yeux. Les Indiens transportaient des piles de livres dont je crus qu'ils comptaient les brûler mais qu'ils rangèrent en fait dans leurs *bolsas* : les pages serviraient plus tard à bourrer leurs boucliers, faits de deux épaisses couches de cuir taillées dans le garrot d'un bison. Une fois bourrés de papier, ces boucliers arrêtaient presque toutes les balles.

Les Indiens tirèrent les matelas dehors et les éventrèrent. Les plumes volèrent dans le vent puis recouvrirent le sol de la cour, comme de la neige. Et ma mère au milieu. Sous les plumes. Les fourmis nous avaient trouvés, mon frère et moi, mais c'est à peine si nous y prenions garde ; Martin ne quittait pas ma sœur des yeux.

« Tu devrais arrêter de la regarder.

— Je ne veux pas. »

Quand je me réveillai, il faisait chaud. Les Indiens avaient mis le feu au tas des choses dont ils ne voulaient pas, des meubles brisés pour l'essentiel. Je sentais la morsure des feuilles épineuses d'un mahonia. Le feu s'intensifia. Aux ombres, je repérai là où gisaient les cadavres de nos chiens. Je me demandai si les Indiens comptaient nous jeter sur le bûcher ; ils attachaient parfois les gens aux roues des chariots avant d'y mettre le feu, c'était bien connu. Je m'observais par au-dessus, comme on regarde un soldat de plomb. Avec intérêt pour les actions que j'entreprendrais peut-être, mais sans affect.

« J'arrive déjà un peu à remuer les mains, dis-je à mon frère.

— Pour quoi faire ?

— Il faut qu'on soit prêts. »

Il ne dit rien. Nous regardâmes le feu.

« Tu as soif ?

— Évidemment, j'ai soif », dit-il.

Le feu continua à s'étendre ; la mousse des branches au-dessus de nous commençait à prendre et l'écorce à fumer. Les braises de ce qui nous avait appartenu venaient nous roussir le visage et les cheveux ; je regardais les flammèches s'envoler. Quand je revins à mon frère, il était couvert de cendres, comme s'il était mort depuis longtemps, et me revint l'expression de ma mère et de ma sœur, assises l'une contre l'autre sur le lit.

Les Indiens sortirent les outils de mon père pour les examiner à la lumière du feu et je décidai de mémoriser tout ce qu'ils emporteraient : des fers à cheval, des marteaux, des clous, des cerclages de tonneaux, la scie à bûches, la hache et le merlin, la plane à écorcer, une herminette et un départoire, et puis toute la sellerie – les brides, les selles, les étriers et le reste – et la Kentucky de mon frère. Ils décidèrent que ma Jaegerbuchse était trop lourde et la fracassèrent contre le mur. Ils prirent tout ce que nous avions de couteaux, limes, poinçons et alênes, mèches et autres forets, balles de plomb, moules à balles, barils de poudre, amorces, et une corde en crin de cheval qui pendait dans le passage. Nos trois vaches laitières, entendant le vacarme, étaient montées jusqu'à la maison pour qu'on les nourrisse ; les Indiens les abattirent à coups de flèches. Ils étaient d'excellente humeur. Ils retirèrent du brasier des bûches en feu et les portèrent dans la maison. Les hommes attachaient leurs ballots, vérifiaient leurs sangles, se préparaient à partir. De la fumée sortait déjà de la porte et des fenêtres quand on me délia les mains et qu'on me mit debout.

Nos vêtements furent jetés dans le feu avec le reste avant qu'on nous conduise, nus, jusqu'au champ de l'autre côté de la route. Il y avait là tout un troupeau de chevaux de rechange, une *remuda*, dans un mélange de chevaux indiens et de chevaux américains, plus grands. Les Indiens nous ignoraient et ne parlaient qu'entre eux : des *ums* et des *ughs*, des grognements – même pas une langue, encore que ça sonnât parfois comme de l'espagnol, et puis ce mot, *taibo*, qui revenait souvent quand ils s'adressaient à nous : *taibo* ceci, *taibo* cela. Nous étions pieds nus, il faisait sombre ; j'essayais d'éviter les figuiers de Barbarie et les sabots des chevaux qui piaffaient et remuaient. Je me sentais mieux maintenant qu'au moins il se passait quelque chose. Puis je me souvins que ça ne rimait à rien.

On nous souleva pour nous mettre à cheval, les jambes attachées au dos nu de l'animal, les mains liées devant nous. Ça aurait pu être pire : parfois les Indiens se contentaient de vous ligoter comme un sac de farine. Mon cheval trépignait ; il n'aimait pas mon odeur.

Les autres piaffaient et s'ébrouaient tandis que les Indiens s'interpellaient d'un bout à l'autre du champ ; mon frère fondit en larmes et le voir pleurer comme ça devant eux me rendit furieux. Et puis voilà que soudain moi aussi je pleurais comme un veau. On partit au trot à travers les pâturages du bas – trois mois d'arrachage de souches – et je reconnus un bosquet de noyers dont j'avais tiré des planches. Je pensai aux hommes qui nous avaient chassés de Bastrop en traitant ma mère de négresse et en contestant nos titres de propriété. Une fois que j'aurais tué tous les Indiens, je retournerais là-bas tuer tous les nouveaux colons ; je brûlerais la ville pour qu'il n'en reste rien. Où donc était mon père ? J'aurais voulu le voir arriver. Puis je m'en voulus de cette pensée.

Le pas avait accéléré et les hautes graminées nous fouettaient les jambes. Nous formions désormais une longue colonne et je regardais les Indiens disparaître dans les bois devant moi, jusqu'à ce que mon cheval plonge à son tour dans l'obscurité.

Ayant traversé Grape Creek au seul endroit où l'on pouvait passer à gué, on prit au milieu des marécages un chemin dont je ne soupçonnais même pas l'existence pour déboucher au galop au pied de Cedar Mountain. Le bétail familial n'était plus que points blancs à flanc de coteau. Nous avancions sur une longue plaine entourée de collines, nous enfonçant sous les arbres pour en ressortir plus loin, passant des ténèbres au clair de lune puis de nouveau aux ténèbres ; les Indiens faisaient confiance aux yeux des chevaux et ceux-ci chassaient devant nous tous les animaux de la forêt. Je cherchai mon frère. Derrière moi les cavaliers surgissaient des arbres comme s'ils naissaient de l'obscurité même.

Malgré le noir et l'irrégularité du sol, mon cheval n'avait pas trébuché et ne manquait pas de souffle. Nous approchions de Packsaddle Mountain. Après, nous serions pour moi en territoire inconnu. Je pouvais faire demi-tour, direction les bois, mais j'avais peu de chances de m'en sortir et puis, seul, mon frère n'en avait aucune. Plus haut sur le coteau blanc, j'aperçus la horde de mustangs que j'avais espéré attraper et dompter. Ils nous regardèrent passer.

Deux heures plus tard, on changea de monture. Mes jambes et mes fesses étaient déjà à vif et les branches m'avaient fouetté le visage, la poitrine et les bras. Mon frère était dans un état pire encore, son corps entier couvert d'une croûte de sang et de poussière. On remonta à cheval pour repartir au même rythme impitoyable. Plus tard on aborda un cours d'eau qui ne pouvait être que le Llano. Il semblait impossible que nous soyons déjà si loin.

« C'est ce que je crois ? » dit mon frère.

Je hochai la tête.

Nous attendions que les chevaux traversent dans le noir.

« On est foutus, dit-il. C'est une journée entière à cheval. »

Un peu plus tard on arriva à un autre cours d'eau, sans doute le Colorado, après quoi on s'arrêta pour changer de monture une nouvelle fois. À l'odeur, je compris que mon frère avait fait sous lui. Quand on me fit descendre à terre, je m'accroupis au milieu des chevaux qui trépignaient, les mains toujours attachées, trempé de sueur. J'avais des crampes plein les jambes et c'est tout juste si je parvins à garder l'équilibre. On me frappa, mais je ne voulais pas chevaucher assis dans ma merde : je finis donc mes besoins. Puis on me releva en me tirant par les cheveux pour me hisser sur un autre cheval indien. Les Comanches ne faisaient pas confiance aux chevaux dressés par des Blancs.

Peu après les premières lueurs de l'aube, on fit une pause pour changer de cheval une troisième fois, sauf qu'au lieu de remonter aussitôt, on patienta au bord d'un cours d'eau. On se trouvait au fond d'un grand canyon et je supposai qu'il s'agissait toujours du même cours d'eau, encore que même l'armée ne s'enfonçât pas si loin. Le soleil n'était pas encore levé, mais il faisait assez jour pour distinguer les couleurs. Les Indiens attendaient quelque chose. Ils buvaient à la rivière, s'adossaient ici ou là, s'étiraient et arrangeaient encore et encore le contenu de leurs sacoches. C'était la première fois que je les voyais en pleine lumière.

Ils étaient équipés d'arcs, de carquois, de lances, de mousquets à canon court, de haches de guerre et de grands couteaux. Ils avaient des flèches et des soleils rayonnants peints sur le visage et leur peau était totalement lisse, sans barbe ni sourcils. Tous étaient coiffés comme de jeunes Hollandaises, le visage encadré de deux longues nattes où ils avaient ajouté des lamelles de cuivre et d'argent, et des perles colorées.

« Je sais ce que tu penses, dit mon frère.

— On dirait une bande de travestis, répondis-je sans grande conviction.

— On dirait plutôt des comédiens sur scène. » Il ajouta : « Ne nous attire pas d'ennuis supplémentaires. »

C'est alors qu'un Indien râblé vint nous séparer avec sa lance. Il avait dans le dos une trace de sang séché laissée par une main et une longue tache sur le devant de sa jambière. Ce que j'avais pris pour des peaux de veau attachées à sa ceinture se révélèrent être des scalps. Mon regard remonta le fleuve.

Devant nous se dressait un promontoire ; derrière nous les Indiens veillaient à ce que tous les chevaux puissent paître à leur tour au bord de l'eau. Après discussion, la plupart des Comanches se dirigèrent à pied vers le promontoire. L'un d'eux menait un cheval portant le corps de l'homme sur qui j'avais tiré. Je ne savais pas qu'il était mort ; j'en fus comme glacé. Mon frère fit quelques pas dans le fleuve et les deux Indiens qui nous gardaient armèrent leurs arcs, mais quand je rouvris les yeux, je le retrouvai sain et sauf, en train de s'asperger d'eau – il était couvert d'excréments. Les Indiens le regardaient : son corps maigre, pâle et tremblant, sa poitrine creuse de trop de lecture.

Une fois propre, il vint se rasseoir près de moi.

«J'espère que ça valait le coup de risquer la mort juste pour te torcher le cul», dis-je.

Il me tapota la jambe. «Je veux que tu saches ce qui s'est passé cette nuit.»

Je ne voulais pas en savoir plus que ce je savais déjà, mais je ne pouvais pas le lui dire, aussi je me tus.

«M'man n'avait aucune chance de s'en sortir, mais je ne crois pas qu'ils avaient l'intention de tuer Lizzie. Quand ils ont vu qu'elle était blessée, ils lui ont enlevé sa chemise et ils ont examiné sa blessure attentivement ; ils ont même bricolé une torche pour qu'un vieil Indien puisse donner son avis. Ils ont dû conclure que c'était grave parce que après s'être éloignés un moment pour en discuter, ils sont revenus

vers elle, ils ont fini de la déshabiller et ils l'ont violée.»
Il regarda en amont, là où les Indiens grimpaient vers
le haut du canyon. «Lizzie Lizzie Lizzie.

— Elle est mieux là où elle est.»

Il haussa les épaules. «Elle n'est nulle part.

— Il y a encore Papa», dis-je.

Il eut un petit rire étranglé. «Quand Papa saura
ce qui s'est passé, il filera droit chez sa maîtresse
à Austin.

— C'est mesquin, ça. Même venant de toi.

— Les gens ne racontent pas partout un truc qui
n'est pas vrai, Eli. Encore une chose que tu vas devoir
apprendre.»

Les gardes se retournèrent vers nous. Si seulement
ils nous avaient ordonné de nous taire. Mais voilà que
ça leur était égal.

«M'man savait qu'elle pouvait te sauver», dit-il.
Puis il haussa les épaules. «Lizzie et moi... je ne sais
pas. Mais toi c'est autre chose.»

Je fis semblant de ne pas comprendre et regardai
autour de nous. Le canyon s'élevait à plus de cent
mètres. Des herbes-à-ours et des mahonias débordaient des crevasses et un vieux genévrier noueux
sortait de la paroi; on aurait dit un tuyau de poêle, un
aigle y avait fait son nid. En amont, des cyprès expo-
saient leurs racines cagneuses. Cinq cents ans ne leur
étaient rien.

Au moment où le soleil éclairait le haut du canyon,
on entendit une mélopée et des lamentations. Il y eut
un coup de feu, puis le cortège funèbre redescendit
en file indienne vers le fleuve. Quand ils nous eurent

rejoints, ils nous jetèrent au sol et nous frappèrent jusqu'à ce que mon frère se refasse dessus.

« C'est plus fort que moi, dit-il.

— T'inquiète pas.

— Si, je m'inquiète. »

Certains Indiens estimaient qu'on devait nous mener à la tombe et nous abattre, comme le cheval du défunt, mais celui qui dirigeait le raid, celui qui m'avait tiré hors de la maison, celui-ci était contre. *Nabituku tekwaniwapi Toshaway*, disaient-ils. Mon frère commençait déjà à comprendre un peu le comanche : Toshaway était le nom du chef. Il y eut des attaques, des propositions, des contre-propositions, mais Toshaway ne céda pas. Il me surprit qui l'observais mais il ne marqua pas plus de réaction que si j'avais été un chien.

Mon frère prit l'air philosophe : je devins nerveux.

« Tu sais, dit-il, tout ce temps j'ai espéré qu'une fois le soleil levé ils nous verraient et comprendraient qu'ils s'étaient trompés, que nous étions des êtres humains, comme eux, ou en tout cas des êtres humains. Mais maintenant j'espère tout le contraire. »

Je restai silencieux.

« Ce que je veux dire, c'est que cette humanité commune dont j'espérais qu'elle nous sauverait est peut-être justement ce qui va nous perdre. Parce que, bien sûr, nous n'avons aucune prise sur notre destinée. Et, au final, eux non plus. Et c'est peut-être pour ça qu'ils nous tueront. Pour effacer, au moins temporairement, leur propre reflet.

— Arrête, dis-je, tais-toi.

— Ils s'en fichent. Ils se fichent bien de ce qu'on peut dire. »

Je savais qu'il avait raison, mais c'est alors que le débat prit fin : les Indiens partisans de notre mort se mirent à nous donner des coups de pied.

Quand ils cessèrent, mon frère gisait dans une flaque d'eau parmi les pierres, tête de côté, regard vers le ciel. Du sang me coulait dans la gorge et je vomis dans le fleuve. Les rochers flottaient autour de moi. Je me dis que du moment qu'ils nous tuaient ensemble, ça m'allait. Je vis un loup me regarder depuis une saillie en hauteur, mais le temps de cligner les yeux, il avait disparu. Je repensai au loup blanc que j'avais tué, à la malchance que ça portait, et puis je pensai à ma mère et ma sœur, et me demandai si les animaux les avaient trouvées. Je me mis à pleurer comme un veau et je pris une gifle.

Martin avait l'air d'avoir perdu dix kilos ; il saignait des genoux, des coudes, du menton, il était couvert de poussière et de sable. Les Indiens étaient en train de seller des chevaux frais. Comme j'avais faim, je profitai d'être encore à terre pour me remplir l'estomac d'eau.

« Tu devrais boire », dis-je à mon frère.

Il secoua la tête et resta couché là, les mains en cache-sexe. Les Indiens nous mirent brutalement sur pied.

« La prochaine fois, dis-je.

— J'étais en train de savourer le fait de ne pas avoir à me relever quand j'ai réalisé qu'ils ne m'avaient pas tué. Ça me contrarie.

— Ce ne serait pas mieux. »

Il haussa les épaules.

On continua à chevaucher à un rythme soutenu ; si les Indiens étaient fatigués, ils n'en montraient rien, et s'ils avaient faim, ils n'en montraient rien non plus. Ils étaient sur leurs gardes, mais pas nerveux. De temps à autre j'apercevais la *remuda* tout entière qui s'étirait derrière nous dans le canyon. Mon frère n'arrêtait pas de parler.

« Tu sais, j'ai bien regardé Maman et Lizzie. Je m'étais toujours demandé où se trouvait l'âme, peut-être près du cœur, ou bien le long des os ; je m'étais figuré qu'il faudrait percer la chair pour la voir. Mais leur chair a été percée encore et encore et je n'ai rien vu sortir. J'aurais vu, j'en suis sûr. »

Je fis mine de n'avoir rien entendu.

Un peu plus tard, il dit : « Tu imagines des Blancs, même s'ils étaient mille, traverser aussi tranquillement des territoires indiens ?

— Non.

— C'est drôle, parce que tout le monde les traite de sauvages et de diables rouges, mais maintenant que je les ai vus de près, je crois que c'est tout le contraire. Ils se comportent comme des dieux. Enfin, je devrais dire comme des héros ou des demi-dieux, parce que tu as contribué à démontrer, ce que d'ailleurs il faudra bien payer, que ces Indiens sont tout de même mortels.

— S'il te plaît, tais-toi.

— Ça fait réfléchir à la question noire, hein ? »

À midi, on déboucha du canyon dans une grande prairie, pleine d'asters et de primevères, de véroniques et de coquelicots. Des passereaux s'enfuirent dans les broussailles. La prairie s'étendait à perte de vue ; il y avait des troupeaux d'antilopes et de chevreuils et quelques bisons égarés au lointain. Les Indiens ralentirent pour observer les alentours, puis on repartit de plus belle.

Rien ne nous protégeait du soleil ; l'après-midi venu, je sentais l'odeur de brûlé de ma propre peau et m'assoupissais sans cesse. Nous poursuivions notre chemin, tantôt dans les herbes hautes, tantôt sur des passages calcaires, parfois brièvement à l'ombre quand on longeait des ruisseaux – sans jamais s'arrêter pour boire – mais sinon toujours en plein soleil.

Puis les Comanches firent halte. Après quelques palabres, on nous ramena, mon frère et moi, à un cours d'eau que nous venions de traverser. Là, on nous fit descendre de cheval sans ménagement et on nous attacha dos à dos, avant de nous laisser à l'ombre à la garde d'un adolescent.

« Des Rangers ?

— Il n'a pas l'air inquiet, l'autre, là », dit mon frère.

Nous regardions dans des directions opposées ; c'était étrange de ne pas voir son visage.

« Peut-être que c'est Papa et les autres ? risquai-je.

— Je crois qu'ils seraient plutôt derrière nous. »

Je finis par accepter le fait qu'il avait sans doute raison. J'appelai le jeune Indien. Des grappes de raisins pendaient tout le long du ruisseau.

Il secoua la tête : *ista aitʉ*. Puis il ajouta : *itsa keta kwasʉpʉ*, et comme il n'était toujours pas sûr que j'aie compris, il reprit en espagnol : *no en sazón*.

« Il dit qu'ils ne sont pas mûrs.

— Ça, je le sais bien. »

J'en voulais quand même : j'avais tellement faim que ça m'était égal. L'Indien coupa une tige et la laissa tomber sur mes genoux avant de se rincer la main dans le ruisseau. Le raisin était si âpre que j'en vomis presque. Je me dis que ça ferait tomber ma fièvre. Mes lèvres me démangeaient.

«C'est bon, dis-je.

— Pour tanner des peaux, peut-être.

— Tu devrais manger.

— Tu délires.»

J'en repris. J'eus l'impression d'avoir avalé de l'eau bouillante.

«Glisse jusqu'au ruisseau et penche-toi», dis-je. Il s'exécuta. Aussi brûlé que moi par le soleil, mon frère abandonna sa tête dans l'eau mais je sentais bien qu'il ne buvait pas. Pour un peu j'en aurais chialé; je continuai plutôt à boire. Le jeune Indien, debout sur un rocher, nous observait. On se redressa. J'avais l'impression que ma fièvre baissait et je pouvais me dégourdir les jambes.

«Comment tu t'appelles? demandai-je à notre garde. *Cómo te llamas?*»

Il resta longtemps silencieux avant de répondre: «Nuukaru.» Un regard nerveux alentour, puis il s'éloigna, comme s'il venait de révéler un secret. Quand je l'aperçus de nouveau, il était en amont, couché sur le ventre, en train de boire à grandes goulées. C'était la première fois que je voyais un de ces Indiens manger ou boire au-delà de quelques gorgées. Quand il se redressa, il remit ses nattes en place et vérifia ses peintures.

«Je me demande s'ils sont pédérastes, dit mon frère.

— Quelque chose me dit que c'est peu probable.

— Les Spartiates l'étaient, tu sais.

— C'est qui, les Spartiates?»

J'allais rajouter quelque chose quand on entendit une rafale de coups de feu dans le lointain. Il y eut une salve en retour, un peu moins fournie, suivie de la lente pétarade d'un pistolet isolé. Puis le silence. Je savais qu'il ne restait plus que les flèches des Comanches. Je me demandai qui avait eu la malchance de croiser leur route.

Un autre jeune Indien dévala les rochers ; on nous rattacha sur nos chevaux et on quitta le lit du ruisseau. Ma fièvre était tombée et le soleil ne me dérangeait plus. On traversa un plateau caillouteux avant de descendre dans une prairie où on ne voyait presque que des pieds-d'alouette et des mauve-pavots. Au milieu passait une piste de terre rouge : ça faisait un beau tableau avec le ciel bleu parsemé de nuages blanc vif et les fleurs sauvages partout.

Les Indiens se pressaient autour de deux chariots de marchandises tirés par des bœufs. Bien plus loin, un troisième était renversé dans les hautes herbes, derrière un couple de mulets perplexes. Quelqu'un hurlait.

«Je ne veux pas voir ça», dit Martin.

Une tache blanche au bord de la piste attira mon regard : c'était un petit garçon blond en chemise empesée. Il avait une flèche plantée dans l'œil ; un gros pic à tête rouge s'acharnait sur une branche au-dessus de sa tête.

Devant, sur la route, du sang gouttait des chariots, comme si on leur en avait jeté dessus un plein seau. Quatre ou cinq Texans gisaient étalés sur la terre rouge et un autre était recroquevillé comme un bébé à l'arrière d'une des carrioles. Un peu plus loin dans l'herbe et les pieds-d'alouette, deux Indiens s'occupaient du dernier charretier : il criait d'une voix suraiguë et les Indiens l'imitaient.

À part eux, tous les autres s'activaient. Les mulets, libérés, restèrent immobiles, tête baissée, comme s'ils se sentaient coupables. Un cheval tacheté gisait mort dans le fossé, l'encolure pleine de sang, tandis que son propriétaire essayait de dégager la selle. Un autre cheval indien, un rouan magnifique, tenait debout malgré un trou dans le poitrail d'où sortait une mousse rose. Le Comanche ôta la selle, la couverture et la bride, déposa soigneusement le tout sur la route, puis enlaça le cou du rouan et, tout en l'embrassant, l'abattit d'une balle derrière l'oreille.

Les chariots furent intégralement vidés, y compris de deux autres cadavres qui m'avaient échappé. Il faisait chaud et la poussière retombait sur les fleurs. On fouilla les poches des morts, ceux qui n'avaient pas été scalpés le furent ; le dernier charretier s'était tu. Un Indien reçut un cataplasme : un cladode de cactus coupé en deux et maintenu en place par un morceau de tissu. La plupart des boucliers de cuir portaient de nouvelles traces de balles et un grand brave qui avait du sang karankawa essuyait sa lance dans l'herbe. D'autres passaient en revue la cargaison, des sacs de farine pour l'essentiel, qu'ils éventraient et abandonnaient sur la route. Un tonnelet de bière fut brisé au tomahawk, mais d'autres, moins gros et remplis de poudre, rejoignirent les paquetages sur les chevaux, tout comme nombre de petites caisses qui, vu leur poids, devaient contenir du plomb. Les Indiens prirent aussi des couteaux, des couvertures, des carottes de tabac, des moules à balles, deux haches et une scie,

du calicot et quelques pistolets à répétition. Ils véri-
fièrent les percuteurs et les ressorts principaux des
autres armes et gardèrent celles qui étaient encore en
état. Un scalp fit brièvement débat. Ayant découvert
deux tourtes aux prunes, ils se les partagèrent de leurs
couteaux sanglants.

Les jeunes Comanches passaient les alentours au
peigne fin pour récupérer des flèches égarées, et les
mulets rejoignirent le troupeau de chevaux. On fit
quelques tours rapides pour s'assurer que rien ni
personne n'avait été oublié, ce qui permit de récupérer un morceau de tissu intéressant, puis vint le
temps de recharger carabines et carquois, de resserrer sangles et nœuds, et de se rincer la bouche.
Les bœufs émirent une dernière protestation tandis
qu'on les égorgeait. À ce stade, le reste du sang sur
la route avait déjà viré au noir et la poussière avait
recouvert les corps. On aurait dit qu'ils avaient toujours été là.

Les Indiens se séparèrent en trois groupes et laissèrent quantité de traces allant vers la civilisation, à
l'opposé de la direction que nous prenions réellement.
La bonne humeur était générale. L'un des braves vint
me flanquer sur la tête un scalp frais, filasse grise et
pendante ; un autre me vissa par-dessus un chapeau
sanglant, ce que tous trouvèrent hilarant. On continua vers le nord-ouest, dans la prairie que rehaussaient
ici et là des bosquets de chênes, et puis des buissons
de mesquite aux feuilles papillonnantes et des yuccas
en fleur, tachetés de blanc.

Après quelques heures, le brave décida qu'il ne
voulait pas souiller son trophée davantage ; il l'ôta

de mon crâne pour se l'attacher à la taille et envoya voler dans les buissons le chapeau du mort. L'un comme l'autre m'avaient protégé du soleil, aussi je demandai à récupérer le chapeau, en vain. Les autres groupes nous avaient rejoints.

Quand on changea à nouveau de montures, les Indiens firent circuler de la viande séchée prise aux charretiers. Ils nous en offrirent quelques bouchées, à mon frère et moi. Il faisait toujours chaud mais les Indiens ne tenaient visiblement pas à boire, et quand l'un d'eux me proposa du tabac, j'avais tellement soif que je dus refuser. Personne n'en proposa à mon frère. Il se tenait là, jambes écartées, l'air malheureux.

Lorsque enfin le soleil se coucha, j'avais la bouche si sèche qu'il me semblait que j'allais m'étouffer. Je me dis qu'il faudrait ramasser un petit caillou pour le sucer et me mis à rêver de la source à côté de la maison : je m'imaginai m'y asseoir et laisser l'eau couler tandis que je regarderais au loin, au-delà de la rivière. Je me sentis mieux.

La nuit était tombée lorsqu'on fit halte devant une cuvette bourbeuse. Retenant les chevaux, les Indiens arrachèrent des herbes pour les entasser sur la boue et burent deux gorgées chacun. Je plongeai la tête dans la vase pour boire tout mon saoul et mon frère fit de même. L'eau avait un goût de grenouille et sentait les animaux qui avaient dû s'y vautrer, mais ça nous était bien égal. Une fois sa soif étanchée, mon frère se mit à pleurer ; les Indiens lui rouèrent le ventre de coups de pied et lui mirent le couteau sous la gorge. *Wɯyupaʔnitɯ*, chut. *Nihpɯ ʔaitɯ*, tais-toi.

Ils préparaient quelque chose. Ils changèrent de monture mais on nous garda à l'arrière avec le troupeau.

« Je dirais qu'on a fait à peu près cent cinquante kilomètres. On doit être juste en dessous de la San Saba.

— Tu crois qu'ils me laisseraient boire encore ?

— Bien sûr. »

Il replongea le visage dans l'eau trouble. J'essayai aussi mais je trouvai cette fois l'odeur insoutenable. Mon frère buvait et buvait encore. Rien que d'être assis par terre, j'avais mal à présent. Je me demandai combien de temps je mettrais à cicatriser ; des semaines, peut-être. On se blottit tant bien que mal l'un contre l'autre. Une sale odeur m'informa que mon frère s'était chié dessus.

« Je ne peux pas me retenir.

— C'est pas grave.

— À quoi bon tout ça.

— Il faut pas lâcher, c'est tout. C'est pas si dur quand on y pense.

— Et après ? Qu'est-ce qu'il va se passer quand on arrivera là où ils nous emmènent ? »

Je restai coi.

« Je ne veux pas avoir à le découvrir, dit-il.

— Pense à John Tanner. Et à Charles Johnston. Même toi tu les as lus, leurs livres.

— Je ne suis pas du genre à survivre en mangeant des écorces et des groseilles à maquereau.

— Tu vas devenir une légende. J'irai te voir à Boston et je dirai à ton ami Mr Emerson que tu es un homme, un vrai, et pas juste un pédé de poète. »

Il ne réagit pas.

« Tu pourrais faire un effort, lui dis-je. Tu risques nos scalps chaque fois que tu les énerves.

— Je fais ce que je peux.

— Ça, c'est pas vrai.

— Ravi que tu saches mieux que moi. »

Il se remit à pleurer. Peu après il ronflait. J'étais furieux : il faisait son paresseux, voilà tout. Nous n'avions pas moins à manger et nous ne chevauchions pas plus dur que les Indiens eux-mêmes ; nous avions même bu beaucoup plus qu'eux et qui sait depuis combien de temps ils étaient soumis à ce régime ? Il y avait une logique, mais mon frère ne la voyait pas. Si quelqu'un l'a fait, vous pouvez le faire aussi : c'est ce que nous disait notre père.

Des gifles nous réveillèrent. Il faisait encore nuit ; on nous rattacha à notre cheval. Une lumière vive brillait dans le lointain, je savais que c'était une ferme en feu. Je n'aurais pas pensé que des Blancs se fussent installés aussi loin, mais la terre était riche et je comprenais qu'ils aient tenté leur chance. Quelques braves s'approchèrent, visiblement satisfaits que les plus jeunes nous aient remis à cheval.

Dans l'obscurité, on vit une douzaine de bêtes rejoindre la *remuda*. Il y avait deux nouveaux prisonniers dont les larmes nous dirent que c'étaient des prisonnières et leurs paroles que c'étaient des Allemandes – ou des Prussiennes comme on disait alors.

On parcourut encore soixante-dix bons kilomètres en changeant de chevaux deux fois avant le lever du soleil. Les Allemandes n'avaient cessé de pleurer toute la nuit. Quand il fit suffisamment jour, on gravit une mesa en suivant une longue boucle, jusqu'à déboucher sur le plateau et pouvoir surveiller la queue de la colonne. Le paysage s'était ouvert : de grandes mesas, d'autres plus petites, et puis une vue dégagée jusqu'à l'horizon.

Les Allemandes étaient aussi nues que nous. L'une devait avoir dix-sept ou dix-huit ans, l'autre un peu plus. Même couvertes de sang et de saleté, elles étaient de toute évidence à l'apogée de leurs charmes féminins. Plus je les regardais, plus je me mis à les haïr ; j'espérais que les Indiens prolongeraient leur humiliation et que je pourrais regarder.

Mon frère dit : «Je déteste ces Prussiennes, j'espère que les Indiens vont les baiser par tous les trous.

— Moi aussi.

— Pourtant tu as l'air de tenir le coup.

— Parce que je ne tombe pas de mon cheval.»
Il avait fallu s'arrêter deux fois au cours de la nuit pour resserrer les liens qui tenaient mon frère.

«Je voulais me prendre un sabot dans la tête, mais je n'ai pas eu de chance.

— M'man serait sûrement ravie d'entendre ça.

— Tu vas faire un bon petit Indien, Eli. Je regrette de rater ça.»

Je me tus.

«Si je n'ai pas tiré, tu sais, c'est parce que je ne voulais pas qu'ils fassent de mal à Maman et Lizzie.

— Tu étais tétanisé.

— Maman, ils l'auraient tuée de toute façon, c'est sûr, mais ils auraient emmené Lizzie avec nous. C'est uniquement parce qu'elle a pris une balle que...

— La ferme.

— Tu n'as pas eu à voir ce qu'ils lui faisaient, toi. »

À l'observer, c'était bien lui, avec ses yeux toujours plissés et ses lèvres fines, mais on aurait dit quelqu'un que j'aurais connu dans une autre vie.

Plus tard il me demanda pardon.

Les Indiens firent circuler un peu de viande séchée. Une des Allemandes me demanda où je croyais qu'ils nous emmenaient ; je fis semblant de ne pas comprendre. Elle ne se risqua pas à parler à Martin.

Le jour suivant, l'horizon s'élargit encore. Nous étions dans un canyon de quinze kilomètres de large, aux parois hautes de plus de trois cents mètres, toutes de grès rouge. Des peupliers de Virginie, des micocouliers, guère d'autres arbres. On passa près d'une pointe de lance magenta dans le sable, jumelle de celle que j'avais trouvée près de la maison. Et puis des créatures de pierre dans le moindre rocher, la moindre berge. Un nautile gros comme une roue de chariot, des cornes et des os démesurés par rapport aux créatures qui vivaient encore sur terre.

Toshaway me dit en espagnol que, dès l'automne, le canyon se remplirait de bisons. Il savourait le tableau. De longues touffes de crin noir pendaient des genévriers et des buissons de mesquite ; les bisons étaient depuis longtemps familiers des lieux.

Les Indiens ne montraient pas le moindre signe de fatigue ou du besoin d'un vrai repas, mais le rythme avait ralenti. Je salivais : on aurait pu harponner des tas de poissons au passage – la rivière regorgeait de poissons-chats à tête plate, d'anguilles, de poissons-taureaux et de brochets-lances. Je ne comptais plus les chevreuils ni les antilopes. Un grizzli cannelle, le plus gros que j'aie jamais vu, prenait le soleil sur un rocher. Des sources jaillissaient des parois, alimentant des bassins au-dessous.

Cette nuit-là, on établit notre premier vrai campement et je m'endormis dans les rochers, serrant mon frère contre moi. On nous recouvrit d'une peau de bison : je levai les yeux sur Toshaway, accroupi près de moi. Son odeur me devenait familière. « Demain, nous ferons du feu », dit-il.

Le lendemain matin, en passant devant d'autres mesas, je vis des dessins gravés dans le grès : des chamans, des guerriers, des lances, des boucliers, des tipis.

« Tu sais qu'ils vont nous séparer », dit mon frère.

Je le regardai.

« Il y a deux bandes différentes.

— Comment tu sais ça, toi ?

— Celui à qui tu appartiens est kotsoteka, celui à qui j'appartiens est yamparika.

— Il s'appelle Toshaway, celui à qui j'appartiens.

— C'est son nom, oui, mais c'est un Kotsoteka. Celui à qui j'appartiens s'appelle Urwat. Ils disent qu'Urwat a encore beaucoup de route à faire, mais ton propriétaire n'est plus très loin de chez lui.

— On ne leur appartient pas.

— Bien sûr. Je me demande vraiment pourquoi ils s'imaginent le contraire. »

On poursuivit notre route.

« Et les Penatekas ?

— Les Penatekas sont malades, ou bien ils ont d'autres ennuis, je ne sais pas. En tout cas, il n'y a là aucun Penateka. »

Malgré la promesse de Toshaway, il n'y eut pas non plus de feu ce soir-là. Au matin, on quitta le grand canyon pour les plaines. Pas d'arbre, pas de piste, pas de cordon d'arbustes indiquant un ruisseau. Rien que de l'herbe et du ciel. J'en avais presque la nausée. Je savais où nous étions : sur le Llano Estacado. Un blanc sur la carte.

Après une heure de chevauchée sans que rien eût changé, je fus de nouveau pris de vertiges. Nous pouvions avoir avancé de dix centimètres comme de dix kilomètres. La journée n'était pas finie que j'eus l'impression de devenir fou. Mon frère s'endormit et glissa sous le ventre de son cheval ; les Indiens s'arrêtèrent pour le rouer de coups avant de le rattacher sur sa monture.

On établit le campement au bord d'un cours d'eau si profondément encaissé qu'on ne pouvait le voir qu'une fois juste au-dessus. Ce fut notre premier feu : en l'absence d'arbres pour refléter la lumière, il était invisible de loin. Les Indiens y jetèrent deux antilopes sans même les avoir dépecées et Toshaway nous porta un tas fumant de viande à moitié cuite. Mon frère n'avait pas la force de manger, aussi je lui prémâchai de petits morceaux.

Puis je grimpai jeter un œil hors du lit de la rivière. De tous côtés les étoiles rejoignaient l'horizon. Les sentinelles postées pour repérer d'autres feux de camp éventuels m'ignorèrent. Je retournai me coucher.

Un lynx nous cria dessus pendant presque une heure tandis que des loups se répondaient d'un bout à l'autre de la plaine. Mon frère se mit à hurler dans son sommeil : je commençai par le secouer, puis m'interrompis. Son pire cauchemar serait toujours moins terrible que le réveil.

Le lendemain, les Indiens ne se fatiguèrent pas à nous attacher. Où aurions-nous bien pu aller ?

Malgré des aliments solides et six heures de sommeil, mon frère n'allait pas mieux. Les Indiens, eux, faisaient les idiots : ils montaient à l'envers, ou debout, et s'interpellaient avec des blagues. Je m'assoupis et me réveillai la tête dans les hautes herbes ; il fallut s'arrêter pour me rattacher. Je pris quelques gifles, mais pas de coups à proprement parler. Toshaway vint me donner à boire, longuement, puis mâcha du tabac et me frotta les yeux avec le jus. Malgré cela, je passai le reste de la journée sans savoir si j'étais endormi ou éveillé. J'avais la vague impression que nous marchions vers le bord de la Terre et qu'alors nous n'en finirions plus de tomber.

Dans l'après-midi, les Indiens repérèrent un petit troupeau de bisons qu'ils chassèrent. Après discussion, ils nous descendirent de cheval, mon frère et moi, et nous menèrent jusqu'à un veau. Une fois l'animal éventré et vidé de ses entrailles, Toshaway ouvrit l'estomac et me tendit une poignée de lait caillé, que je refusai catégoriquement. Un autre Indien fourra le visage de mon frère dans l'estomac du veau, mais Martin ferma les yeux et la bouche. Recevant le même traitement, je tentai d'avaler le lait mais me mis à vomir.

L'opération se renouvela deux ou trois fois, mon frère refusant d'avaler, moi essayant mais rendant tout, puis les Indiens renoncèrent et gardèrent pour eux le lait caillé. Une fois l'estomac de l'animal vidé, ils retirèrent son foie. Voyant leur regard quand mon frère refusa d'y toucher, je me forçai à avaler. Le sang me souleva le cœur. J'avais toujours tenu le goût du sang pour métallique, mais ça n'est vrai qu'en toute petite quantité ; son véritable goût est musqué et salé. Je me resservis, à la grande satisfaction des Indiens, et j'en repris encore jusqu'à ce qu'ils me repoussent et mangent ce qui restait, pressant la vésicule biliaire par-dessus en guise de sauce.

Quand tous les organes eurent disparu, ils dépecèrent le veau, tendirent un morceau de chair vers le soleil à titre d'offrande et partagèrent le reste de la viande entre tous, soit un peu plus de deux kilos par personne. Les Indiens engloutirent leur part en quelques minutes et comme je craignais pour la mienne, je me dépêchai aussi de la manger.

C'était la première fois depuis presque une semaine que j'avais le ventre plein, je me sentais calme et fatigué. Mais mon frère, lui, restait assis là sans bouger, brûlé par le soleil, sale, couvert de vomissures.

« Il faut que tu manges. »

Il souriait. « Tu sais, je n'aurais jamais cru qu'un endroit pareil puisse exister. Je te parie qu'au premier coup de vent nos traces auront disparu.

— Ils vont te tuer si tu ne manges pas.

— Ils vont me tuer de toute façon, Eli.

— Mange. Papa mangeait tout le temps de la viande crue.

— J'ai bien conscience qu'en tant que Ranger Papa a fait à peu près tout et n'importe quoi. Pardon. » Il me toucha la jambe. « J'ai commencé un nouveau poème sur Lizzie. Tu veux l'entendre ?

— D'accord.

— "Ton sang vierge versé par des barbares, te voilà intacte au paradis." C'est nul, bien sûr. Mais c'est ce que je peux faire de mieux vu les circonstances. »

Les Indiens nous regardaient. Toshaway apporta un autre morceau de bison et me signifia que je devais le donner à mon frère. Celui-ci le repoussa.

« J'étais persuadé que j'irais à Harvard, dit-il. Et puis à Rome. J'y suis allé, d'ailleurs, en pensée, parce que, tu sais, quand je lis, je vois les choses pour de vrai ; elles sont physiquement présentes devant mes yeux. Tu le savais, ça ? » Il semblait un peu ragaillardi. « Même eux ils ne peuvent pas me gâcher un endroit pareil. » Il secoua la tête. « J'ai bien dû écrire dix lettres à Emerson, mais je ne les ai pas envoyées. Je crois qu'il les prendrait au sérieux, cela dit. »

Toutes les lettres qu'il avait écrites avaient brûlé avec le reste, mais je n'en parlai pas. Je lui dis qu'il devait manger.

« Ils ne feront pas de moi une saleté d'Indien, Eli. Je préfère encore mourir. »

Je dus faire une drôle de tête, parce qu'il ajouta : « Ce n'est pas ta faute. Je n'arrête pas de changer d'avis, tantôt je me dis qu'on n'aurait jamais dû vivre là-bas, et tantôt je me demande bien ce qu'un homme comme Papa aurait pu faire d'autre. Il n'avait pas le choix, en fait. C'était le destin.

— Je vais te faire une pile de nourriture. »

Il m'ignora, les yeux rivés au sol, puis tendit la main et cueillit une fleur – nous étions assis au milieu d'un grand parterre de gaillardias. Il la brandit de façon que tous les Indiens puissent la voir.

« Regardez cette gaillarde, dit-il, aussi appelée "soleil indien". »

Ils l'ignorèrent.

Il poursuivit, plus fort. « Il est intéressant de noter que des plantes riquiqui, rabougries ou inutiles – comme le prunier du Mexique, le noyer du Mexique ou le pommier du Mexique –, tiennent leur nom des Mexicains, qui seront très certainement toujours des nôtres dans les siècles à venir, tandis qu'on nomme de belles plantes colorées en hommage aux Indiens, car ils seront bientôt éradiqués de la surface de la Terre. » Il les regarda. « C'est un grand compliment adressé à votre race. Encore que je ne me serais pas plaint si votre éradication était survenue un peu plus tôt. »

Personne ne prêtait attention à lui.

« C'est le destin d'un homme comme moi que d'être incompris. Goethe, au cas où vous vous poseriez la question. »

Toshaway réitéra plusieurs fois sa tentative de lui donner de la viande, mais mon frère refusa d'y toucher. Une demi-heure plus tard, il ne restait du veau que des os et la peau, laquelle fut roulée et ajoutée au harnachement d'un cavalier. Peu à peu, les Indiens remontèrent en selle.

Puis voilà que mon frère regardait quelqu'un derrière moi.

« N'essaie pas de m'aider. »

Toshaway me plaqua au sol. Lui et un autre Indien s'assirent sur moi tandis qu'un troisième m'attachait les poignets et les chevilles aussi vite que mon père aurait ligoté un veau. On m'entraîna à bonne distance. Quand je pus regarder du côté de Martin, je vis qu'il n'avait pas bougé. Il était assis là, à prendre la mesure des choses ; c'est à peine si son visage dépassait du parterre de fleurs. Trois Indiens à cheval, parmi lesquels son propriétaire, Urwat, faisaient des cercles autour de lui en poussant toutes sortes de cris. Il se leva et ils le frappèrent du plat de leurs lances, lui offrant une ouverture, l'encourageant à s'enfuir. Mais il resta sur place, des fleurs jaunes et rouges jusqu'aux genoux, petite silhouette contre le vaste ciel.

Urwat finit par se lasser et plutôt que d'utiliser le plat de sa lance, il en baissa la pointe pour la lui planter dans le dos. Mon frère resta debout. Toshaway et les autres Indiens me tenaient toujours. Urwat chargea de nouveau et mon frère tomba dans les fleurs.

Toshaway m'obligea à baisser la tête. Il fallait que je me lève, mais Toshaway m'en empêchait. Il le fallait, je le savais, mais je n'en avais pas envie. *D'accord*, me dis-je, *mais là, je vais me lever*. Je poussai contre Toshaway, en vain.

Mon frère était à nouveau debout. Combien de fois il avait été jeté au sol et combien de fois il s'était relevé, je n'en savais rien. Urwat avait jeté sa lance et fonçait maintenant sur lui avec sa hache. Martin ne se déroba pas. Lorsqu'il tomba pour de bon, les Indiens se précipitèrent vers lui, formant un cercle.

Toshaway m'expliqua plus tard que mon frère, qui s'était comporté comme le pire des lâches jusque-là, n'était visiblement pas lâche du tout, que c'était un *ku?tseena*, un coyote ou un lutin, une créature mystique envoyée pour les mettre à l'épreuve. Le tuer, c'était s'attirer le mauvais œil – l'importance du coyote était telle que les Comanches n'avaient pas même le droit d'en égratigner un. Mon frère ne pouvait pas être scalpé. Urwat était maudit.

Il y eut beaucoup d'allées et venues, beaucoup de confusion, et trois jeunes Indiens m'immobilisèrent pendant que les adultes discutaient. J'allais tuer Urwat, voilà ce que je me disais. Je cherchai autour de moi un regard amical, mais les Allemandes évitaient le mien.

On trancha les omoplates du bison mort et plusieurs braves se mirent à creuser. Quand la tombe fut acceptable, on enveloppa mon frère dans du calicot pris aux chariots de marchandises et on le descendit dans la fosse. Urwat y laissa son tomahawk, quelqu'un d'autre un couteau ; on y mit aussi de la viande de bison. Il fut question d'abattre un cheval, mais un vote trancha par la négative.

Puis on repartit. Je regardai la tombe disparaître hors de vue, comme si les gaillardias l'avaient déjà recouverte, comme si ce lieu refusait de témoigner d'une vie humaine, d'une mort humaine. Tout se passerait comme mon frère l'avait prédit : nos traces s'effaceraient au premier coup de vent.

Chapitre 5

J. A. McCULLOUGH

Si elle avait un peu plus de sens moral, elle ne laisserait pas un kopeck à sa famille ; quelques millions, peut-être, de quoi payer des études ou des frais d'hospitalisation. Elle avait grandi dans l'idée qu'il suffirait que la sécheresse dure un an de plus, ou que les tiques pullulent, ou bien les mouches, bref, qu'une seule chose tourne mal, pour que la famille n'ait plus de quoi manger. Bien sûr ils avaient déjà du pétrole à l'époque, c'était donc une illusion. Mais son père s'était toujours comporté comme si c'était vrai, et puisqu'elle croyait son père, c'était vrai.

Lorsqu'elle était petite, il lui confiait souvent des veaux orphelins ; de temps en temps, elle pouvait donc ajouter ses propres bêtes, en âge de partir à l'abattoir, aux bœufs qu'on envoyait à Fort Worth. Elle en tirait un revenu suffisant pour l'investir en Bourse et ça, disait-elle, ça lui avait appris la valeur de l'argent. *Ou plutôt la valeur d'avoir plein d'argent*, avait un jour commenté un journaliste. Un homme qui d'ailleurs n'était pas totalement viril. Un Nordiste.

Le Colonel, qu'elle avait pourtant vu boire du bourbon pendant les dix années où elle l'avait connu, était toujours levé avant l'aube. Quand elle avait huit ans et lui quatre-vingt-dix-huit, il l'avait emmenée au travers d'un champ tout sec, suivant lentement sur le caliche un chemin qu'elle ne distinguait pas entre des bouquets de figuiers de Barbarie et de cassiers en fleurs, un chemin dont elle était certaine qu'il était imaginaire jusqu'à ce qu'ils arrivent à un certain bosquet de *Clidemia hirta* et qu'il y plonge la main pour en sortir un lapereau. Elle sentit tambouriner le cœur du petit animal quand elle le posa délicatement sous son chemisier.

« Il y en a d'autres ? »

Au comble de l'excitation, elle les voulait tous.

« On va laisser les autres avec leur mère », dit son arrière-grand-père. Dans son visage tanné, ridé et craquelé comme un lit de rivière à sec, ses yeux coulaient sans trêve. Ses mains sentaient la sève des bourgeons de peuplier, mélange de sucre, de cannelle et d'une fleur qu'elle n'aurait su nommer ; il s'arrêtait toujours au milieu des peupliers pour s'en frotter les doigts, habitude dont elle avait hérité. Même à la fin de sa vie, elle ne passait jamais devant un vieil arbre sans prendre le temps de gratter de l'ongle la sève orange : elle la sentirait jusqu'au soir et penserait à son arrière-grand-père. Du baume de Judée, avait-elle appris un jour – voilà comment s'appelait cette sève qui n'avait pas besoin de nom.

Elle avait ramené le petit lapin chez elle et lui avait donné du lait, mais dès le lendemain les chiens avaient eu raison de lui. Elle aurait certes pu retourner dans les fourrés en chercher d'autres, mais les chiens finiraient par les avoir, eux aussi ; elle décida donc de laisser les lapins où ils étaient – une décision adulte et généreuse, elle le savait. Elle restait toutefois hantée par le souvenir de la fourrure contre son ventre, cette douceur presque liquide, et de la main de son arrière-grand-père sur son épaule, prenant appui sur elle.

C'était une petite fille menue aux cheveux clairs, au nez retroussé et au teint facilement hâlé, bien qu'elle s'imaginât qu'une fois adulte elle aurait les cheveux noirs, le teint pâle et le long nez droit de sa mère, ce qui suscitait toujours les railleries de son père. *Ta mère ne ressemblait pas du tout à ça*, disait-il. *Elle avait des cheveux blond filasse, comme toi*. Mais ce n'était pas l'image que s'en faisait Jeannie. Sa mère était morte jeune, en lui donnant le jour, à vingt-six ans. Il n'y avait d'elle que quelques rares photos, toutes prises de loin et un peu floues – les photos des chevaux de son père, elles, étaient nettes et omniprésentes –, mais sur ces clichés, sa mère avait bien l'air d'avoir de longs cheveux noirs et son nez était bien droit. Après réflexion, Jeannie décida que son père avait tout simplement tort, qu'il n'avait pas l'œil pour ce qui touchait au genre féminin. Sauf s'il s'agissait de vaches ou de juments. Elle savait que si elle avait vu sa mère vivante, elle aurait remarqué mille choses qui avaient échappé à son père.

Ce qui n'échappait pas à son père, c'était qu'une vieille vache ait été oubliée dans la nature au moment du rassemblement, ou qu'une autre vache ne soit toujours pas gestante pour la deuxième année consécutive, ou qu'un nouveau gars qui se prétendait un as

rate ses lancers ou ne se précipite pas dans les fourrés avec assez d'enthousiasme. Pas plus que ne lui
échappaient les fois où un vieux taureau *ladino* rendu
à la vie sauvage profitait de ses génisses, ou ce que les
Mexicains disaient de la pluie, la quantité de travail
abattue par ses fils, ou si elle, Jeannie, les dérangeait.
Malgré les tentatives de découragement de sa grand-
mère, Jeannie sortait à cheval tous les matins avec
ses frères, du moment en tout cas qu'il n'y avait pas
école. Lors des rassemblements de bétail, elle assu-
mait l'humble rôle de *drag-rider*, chargée de ramener
les bêtes égarées, même si elle savait qu'ils auraient
fait sans elle ; son père ne la comptait pas officiellement dans l'équipe, et au moment du marquage et de
la castration, pendant que ses frères faisaient de leur
mieux avec leur lasso, et apprenaient des *tumbadors*
l'art de faire tomber le veau et des *marcadores* celui de
le marquer, elle devait se contenter de porter la pâte à
base de citron vert dont on enduisait la brûlure. Elle
aidait aussi parfois à préparer les rognons blancs, met-
tant à rôtir sur un lit de braises les testicules de veau
dont les seaux débordaient. Sucrés et tendres, ils vous
éclataient pour ainsi dire dans la bouche, et elle s'en
goinfrait, ignorant les commentaires narquois de ses
frères sur son engouement pour ce mets délicat, commentaires qu'elle ne comprenait d'ailleurs qu'à moitié.

Les rognons blancs, c'était une chose, mais si elle
s'approchait seulement des *tumbadors*, son père
lui tombait dessus. Elle avait appris, quand même.
À douze ans, elle était aussi capable que ses frères
de coucher un veau sur le flanc pour l'immobiliser,
et elle savait attraper n'importe quel animal au lasso

par les pattes de devant. Mais ça ne comptait pas. Son père ne voulait pas d'elle parmi ses hommes et sa grand-mère trouvait ça gênant. Le Colonel, s'il avait été vivant, l'aurait soutenue, lui ; il avait toujours vu en elle ce que les autres ne voyaient pas, ce sentiment aigu de sa propre perfectibilité, cette certitude qu'avec de la volonté elle pouvait tout apprendre. Quand le Colonel lui disait, comme il ne s'en privait pas, qu'un jour elle ferait de grandes choses, c'est à peine si elle y prêtait attention. C'était comme s'il lui avait fait remarquer que l'herbe était verte, ou qu'elle avait des yeux de biche, ou qu'elle était jolie bien qu'un peu petite et que les hommes comme les femmes prenaient plaisir à sa compagnie.

Les déplacements de bétail avaient beau lui sembler la quintessence même de l'ennui – lente et pénible progression derrière une file de bœufs qui n'en finissait pas, à faire claquer son lasso sous leurs sabots, au pas le plus lent qui soit –, elle ne manquait pas une occasion d'y participer. Malgré la température et la soif inhérentes au marquage à feu, qu'on faisait de préférence en août, par une chaleur insupportable même pour les mouches à viande, elle y allait malgré tout, couchant les veaux dès que son père avait le dos tourné, les mains couvertes de leur bave, apposant le fer quand le *marcador* le lui permettait, pression légère si le métal était chaud, plus forte à mesure qu'il refroidissait ; elle ne s'autorisait pas la moindre erreur. Ça amusait les vaqueros. Ils comprenaient sa démarche, et s'ils n'auraient jamais permis à leurs propres filles de participer au marquage, ils n'avaient aucune objection à ce qu'elle prenne leur place, du moment qu'ils pouvaient se reposer à l'ombre et échapper à la chaleur. Et du moment qu'elle ne faisait pas d'erreur. Aussi n'en faisait-elle pas.

Jadis, ça n'avait rien d'exceptionnel. Les riches étaient irréprochables, alors. On était plus exigeant avec soi-même qu'avec les autres, on était exemplaire. On n'exhibait pas son héritage devant les photographes ; on n'acceptait le feu des projecteurs que si on avait accompli quelque chose. Mais cet impératif s'était perdu. Les riches étaient aussi avides d'attention que les petites bonniches.

Peut-être elle-même ne valait-elle pas mieux. Elle avait embauché un historien pour écrire l'histoire du ranch, l'histoire de la famille, mais en dix ans il n'avait fait qu'annoter toutes les lettres, tous les reçus, et jusqu'au moindre bout de papier passé entre les mains du Colonel, les scannant sur son petit ordinateur avant d'aller consulter des microfiches à Austin. Il était, elle le voyait bien, incapable d'écrire le livre qu'il avait promis. *Il y a des tas d'histoires possibles à partir de tout ça*, lui avait-il dit. *Eh bien, choisissez la meilleure*, avait-elle répondu. *Ce serait mentir*, avait-il rétorqué.

C'était un petit homme grassouillet et parfaitement insupportable, et elle avait fini par se demander pourquoi diable elle avait cru nécessaire que le processus fût si mystérieux. Alors elle avait sorti son carnet de chèques et les professionnels de la collecte de fonds avaient flairé l'aubaine : un chèque ici, une mention là, un autre chèque, une autre mention. Le nom du Colonel s'était propagé comme des racines de mesquite. L'année d'après, il apparaîtrait dans les nouveaux livres d'histoire de l'État du Texas, ceux auxquels tous les gauchistes s'étaient opposés.

Sans travail, pas de nourriture. Sans se lever avant l'aube, qu'il fasse moins dix ou plus de quarante, sans passer ses journées entières dans la poussière et dans les ronces, pas de survie, ni pour soi, ni pour sa famille. On n'était alors qu'un enfant prodigue, indigne de la bénédiction divine.

Plus tard, quand elle fut assez grande pour regarder les comptes, elle comprit que la famille avait toujours été à l'abri du besoin. Mais c'était trop tard. Elle ne pouvait rester tranquille sans penser aux coyotes qui convoitaient ses veaux, aux éoliennes dont il fallait lubrifier les boîtes de vitesses ou inspecter les tiges de pompe, aux clôtures aplaties par les éléments, les animaux ou la négligence humaine. Quand elle cessa enfin de s'inquiéter pour le bétail, ce fut le tour du pétrole. Quels puits produisaient plus ou moins qu'elle n'avait espéré (moins, voyons, c'était toujours moins), quels nouveaux champs étaient exploitables et quels anciens gisements les majors abandonnaient-elles. Quels foreurs étaient disponibles, qui n'était plus solvable, qu'est-ce qu'on pouvait avoir au rabais. Tous les puits finissaient par s'épuiser : arrêter d'en chercher de nouveaux, c'était le début de la fin.

Mais qu'est-ce que je fiche par terre ? Elle regarda autour d'elle. Cette brume dans la pièce : est-ce que la cheminée refoulait ? Et ces élancements dans la tête, ce n'était pas ce qu'on éprouvait en cas d'attaque cérébrale ? Quelqu'un d'autre avait été là avec elle, elle en était sûre.

La faille, chez ses enfants... elle avait toujours supposé une faiblesse dans les gènes de Hank, encore que ça tenait peut-être à la vie urbaine, aux écoles qu'ils avaient fréquentées, aux amis qu'ils s'y étaient faits, à leurs enseignants gauchistes. Les enfants avaient toutes sortes d'activités en ville, mais le travail n'en faisait pas partie, et les week-ends à cheval avec les vaqueros n'étaient qu'une distraction de plus, comme le dressage ou le ski. Facteur aggravant, aller au ranch et en revenir à temps pour l'école le lundi exigeait de prendre l'avion. Ses enfants n'étaient pas idiots, ils savaient que les vrais vaqueros n'allaient pas travailler en jet privé.

N'empêche que c'étaient des petites natures. Impossible de les faire travailler l'été. Juillet et août étaient les plus chauds des mois chauds, aussi chauds que dans les plaines d'Afrique, un fer rouge auquel on ne pouvait se soustraire – vêtements trempés en quelques minutes, chaque centimètre de peau couvert d'une pulpe infâme. Si elle avait grandi en trouvant ça normal, désagréable mais normal, ses enfants, eux, ne tenaient même pas une heure. Susan s'était évanouie, tombant de cheval.

J. A. en avait honte. Elle était bien la seule. Du coup elle s'était mise à douter. Ce n'est que plus tard, une fois ses enfants adultes, qu'elle avait compris que c'est elle qui avait raison, que quand les gens s'habituent à avoir de l'argent pour rien, à ne travailler que quand ça leur chante, ils en viennent à trouver le travail dégradant. Ils cherchent désespérément à excuser leur paresse. Ils finissent par considérer les biens familiaux comme inhérents à la vie même, comme l'eau, l'air, ou des draps propres.

Tu devrais faire don de tout cet argent sur-le-champ, se dit-elle. Mais c'était trop tard. Elle avait gâté sa fille, au pire sens du terme ; son fils aussi, peut-être. Cette pensée lui souleva le cœur... Il n'y avait pas que l'argent ; elle savait ce qu'elle avait fait à ses enfants. Elle n'arrivait pas à savoir si leur laisser plus d'argent encore était une façon de faire pénitence ou au contraire une sorte de punition supplémentaire qu'elle leur infligeait. *Tu n'es pas une bonne chrétienne.*

À la mort de son père, elle avait cessé d'aller à l'église. Si la prière ne pouvait même pas garder vos proches en vie, elle n'en voyait vraiment pas l'utilité. Mais quand Hank et elle avaient déménagé à Houston, elle y était retournée. C'est qu'on vous montrait du doigt, sinon. Elle ne se posait pas tellement la question de savoir si elle croyait, encore que ces dix dernières années, elle avait retrouvé la foi, et c'était tout ce qui comptait, disait-on. L'âge venant, vous n'aviez pas tellement le choix – le salut ou le néant éternel –, il n'y avait donc pas à s'étonner de voir qui on trouvait à l'église : ce n'étaient pas des jeunes avec la gueule de bois et toute la vie devant eux.

Elle se souvint d'un sermon où le pasteur avait parlé des gens intéressants qu'on rencontrerait au paradis : Martin Luther King (pour les Noirs), le Mahatma Gandhi, Ronald Reagan. Sauf que le pasteur n'aurait pas mentionné Gandhi. John Wayne, peut-être. Mais bon, ces gens intéressants au paradis, tout le monde voudrait leur parler. Pas besoin d'y réfléchir bien longtemps pour comprendre qu'il faudrait un paradis à part pour les gens célèbres, exactement comme sur terre, un endroit où on ne les embêterait pas, une communauté à eux. Elle se demanda si c'était là qu'elle irait. Sauf qu'au paradis l'argent n'existait pas : peut-être n'intéresserait-elle plus personne. Donald Trump, Sam Walton, Bill Gates, elle-même ; pas plus remarquables que des éboueurs.

Bien sûr, ça lui ferait plaisir de retrouver Hank et les garçons, Tom et Ben, et puis ses frères aussi. Mais quid de Ted, qui avait été son amant pendant vingt ans, après Hank ? Il y aurait de la jalousie dans l'air. Et Thomas – sa petite particularité –, est-ce qu'il serait là ?

À croire ce qui se disait sur le paradis, c'était une ville immense avec douze portes. Pas de nourritures terrestres, pas de transit intestinal, pas de relations sexuelles : on y passait son temps allongé, en transe, à écouter de la harpe. Comme une maison de retraite dont on ne sortirait jamais. Elle coucherait avec tous les hommes avenants qu'elle croiserait. Ce qui, naturellement, ferait qu'on l'enverrait en enfer.

Faites quelque chose, je ne veux pas mourir. Elle ouvrit les yeux. Elle était toujours par terre, dans le salon, couchée sur le tapis bordeaux. Le feu brûlait encore. Est-ce que le jour se levait ? Elle n'arrivait pas à dire. De toute sa volonté, elle voulut bouger la tête, les jambes. En vain.

Chapitre 6

Journal de Peter McCullough

12 août 1915

Les journaux diffusent déjà leur version, à savoir celle du Colonel. Seul ce qui suit témoignera de ce qui s'est réellement passé.

Hier, notre bras droit, Ramirez, était dans les pâtu-rages de l'ouest quand il a vu un groupe d'hommes conduire des Herefords vers la Nueces. Comme les Garcia n'élèvent pas de races améliorées, la prove-nance du bétail ne faisait guère de doute.

Le soleil venait de se coucher quand nous les avons rattrapés, au moment où ils passaient le fleuve. Le gros du bétail avait déjà traversé et la distance entre nous et eux était considérable, presque trois cents mètres, mais tous autant que nous étions – Glenn, Charles, moi-même, le Colonel, Ramirez, notre *caporal* Rafael Garza et quelques-uns parmi nos autres vaqueros –, nous nous sommes mis à tirer quand même, dans l'espoir qu'ils prendraient peur et abandonneraient les bêtes. Nous n'avions malheureusement pas affaire à des bleus : loin de laisser les vaches, certains ont mis pied à terre pour nous tirer dessus tandis que les autres poursuivaient avec le bétail dans la *brasada* mexicaine. Glenn a été touché à l'épaule, une balle tirée à la grâce de Dieu depuis l'autre rive.

Nous sommes rentrés à la maison où nous attendaient deux Rangers et le docteur Pilkington que Sally avait appelé en entendant les coups de feu. La balle avait raté l'artère, mais une intervention chirurgicale était nécessaire et Pilkington a jugé préférable d'emmener Glenn à l'hôpital de San Antonio. Tandis que Sally et lui pansaient tant bien que mal la blessure, j'ai parlé à celui des Rangers qui est sergent, un petit blond au visage dur et à l'air d'un repris de justice. Il doit avoir vingt ans mais l'autre a manifestement peur de lui. Gare aux Texans de petite taille, ils doivent être dix fois plus méchants pour survivre dans ce pays de géants.

Une bande de Mexicains ne blesse pas impunément un adolescent blanc ; il m'avait semblé souhaitable d'avoir le plus grand nombre possible de représentants officiels des forces de l'ordre, mais un coup d'œil m'a suffi pour comprendre que ces Rangers-là ne faciliteraient pas les choses. Enfin bon, c'était toujours mieux que Niles Gilbert et ses amis de la Ligue pour le maintien de l'ordre public.

« Vous attendez encore combien d'hommes ? ai-je demandé au sergent.

— Aucun. Vous avez déjà de la chance qu'on soit là. On devrait être dans le comté de Hidalgo. » Il allait cracher sur le tapis, mais il s'est retenu.

Il se trouve qu'une patrouille entière est stationnée en permanence au ranch King, mais à quoi bon le mentionner.

On a chargé Glenn à l'arrière de la voiture de Pilkington, et Sally est montée avec lui. Glenn me faisait de la peine. J'aurais voulu l'accompagner, mais j'étais la seule voix de la raison à trente kilomètres à la ronde : si je partais, je préférais ne pas penser à ce que j'allais trouver au retour.

Sally s'est penchée par la fenêtre pour murmurer : « Il faut que tu ailles tuer jusqu'au dernier de ces salauds. »

Je n'ai rien répondu. Ce genre de paroles se transforme vite en actes par ici.

« Tu es le fils du Colonel, Pete. Ce soir tu dois te comporter comme tel.

— Je crois bien que c'était José et Chico, a lancé Glenn. À leur façon de se tenir en selle.

— Il faisait sombre, fiston. Et on était tous un peu remontés.

— Je suis sûr que c'étaient eux, Papa. »

Un homme d'une autre trempe ne remettrait pas en cause la parole de son fils gisant blessé à l'arrière d'une voiture. Sauf que bien sûr ce n'était pas sa parole que je remettais en cause ; c'était celle de mon père.

« D'accord, lui dis-je. Tu es courageux, comme type. »

Là-dessus ils sont partis. Je reste convaincu que ce n'est qu'en entendant le Colonel dire que c'étaient José et Chico que Glenn a pensé les avoir vus. Mon père est capable de mettre des choses dans la tête des gens à leur insu.

L'humeur générale poussait à aller directement chez les Garcia avant qu'ils n'aient le temps de barricader leur *casa mayor*. Tous nos vaqueros s'étaient rassemblés et attendaient dehors en fumant ou en mâchant du tabac, prêts à verser du sang pour leur *patrón*.

Une dizaine de Blancs aussi étaient arrivés : Graham, le shérif de Carrizo, et deux de ses adjoints, un autre Ranger, et le nouveau garde-chasse. Et puis Niles Gilbert, ses deux fils, et deux types d'El Paso, membres de la Ligue pour le maintien de l'ordre public. Gilbert avait apporté une caisse de carabines Krag et plusieurs milliers de cartouches de son magasin : il avait entendu dire que d'autres allaient nous rejoindre.

« Pour quoi faire ? ai-je demandé.

— Pour vous aider à vous débarrasser de tous ces serpents.

— Les serpents en question ont passé la frontière. »

Il m'a jeté un regard qui en disait long. J'ai été tenté de rappeler que j'avais quatre ans d'études supérieures à mon actif contre ses quatre ans d'école élémentaire. Mais il est de ceux qui pensent que le pouvoir sert surtout à humilier les autres. Autant m'adresser à un âne.

J'ai toujours eu une mémoire quasi infaillible, ce que Charles et mon père savent parfaitement, mais ni l'un ni l'autre ne m'ont soutenu quand je l'ai dit aux autres. Les faits remontaient à moins de trois heures, mais commençaient déjà à changer : des hommes qui avaient tout d'apparitions, leurs chemises blanches à peine visibles dans le crépuscule, étaient maintenant des images nettes. J'ai rappelé qu'il faisait trop sombre pour identifier qui que ce fût – si sombre, d'ailleurs, que nous étions aveuglés par les flammes de nos propres coups de carabine – mais ça ne servait plus à rien. À la lumière de leur mémoire, les autres y voyaient assez clair pour distinguer des visages, et ces visages étaient ceux des Garcia.

J'ai suggéré d'attendre d'autres Rangers, ou bien l'armée – je tenais à ce qu'on patiente jusqu'au jour : il est plus difficile de lyncher un homme quand on voit son visage –, mais Charles, se faisant le porte-parole de la majorité des présents, a commencé par dire qu'on ne pouvait pas laisser passer le fait qu'ils avaient blessé Glenn, avant d'ajouter que l'armée ne viendrait pas : le général Funston avait prévenu qu'il n'interviendrait que si ses soldats faisaient directement l'objet d'une attaque. Il était hors de question que ses hommes poursuivent de vulgaires voleurs de bétail. Sauf bien sûr si les bêtes en question étaient celles du ranch King.

Ça m'a encore plus abattu d'entendre ça. L'armée est la seule organisation gouvernementale du sud du Texas à ne pas avoir la gâchette facile face aux Mexicains. Quant aux Rangers, ce sont à la fois les meilleurs et les pires. Le sergent a souligné qu'ils n'étaient que trente-neuf dans tout l'État : en avoir trois dans la même pièce (un troisième était arrivé de Carrizo) tenait du miracle.

Un miracle pour qui ? me suis-je demandé. L'ambiance était celle d'un club d'éleveurs de bétails, de vieux amis discutant poliment droits de pâture, hommes politiques à soutenir et stratégies pour rester compétitif sur les marchés du Nord. Le Colonel y est alors allé de sa harangue, une longue allocution en soutien à Charles, dans ce que j'en suis venu à considérer comme leur alliance délétère habituelle. Il a argué qu'il était personnellement responsable de la blessure de Glenn, puisqu'il avait eu, cinquante ans plus tôt, l'occasion de chasser les Garcia pour toujours et qu'il ne l'avait pas saisie, alors c'était bien le diable s'il allait laisser passer une seconde chance de son vivant.

J'ai souligné qu'à cause de certains événements survenus sur nos terres notre arbre généalogique avait déjà perdu pas mal de feuilles. Mon père a fait mine de m'ignorer.

« J'ai perdu ici ma mère, un fils et un frère, ai-je dit. Et voici qu'un autre de mes fils est en route pour l'hôpital. Je préférerais attendre qu'il fasse jour. »

Tout le monde a convenu que notre famille avait subi des pertes tragiques, mais que ce qu'il y avait de mieux à faire, c'était de coincer Pedro au plus vite. Car désormais c'était le problème de toute la communauté, et pas seulement le nôtre : comment savoir qui serait la prochaine victime des Garcia ?

J'ai avancé un autre argument, à savoir que Pedro Garcia avait sa fierté comme tout un chacun, et que, face à une foule énervée, il ne livrerait pas son *yerno*, ni aucun membre de sa famille, alors que si c'était la loi qui le demandait, en plein jour, ce serait une autre histoire.

« La loi, c'est nous », a dit le sergent des Rangers.

Les autres ont approuvé. Aucun d'eux n'aurait accepté de céder à un groupe armé au milieu de la nuit, mais ils ne voyaient pas pourquoi les Garcia, eux, n'obtempéreraient pas. J'ai failli le faire remarquer, mais je me suis contenté de dire : «Sauf votre respect, ce serait peut-être mieux d'attendre que le jour se lève. Si les coupables ont le moindre lien de parenté avec lui, Pedro les livrera.»

Non seulement ma suggestion a été balayée, mais ça s'est mis à grommeler que je n'avais qu'à me réfugier à la cuisine et attendre avec les autres femmes que ça passe. L'idée était de patienter jusqu'à l'arrivée de renforts, qui n'allaient sûrement pas tarder puisque la nouvelle avait maintenant dû se répandre dans les quatre comtés.

On a tué un porcelet qu'on a mis à rôtir et servi un aloyau accompagné de haricots et de tortillas : belles nappes de sortie, feu dans la cheminée, café à volonté. Confortablement installés dans la grande salle, les hommes bavardaient ou feuilletaient de vieux numéros du *Confederate Veteran*, les pieds sur les tables, carabines en biais dans la pénombre de la pièce majestueuse ornée de dessins de ruines florentines, de bustes et autres statues ; ils caressaient négligemment chaises et tables sculptées, résistant à l'envie de sortir leurs couteaux de poche pour s'occuper à quelque taille, dans ce décor acheté en bloc – vitraux de chez Tiffany compris – à la mort d'un type de Philadelphie, puis intégralement emballé et expédié dans la maison construite pour accueillir le tout. Aucun ne s'est intéressé aux statues, mais tous se sont arrêtés pour admirer *Lee et ses généraux*, une gravure bon marché qu'ils ont aussi chez eux, avant d'aller se resservir de viande ou de café.

Autour de trois heures du matin, quinze hommes sont arrivés, et une autre dizaine une heure plus tard dans des pick-up Ford. Jusqu'alors j'avais espéré que l'expédition n'aurait pas lieu : nous n'avions pas quarante hommes, face aux vingt et quelques des Garcia qui tenaient une véritable forteresse. Mais voilà que nous étions plus de soixante, tous munis de carabines à répétition, certains avec des Remington et des Winchester automatiques. Le Colonel exultait.

« Un de tes petits-fils a été blessé, lui ai-je dit, et l'autre est sur le point de partir au combat. J'ai vraiment du mal à comprendre ce qui te réjouit comme ça. »

Son regard m'a exprimé, pour la millième fois, combien il regrettait que j'aie abandonné mes études pour revenir au ranch. Il a fallu que je me rappelle qu'il est d'une autre époque. Que ce n'est pas de sa faute. Il y a bien sûr le troisième petit-fils que je n'ai pas mentionné, celui qui porte mon nom, celui qui est enterré auprès de ma mère et de mon frère.

Je suis monté dans mon bureau m'allonger au milieu de mes livres – mon seul réconfort. Exilé dans ma propre maison, ma propre famille. Mon propre pays, peut-être. Dehors les coyotes glapissaient dans le lointain, et sur la galerie les vaqueros parlaient tout bas en espagnol. Quelqu'un a raconté une histoire drôle. S'ils étaient nerveux, ou s'ils avaient des scrupules à attaquer des compatriotes, ça ne s'entendait pas. J'ai su que les choses n'allaient pas s'arranger.

J'ai dû m'endormir parce que j'ai entendu quelqu'un crier mon nom. J'ai d'abord cru que c'était ma mère qui m'appelait pour le dîner ; nous étions dans l'ancienne maison d'Austin avec ses prés verdoyants, ses bois, ses ruisseaux qui chantaient toute la nuit. Ma mère et la douceur de ses mains, ce parfum de rose qu'elle laissait derrière elle. Je me suis abandonné à ces pensées, oubliant volontairement où j'étais : le temps d'un instant, j'étais à nouveau jeune, nous n'avions pas encore déménagé dans ce pays d'épouvante où tous nos malheurs ont commencé. Que le Colonel puisse aimer l'endroit qui a coûté la vie à tant de ses proches – et la liste n'est peut-être pas close –, ça me dépasse.

Cinq heures du matin approchaient quand nous sommes partis. Presque soixante-dix hommes. Personne n'avait dormi mais tous étaient graves et aussi réveillés que si nous allions à Yorktown ou à Concord. Le Colonel portait sa célèbre veste en daim que tout le monde croit faite de scalps apaches. Même les Rangers se sont mis sous son commandement, comme en présence d'un général plutôt que d'un vieil homme qui n'a jamais été colonel de plein droit mais seulement à titre temporaire, et qui s'est battu pour la cause esclavagiste.

Les vaqueros formaient une brigade volante autour de lui ; le Colonel n'a pas beaucoup de respect pour les Mexicains et pourtant ils sont tous prêts à mourir pour lui. Alors que moi, qui me considère comme leur allié – aucun *patrón* n'a jamais été plus généreux –, ils me méprisent.

Une heure avant le lever du soleil, nous avons attaché les chevaux et continué à pied vers la maison des Garcia, qui domine les terres environnantes avec sa tour de garde, ses hauts murs de pierre et ses parapets. Il y a cent ans, c'était un bastion de civilisation au milieu du désert, un rempart contre la barbarie indienne. Mais aujourd'hui, dans l'esprit des hommes qui marchaient sur elle, il fallait qu'elle devienne autre chose : la gardienne d'un ordre ancien et moins civilisé, se dressant contre le progrès et tout ce qu'il y a de bon sur terre.

Je me suis éclipsé dans les buissons, où j'ai aperçu le Colonel, accroupi non loin. Il a fait un grand sourire en me voyant, mais je n'aurais su dire s'il se réjouissait de la fusillade à venir ou s'il était fier de me voir participer au vieux rituel familial.

Quant à nos voisins du coin, ils se considéraient tous comme de grands héros alors que pas un n'a connu l'époque héroïque ; ils sont restés à bonne distance jusqu'à ce que ça ne risque plus rien. Je me suis demandé comment j'avais pu me retrouver du même côté que ces hommes-là. Rien qu'à cause de ça, me suis-je dit, je devrais prendre le parti des Garcia.

Peu après je suis tombé sur Charles. Il était très nerveux et je lui ai demandé de rentrer avec moi à la maison, de se laver les mains de ce qui allait se passer. Mais hors de question : à ses yeux, il était sur le point de prendre part à quelque rite crucial, sur le point de devenir un homme. J'ai toujours eu peur qu'il ne se fasse mordre par un serpent, frapper par un sabot de cheval, encorner ou piétiner ; il a survécu à tout cela et pourtant c'était comme si j'avais échoué à le protéger. Il était là, en nage malgré le froid de la nuit, agrippé à sa carabine, prêt à faire la guerre à des hommes qui avaient assisté à son baptême.

La *casa mayor* des Garcia dominait ce qui restait de leur ancien village, quelques petits bâtiments et une vieille chapelle, de celles qu'on appelait des *visitas*, le tout en pisé ou en bloc de caliche, et puis des *corrales de lena* de plusieurs arpents. La cour de la maison était ceinte d'un mur de pierre – vestige du temps où il s'agissait d'éviter que le bétail n'entre plutôt que d'empêcher qu'il ne sorte – et c'est là que nous avons établi notre position, encerclant la maison sur trois côtés, à une cinquantaine de mètres d'elle. L'humeur était toujours grave. Ce n'était pas un simple lynchage : c'était le renversement de l'ordre ancien, la fondation d'un monde nouveau.

Et puis Pedro est apparu. Épais cheveux gris soigneusement peignés vers l'arrière, chemise blanche propre, pantalon rentré dans des bottes également propres. Il a eu l'air surpris en parcourant la foule du regard d'y reconnaître nombre de ses voisins, des hommes dont il connaissait la famille, dont il connaissait les femmes et les enfants. Du pas raide du condamné qui monte à l'échafaud, il est sorti sur la galerie, jusqu'au bord des marches. Quand il a voulu parler, il a dû s'éclaircir la gorge.

« Mes gendres ne sont pas ici. Je ne sais pas où ils sont mais, comme vous, je voudrais les voir pendre au bout d'une corde. Malheureusement, ils ne sont pas là. »

Il a eu un haussement d'épaules gêné. S'il y a pire spectacle que celui d'un homme fier réduit à la terreur, je ne l'ai jamais vu.

« Peut-être que certains d'entre vous pourraient entrer chez moi discuter de la meilleure façon de les retrouver. »

J'ai posé mon arme et j'ai franchi le mur pour aller au milieu de la cour, entre nos hommes et les siens. Les nôtres avaient tous l'air nerveux, mais ça s'est rapidement transformé en colère quand ils ont vu que je comptais les priver de la fête.

«Je vais parler à Pedro, ai-je dit. Si le sergent et ses hommes veulent bien se joindre à moi, on va trouver une solution.»

J'ai regardé le sergent. Il a secoué la tête. Peut-être craignait-il que ce ne soit un piège. Ou que ça n'en soit pas un. Difficile à dire.

«Vous savez à peu près tous que Glenn est mon fils, ai-je poursuivi. Et le bétail volé aussi est à moi. Cette bataille est la mienne, et celle de personne d'autre. Et moi, je n'en veux pas.»

Tous ont cessé de me regarder. Glenn et le bétail n'avaient plus rien à voir avec tout ça. Les hommes se sont installés, accroupis ou à genoux, comme si, sans qu'un seul mot eût été échangé, tous avaient décidé que je n'existais plus, comme un vol d'oiseaux change de direction sans qu'aucun semble avoir pris l'initiative. Quelqu'un a tiré sur ma droite, et puis, tout d'un coup, une rafale est partie de notre côté. J'ai entendu et senti les balles me frôler et je suis tombé à terre.

Pedro aussi est tombé. Il s'est effondré sur la galerie en se tenant le ventre, mais deux hommes se sont précipités pour le ramener à l'intérieur tandis que les balles déchiquetaient le chambranle de la porte autour d'eux.

Par-dessus le muret de pierre, je voyais tous nos voisins, têtes et canons de fusils dépassant à peine, et puis les bouffées de fumée, l'envolée des petits cylindres de cuivre brillants, les jets de poussière et de pierres sous l'impact des balles. Je n'aurais pas pu bouger sans me faire tirer dessus par l'un ou l'autre camp, aussi suis-je resté couché là : sous moi, l'herbe, au-dessus, les balles. Je me sentais étrangement en sécurité, et puis je me suis demandé si je n'étais pas déjà blessé ; j'avais la sensation d'être emporté, comme par une rivière, ou dans les airs, à observer le monde d'en haut. Ça n'avait pas de sens. À quoi bon être sortis de nos marais si nous n'étions pas plus capables de comprendre notre propre ignorance que les poissons, qui lèvent les yeux vers nous, la leur.

Les balles continuaient à siffler au-dessus de moi. Tandis que je regardais Bill Hollis, il y a eu un petit nuage pâle et il a écarquillé les yeux, comme s'il venait d'avoir une illumination, puis sa carabine a dégringolé de l'autre côté du mur et il a laissé tomber sa tête, comme pour une sieste. Je l'ai revu chez nous, dans le salon, en train d'accompagner au violon son frère qui chantait.

Pendant ce temps, la maison résistait mal. De la lourde porte de chêne rapportée d'une propriété familiale en Espagne et vieille de trois cents ans, il ne restait que des miettes. Les parapets étaient en voie de désintégration, tout comme le toit des tours ; leurs pierres de taille en caliche, vestiges d'un autre temps, pouvaient arrêter flèches et balles traditionnelles, mais pas les balles blindées. Un épais nuage de poussière s'élevait du bâtiment : la poussière de ses os.

Et puis les tirs adverses ont cessé. À un moment de la bataille, le soleil s'était levé : des rais de lumière filtraient des vieilles meurtrières. Portes et fenêtres pendaient, en pièces. Sans la poussière fraîchement soulevée, la maison aurait semblé abandonnée depuis un siècle. Je me suis mis à ramper vers le muret.

«Rechargez, a crié quelqu'un. Rechargez!»

Puis je l'ai franchi. Le jeune sergent parlait aux hommes qui s'étaient rassemblés: «... je passe la porte et vous me suivez, dégagez le passage dès que vous pouvez mais n'allez pas plus vite que votre carabine. Les Mexicains seront dans les coins. Ne passez pas devant un coin, ne tournez pas le dos à un coin à moins qu'il n'y ait quelqu'un, vous ou un autre, en train de tirer dessus.»

Il a dressé la tête pour être vu de tous.

«Quand je me lèverai, a-t-il crié, je veux que vous vidiez vos carabines sur le bâtiment. Mais dès que je franchis le mur, vous arrêtez le tir. Vous m'entendez?»

J'aurais dit que personne n'avait entendu. Entre les oreilles qui sonnaient et le spectacle de destruction qui s'offrait, chacun semblait perdu dans son monde. La plupart ont pourtant acquiescé. Les autres ont eu de nouveau droit aux instructions, hurlées dans leurs oreilles.

Quand le sergent s'est levé, il y a eu une rafale interminable, jusqu'à ce que, pour finir, il fasse un signe de la main, vocifère un certain temps et se précipite vers la galerie avec une dizaine d'hommes, dont Charles. J'ai crié à Charles de revenir, mais il ne m'a pas entendu, ou bien il a fait mine de ne pas m'entendre, et c'est alors que j'ai remarqué que ce gros tas de Niles Gilbert n'y était pas allé, pas plus que ses deux fils.

La porte d'entrée était tellement mal en point que le petit groupe s'est engouffré directement, et les tirs ont repris, à un tempo qui augmentait chaque fois qu'un homme franchissait le seuil, jusqu'à être presque continu. On ne voyait rien de ce qui se passait à l'intérieur, sinon des formes sombres glissant derrières les portes ou les fenêtres, et des balles qui parfois s'en échappaient, faisant voler la terre de la cour. Ensuite ça s'est calmé, et puis soudain, *pan pan pan*. À nouveau le calme, puis d'autres tirs isolés. Après ça je n'ai plus pu regarder. Au loin je voyais la Nueces et les pans d'herbes vertes de chaque côté. Le soleil continuait à monter, éclairant la mantille de poussière alentour, et l'air autour de la *casa mayor* a viré au mordoré comme pour annoncer un miracle imminent, une descente d'anges, ou peut-être l'inverse, une sorte d'éruption, la montée de quelque antique brasier qui nous balayerait de la surface de la terre.

Je cherchais un sens à tout cela. C'était la meilleure terre à des kilomètres à la ronde – en hauteur, bien irriguée –, nous n'étions pas les premiers à nous battre ici. En creusant le sol, on trouverait des tibias broyés et des côtes brisées par des lances.

Puis voilà que quelqu'un agitait son chapeau. C'était Charles. Il avait la chemise en lambeaux et le bras en sang. Il nous a crié de baisser les armes, mais personne n'a bougé. Alors je me suis levé, j'ai à nouveau franchi le muret, et j'ai marché le long de la ligne de tir en agitant les bras pour que les autres abaissent leur carabine.

J'ai voulu m'occuper de sa blessure mais Charles m'a repoussé. Ça avait l'air d'être de la chevrotine.

« Laisse-moi regarder, ai-je dit.

— Ça ne fait même pas encore mal. » Et puis, comme si j'étais pestiféré, il a refusé que je m'approche.

Dans la maison, on aurait dit que des ouvriers avaient entamé un travail de démolition. Ou qu'on avait lâché des vandales dans un musée. Des meubles anciens pulvérisés par les balles, revêtements déchiquetés et rembourrage éparpillé comme sous les assauts d'une nuée d'oiseaux, de vieux tableaux sombres de patriarches et de matriarches, un portrait du Christ byzantin, d'antiques courtepointes, des dessins, des armes, des crucifix, le tout abîmé, cassé ou renversé. Une bible enluminée, fierté de la famille de Pedro, était tombée de sa place sur l'*altarcito* et gisait, ouverte, dans le plâtre.

Dans le séjour, j'ai dénombré six morts, cinq hommes et une femme, si criblés de balles que leur sang s'était écoulé de leur corps jusqu'à la dernière goutte pour se mêler aux éclats de bois, à la poussière et à la bourre des fauteuils. L'un d'eux avait l'âge d'être Pedro, mais quand je l'ai retourné, c'était César, un vaquero, un homme qui, dans mon enfance déjà, nous aidait lors des rassemblements de bétail. En m'agenouillant pour le retourner, j'ai mouillé mon pantalon, et quand je me suis relevé, le tissu taché de sombre me collait aux jambes.

Sous l'un des sofas, quelque chose a attiré mon attention : c'était une petite fille en robe bleue. À côté d'elle, un garçonnet de six ou sept ans, mort également. Une barricade s'était dressée entre mes yeux et mon cerveau et c'est avec un intérêt tout scientifique que je les observais : ici, le sang, là, les trous. Et puis des détails : de petites flaques écarlates, des traces de mains, de bottes, des traces plus longues là où on avait traîné les blessés, des éclaboussures aux murs, témoins d'un dernier instant, d'une histoire qui jamais ne serait racontée. Un jeune homme dont on voyait la colonne vertébrale, un autre affalé comme s'il était ivre, la cervelle étalée sur sa chemise. J'ai vu d'autres hommes regarder la scène avec ce même intérêt froid ; quand le sang versé n'est pas celui des vôtres, il pourrait aussi bien s'agir d'eau ou de vin.

Dans la cuisine, six morts : trois vaqueros de Pedro – Romaldo, Gregorio et Martín – et puis sa fille cadette, Carmen. Deux des hommes semblaient se fixer du regard par-dessus les cadavres recroquevillés des petites-filles de Pedro, des jumelles, robes blanches et couettes identiques. Il régnait dans la pièce une odeur d'abattoir : sang, relent musqué d'entrailles à l'air, déjections humaines, mais aussi un parfum plus doux – un parfum de rose –, sans doute imaginé par mon cerveau empêtré dans un bourbier de sensations.

Je suis allé dans le bureau de Pedro. Il était étonnamment préservé et, me sentant soudain fatigué, je me suis assis dans le fauteuil destiné à ses interlocuteurs, comme je l'avais si souvent fait par le passé. J'ai décidé de laisser aux autres les découvertes qui s'imposaient. Même si, bien sûr, ça serait pire. Il n'y avait pas d'absolution. Alors je me suis levé et j'ai suivi l'odeur d'eau de rose jusqu'à l'une des chambres, dont la porte était perforée de deux gros trous faits par un fusil de chasse ; la poussière de plâtre crissait sous mes pas.

À l'autre bout de la pièce, au milieu du lit à baldaquin, Pedro reposait sur le dos, comme assoupi. L'odeur de rose était si forte que j'en ai presque eu un haut-le-cœur. Ce n'était pas cher payé. En m'approchant, j'ai vu son visage, l'oreiller et les draps tachés de sang. Un coup sans doute avait fait sortir quelque chose de sa bouche – des dents. Son visage était parsemé de plumes blanches.

On s'était battu, ici : le mur du fond criblé de balles, les commodes et les armoires en pièces, les bijoux éparpillés. J'ai cru entendre Pedro parler, mais c'était un tour de mes oreilles qui sonnaient encore. Au pied du lit gisait Aná, la plus jeune de ses filles, sa robe du dimanche trempée de sang jusqu'à la taille, cambrée, tête en arrière, comme si elle avait rassemblé ses forces pour hurler quelque chose. Il y avait là un vieux Colt Army.

Lourdes Garcia était de l'autre côté du lit, encore agrippée à un fusil espagnol.

C'est alors que notre garde-chasse est entré prendre la mesure des dégâts, me disant de ne toucher à rien.

« Dégage, lui ai-je dit, ou tu pourras chercher du travail ailleurs demain. »

J'ai ajusté la jupe d'Aná et je les ai couchées, Lourdes et elle, sur le lit, avec Pedro. Un geste vain ; on les emporterait bientôt. Je suis parti.

Dans le placard d'une autre chambre, on a trouvé une femme d'une trentaine d'années, vivante. *¿Estás herida ?* J'ai pensé qu'il devait s'agir de María, la fille célibataire, mais elle avait le visage si sale et si sanguinolent, et le regard si fou que je n'en étais pas sûr. Les yeux fixés sur moi, elle s'est laissé faire tandis que je touchais son crâne et passais la main dans ses cheveux pour voir si elle était blessée ; j'ai ouvert sa chemise pour vérifier son buste et son dos et l'ai refermée aussitôt, puis j'ai soulevé ses jupes pour inspecter la zone de la taille et des hanches. Aucune blessure. Elle est restée assise, hébétée, tandis que je rajustais ses vêtements.

Je l'ai conduite dehors pour la confier à Ike Reynolds et ses fils, des gens respectables. Une minute plus tard ils étaient partis. Je ne sais pas si elle a de la famille ailleurs ; les Garcia sont ici depuis plus longtemps que toutes les familles blanches. Autrefois c'étaient de vrais *hidalgos* : ils avaient reçu cette terre du roi d'Espagne en personne. Pedro ne mentionnait jamais de parents au Mexique ; il ne se considérait pas comme mexicain.

Dehors, le soleil était au zénith. Charles et l'un des Rangers avaient été blessés à la chevrotine, mais ça n'était pas profond. J'ai pensé au fusil près du corps de Lourdes. Je me suis demandé si Charles l'avait tuée, ou s'il avait tué Pedro, ou peut-être Aná.

L'ami de Niles Gilbert venu d'El Paso, qui tenait tant à « naturaliser » du Mexicain, était mort d'une balle dans la bouche. J'ai senti sourdre en moi une certaine satisfaction, aussitôt évanouie ; il allait passer pour un martyr. Le petit sergent blond avait pris une balle dans la main et une autre dans l'avant-bras ; une autre encore avait fait exploser le canon de sa carabine.

Blessés ou pas, les douze assaillants vivants restaient comme abasourdis sur la galerie, certains couchés sur le dos, d'autres assis au bord, jambes pendantes, à regarder le toit ou le ciel. Sullivan soulevait leurs chemises pour détecter d'éventuelles blessures, leur criant ses instructions dans les oreilles. À nouveau je me suis demandé si c'était Charles qui avait tué Pedro et Lourdes, avant de refouler la question une seconde fois.

Et voilà que les hommes restés près du mur ont commencé à approcher. On avait porté à l'ombre le corps de Bill Hollis, près duquel son frère Dutch s'était assis. Quatre autres cadavres ont rejoint celui de Bill, parmi lesquels un de nos vaqueros, m'a-t-il semblé, mais je n'ai pas eu le courage d'aller voir qui c'était.

Quelques heures plus tard, le photographe est arrivé. Les Rangers ont posé avec les corps des hommes Garcia, dont les visages avaient pour la plupart été emportés par les balles, un détail qui ne se verrait pas à l'image ; ils sembleraient flous, très sales, comme toujours les visages des morts.

Personne n'a commenté l'absence des gendres de Pedro. C'était bien ce qu'il nous avait dit : ils n'étaient pas dans la maison. Les corps des femmes et des enfants ont été déposés à l'ombre, loin de ceux des hommes, peut-être par quelque réflexe démodé, peut-être pour qu'ils n'apparaissent pas sur les images.

À regarder le photographe prendre des clichés des gens du coin posant avec les Garcia – une sorte de file d'attente s'était formée –, je me suis senti plus fatigué encore. Je savais ce que penseraient ceux qui verraient ces photos – ou plutôt, ce qu'ils ne penseraient pas – des Garcia, dont les cadavres étaient si couverts de poussière et de sang séché qu'on les distinguait à peine du caliche. Le public ne remarquerait que les vivants et leur courage, tandis que les morts ne passeraient pas pour des êtres humains. Des accessoires, rien de plus – comme une panthère ou un cerf mort –, n'ayant vécu leur vie entière que pour mourir ici et maintenant.

Les gens continuaient à arriver, des femmes et des enfants à présent. Nos vaqueros ont disparu, emportant le cadavre de leur camarade, tandis que les justiciers autoproclamés et leurs femmes fouillaient les placards. La *casa mayor* était meublée d'objets de valeur, venus d'Espagne pour la plupart : de vieilles armes, une armure, pas mal d'argenterie. Les Garcia étaient riches autrefois. Il était clair que lorsque j'y retournerais, je trouverais la maison totalement pillée.

À titre personnel, j'ai toujours su que je ne laisserais ici rien de moi, aucune trace de mon passage, mais pour les Garcia, c'était différent, parce qu'ils avaient espéré le contraire, et cru y parvenir.

Chapitre 7

Eli McCullough

Deux jours après la mort de mon frère, j'étais toujours fiévreux ; on me maintenait attaché à mon cheval. J'étais toujours fiévreux et nous étions toujours sur le Llano. Le matin du troisième jour, je vis briller dans le lointain quelque chose que je pris pour une ville. Comme nous approchions, je la vis flotter dans les airs, une ville étincelante sur une hauteur, et je me dis que ma mère avait raison, que la chaleur, ou la fièvre, ou quelque Indien hilare m'avait tué et que j'allais bientôt rejoindre le reste de ma famille. J'aurais dû me réjouir, mais je me sentis plus triste que jamais.

En approchant davantage, je vis que ce n'était pas du tout une ville. C'était un canyon en cul-de-sac qui flottait à des kilomètres au-dessus de nous, comme une chaîne de montagnes arrachée de terre. Il y avait une longue rivière étincelante et des troupeaux de chevreuils en mouvement et ma mère avait eu tort sur toute la ligne : les Indiens m'emmenaient dans leurs merveilleux territoires de chasse, où je resterais leur prisonnier même dans la mort.

J'eus un moment de cafard, mais avec le vent, personne ne m'entendit. On arriva peu après sur le site même. Il s'agissait d'un véritable canyon, découpé dans la terre, mais reflété dans le ciel par quelque mirage. Et il était encore plus grand que le mirage ne le faisait paraître : plus de quinze kilomètres de large et plus de trois cents mètres de profondeur, avec des crêtes, des tours et des cheminées de fées dressées comme des postes de garde, des mesas, grandes et petites, et des sources qui jaillissaient gaiement du grès rouge. Il y avait aussi des peupliers et des micocouliers dans un épais parterre d'herbes et de fleurs sauvages.

On prit une heure pour s'y enfoncer, avant d'établir le campement, plus tôt que d'habitude, près d'un ruisseau d'eau claire. Un crâne fossilisé avec une immense défense dépassait de la berge. Je me demandai ce qu'en aurait pensé mon frère. Les Indiens étaient détendus. Pour ma propre sécurité on m'attacha à un arbre, bien qu'on permît aux Allemandes d'aller à leur guise ; à ses cheveux blonds, j'en repérai une assise sur une petite butte au loin. Les Indiens ne s'inquiétaient pas : il y avait des traces de loup, de grizzli et de puma partout, ce n'était pas l'endroit pour s'échapper en solitaire.

Ils tuèrent quelques chevreuils et un jeune bison, et firent cuire des pommes de terre sauvages, des navets et des oignons doux préalablement tressés. Les animaux furent soigneusement dépecés, puis désossés, et les grosses pièces de viande mises à rôtir sur un lit de braises. On plaça les os dans le feu et quand tout fut prêt, on les brisa pour étaler la moelle sur les pommes de terre. Il y avait de pleines poignées de cerises de Virginie en guise de dessert, et de la limonade à base de baies de sumac. Alors que tout le monde avait déjà mangé à s'en faire péter la sous-ventrière, on finit par sortir la bosse du bison des braises ; elle dégoulinait de graisse et se délitait sous nos doigts. Je n'avais pas aussi bien mangé depuis que j'avais quitté la maison, et à cette pensée, le cafard me reprit ; Nuukaru s'approcha pour me taper.

Au coucher du soleil, les parois du canyon s'embrasèrent et les nuages venus de la prairie s'éclairèrent comme la fumée en pleine lumière, comme si nous nous trouvions dans la forge du Créateur et qu'il était encore en train de façonner le monde.

« Urwat part demain », dit Toshaway. Quand les Indiens se couchèrent, ils m'attachèrent pour la nuit, comme chaque soir depuis la mort de mon frère, mes bras et mes jambes ficelés chacun à un pieu fiché dans le sol. Toshaway me recouvrit de sa peau de bison. Les étoiles, trop vives, m'empêchaient de dormir – la Grande Ourse, Pégase, le serpent et le dragon, Hercule – et je les regardais tourner tandis que des météores laissaient des traînées fumantes d'un bout à l'autre du canyon.

Quelques Indiens prirent leur plaisir avec les Allemandes. Cette fois je tâchai de ne pas écouter.

Le lendemain matin, le butin du raid – armes, outils, équipement, chevaux, tout ce qui avait de la valeur, y compris les Allemandes et moi – fut étalé et partagé. La plus âgée des filles alla au groupe d'Urwat ; celui de Toshaway nous garda, moi et la plus jeune. Elle se mit à pleurer quand elle vit l'autre bande partir avec sa cousine. À la selle d'un cheval était accrochée une touffe de longs cheveux noirs, ceux de ma mère. Nuukaru vint me frapper. Je savais que c'était un service qu'il me rendait.

On remonta sur le Llano et on ne vit plus d'eau de toute la journée. Quelques heures avant le coucher du soleil, on établit notre campement sur un petit lac asséché, enfoncé dans l'herbe. Il était invisible à plus de cent mètres et je me demandais bien comment les Indiens s'étaient repérés jusqu'à lui : la plaine était si plate et vide qu'on percevait la courbe de la terre.

Toshaway et Nuukaru nous emmenèrent, l'Allemande et moi, à l'autre bout du lac. Une fois lavés, on s'allongea sur le ventre pour qu'ils percent abcès et ampoules causés par la chevauchée et qu'ils nettoient nos autres plaies. Ils nous rincèrent les jambes et les fesses avec une décoction d'écorces et les couvrirent d'un cataplasme à base de rhizome d'échinacée et de pulpe de figuier de Barbarie. Malgré les coups de soleil et les plaies sur ses cuisses et son derrière, l'Allemande, maintenant qu'elle était propre, était assez belle. Je la regardais dans l'espoir d'établir une communication, mais elle m'ignora. Ça avait dû être une pimbêche du genre de ma sœur, me dis-je. Après quoi je ne pus plus la regarder.

Pour l'essentiel, ils la traitaient comme un cheval de prix, prenant soin de la nourrir et de l'abreuver, mais la frappant ou lui jetant des bâtons dessus si elle faisait quoi que ce soit qui leur déplût. Moi-même j'encaissais bien des coups, mais jamais sans explication. Toshaway et Nuukaru me parlaient tout le temps, désignant telle ou telle chose, et je commençais à me débrouiller avec

leur langue : *paa*, eau ; *tuhtya*, cheval ; *tehcaró*, manger.
Tunetsuka – continue comme ça.

Quelques jours plus tard, on parvint à un grand
cours d'eau, que je supposai être la Canadian River.
Le paysage était plus clément. Ni moi ni la fille n'étions
plus attachés à présent. Le rythme de la chevauchée
s'était calmé, nous avions à boire, à manger, de quoi
soigner nos blessures ; même les chevaux se remplu-
maient un peu.

On tua deux veaux de bison. Pour changer, on fit
cuire leur foie sur les braises avec les os principaux,
étalant la moelle chaude par-dessus comme du beurre.
Toshaway n'arrêtait pas de me redonner de la viande et
il y avait encore du lait caillé, que je trouvais plus doux
chaque fois que j'en goûtais.

Le lendemain, je me réveillai en pensant à mon père :
même avec un groupe de volontaires, il n'aurait jamais
pu nous rattraper. Même un jeune Indien comme
Nuukaru les aurait semés. Les Comanches laissaient
des traces contradictoires quand le sol était meuble,
et changeaient de direction dès qu'ils arrivaient à
un passage caillouteux ou rocheux ; ils repéraient le
trajet le plus évident pour traverser un paysage et en
empruntaient délibérément un autre. Un détour qui
leur prenait quelques minutes coûterait des heures
d'errance à leurs poursuivants. Je ne m'étais jamais
senti aussi seul de ma vie.

Je me levai pour rejoindre les Indiens. Suivant leurs
voix jusqu'à la rivière, j'y trouvai tous les guerriers en
train de se décrasser et d'effacer leurs vieilles peintures de guerre. Certains étaient assis, nus, au soleil
et se regardaient dans de minuscules miroirs de poche

ou des éclats de verre pour s'épiler le visage avec des pinces de métal, sans doute prises à des Blancs. Après quoi ils sortaient de leur sacoche de petites bourses pleines de vermillon et d'autres teintures qu'ils broyaient dans de la salive pour en faire une pâte, avant de se peindre, couleur par couleur. Ils se partageaient les cheveux en deux, refaisaient leurs nattes et teignaient la raie du milieu en rouge ou en jaune. *Puha nabisaru*, dit Toshaway, lui aussi occupé à sa coiffure. L'humeur était des plus joyeuses, comme s'ils se faisaient beaux pour quelque soirée galante.

On me fit panser les chevaux avec de l'herbe et chaque guerrier redécora son cheval de rayures et d'empreintes de mains. Deux jeunes partirent à cheval dans les collines et ne revinrent pas.

Les nouveaux scalps furent lavés, brossés et fixés en haut des lances. Je savais que celui de ma mère était parti, et je ne trouvais pas celui de ma sœur. Je décidai que c'était les hommes d'Urwat qui l'avaient tuée.

On nous attacha à nos chevaux, la fille et moi, pour la première fois depuis des jours. À notre gauche se trouvaient la rive sud de la Canadian River et sa falaise à pic ; devant, des crevasses peu profondes, des collines et de petites mesas. Après avoir suivi un ruisseau qui montait entre les arbres, on se trouva devant une procession d'Indiens – des centaines d'Indiens sur leur trente et un, jambières peintes et tuniques de daim, bracelets de cuivre, boucles d'oreilles brillantes et remuantes. Les plus jeunes garçons étaient nus ; ils se précipitaient parmi les chevaux qu'ils esquivaient en criant. On continua jusqu'à se retrouver au cœur de la foule. On aurait dit la parade organisée quand mon père était revenu de guerre. Les femmes appelaient les hommes, les voisins s'interpellaient ; une vieille à l'air grave portait un long bâton d'où pendaient des scalps et certains braves y ajoutèrent les leurs. Les enfants m'évitaient, mais tous les adultes me pincèrent ou me frappèrent au passage.

Puis on atteignit le village. Les tipis s'étendaient à perte de vue, ornés d'un entrelacs de dessins de guerriers et de chevaux, de soldats percés de flèches, ou sans tête, de montagnes et de soleils levants. Il flottait dans l'air une odeur de cuir frais et de chair en voie de dessiccation ; tels de vieux tissus, des morceaux de viande pendaient de montants dressés un peu partout.

Un groupe d'Indiens en colère se fraya un passage. Les femmes poussaient des gémissements en se balançant d'un pied sur l'autre tandis que les hommes martelaient le sol de leurs lances. Ils me frappèrent les jambes et tentèrent de me faire tomber de cheval. Toshaway laissa faire jusqu'à ce qu'une vieille femme s'approche de moi avec un couteau. Personne ne s'intéressait à l'Allemande.

Mon avenir fit l'objet d'une longue négociation, le groupe des pleureuses estimant visiblement que ça devait se régler au couteau, sinon pire, tandis que Toshaway défendait son bien. Il s'agissait à coup sûr de la famille de l'homme que j'avais tué, même si seul Toshaway pouvait me savoir coupable.

Comme Nuukaru me l'expliquerait plus tard, la famille du défunt s'attendait à une part du butin, au lieu de quoi elle avait appris que leur guerrier avait reçu une balle dans la poitrine. Elle réclamait un scalp blanc et voilà qu'on lui disait que les scalps de ma mère et

118

de ma sœur étaient partis au nord avec les Yamparikas, ou «Mangeurs-de-racines», que mon frère n'avait pas été scalpé parce qu'il avait fait preuve de trop de courage dans la mort, que de mon côté j'étais innocent (un mensonge) et, plus important, que j'appartenais à Toshaway et qu'il ne leur permettait pas de rafraîchir ma coupe de cheveux. La famille demanda les trois scalps à sa ceinture, mais ceux-ci avaient été pris à des soldats lors de combats si légendaires qu'on ne pouvait légitimement pas exiger qu'il s'en séparât. Il leur proposa deux carabines. Une insulte. Un cheval, alors. Cinq chevaux seraient encore une insulte. Dans ce cas il n'avait rien à leur proposer ; ils connaissaient les risques et la tribu s'occuperait d'eux. D'accord, ils prenaient le cheval.

Toujours est-il qu'entre les armes, les chevaux et les autres denrées, le butin était très conséquent, aussi une fête se préparait-elle au village. Sur les soixante-dix et quelques chevaux capturés, Toshaway donna le plus grand nombre aux hommes qui avaient participé au raid, plus un à la famille du mort, et quelques autres à des familles pauvres venues le solliciter directement. Il était impossible de refuser un don à qui le demandait. Il ne lui resta au final que deux chevaux et moi ; un chef de guerre plus avare aurait gardé tout le butin pour lui, mais son prestige s'en trouva grandement rehaussé.

Après que Toshaway se fut arrangé avec la famille du défunt, Nuukaru et lui passèrent avec moi par tous les tipis. J'étais toujours attaché à mon cheval. À chaque tipi, une vieille squaw venait me pincer la jambe pour y faire un bleu. Ça jacassait dans tous les sens et ça riait. Plusieurs heures s'écoulèrent. J'avais chaud, je m'ennuyais, j'étais tout engourdi d'être encore ligoté. On parlait de moi, je le voyais bien. On arriva finalement dans le coin où vivait Toshaway. Tout le monde était debout à l'attendre. Il y avait là deux beaux adolescents, un garçon et une fille, dont je compris que c'étaient les enfants de Toshaway, et puis une femme d'un peu moins de trente ans, sa femme, et une seconde d'un peu moins de quarante ans, son autre femme.

Une fois que tout ce petit monde se fut tout raconté, trois vieillards vinrent me dire de les suivre. On partit sans plus de cérémonie, naviguant entre les tipis, les feux de camp, les peaux de bêtes qu'étiraient des pieux, la viande séchant sur les portants, les armes et les outils éparpillés partout. Une vieille squaw sortie de nulle part me mit une claque entre les jambes. J'avais déjà la nausée sous l'effet conjugué de l'angoisse, des odeurs de viande en putréfaction et des nuées de mouches. Puis ce fut le tour d'un jeune brave d'apparaître de je ne sais où pour me frapper à la mâchoire. Je me recroquevillai sous ses coups de pied, mais il s'arrêta soudain pour parler aux vieux. Il avait les yeux bleus, je savais qu'il était blanc ; au bout de quelques minutes il s'éloigna comme si de rien n'était.

Les trois vieillards trouvèrent un endroit où s'asseoir près d'un tipi. C'était la fin de l'après-midi, il faisait bon au soleil ; un paysage dégagé ondoyait devant nous, tandis que nous avions la forêt dans le dos. Des troupeaux de chevaux broutaient au loin, plusieurs milliers de bêtes sans doute. Je restais assis à écouter le ruisseau. Je m'étais assoupi quand deux des vieillards me plaquèrent au sol, les bras dans le dos. Le plus vieux était accroupi près de ma tête et je sentais l'odeur nauséabonde de son pagne ; j'étais sûr que j'allais rendre tripes et boyaux, ce qui me gênait plus que l'idée de mourir. Et puis Nuukaru apparut et je me détendis.

Le vieux trafiquait quelque chose dans le feu. À son retour, il s'agenouilla près de moi avec un poinçon et me transperça plusieurs fois le lobe de l'oreille des deux côtés. Comme Nuukaru était assis sur moi, je n'avais pas assez de souffle pour protester. Ils passèrent des cordelettes en daim graissé dans les trous et me laissèrent me relever.

On me donna alors de la limonade de sumac et on planta quelques brochettes de viande dans le sol autour du feu. Tandis que nous étions assis là à attendre, une jeune squaw grassouillette vint me serrer dans ses bras ; puis elle me tapa, me renversa dans l'herbe, me grimpa dessus et se mit à lutter avec moi comme on lutte avec un chien. Je la laissai me traîner dans l'herbe, s'asseoir sur moi et me plonger le visage dans une flaque de boue qui sentait les pieds. Elle me pinça le nez pour m'obliger à respirer par la bouche et avaler la boue, puis elle se lassa et je retournai au feu. On me fit passer une gourde d'eau pour que je me rince. Quelqu'un faisait chauffer dans une casserole métallique une sorte de sauce à base de miel et de saindoux, en remuant avec une côte de cerf. Tout ça sentait divinement bon, mais juste alors que nous nous mettions à manger, le fils de Toshaway arriva pour dire quelque chose. Les vieillards firent claquer leur langue en secouant la tête. Je vis la famille du défunt venir à nous et je sus qu'ils avaient décidé de déterrer la hache de guerre.

Nʉʉkaru me tapa dans le dos en guise d'encouragement, et tout le monde suivit tandis qu'on me conduisait par le cou jusqu'à une zone dégagée au milieu du village. Un grand poteau avait été planté dans le sol. On m'y attacha. À voir le public qui s'était rassemblé, il était évident qu'on se préparait à un lynchage ; trois adolescents tournaient autour de moi en me menaçant de pistolets.

Ils étaient excités et j'étais sûr qu'ils allaient tirer, mais ils attendaient qu'arrive plus de monde. Presque tout le village finit par être présent ; les enfants sortaient en trombe de la foule pour y retourner aussitôt après avoir déposé des broussailles ou des morceaux de bois autour de mes jambes. J'en avais maintenant jusqu'à la taille.

Les jeunes Indiens armèrent leurs pistolets et les pressèrent, les uns contre mes tempes, l'autre dans ma bouche. Je sentis mon ventre se liquéfier. Une vieille squaw s'approcha avec un couteau de dépeçage. Je faillis me faire dessus à la pensée que j'allais être écorché vif, mais elle se contenta de quelques entailles. Je dus alors libérer des vents, ce que tout le monde trouva hilarant car ils comprenaient que j'avais peur. *Nʉ pakatsi ha wʉ?yʉrʉhkikatʉ? Pakatsi tsa wʉ?yʉrʉhkikatʉ !*

Nʉʉkaru, au premier rang, observait ce qui se passait. Grand et dégingandé, il avait l'âge, ingrat, de mon frère. Il n'y avait pas grande aide à attendre de lui. Quand la vieille femme s'éloigna, un des garçons visa et pressa la détente. Je sentis un coup sur mon visage et j'en eus les sourcils roussis, mais le pistolet n'était pas chargé. Les deux autres firent de même. Puis un gamin courut vers moi avec une torche et fit mine d'allumer le tas de broussailles. Je lui montrai du menton là où j'estimais qu'il fallait lancer le feu ; il me fallut l'encourager un peu mais il finit par le faire. Les poils entre mes cuisses se mirent à crépiter. J'allais abandonner lorsque Toshaway s'avança pour éteindre les fétus en flammes.

Il fit un discours aux villageois, disant pour l'essentiel que je n'avais visiblement pas eu peur de me faire tirer dessus ou brûler vif, une attitude qui suscita la plus grande approbation : certains Indiens me donnèrent une claque dans le dos tandis que je retournais au tipi de Toshaway. Sa femme versa du thé sur mes plaies et mes brûlures, me lava le visage et m'habilla d'un nouveau pagne. Mais avant cela, j'allai m'accroupir dans les buissons jusqu'au soulagement intégral.

La fête commença à l'heure du dîner. Nuukaru m'expliqua par la suite que, normalement, elle n'aurait pas dû avoir lieu parce qu'on avait perdu un homme au cours du raid, mais qu'en l'occurrence personne n'aimait cette famille et qu'on espérait qu'ils partiraient ailleurs.

Au menu : venaison, wapiti, bison, caille, chien de prairie et os à moelle – laquelle serait étalée sur la viande ou mélangée à des gousses de mesquite avec du miel pour le dessert. Il y avait aussi des pommes de terre et des oignons, et puis de la courge et des pains de maïs achetés au Nouveau-Mexique. Les Comanches faisaient là-bas commerce d'à peu près tout, comme avec les gens de Fort Bent sur l'Arkansas River : maïs, courge et potiron, sucre blanc et brun, tortillas et galettes, fusils, poudre, plomb en barres et moules à balles. Et puis décorations pour les chevaux, amorces, couteaux d'acier, haches et hachettes, ainsi que couvertures, rubans, draps, linceuls aussi, jarretières, et puis vis à carabine, pointes de lances et de flèches, cercles de tonneaux, brides, fil d'acier, fil de cuivre, fil d'or, clochettes de toutes tailles, sacs à selle, étriers en fer, pots en fer, pots en cuivre, miroirs et ciseaux, indigo et vermillon, perles de verre, perles de wampum, tabac, briquets à amadou, pinces à épiler, peignes et fruits secs. Les Comanches étaient les Indiens les plus riches et dépensaient la moitié de ce qu'ils gagnaient en colifichets et bijoux bon marché ; en revanche, et contrairement à ce que certains ont écrit, ils n'avaient guère de goût pour les vêtements des Blancs, pour les hauts-de-forme, les bas ou les voiles de mariée.

Quand tout le monde eut mangé tout son soûl, les anciens de la tribu lancèrent la danse et on appela un guerrier à qui l'on remit une longue perche d'où pendaient des scalps. Il raconta un acte de bravoure avant d'appeler un deuxième guerrier qui prit la perche et raconta à son tour une histoire avant d'appeler quelqu'un d'autre. Mentir aurait porté malchance à la tribu tout entière et un brave finit par être appelé qui n'avait pas d'histoire surpassant celles déjà racontées : au lieu de prendre la perche, il se mit à danser. Tous le suivirent, formant un grand cercle grouillant. Je restai debout là, à observer. On m'avait étrillé et peinturluré, et je portais mon pagne. Les trois vieillards m'avaient épilé les sourcils, ainsi que les quelques poils en bataille qui me poussaient sur le menton et la lèvre supérieure. Les Indiens bougeaient au rythme des tambours. On me plaça dans le cercle, on me donna la perche avec les scalps et on me poussa au milieu. Au bout de quelques minutes, je tentai de la passer à l'homme qui se trouvait derrière moi, mais il me força à avancer. Les tambours accélérèrent et l'air s'embrasa dans le coucher du soleil. J'aperçus les femmes de l'homme que j'avais tué et quand je les revis un peu plus tard, elles n'avaient pas bougé ; je savais que la perche aux scalps me protégeait. Elles ne me toucheraient pas tant que je la tiendrais. Il s'écoula plusieurs heures : la lune était levée et c'est à peine si j'arrivais à rester éveillé. J'avais mal aux pieds à force de battre le sol et les épaules me brûlaient, mais les Indiens m'obligeaient à rester devant. Aux grognements et aux cris de joie se mêlaient ceux des ours et des bisons, des pumas, des chevreuils et des wapitis.

Quand je me réveillai, il faisait complètement noir. J'étais sous une couverture. Un petit disque de ciel sombre au-dessus de ma tête, un feu mourant d'un côté, une respiration dans l'obscurité. Tout était paisible. J'étais dans un tipi, sur le moelleux d'un lit de peaux de bêtes ; on m'avait lavé de nouveau et oint d'huile, on avait pansé mes blessures. J'étais propre, au chaud, bordé dans une couverture toute douce. Quelque chose dans la respiration que j'entendais me donna le cafard. C'était comme d'être ivre, si j'en crois la description qu'en font ceux qui vous brandissent leur bible sous le nez : on a une certaine vision du monde et puis on émerge et on se rend compte qu'on s'est trompé du tout au tout.

Je quittai ma couche et sortis. On voyait les étoiles, et des tipis à perte de vue, doucement éclairés du dedans par leurs petits feux nocturnes ; autour du grand foyer de la fête, il y avait encore des gens éveillés qui parlaient doucement, des femmes abandonnées contre leur homme, des enfants endormis contre leurs parents. De certains tipis sortaient des ronflements, d'autres tipis, des gloussements, et d'autres enfin des gémissements de femmes, qui durèrent longtemps. Ça finit par m'exciter et je repensai aux fois où j'avais entendu ma mère et mon père, sans parler des fois où je m'étais imaginé avec ma sœur, ce dont bien sûr j'avais honte, et plus encore maintenant.

J'entendis quelqu'un remuer dans son sommeil, Nuukaru ou Escuté, le fils de Toshaway. Je décidai qu'un jour je retrouverais Urwat et le reste des Mangeurs-de-racines, et que je leur prendrais tant de scalps que j'en aurais quinze kilomètres à traîner derrière mon cheval.

Quant à Toshaway, il m'avait sauvé et il avait essayé de sauver mon frère. Il aurait peut-être sauvé ma mère et ma sœur dans d'autres circonstances. Mais les Indiens avaient leurs règles, comme nous avions les nôtres. Un jour, mon père et moi avions tiré sur deux esclaves en fuite qui ramassaient des noix de pécan sous nos arbres. Ma cartouche fit long feu et le coup ne partit pas, tandis que celui de mon père partit trop haut de plusieurs mètres – incompréhensible : mon père était la meilleure gâchette du pays et il y avait moins de quatre-vingts pas entre les nègres et nous. On vit deux éclairs noirs s'enfuir dans la forêt. Je suggérai d'aller chercher Rufe Perry et ses chiens à nègres, mais mon père répondit qu'il risquait de pleuvoir et que nous avions encore des sillons à biner. Je demandai où allaient les esclaves : au Mexique, sans doute, ou bien vivre avec les Indiens, lesquels acceptaient les Noirs et tous les autres du moment qu'ils vivaient selon leurs lois. Mais comment peuvent-ils accepter de vivre avec des nègres ? demandai-je. Il y a des tas de gens qui vivent avec des nègres, me répondit-il. Comme je continuais à pester contre mon tir manqué, il me dit qu'un jour je remercierais le ciel de certaines petites grâces.

J'entendais la respiration profonde de Nuukaru et Escuté. J'écoutai tant que je pus avant de sombrer moi-même dans le sommeil.

Chapitre 8

J. A. McCullough

Voici qu'elle était redevenue jeune. Elle était sur un vieux grand-huit en bois et quelque chose clochait : les wagonnets allaient de plus en plus vite jusqu'à ce que, parvenus tout en haut, ils sortent des rails. Elle volait. Et puis plus. Le sol se rapprochait, tout allait très lentement, *c'est très grave*, se dit-elle. Alors les wagonnets lui tombèrent dessus.

Puis voici qu'elle était dans le désert. C'était le plus gros *fracking* de sa vie ; l'ingénieur qui réglait la circulation des camions-citernes semblait diriger une symphonie. Les canalisations étaient pleines, avec une pression de plus de quatre-vingts millions de pascals, quand un joint vint à lâcher. Un énorme tube en fer se dressa comme un serpent. Ses yeux la piquaient ; c'est qu'elle regardait le soleil en face. Un hélicoptère de secours était en route, mais ça ne servirait à rien. *Oui*, se dit-elle. *Voilà ce qui s'est passé.*

Elle rouvrit les yeux. Sauf qu'il y avait eu un homme dans la pièce, elle en était sûre. Elle se demanda s'il était parti chercher de l'aide. Elle regarda les bûches et les braises dans la cheminée, le tapis bordeaux qui déployait sous elle ses oiseaux, ses fleurs, ses fioritures, et puis les bustes d'antiques Romains. C'était un rêve.

Elle se demanda quel souvenir elle laisserait. Elle n'avait pas gagné assez pour distribuer de l'argent partout comme Carnegie et effacer les péchés associés à son nom ; elle avait échoué, elle n'avait pas trouvé le rameau d'or. Les gauchistes trinqueraient à sa mort. Ils s'allumeraient des cigarettes de marijuana, iraient dans un de leurs restaurants japonais manger des produits frais qui auraient voyagé douze mille kilomètres et passeraient tout le repas à se plaindre de gens comme elle ; et quand ils rentreraient dans leurs maisons froides, ils appuieraient sur un bouton pour mettre en route le chauffage, tout ça en critiquant l'industrie pétrolière.

Les gens pensaient qu'on devait à Henry Ford d'avoir introduit l'ère automobile. Faux. Avant la voiture, il y avait eu la charrette. Le début de l'ère automobile, c'était le gisement de Spindletop, complété par la tête de forge miraculeuse de Howard Hughes. La vie moderne était née au puits de Lucas, quand on avait soudain pris la mesure de la quantité de pétrole potentiellement présente sur la planète. Avant cela, l'essence n'était qu'un solvant bon marché utilisé pour nettoyer le matériel et les chaînes de vélo, et tout le pétrole auquel John Rockefeller devait ses millions brûlait dans les lampes, en substitut à l'huile de baleine. C'étaient le puits de Spindletop et la tête de forage de Hughes qui avaient ouvert la voie à l'automobile, au camion et à l'avion : tous les trois dépendaient d'un pétrole bon marché comme l'Église dépend de Dieu.

Elle avait bien agi. Créé quelque chose à partir de rien. L'espérance de vie avait doublé ; sans pétrole, impossible d'aller à l'hôpital, de fabriquer des médicaments, d'acheminer la nourriture jusqu'aux magasins, sans parler des tracteurs qui ne quitteraient même pas la grange. Elle puisait dans le sol quelque chose qui ne servait à rien et le ramenait à la surface, à la lumière, où il prenait du sens. C'était une forme de création. C'était toute sa vie.

Jadis, elle n'était pas seule en cela. Les industriels construisaient le pays, les magnats du pétrole le faisaient tourner. À présent il n'y avait plus que le pétrole. La vie des industriels, ou quel que soit le nom qu'ils se donnaient maintenant, reposait sur la destruction, à fermer des usines pour les délocaliser à l'étranger. Elle ne s'attendait pas à être aimée, mais il y avait salauds et salauds ; ces types avaient défait le pays, brique par brique, et s'il y avait bien une chose qu'elle détestait plus encore que les syndicats, c'était que les gens ne puissent pas travailler.

D'autres souvenirs l'envahirent. Les visites aux logements des ouvriers mexicains avec son père : ces femmes d'un autre siècle qui allaient, enceintes, chercher de l'eau à des puits lointains, les fers à repasser au-dessus du feu de bois, le bleu dans les baquets fumants, le linge bouillant qu'il fallait tordre, et puis la préparation de conserves de fruits et de légumes au cœur de l'été – et il faisait plus chaud dans les *jacals* que dehors –, tandis que les hommes, à l'ombre, tressaient des lassos avec du crin de cheval. *Pourquoi est-ce qu'ils n'achètent pas leurs cordes au magasin ?* avait-elle demandé. Son père n'avait pas répondu.

Traverser des pâturages bien avant le lever du soleil, s'accroupir pour distinguer les chevaux contre le ciel obscur. Tout autour d'elle, les ouvriers du ranch attrapant leur monture au lasso. Soufflements des chevaux, cliquetis des sangles, mots d'apaisement susurrés en espagnol. Certains mustangs se soumettaient à la corde, d'autres ruaient et se débattaient, rechignant à passer la journée à courir dans la chaleur et les épines. Beaucoup n'étaient que cicatrices, du garrot aux sabots ; les broussailles arrachaient tous les poils.

Le grincement sans fin des éoliennes. À genoux avec le Colonel à examiner le sol mouillé près des étangs, les traces fraîches de la nuit : bétail, chevreuils, renards, pécaris, lapins, grands géocoucous, lièvres, mulots, ratons laveurs, serpents, dindons et lynx. Les traces de panthère faisaient accourir son père et ses frères, et puis un vieux Mexicain avec ses chiens. Il y eut un moment – quand ? – à partir duquel le Colonel se mit à effacer de la main toute empreinte de panthère, jusqu'à les faire disparaître. *Ne le dis à personne*. Le monde des adultes marchait aux secrets. Les railleries de son père et de ses frères lorsqu'elle voulut voir un loup ou un ours. C'est aussi bien de les voir au zoo, dit son père. C'est aussi bien de ne plus les voir du tout.

Et qu'avait-elle appris ? Elle avait perdu prématurément la moitié des siens. Cette terre était dure envers ses fils, et plus dure encore envers ceux des autres terres. Sa grand-mère avait un jour offert une prime pour chaque paire d'oreilles mexicaines – *traitez-les comme les coyotes.* Elle pensa à ses frères, tués par les Allemands, à son oncle Glenn, déchiqueté dans une tranchée.

Elle avait essayé de se retirer des affaires douze ans plus tôt. Hier à peine elle était une petite fille, age-nouillée près de l'étang, et voilà qu'aujourd'hui ses propres enfants avaient la cinquantaine. Elle n'avait pas été parfaite ; elle voulait recoller les morceaux, connaître ses petits-enfants. L'occasion s'était pré-sentée, mais le cours du pétrole était bas, moins cher que l'eau, disait-on, et elle n'avait eu que des offres ridicules. Elle savait que c'était sa dernière chance de recoller les morceaux de sa famille. Mais vendre pour cette misère – rien que d'y penser, elle en était malade.

Et puis les Arabes avaient frappé New York. Elle avait embauché des foreurs. Ses enfants avaient leur vie, ils n'avaient pas besoin d'elle. Le pétrole s'était mis à remonter – voir un puits se construire là où il n'y avait que le désert, voir couler l'or noir après un bon *fracking*, surtout quand tous les autres avaient renoncé : c'était ça, sa raison de vivre. Tirer quelque chose de rien. Créer. Elle aurait toujours le temps de s'occuper de sa famille.

Chapitre 9

JOURNAL DE PETER MCCULLOUGH

13 août 1915

La mémoire est une malédiction. Quand je ferme les yeux, je vois le visage de Pedro emporté par une balle, le trou dans la joue de Lourdes où perle un liquide clair comme une larme. La robe d'Aná trempée de sang. Dès que je dors, je me retrouve dans leur chambre. Pedro est assis dans son lit, il me montre du doigt tout en parlant une langue disparue et une fois plus près, je comprends que le son ne vient pas de sa bouche, mais de la plaie sur sa tempe. Quand je me réveille, je reste longtemps immobile, à espérer que mon cœur cessera de battre, comme si la mort pouvait m'absoudre de mon rôle dans cette histoire.

Ce qui s'est passé chez les Garcia n'est que le début. Il y a en ville au moins cent hommes armés que personne ne connaît, avec des fusils et des carabines, comme si on était revenus cinquante ans en arrière. Comme si la ville n'existait pas. Amado Bastia s'est fait assassiner pendant la nuit, son magasin a été pillé et il y a eu une tentative d'incendie, mais le feu n'a pas pris.

Tous les journaux décrivent les Garcia comme des extrémistes mexicains ; la vérité, c'est qu'il n'y avait pas plus conservateurs dans les comtés de Webb et de Dimmit réunis. La photo de leurs cadavres se répand aux quatre coins du Texas et du Mexique ; bien que là-bas les propriétaires terriens ne soient pas en odeur de sainteté, ils vont sans doute y faire figure de martyrs.

Glenn est toujours à San Antonio, en convalescence à l'hôpital. Ni lui ni Sally n'ont réagi à la nouvelle de l'anéantissement des Garcia. Je me demande si je suis en train de devenir fou ou si je n'aime pas assez ma famille ou si, au contraire, je l'aime trop. S'il n'y a que moi ici qui sois sain d'esprit.

En attendant, les auberges sont pleines de tout ce que la vallée du rio Grande compte de pire et les Rangers ont du mal à maintenir l'ordre. J'ai suggéré au sergent Campbell (est-ce lui qui a tué Pedro et Lourdes ? Ou bien mon propre fils ?) qu'il envoie chercher le reste de sa troupe, mais ils sont occupés le long de la frontière, à protéger d'autres ranchs.

Il a beau avoir l'air méchant, Campbell est perturbé par le fait que la moitié des morts aient été des femmes et des enfants. Je refuse d'en parler avec lui. Il est de ceux qui pensent que les excuses suffisent à faire disparaître les fautes, qu'on peut se confesser encore et encore jusqu'à être libre de répéter ses crimes.

Toute la journée, la maison a été pleine de gens venus nous témoigner leur soutien ; j'ai fini par partir en ville pour leur échapper, et là j'ai croisé deux pick-up avec chacun une dizaine d'hommes armés comme il faut, désireux d'en découdre avec les insurgés mexicains. Je leur ai dit qu'ils étaient tous morts. Ils ont eu l'air déçu, mais après délibération, ils ont décidé d'aller en ville malgré tout : ils n'allaient quand même pas renoncer comme ça.

Au retour, j'ai trouvé le juge Poole en train de manger notre viande et de boire notre bourbon tandis qu'il prenait la déposition de tous les présents. Je lui ai donné ma version – *rien que les faits*, m'a-t-il plusieurs fois corrigé, *pas ton interprétation*. Pour finir il m'a demandé de sortir un instant avec lui, à l'écart des autres.

« Ce n'est qu'une formalité, Pete. Je ne voudrais pas qu'on me croie capable de prendre le parti des immigrés contre les Blancs. »

Ai failli lui faire remarquer que les immigrés, c'est nous, vu que nos chevaux n'ont traversé la Nueces qu'un siècle après l'installation des Garcia. Mais bien sûr je n'ai rien dit. Il m'a tapé dans le dos – des mains de boucher – et il est rentré se resservir en viande à l'œil.

Les gens ont continué à se présenter avec des gâteaux, des rôtis, et leurs regrets de n'avoir pas pu se joindre à nous à temps – quel courage nous avons eu d'attaquer les Mexicains avec si peu de monde. À savoir soixante-treize hommes, contre dix en face. Quinze en comptant les femmes. Dix-neuf en comptant les enfants.

Sally m'a demandé pourquoi je n'avais pas encore été voir Glenn à l'hôpital. Je lui ai donné mes raisons :

Trois maisons ont été incendiées la nuit dernière et huit personnes tuées, tous des Mexicains, sauf Llewellyn Piece, dont la femme était mexicaine.

Le sergent Campbell a tiré sur au moins trois pilleurs, dont deux ont disparu dans la nature. Celui qui s'est fait descendre venait d'Eagle Pass. Le trio était en train de mettre le feu à la maison de Custodio et Adriana Morales. Les Morales étaient déjà morts. En pensant à Custodio, je me suis souvenu combien il aimait nos chevaux ; il ne demandait jamais le prix normal quand je lui portais notre sellerie et d'autres choses à réparer. Voilà vingt ans que je comptais l'inviter à monter avec moi.

Campbell m'a confié que l'un de ses hommes refusait de tirer sur les pilleurs blancs. Et puis l'adjoint d'un shérif a été retrouvé mort, mais on n'en sait pas plus.

Il a télégraphié une nouvelle fois pour que le reste de la troupe vienne en renfort, mais on lui a dit qu'ils étaient occupés à des choses plus sérieuses au sud.

« Il faut qu'on fasse quelque chose de ces Mexicains, m'a-t-il dit. Ils ne sont pas en sécurité ici. »

Campbell ne m'avait pas semblé très préoccupé par la sécurité des Garcia. Je n'ai rien dit, mais il a dû le lire sur mon visage.

« Notre boulot, c'est de maintenir l'ordre face à ceux qui le troublent, a-t-il dit, et je me fous de la couleur de leur peau. »

Plusieurs familles de *Tejanos* – celles d'Alberto Gonzales et de Claudio Lopez, les Janero, les Sapinoso et les Urraca – ont quitté la ville cet après-midi avec tout ce qu'ils possédaient.

Campbell pense que cette nuit sera pire que la précédente. Ses hommes sont à un contre cinquante face aux pilleurs. « Il était question de nous acheter des mitraillettes, a-t-il dit, ils auraient dû le faire avant. » Puis il a demandé : « Qu'est-ce que vous pensez du shérif Graham ?

— Je crois qu'il sera triste s'il rate tout ce pillage.

— C'est bien mon avis. »

Il est resté silencieux. Nous étions assis sur la galerie, à regarder autour de nous.

« Ça fait quoi de posséder tout ça ? a-t-il dit.

— Je n'en sais rien, à vrai dire. »

Il a hoché la tête, comme s'il s'attendait à cette réponse.

« Vous voulez emporter quelque chose à manger pour ce soir ? » ai-je demandé.

Il n'a pas répondu. Nous avons regardé vers la ville, même si on ne la voit pas de la galerie.

« Un sacré personnage, votre père, dites donc.

— C'est le moins qu'on puisse dire.

— Le mien est mort. »

Je me suis demandé s'il y était pour quelque chose. Mais bon, je l'aime bien. Il ne doit guère faire plus d'un mètre soixante-cinq, bottes comprises, et pourtant tous les gars du coin le craignent.

« Qu'est-ce que vous comptez faire ce soir ?

— Descendre pas mal de monde, j'imagine.

— Pas terrible, comme plan.

— C'est tout ce qu'on a.

— Vous avez souvent eu à faire ce genre de boulot ?

— J'ai tué deux gars à Beaumont. Mais comparé à ici, c'était une promenade de santé. »

Il y eut un silence.

« Comment vous faites ?

— Je vise », dit-il.

15 août 1915

Lueurs de plusieurs incendies visibles de ma fenêtre la nuit dernière ; tirs sporadiques, mais constants.

Au matin, une autre dizaine de familles mexicaines étaient parties ; de leur plein gré, semble-t-il. Quatorze morts de plus, dont six Blancs. Au téléphone, Campbell a admis que c'est lui qui a tué l'adjoint du shérif l'autre soir : il pillait une maison, son badge sur la poitrine.

En allant en ville, Charles et moi avons vu un *Tejano* pendu à un chêne vert.

« C'est Fulgencio Ypina », a dit Charles.

Nous nous sommes arrêtés. Charles est monté dans l'arbre et l'a dépendu. Nous l'avons soulevé et déposé aussi délicatement que possible à l'arrière du pick-up. Pendant des années Fulgencio a travaillé pour nous, à arracher les broussailles. Son corps commençait déjà à gonfler.

« Qui va enterrer ces gens ? a demandé Charles.

— Je ne sais pas.

— Est-ce que l'armée va venir ?

— Je ne sais pas non plus.

— On devrait appeler Oncle Phineas.

— Il pêche quelque part.

— Alors il faut que toi tu fasses quelque chose.

— Quoi, par exemple ?

— Je ne sais pas. Mais fais quelque chose. »

Les rues étaient vides. Il y avait des affichettes écrites à la main un peu partout :

Quiconque (même blanc) sera surpris dehors après la tombée de la nuit sera abattu. Ordre des Texas Rangers.

Quand nous avons rejoint le sergent Campbell, il avait une nouvelle blessure : cette fois la balle avait traversé le haut du mollet. Il était assis sur une chaise au fond de l'épicerie, pieds nus, pantalon baissé.

« Au moins les gens visent vos extrémités, on dirait », ai-je plaisanté. La blessure n'avait pas l'air trop moche : la balle a manqué l'os et l'artère.

Campbell observait l'homme qui le soignait. « Ce sont les mains qui prennent parce qu'elles sont devant la poitrine quand on tire. Et j'ai pris à la jambe parce que le type que j'ai tué hier a vidé son arme en tombant. » Il m'a regardé comme si nos âges étaient inversés.

« Dites à toutes les familles mexicaines de la ville qu'elles peuvent venir dans mon ranch, ai-je annoncé.

— Ça va me simplifier la vie. » Il ne semblait pas trouver la proposition particulièrement généreuse. Il observait toujours Guillermo Chavez, vingt-cinq ans, notre vétérinaire local depuis qu'il a pris la succession de son père. Chavez a ôté les pansements de la main et du bras de Campbell.

«Qui a bandé ça?

— Moi. Vous êtes un vrai docteur?

— Surtout pour les animaux.

— Vous avez votre diplôme?

— À votre avis.»

Campbell secoua la tête: «Quel merdier.

— Je suis content que vous soyez là, dit Guillermo. Et je n'aurais jamais cru dire ça un jour à un *Rinche*.»

Campbell n'a pas relevé l'insulte. «Qu'est-ce qui va se passer si ces os se soudent comme ça?

— Vous aurez du mal à utiliser votre main.» Il haussa les épaules. «Mais c'est surtout l'avant-bras, le problème, parce que c'est très enflé et qu'il va falloir nettoyer tout ça.

— Sinon je perds mon bras?» Sa voix s'est brisée et l'espace d'un instant, j'ai vu Campbell pour ce qu'il était, un gamin de vingt ans qui avait peur, mais le masque est aussitôt revenu.

«Continuez à mettre cette poudre sur la blessure. Quand ça commencera à suinter et à devenir collant, rajoutez-en. Il faut toujours qu'il y ait de la poudre sèche dans la plaie.

— On dirait du sucre jaune.

— C'est du sucre et du sulfamide.

— Du sucre de table.

— C'est un traitement fiable. Rien que le sucre, ça suffirait.

— C'est complètement débile.

— Faites comme vous voulez, je m'en fiche. Vos collègues de Starr ont assassiné mon cousin, vos collègues de Brownsville ont assassiné mon oncle et son fils, et moi je suis là, à vous soigner.

— Il y a toujours un pourri dans le lot, dit Campbell.

— Allez dire ça à Alfredo Cerda, à Gregorio Cortez ou à Pedro Garcia. Ou à leurs femmes et leurs enfants, morts eux aussi. Vos collègues débarquent, ils enveniment tout, et puis l'armée vient calmer le jeu. Mais c'est tellement évident, ça ne vaut même pas la peine d'en parler. »

Campbell pliait les doigts pour voir s'il pouvait toujours tenir sa carabine. « Vous avez de la morphine ? » a-t-il demandé à Guillermo. À moi, il a dit : « On n'a pas de quoi vous dédommager pour l'usage de votre ranch.

— Quand est-ce que l'armée va venir ?

— Jamais.

— Bon... Une émeute, un Ranger, comme on dit.

— Voilà. Le problème, c'est quand le Ranger, c'est vous. »

Sally était furieuse que j'aie invité tous les Mexicains de la ville chez nous et a aussitôt demandé à parler à Consuela. Je l'ai entendue lui ordonner de cacher l'argenterie et rouler les beaux tapis, puis Consuela m'a rendu le combiné.

« Qu'est-ce qui te prend, Peter ?

— Ces gens vont mourir si on ne les accueille pas. »

Elle n'a rien répondu.

« Glenn va s'en sortir, lui ai-je dit.

— Qu'est-ce que tu en sais ? Qu'est-ce que tu en sais, toi qui n'es même pas avec lui ? »

J'espérais que les Mexicains viendraient discrètement, mais avant la tombée de la nuit, la moitié des *Tejanos* qui résident ici, soit presque cent personnes, avaient débarqué au ranch : à pied, en voiture, à cheval, portant, poussant ou tirant leurs biens les plus précieux dans des carrioles, des charrettes à bras ou sur leur dos.

Midkiff et Reynolds m'ont spontanément envoyé des hommes pour aider à protéger les Mexicains. *C'est notre ranch, qu'ils protègent*, a corrigé le Colonel, *ne dis pas n'importe quoi.*

Campbell est passé en personne désigner huit hommes comme adjoints (même s'il n'avait pas légalement le pouvoir de le faire) avant de retourner en ville clopin-clopant, le bras droit en bandoulière. Il a dégoté quelque part une Winchester .351 utilisable d'une seule main ; je ne lui ai pas demandé où il l'avait trouvée. On a fermé et verrouillé les portes du ranch, et Charles et les vaqueros se sont mis en embuscade au bord de la route.

Chapitre 10

Eli / Tiehteti

1849

Les Comanches Kotsotekas vivaient principalement le long de la Canadian River, là où finissait le Llano et où les plaines arides se transformaient en canyons herbeux. Historiquement, leur territoire allait jusqu'aux abords d'Austin ; Toshaway connaissait la concession de ma famille mieux que moi. Les Texans avaient signé un traité garantissant qu'aucun nouveau colon ne s'installerait à l'ouest de la ville, mais au final ils étaient ainsi faits que lorsqu'un accord devenait gênant, ils ne s'embêtaient pas à le respecter.

« Un jour, des maisons sont apparues, dit Toshaway. Les arbres avaient été coupés. Ça nous était égal, bien sûr, comme ça te serait égal si quelqu'un entrait chez toi, jetait tes affaires et s'installait là avec sa famille. Mais peut-être, je ne sais pas, peut-être que les Blancs sont différents. Peut-être qu'un Texan, si on lui vole sa maison, il dit : "Ah, j'ai dû faire erreur, c'est moi qui ai bâti cette maison, mais si elle vous plaît aussi,

143

alors elle est certainement à vous, ainsi que toute cette bonne terre qui nourrit ma famille. Je ne suis qu'un *kahúu*, une petite souris. Laissez-moi vous montrer où sont enterrés mes ancêtres afin que vous les déterriez et pilliez leur tombe." Tu crois que c'est ce qu'il dirait, Tiehteti-taibo ? »

C'était mon nom. Je secouai la tête.

« Exact, dit Toshaway. Il tuerait les hommes qui lui auraient volé sa maison. Il leur dirait : *'itsa nʉ kahni.* Maintenant je vais vous arracher le cœur. »

Nous étions allongés sous des peupliers avec vue sur la vallée de la Canadian. L'herbe était dense autour de nous : graminées, herbe-à-bison – un pâturage inépuisable. Dans le soleil couchant, les criquets stridulaient à qui mieux mieux et les oiseaux en faisaient un massacre. De notre côté de la rivière, les joncs étaient illuminés, comme s'ils allaient s'embraser d'une seconde à l'autre, mais sur l'autre rive, au sud, du côté des fermes des Blancs, les falaises s'éteignaient déjà. Je pensais à toutes les fois où, furieux contre mon frère et sa chandelle, j'étais sorti dormir seul dehors.

Toshaway parlait toujours : « Bien sûr, nous ne sommes pas idiots, la terre n'a pas toujours appartenu aux Comanches. Il y a bien des années de cela, elle était aux Tonkawas, mais elle nous plaisait, alors nous avons tué les Tonkawas et nous la leur avons prise... et maintenant ils sont *tawohho* et ils essaient de nous tuer dès qu'ils nous voient. Mais les Blancs ne raisonnent pas comme ça : ils préfèrent oublier que ce qu'ils convoitent a d'abord appartenu à quelqu'un d'autre. Ils pensent : *Ah, je suis blanc, ça doit être à moi.* Et ils y croient vraiment, Tiehteti. Je n'ai jamais vu un Blanc ne pas avoir l'air surpris de se faire tuer. » Il haussa les épaules. « Moi, quand je vole une chose, je m'attends à ce que la personne à qui je l'ai volée essaie de me tuer, et je sais ce je chanterai en mourant. »

Je hochai la tête.

« Je suis fou de penser ça ?

— *No sé nada.* »

Il secoua la tête. « Je ne suis pas fou du tout. Ce sont les Blancs qui sont fous. Ils veulent tous être riches, comme nous, mais ils ne veulent pas s'avouer qu'on ne peut s'enrichir qu'en prenant ce qui appartient à d'autres. Ils croient que si tu ne vois pas ceux que tu voles ou que tu ne les connais pas ou qu'ils ne te ressemblent pas, alors ce n'est pas vraiment du vol. »

Un ours s'approcha de l'eau tandis que des volées de sarcelles et de canards siffleurs se posaient dans les bassins au loin. Toshaway continuait à tresser son lasso.

« *Moowi*, dit-il.

— *Moowi*, répétai-je.

— Je t'ai souvent observé, Tiehteti. Ton père m'a aperçu deux fois, mais il a préféré croire qu'il n'avait rien vu. J'ai regardé ta mère nourrir les pauvres Indiens honteux et affamés qui venaient à sa porte, je t'ai regardé examiner les traces de chevreuil, couché sur le ventre, et je t'ai vu tuer le gros *tumakupa* ce fameux soir. » Il soupira. « Mais les Mangeurs-de-racines ont senti l'odeur de votre dîner et quand j'ai menti en disant que je connaissais la famille qui vivait là, que vous étiez très pauvres, *nabukuwaatʉ*, ils ont répliqué que pour une famille pauvre, vous aviez l'air de très bien manger. Et puis Urwat a décidé d'aller voir ça en personne et de plus près. »

Mon regard se perdit au loin ; je vis ma mère sur la galerie, ma sœur dans l'herbe, mon frère au fond d'un trou à peine creusé. Je me suis demandé si mon frère et ma sœur avaient fait quelque chose, si c'était ça qui avait attiré sur nous les Indiens. Et puis je me suis demandé si ma sœur s'était évanouie par intermittence, comme moi. Ma mère, elle, se le serait interdit. Mais ma sœur... Elle se serait laissée partir, décidai-je. Elle n'avait pas été consciente la plupart du temps.

Alors mes pensées se tournèrent vers mon père. Mais je les chassai. Entre lui et moi, il n'y avait que de la honte.

« *Moowi*, dis-je à Toshaway.

— *Moowi* », dit-il.

Toshaway ne connaissait pas son âge, mais il faisait dans les quarante ans. Comme tous les Comanches pure souche, il avait un grand front, un nez épais et une grosse caboche carrée. On aurait dit un ouvrier agricole. À terre, il était aussi lent qu'un vieux cowboy, mais il suffisait de le mettre en selle pour que les lois de la nature ne s'appliquent plus. Les Comanches étaient tous les mêmes à cheval, mais tous ne ressemblaient pas à Toshaway : certains étaient plus sombres, d'autres plus clairs de peau, maigres comme des Karankawas ou gras comme des banquiers, ils avaient des visages en lame de couteau, des airs de rois d'Espagne, il y en avait pour tous les goûts. Tous avaient des captifs quelque part dans leur arbre généalogique

– des Indiens d'autres tribus, des Espagnols, ou, plus récemment, des Anglos et des Allemands.

Sauf à vouloir une raclée, j'étais levé avant que les étoiles se couchent, arpentant l'herbe humide pour aller puiser de l'eau à la rivière glacée et allumer le feu. Le reste de la journée, je faisais tout ce que les femmes n'avaient pas envie de faire. Pilage du maïs pour l'épouse de Toshaway, nettoyage et écorchage du gibier rapporté par les hommes, nouvelles corvées d'eau et de bois. La plupart des Comanches utilisaient des briquets à silex en acier, comme les Blancs, mais je dus apprendre la technique du foret, qui consiste à frotter entre ses paumes une tige de yucca plantée sur une plaquette de genévrier. Il faut frotter et appuyer de toutes ses forces jusqu'à ce qu'une braise apparaisse ou que les mains se mettent à saigner. La braise, grosse comme une tête d'épingle, se désintègre généralement avant qu'on ait pu la mettre au contact des poils de massette, des roseaux ou de quelque autre bois d'allumage.

Pendant ce temps, quand ils ne chassaient pas, Escuté et Nʉʉkaru passaient leurs journées à dormir, à fumer ou à parier, et si j'essayais de leur parler au vu des autres, ils m'ignoraient ou me frappaient – encore que ce ne fût rien comparé aux roustes que me mettaient les femmes.

Une fois que tout le reste était fait, je devais m'atteler à la confection des *ta?siwoohʉ* – les couvertures en peau de bison. C'était comme d'imprimer de l'argent avec une presse manuelle. Chaque couverture prenait une semaine. Elle serait ensuite troquée contre quelques malheureuses perles de verre et finirait portée par un soldat combattant d'autres tribus, ou peut-être sur un sofa de Boston ou de New York où, s'étant débarrassés de leurs propres autochtones, les gens s'entichaient de toutes les choses indiennes.

Mais c'était là des tâches de femmes. Si Toshaway m'appelait, j'arrêtais tout séance tenante. Parfois c'était pour attraper et seller son cheval, parfois pour allumer sa pipe ou faire ses peintures les soirs de fête. Quand il revenait d'un raid ou d'une expédition, je passais plusieurs heures à l'épouiller, à percer ses abcès, à lui préparer à manger, à épiler le moindre poil de barbe et enfin à le faire beau. Il passait plus de temps à se pomponner que ne l'avait jamais fait ma sœur – il consommait des quantités folles de pigments et passait des heures à se brosser les cheveux avec une queue de porc-épic, à les graisser et à les natter avec des lamelles de cuivre et des lanières de fourrure jusqu'à ce que sa coiffure soit parfaitement identique à ce qu'elle était avant qu'il ne commence.

Au gré des saisons, j'étais aussi de corvée de cueillette. Je ramassais des fruits de *wowéesi* (figuier de Barbarie), de *tuahpi* (prunier sauvage) et de *tunaséka* (plaqueminier de Virginie), des gousses de *wohi ?huu* (mesquite), des *kuvka* (oignons sauvages), des *paapasi* (pommes de terre sauvages) ou des *mutsi natsamukwe* (raisins sauvages). Couteau, carabine et arc m'étaient interdits : je n'avais droit qu'à un bâton fouisseur, malgré l'omniprésence des traces de loup, d'ours et de puma.

Aucun Blanc, pas même un Irlandais, n'aurait passé une heure à déterrer trois pommes de terre rabougries, mais je savais que je m'en tirais bien. Je n'avais pas fait le grand saut. Je connaissais encore la sensation d'un ventre plein, la chaleur d'un feu par une nuit froide, le souffle régulier de ceux qui dormaient près de moi. Je voyais d'ici le tableau : l'herbe de la prairie se balançant au-dessus de ma tête, la route du ciel poisseuse de mon propre sang.

J'aimerais décrire le lien de fraternité que je me suis découvert avec les Africains noirs maintenus en esclavage par mes compatriotes mais, malheureusement, je n'ai rien découvert du tout. Je ne pensais qu'à mes propres maux. J'étais un récipient vide attendant d'être rempli par la nourriture et les gratifications que les Indiens voudraient bien m'accorder, me tuant à la tâche du matin au soir dans l'espoir d'une portion supplémentaire, d'une marque de reconnaissance, de quelques minutes de paix.

Pour ce qui était de fuir, il y avait mille trois cents kilomètres de terres sauvages et désertiques entre le village et la civilisation. La première fois, ce furent les autres enfants qui m'attrapèrent. La seconde, ce fut Toshaway, qui me remit à ses femmes. Leurs mères et elles me battirent comme on rabat les coutures ; elles me lacérèrent la plante des pieds et débattirent longuement de savoir s'il fallait ou non me crever un œil. Je savais que la prochaine fois que je ruerais dans les brancards, je n'en réchapperais pas.

Pour tanner les peaux de bêtes, on commençait par les étaler dans l'herbe, poils contre terre, en plantant des pieux à chaque extrémité. Ensuite, à genoux sur la peau sanguinolente, il fallait gratter et racler pour enlever la graisse et les membranes avec un morceau d'os ou de métal émoussé. Si l'outil était trop tranchant, ou si on ne faisait pas attention, on déchirait la peau qui n'était alors plus bonne à rien et on prenait une rouste.

Entre deux passages du racloir, je saupoudrais la peau de cendre de bois pour que la soude ramollisse la graisse ; pendant ce temps, on m'envoyait encore chercher de l'eau ou du bois, ou bien j'écorchais, désossais et dépeçais un chevreuil que l'un des garçons ou des hommes de la tribu avait rapporté. La seule chose que je ne faisais pas, c'était réparer ou confectionner les vêtements, encore que les femmes me l'auraient appris si elles avaient pu – elles avaient toujours des mois de retard sur les besoins des hommes : une nouvelle paire de mocassins ou de jambières (compter une peau de bête), une couverture en peau d'ours (deux peaux), une couverture en peau de loup (quatre peaux). Les peaux devaient être découpées de façon que la forme de l'animal épousât celle de celui qui allait la porter, et comme il fallait une journée entière pour préparer une seule peau de chevreuil ou de loup, on n'avait pas droit à l'erreur.

En plus de l'ensemble des outils nécessaires à la tribu – haches, poinçons, aiguilles, bâtons fouisseurs, racloirs, couteaux et autres ustensiles –, les femmes s'occupaient de fabriquer tous les fils, cordes et ficelles. La tribu en utilisait des kilomètres – pour les tipis et les vêtements, les selles, les brides et les entraves, pour toutes les armes et tous les outils faits sur place : le moindre objet de la vie quotidienne ne tenait que grâce à ces liens qu'il fallait tordre centi-mètre par centimètre. On faisait tremper des feuilles de yucca ou d'agave, ou bien on les battait : on pouvait aussi séparer les fibres de brins d'herbes ou d'écorce de genévrier et, une fois indépendantes, les tresser. On gardait par ailleurs les tendons des animaux – les tendons de cheville de chevreuil, notamment, étaient mâchés jusqu'à ce qu'ils se délitent. Ceux qui suivent la colonne vertébrale étaient plus longs et très faciles d'utilisation, mais les quantités étant limitées, on les réservait à la fabrication des armes ; les femmes ne devaient donc pas s'en servir.

S'il n'y avait pas d'autre solution, on pouvait faire du cordage à partir de cuir brut, mais ce n'était pas son usage optimal, d'autant qu'il s'étirait quand il était mouillé. Il fallait étaler la peau et y découper une spi-rale de quelques centimètres de large, en commençant à l'extérieur et en revenant vers le centre, jusqu'à ce que toute la peau ne soit plus qu'une longue lanière. Un lasso nécessitait six lanières. Mais les hommes fabriquaient en général leurs lassos eux-mêmes, les femmes ne s'en mêlant que si vraiment elles n'avaient rien d'autre à faire.

Les Comanches n'avaient aucune patience pour l'ignorance de leurs captifs blancs : c'est qu'ils avaient appris dès leur plus jeune âge que mettre une minute ou une heure à faire un feu, fabriquer une arme, pister un homme ou un animal, reviendrait peut-être un jour à vivre ou mourir. Quand il n'y avait rien à faire, leur paresse était inégalable, mais pour le reste, ils étaient d'une diligence d'orfèvre. Quand ils regardaient une forêt, ils voyaient chaque plante la composant, ils connaissaient son nom et en quelle saison la manger ou s'en servir à des fins médicinales ; ils voyaient les traces du moindre être vivant passé là. Il ne faudrait que quelques jours à n'importe quel Comanche qui tomberait nu du ciel pour vivre confortablement.

En comparaison, nous étions ballots comme des bœufs. D'ailleurs les Indiens ne comprenaient pas qu'ils ne nous aient pas encore battus. Toshaway disait toujours que les femmes blanches pondaient en série comme les canes, avec éclosion chaque nuit, alors on pouvait bien tuer autant de Blancs qu'on voulait, ça ne changeait rien.

Moi, je raclais des peaux jusque dans mes rêves, me réveillant avec la sensation de l'outil dans la main. Une fois qu'une peau était raclée et sèche, on écrasait dans un récipient la première cervelle disponible avec du suif, de l'eau savonneuse à base de yucca (préalablement arraché, découpé, rapporté au camp, battu et bouilli par mes soins) et à l'occasion du foie quand il n'était plus frais. En général on utilisait du suif d'ours, ce qui était l'objet principal de leur chasse. Pour mon père et les autres colons de la Frontière, miel et viande d'ours composaient un festin de roi, mais les Indiens n'en mangeaient que si les créatures à sabots venaient totalement à manquer.

Quant aux peaux, on tannait un seul côté s'il restait la fourrure, les deux dans le cas contraire. Et là, c'était le pire moment du processus : deux jours à malaxer et tordre la peau pour la casser. Pour le daim, la dernière étape consistait à la fumer afin de la rendre étanche, sauf si on la destinait au commerce.

Un jour, en août, Nuukaru me rejoignit pendant une corvée d'eau. J'étais content de le voir car il avait été absent le plus clair de l'été, et nous avions beau partager un tipi, nous n'avions guère l'occasion de palabrer vu que les femmes me faisaient travailler d'avant l'aube jusqu'à la nuit tombée.

Il avait rapporté un scalp de son dernier raid, aussi malgré l'air juvénile que lui donnaient ses jambes et ses bras maigrelets, les femmes cherchaient désormais son approbation et les hommes l'invitaient à leurs jeux et paris. Les Comanches n'avaient pas de cérémonie qui marquât le passage à l'âge adulte – pas de quête de vision ou de broches dans la poitrine : le jeune qui se sentait prêt accompagnait les raids, s'occupant d'abord des chevaux jusqu'à être progressivement autorisé à se battre.

« C'est un travail de femme », dit-il en guise de salut.

Je grimpais la colline avec mon eau ; après quoi j'irais fouiller la boue pour déterrer des pommes de terre. « Elles m'obligent à le faire, dis-je.

— Refuse.

— Toshaway me battra.

— Sûrement pas.

— Si ce n'est pas lui ce sera ses femmes, sa mère ou la voisine.

— Et alors ? »

On poursuivit notre chemin.

« Je leur dis quoi ?

— Arrête, c'est tout. Le reste, c'est du détail. »

Nous grimpions toujours. Il faisait frais et, cet après-midi-là, les femmes n'avaient pas été trop exigeantes ; je ne voyais pas de raison de jeter de l'huile sur le feu. Nuukaru dut le sentir car il se retourna et me frappa soudain entre les jambes. Je tombai à genoux.

« Dans ton intérêt, tu vas maintenant m'écouter attentivement. »

Je hochai la tête. Il me vint qu'avant j'aurais eu envie de le tuer pour ça, tandis que maintenant, j'espérais seulement qu'il n'y ait pas d'autre coup.

« Tout le monde rêve d'être un *Numunuu* et toi à qui on offre cette possibilité, tu ne saisis pas ta chance. Quand les Indiens crèvent de faim sur leurs réserves, les Chickasaws par exemple, les Cherokees, les Wichitas, les Shawnees, les Seminoles, les Quapaws, les Delawares... » Il marqua un temps. «... même les Apaches et les Osages, et des tas de Mexicains aussi, tous rêvent de rejoindre notre tribu. Ils quittent leur réserve, ils risquent *ooibehkaru*, la moitié meurt rien qu'en essayant de nous trouver. Et pourquoi, à ton avis ?

— Je ne sais pas.

— Parce que nous sommes libres. Ils parlent comanche avant d'arriver ici, Tiehteti. En plus de leur langue, ils parlent comanche. Tu sais pourquoi ? »

Je veillai sur mon seau.

« Parce que les Comanches ne se comportent pas comme des femmes.

— J'ai l'eau à rapporter.

— Comme tu veux. Mais bientôt, il sera trop tard et tu ne seras plus considéré que comme un *na?raiboo*. »

Le lendemain, les femmes de Toshaway, sa mère et la voisine rangeaient le campement tandis que les hommes fumaient ou prenaient leur petit-déjeuner, assis autour du feu.

« Va me chercher de l'eau, Tiehteti-taibo. » C'était mon nom complet. Ça voulait dire « petit homme blanc ridicule », ce qui n'était pas si mal pour un nom comanche. Je me dirigeai automatiquement vers le seau quand je sentis sur moi les yeux de Nuukaru.

« Allez », dit la fille de Toshaway en jetant un regard à Nuukaru. Elle devait savoir ce qui se jouait. Le travail qui me harassait avait également harassé sa mère et sa grand-mère, et si je refusais, elles devraient de nouveau l'assumer.

« Je ne vais plus chercher l'eau, dis-je. *Okwéetuku nu miaru.* »

La voisine, qui avait une voix d'âne et pesait vingt bons kilos de plus que moi, saisit une hachette d'une main et tenta de m'agripper le poignet de l'autre. Je filai entre les tipis, esquivant casseroles et autres équipements. Les hommes s'esclaffaient. Elle finit par me jeter à la tête la hachette qui m'atteignit – et ce fut là mon plus beau coup de chance depuis des mois – manche devant. J'étais un peu sonné, mais la voisine cessa de me poursuivre pour reprendre son souffle. Je ralentis jusqu'à marcher.

« Je vais te tuer, Tiehteti.

— *Nasiinu* », lui dis-je. Pisse-toi dessus.

Les hommes, qui regardaient ailleurs, se mirent à parler fort, évoquant une partie de chasse qui s'organisait.

« Je vais à la rivière, répétai-je. Mais je ne vais plus chercher l'eau.

« — Dans ce cas rapporte du bois, dit la mère de Toshaway. Tu es dispensé d'aller chercher l'eau désormais.

— Non. C'est fini, tout ça. »

Je suivis le ruisseau jusqu'à la Canadian et m'assis au soleil. Il y avait des wapitis sur l'autre rive et des Indiens à quelques centaines de mètres en aval. Je m'endormis et me réveillai avec l'estomac dans les talons – j'avais quitté le camp sans prendre de petit-déjeuner –, or je n'avais pas de couteau et ne portais qu'un pagne. Il y avait des tas de vieilles gousses de mesquite, mais j'avais envie de viande ; je m'enfonçai donc dans les roseaux et mis une demi-heure à attraper une tortue. Les poissons étaient sacrés, mais pas les tortues. Comme je n'avais rien pour la tuer, je l'emportai jusqu'à trouver un silex arc-en-ciel de bonne taille ; je frappai alors du pied sur sa carapace pour qu'elle sorte la tête et je l'égorgeai. Je suçai un peu de sang – un léger goût de poisson, mais pas mauvais –, puis davantage, et finis par retourner la tortue pour téter jusqu'à la dernière goutte.

Je me dis alors que ça ne plairait pas à ma mère de me voir boire du sang de tortue comme un sauvage. Ça devait faire six mois que j'étais chez les Comanches, mais je n'avais pas eu le temps de réfléchir, je n'avais fait que travailler et dormir, et je me demandai si ma mémoire s'était effacée. Quand je pensais à ma mère, je voyais le visage d'une jolie femme, mais quelque part, je n'étais pas sûr que ce soit elle. J'oubliai la tortue et je m'assis, observant les autres Indiens en aval. Ils étaient accompagnés d'un nouveau captif, un Mexicain qui avait visiblement du sang indien.

Je les saluai de la main et ils me saluèrent en retour. Ça me réconforta.

En attendant, la tortue était encore sanguinolente. Je me demandai si Nuukaru avait raison ou s'il m'avait bien eu. Si les femmes avaient encore le droit de me taillader – leur seule distraction –, je préférais encore les corvées d'eau.

Je vis une autre tortue qui prenait le soleil et décidai de l'attraper, et puis j'en vis deux autres à qui je coupai la tête. Mais je n'avais rien pour allumer un feu. Pas de problème : je trouvai un genévrier mort et arrachai un bout d'écorce. Je ramassai un autre silex pour y faire l'entaille qui le transformerait en planchette à feu, et un bâtonnet bien droit pour servir de foret. Mes mains étaient calleuses : en quelques minutes j'obtins une braise et le feu prit facilement.

Quand le père de Toshaway arriva à cheval, je somnolais dans l'herbe, rassasié de tortues. Il considéra les carapaces vides.

« Tu m'en as laissé, espèce de goinfre ?

— Je ne savais pas que j'aurais un invité. »

Il resta là, assis sur son cheval, à regarder par-delà la rivière, perdu dans ses pensées. « Monte derrière moi, finit-il par dire. Tu n'as plus à te soucier des femmes, désormais. »

Le lendemain, après une grasse matinée comme je n'en avais pas fait depuis des mois, je me réveillai au son d'une discussion entre Nuukaru et Escuté.

« Le petit Blanc devient un homme », dit Nuukaru quand j'émergeai du tipi. Je n'en revenais pas d'avoir dormi si tard.

«Disons plutôt un garçon», dit Escuté. Ils m'offrirent de la viande qu'ils avaient mise à rôtir, de la limonade de sumac et deux ou trois petites pommes de terre. Après quoi on resta assis à fumer.

«Qu'est-ce qu'on fait, aujourd'hui?

— Nous, rien, dit Escuté. Mais toi tu vas avec les autres enfants.»

Je les regardai : ils ne plaisantaient pas. Comme j'étais en retard dans tout ce qu'ils tenaient pour important, les hommes avaient décidé que je correspondais au groupe des huit-neuf ans.

À dix ans, avec un arc grossier qu'il avait lui-même fabriqué, un jeune Comanche était capable de tuer tout animal moins gros qu'un bison. Lors de la bataille de la Maison du Conseil, à San Antonio, quand les grands chefs venus négocier une trêve s'étaient fait massacrer par les Blancs, un garçon de huit ans avait ramassé son arc à l'annonce de la traîtrise et tué d'une flèche en plein cœur le premier Blanc trouvé sur son chemin. Il était en train de retirer sa flèche quand il s'était fait lyncher.

Les enfants avec qui on m'envoya jouer étaient plus petits qu'ils ne l'auraient été s'ils avaient grandi parmi les Anglos, mais ils avaient passé toute leur courte vie à monter à cheval, à tirer et à chasser. Ils restaient en selle sur des chevaux qui auraient envoyé voler n'importe quel Blanc et se touchaient les uns les autres avec des flèches émoussées tirées en plein galop. Ils n'avaient pas été à l'église ni à l'école ; à vrai dire, on n'exigeait jamais rien d'eux sinon qu'ils fassent ce qui venait tout seul, à savoir chasser, pister les bêtes et jouer à faire la guerre. Et quand il se mettait à leur pousser des poils, ils accompagnaient les raids pour garder les chevaux jusqu'à ce que l'entraînement à la guerre et la guerre elle-même finissent par ne faire qu'un.

On les encourageait aussi à voler, mais seulement en présence du propriétaire de l'objet, et seulement s'ils le restituaient ensuite. Le grand couteau de Toshaway disparut de son fourreau tandis qu'il déjeunait et on lui déroba son pistolet de dessous sa couverture. Les Blancs savaient pertinemment qu'ils risquaient de se faire voler leur cheval pendant leur sommeil, même en s'attachant les rênes au poignet. « Cet homme est le meilleur voleur de chevaux de la tribu » : c'était pour ainsi dire le plus grand compliment que puisse faire un Comanche, une façon d'indiquer que l'homme en question était capable d'aller sans être vu au cœur du camp ennemi et qu'il deviendrait sans doute riche puisque les chevaux étaient la monnaie de référence, à la fois chez les Indiens et chez les Blancs. Les Comanches tiraient autant de satisfaction à voler tous les chevaux d'un groupe de Rangers ou de colons qu'à tuer ces derniers, sachant que les loups des plaines, les pumas ou la rareté de l'eau finiraient de toute façon par s'en charger.

Après quelques semaines d'apprentissage, on me jugea prêt à aller chasser à l'arc : je descendis avec trois autres garçons aux roselières près de la rivière. Là, on attendit longtemps. Rien ne bougeait. L'un des garçons coupa donc une tige de roseau et la mit dans sa bouche : quand il souffla, on entendit le son d'un faon en détresse. Quelques instants plus tard, il y eut une cavalcade, puis plus rien, puis à nouveau la cavalcade. Je vis alors une biche avancer lentement dans les hautes herbes, parmi les arbres déracinés. Elle dressa les oreilles et fixa les yeux sur moi : impossible de bander mon arc sans qu'elle me voie. Et puis les flèches ne pouvaient pas percer l'os frontal, seulement les côtes.

Le garçon de dix ans émit un son qui semblait provenir de l'autre bout du fourré. La biche tourna la tête, mais son corps demeurait face à nous.

« Ce serait bien de tirer maintenant, murmura-t-il.

— Mais la poitrine...

— C'est le cou qu'il faut avoir.

— Souviens-toi de viser bas pour qu'elle plonge dessus. »

Je bandai l'arc et commençai à reprendre confiance – la biche n'avait toujours pas bougé – mais au son de la corde, elle se ramassa sur elle-même et bondit. Miraculeusement, la flèche atteignit son but, mais ne se planta que dans du muscle. La bête se mit à courir à toute vitesse, son drôle de drapeau en l'air.

Le plus jeune secoua la tête. « *Yee*, dit-il, *Tiehteti tsaʔawinu*.

— Qu'est-ce que tu en penses ?

— *Aitu*, dit le plus vieux. Pas bon du tout. On va passer la journée à la pister. »

Les autres soupirèrent.

On se glissa jusqu'à l'eau pour chercher des tortues. On posa quelques pièges, puis les garçons décrétèrent que la biche avait dû se calmer et que sa blessure devait commencer à la rendre moins agile : grâce à quatre petites taches de sang et à une éraflure dans la mousse d'un bout de bois, on la suivit dans les herbes hautes et monotones jusqu'à l'endroit où elle s'était couchée, à sept ou huit cents mètres de là. Elle s'échappa à vive allure mais reçut trois flèches supplémentaires. On s'assit un moment et quand on la retrouva un peu plus tard, elle était morte.

Je dis : « C'est tricher, non, d'avoir utilisé le cri de son petit pour l'attirer ?

— Eh bien, la prochaine fois essaie de t'approcher avec une lance.

— Ou un couteau.

— Ou chasse un ours.

— Je parlais juste du cri du faon. »

L'aîné eut un mouvement de main impatient. « Ils nous ont dit de rapporter une biche, Tiehteti, et ils seraient furieux qu'on revienne sans. Alors la prochaine fois, tache donc de lui briser la nuque, ça nous évitera de passer la journée sur ses traces.

— Tu peux aussi trancher une des artères principales.

— Tu fais rouler tes doigts », dit celui de huit ans. Il banda un arc imaginaire. « Il faut lâcher la corde d'un coup.

— Comme on t'a montré », dit l'aîné.

Je restai coi.

« Si tu fais rouler la corde, tu ne vas jamais tirer droit.

— Toshaway pourra témoigner que je sais très bien me servir d'une carabine.

— Va donc nous chercher une grosse branche, le Roi de la gâchette. »

Les jeunes garçons fabriquaient leurs arcs et leurs flèches, mais les vraies armes, c'étaient les anciens qui les faisaient, ces vieux guerriers devenus trop aveugles ou trop lents pour continuer les raids, à moins qu'ils n'en aient plus l'énergie ou, si inconcevable que ce fût pour nous, qu'ils soient las de tuer, préférant passer leurs dernières années à créer des objets de nature artistique.

L'idéal pour les arcs était l'oranger des Osages – même si le frêne, le mûrier ou le caryer pouvaient servir de substitut – et le cornouiller pour les flèches. On avait toujours sur nous de grosses graines d'*oha-puupi* pour les planter partout où elles pousseraient, comme le faisaient les différentes tribus depuis des siècles, sinon des millénaires ; aussi trouvait-on des bois d'arc, autre nom de l'oranger des Osages, un peu partout dans les plaines. Le *parua*, ou cornouiller, était tout aussi important. Quand on tombait sur un bosquet, on l'élaguait presque jusqu'au sol : le printemps suivant, s'élancerait de chaque tronc une dizaine de nouvelles pouces, fines et très droites, dont on ferait sans mal de bonnes flèches. L'emplacement de ces bosquets à flèches était précieusement mémorisé et la récolte effectuée avec soin, en veillant à ce que les arbres survivent.

Un arc de base – supérieur à ceux qu'on fabrique industriellement aujourd'hui – valait un cheval. Les deux branches, haute et basse, devaient se relâcher avec une pression égale tout en tirant un poids précis à une distance précise de la prise. Un arc original ou particulièrement réussi valait deux ou trois chevaux.

Ils faisaient tous un peu moins d'un mètre de long (plus courts que ceux des tribus de l'Est car, contrairement à celles-ci, on se battait à cheval) et le dessus était doublé avec des tendons dorsaux d'un cerf ou d'un bison. Si les choses allaient mal, les facteurs d'arcs en fabriquaient à la va-vite ; si les choses allaient bien – à savoir que nos guerriers ne se faisaient pas tuer et ne perdaient pas leur équipement au cours des raids –, ils prenaient leur temps et le résultat était fabuleux.

Il en allait de même des flèches. Ça pouvait prendre une demi-journée d'en faire une seule qui soit parfaite : droite, de la bonne longueur et de la bonne tenue, les plumes bien alignées – alors qu'on pouvait en tirer vingt en une minute de combat. Les hampes étaient palpées, pressées, scrutées en pleine lumière et redressées avec les dents. Une flèche tordue ne valait pas mieux qu'un canon de fusil courbe. Les Comanches attendaient de leurs flèches une portée d'une cinquantaine de mètres s'ils tiraient vite, et jusqu'à plusieurs centaines de mètres s'ils prenaient leur temps. Un jour tranquille, je vis Toshaway tuer une antilope à exactement deux cents mètres de distance : la première flèche passa par-dessus le dos de l'animal (mais tomba si doucement que la bête ne remarqua rien), le deuxième tir fut trop court de presque rien (et également silencieux), le troisième atteignit sa cible entre les côtes.

Les cordes étaient généralement des tendons : secs, ce sont eux qui assuraient la plus grande vitesse de projection, mais mouillés, rien n'était garanti. Certains préféraient le crin de cheval, moins rapide mais fiable en toutes circonstances, et d'autres encore les boyaux d'ours.

Les meilleures plumes pour l'empennage étaient celles de dindon, mais les plumes de hibou ou de buse convenaient aussi parfaitement. On n'utilisait jamais de plumes de faucon ou d'aigle car le sang les abîmait. Dans la longueur des hampes les plus réussies, on traçait des sillons – deux chez nous, quatre chez les Apaches Lipans. Ça évitait que la flèche n'empêche de saigner la blessure qu'elle venait de causer, et ça évitait aussi à la hampe de gauchir.

Les pointes des flèches de chasse étaient apposées verticalement, puisque les côtes du gibier sont verticales. Les pointes des flèches destinées à la guerre étaient horizontales, comme les côtes humaines. Les premières, sans barbelures, étaient solidement fixées à la hampe afin qu'on puisse les retirer du corps de l'animal et les réutiliser. Les secondes, avec barbelures, n'étaient pas totalement rivées à la hampe, de sorte que si on tirait sur la flèche, la pointe restait dans le corps de l'ennemi. Le seul moyen d'extraire une flèche de guerre, c'était de la pousser pour qu'elle ressorte de l'autre côté. Les Blancs le savaient déjà à l'époque, mais ils ignoraient alors que nos flèches de chasse étaient différentes.

Toutes les tribus des Plaines utilisaient des flèches à trois plumes, sauf certaines bandes de l'Est qui n'en utilisaient que deux, ce que nous méprisions car les flèches étaient moins précises. Bien sûr, les Indiens de l'Est s'en fichaient puisqu'ils vivaient des rations hebdomadaires de viande allouées par les Blancs, et qu'ils étaient presque toujours ivres, à regretter de ne pas être morts avec leurs ancêtres.

De temps à autre, cet automne et cet hiver-là, j'apercevais l'Allemande capturée au même moment que moi. La plupart des familles avaient au moins un esclave, ou captif, souvent un jeune Mexicain ou une jeune Mexicaine puisque l'essentiel des raids et des vols de chevaux avait lieu au Mexique : comparé au tribut que ce pays payait aux Comanches, d'une tout autre échelle – des villages entiers liquidés en une nuit –, les Texans n'avaient pas à se plaindre.

Bien entendu, il y avait aussi de nombreux captifs blancs qui venaient de fermes près de Dallas, d'Austin et de San Antonio, et même un garçon enlevé dans l'est du Texas, ainsi que des captifs d'autres tribus. Mais comme on me prêtait un grand avenir, j'évitais de leur parler.

La seule pour laquelle j'enfreignais cette règle, c'était l'Allemande, qui s'appelait *Sihi?ohapitʉ*, Poils-Jaunes-Entre-les-Jambes, mais qu'on désignait le plus souvent du nom de Poils Jaunes. Peu importe ce qu'elle avait représenté pour sa famille : pour les Comanches, elle était invisible, une non-personne. Elle passait tout son temps à racler des peaux, à porter du bois et de l'eau, à ramasser des *tutupipʉ* – tout ce que j'avais fait les six premiers mois. Sauf que pour elle, ça n'aurait pas de fin.

Au printemps, voilà que je la rencontrai dans un pré où elle surveillait des chevaux. Elle avait l'air bien nourrie, même si elle avait les muscles noueux pour une femme blanche et manquait un peu de chair. Elle n'aimait manifestement plus l'eau : son odeur me parvenait de loin et son dos était tacheté de *mohto?a*, comme si elle ne s'était pas lavée depuis des mois.

« Ah, c'est toi, dit-elle en anglais. L'élu. »

Elle faisait visiblement la tête.

« Ils te traitent bien, à ce que je vois. »

Je fus déstabilisé d'entendre parler anglais. Je lui dis – en comanche – qu'elle pourrait quand même se laver. C'était injuste, certes, mais j'étais furieux qu'elle ait sous-entendu que je puisse faire figure de déserteur.

« À quoi bon ? dit-elle. J'espérais que ça les dissuaderait de me toucher, mais non.

— Ils n'ont plus le droit. Ça peut leur attirer de gros ennuis.

— Eh bien, ils le font.

— Eh bien, ils n'ont pas le droit.

— Merci beaucoup, ça me fait une belle jambe.

— C'est comme avant ?

— C'est un ou deux en particulier. Mais je ne vois pas en quoi ça changerait quelque chose.

— Comment vont les chevaux ? dis-je. Celui-ci, là, qui a mal au pied, je peux aller chercher une peau humide.

— Tu réfléchis à ce que nous sommes ? dit-elle. Moi, si je leur parle, ils font semblant de ne pas m'entendre. Ils m'ont donné un nouveau nom, à cause de ça. » Elle désigna son entrejambe. « Voilà tout ce que je suis. »

Je me tus.

« La seule chose qui me fait plaisir, c'est de penser que si je meurs, ça va leur coûter de l'argent parce qu'ils auront moins de peaux tannées. » Elle me regarda. « Et toi, Tiehteti – elle utilisa mon nom indien – tu te vois ?

— Oui.

— Tu es trop jeune. C'était malin de leur part de te prendre. »

Voilà qui m'agaça aussi. «Tu sais, je peux t'aider, il suffit que tu demandes, dis-je sans trop savoir ce que j'entendais par là.

— Alors tue-moi. Ou sors-moi d'ici. L'un ou l'autre, ça m'est égal.»

Elle se remit à racler la peau sur laquelle elle travaillait. Je cherchai du regard Ekanaki, le cheval pie aux oreilles rousses que Toshaway m'avait donné. Le soleil baissait, il faisait froid, il y avait du crottin partout.

«Je dois récupérer mon cheval.

— Je me disais aussi.»

J'aurais aimé ne plus jamais avoir à lui parler de toute ma vie.

«Tiehteti, cria-t-elle après moi, si je sais que c'est toi, je ne me débattrai pas.» Elle désigna le côté de sa nuque, là où le couteau s'enfoncerait. «Je te le promets. C'est seulement que je n'arrive pas à le faire moi-même.»

Chapitre 11

J. A. McCULLOUGH

La maison était morte depuis longtemps ; elle en était le dernier rejeton. Elle voulut se lever. Les lustres pendaient tranquillement au-dessus d'elle, indifférents à sa souffrance. *Debout*, se dit-elle. En vain.

La maison de son enfance était un endroit gai, animé. Pas un moment de calme ou d'intimité. L'idée qu'elle aurait pu se retrouver un jour couchée par terre, toute seule, dans un silence tombal... Quand elle rentrait de l'école, il y avait toujours des discussions dans la grande salle ou sur la galerie, ou bien elle n'avait qu'à faire un tour pour trouver le Colonel et un petit groupe d'amis en train de parler et de boire ou de tirer au pigeon. Il y avait des jeunes gens sérieux venus prendre des notes, d'anciens trappeurs qui passaient leurs dernières années dans de petits meublés, et puis d'autres qui, comme le Colonel, étaient devenus millionnaires.

Il y avait aussi des journalistes, des politiciens et des Indiens qui venaient en groupe, six ou huit par véhicule. Le Colonel était différent avec les Indiens : il ne tenait pas sa cour, comme avec les Blancs, mais restait assis à écouter en hochant la tête. Elle n'aimait pas voir ça. Les Indiens n'étaient pas habillés comme ils auraient dû – on aurait dit des fermiers ou des Mexicains –, ils sentaient fort et ne lui prêtaient pas la moindre attention. Elle les trouvait qui déambulaient dans la maison, droits comme des «i» ; son père était persuadé qu'ils volaient. Mais ça n'avait pas l'air de gêner le Colonel. Et puis les Indiens s'entendaient très bien avec les vachers ; plus d'un matin elle avait trouvé dans la grande salle une dizaine de vieillards endormis au milieu de leurs anciens ennemis, des bouteilles de bière et de bourbon renversées, les restes d'un quartier de bœuf dans la cheminée.

C'était la maison du Colonel, pas de doute là-dessus, même s'il dormait le plus souvent dans un *jacal* au bas de la colline. Le père de Jeannie se plaignait du bruit et du carnaval, du défilé incessant d'étrangers et d'invités, de ce que ça coûtait de nourrir tout ce monde et d'entretenir tous ces domestiques. Le Colonel n'avait guère d'estime pour lui non plus ; il trouvait assommant l'intérêt de son petit-fils pour le bétail. «Vingt ans qu'on n'a pas gagné un sou avec ces bestioles», ou bien : «Ce type est incapable de chier sans en référer d'abord aux autorités du comté.»

Le Colonel était favorable au pétrole et aux études de Jonas à Princeton ; quant à Clint et Paul, ils feraient de très bons ouvriers sur le ranch. Mais toi, disait-il en lui tapant sur l'épaule, toi tu vas accomplir quelque chose. Elle ne savait pas, alors, combien tout cela était fragile. Et voici qu'en regardant la pièce obscure depuis le sol elle voyait la maison telle qu'elle serait bientôt : un repaire de chouettes, de chauves-souris, de coyotes et de rats, où les pas des chevreuils laisseraient leur trace dans la poussière. Le toit céderait et les broussailles envahiraient tout jusqu'à ce qu'il ne reste rien que quelques murs de pierre au milieu du désert.

À part le Colonel, sa grand-mère était la seule qui s'occupât un peu d'elle. Les jours de grosse chaleur, elles s'installaient dans la bibliothèque où l'aïeule classait pour la millième fois le contenu de diverses boîtes, pleines de photos et de ferrotypes : là, c'était son premier mari, mort avant qu'ils n'aient des enfants, là, c'étaient ses deux sœurs, emportées par le typhus, et là, oncle Glenn en uniforme de l'armée. Il y avait plus de photos de Glendale – blessé par les Mexicains mais mort à la guerre contre les Teutons – que de la mère de Jeannie. Si sa grand-mère savait quoi que ce fût de la femme qui avait mis Jeannie au monde, elle n'en disait jamais rien. *Et voici ton arrière-grand-père Cornellius, le plus célèbre avocat de Dallas, et ton arrière-arrière-grand-père Silas Burns, qui possédait la plus grande plantation du Texas avant que les Yankees ne fassent fuir les nègres.* Jeannie ne savait pas grand-chose des nègres, si ce n'est qu'elle en avait vu travailler dans les trains. On disait qu'il y en avait plein dans l'est du Texas. Mais ce qu'elle savait des vieux messieurs sur les ferrotypes, avec leurs cols ridicules et leurs moustaches, leurs vestes boutonnées jusqu'en haut, raides comme des manches à balais, c'est que, quoi qu'en dise sa grand-mère, elle n'était pas des leurs et ne le serait jamais.

Des invitations à des fêtes, des cartes de visite, des épingles colorées. Des bijoux bon marché que seule une gamine porterait. La bague de fiançailles de son premier mari, mort avant qu'elle ne rencontre Peter McCullough. Le grand-père de Jeannie. La honte de la famille.

De temps à autre, sa grand-mère l'emmenait faire une promenade à cheval; un ouvrier lui préparait sa monture et sa selle d'amazone, la seule de tout le comté de Dimmit. Elle était bonne cavalière, même sur cette drôle d'installation. Elle grondait Jeannie qui montait à cru et escaladait les barrières. *Tu vas te faire des choses que tu regretteras plus tard.* Quelles choses, elle n'en disait rien, et si parfois Jeannie s'endormait quand elle lui racontait son enfance insipide, elle la réveillait d'un pincement ferme.

Sa grand-mère et les autres adultes étaient volontiers ennuyeux; souvent ils n'en finissaient pas de parler, à tel point que Jeannie aurait bien voulu être morte à la place de la personne dont on lui racontait l'histoire, et qui était toujours plus intelligente ou plus belle ou plus pleine de charme, de grâce et d'esprit, que toutes celles que Jeannie avait pu rencontrer. Si le Colonel avait un jour connu des histoires ennuyeuses, il avait dû les oublier. Il ne disait jamais deux fois la même chose. Là, on trouverait un nid de faucon ou deux cerfs morts, leurs bois entremêlés; là-bas, il y avait une feuille fossilisée ou un vieil os ou encore un morceau de silex mauve. Ils avaient une boîte dans laquelle ils rangeaient tout ce qu'ils trouvaient ensemble, des crânes de petites souris, d'écureuils, de ratons laveurs et d'autres animaux.

Quand il n'avait pas de visiteurs, le Colonel s'asseyait sur la galerie pour tailler des pointes de flèche ou du genévrier. Une fois, après avoir réduit une branche en copeaux, il lui avait dit : « Si je n'étais pas si vieux, on se lancerait dans l'aéronautique. On construirait les avions ici et on les vendrait au gouvernement ; on pourrait faire une piste dans le champ, là, près de Sanderson. »

Il avait essayé de lui apprendre à faire des pointes de flèche, mais ça n'avait pas marché. Elle s'était entaillé la paume de la main avec un silex pointu, d'abord surprise qu'une simple pierre puisse l'avoir si profondément coupée, puis fascinée par son propre sang qui coulait si librement, et enfin nauséeuse. Le Colonel était sorti de sa transe et ils avaient clopiné jusqu'à la cuisine où il lui avait fait un pansement avant de la ramener sur la galerie.

« Je suppose que tu es dispensée de corvée de bar », avait-il dit, clin d'œil à l'appui. Il était allé au chariot et lui avait préparé un julep sans bourbon, la laissant boire – infraction aux règles édictées par son père – directement au shaker glacé : ils étaient unis dans une conspiration contre tout ce qui était comme il faut. Moment de bonheur, douleur oubliée.

« C'est idiot, comme activité, avait-il dit en prenant la pointe commencée. Encore que si tu fabriques un couteau, tu peux faire ce que tu veux, après. Un jour, je vais prendre toutes les pointes de flèche que j'ai taillées et je vais les éparpiller autour du ranch, et peut-être que dans mille ans un historien les trouvera et inventera des histoires qui ne seront pas vraies. » Puis il avait levé les yeux. « Il y a une grive dans ce micocoulier. »

Elle avait regardé le pré, sans rien voir. Le soleil brillait, mais on était tôt dans l'année ; l'herbe n'avait pas encore jauni et les chênes verts commençaient juste à renouveler leur feuillage de printemps.

« Il paraît qu'un Allemand dénommé Hertz a donné son nom, entre autres, à la façon dont un silex se brise quand on le frappe. Toujours de la même façon. » Il avait brandi un morceau de roche. « Même si, bien entendu, ce n'est pas Hertz qui a découvert ça. L'homme qui a découvert ça est mort depuis deux millions d'années. Parce que ça fait deux millions d'années que les hommes frappent des pierres les unes contre les autres pour fabriquer des outils. » Il avait pris un autre éclat. « Souviens-t'en, dit-il. Les choses ne valent rien tant que tu n'as pas mis ton nom dessus. »

Chapitre 12

JOURNAL DE PETER McCULLOUGH

16 août 1915

Les tirs ont commencé dès la tombée de la nuit. Peu avant minuit, une cinquantaine d'hommes se sont présentés au portail avec des torches en nous criant de livrer les Mexicains.

Ils ont hésité, là, sur la route – cinquante ou pas, ce n'est pas rien d'entrer par effraction sur les terres des McCullough – mais après un long moment passé à piétiner, l'un d'eux a mis le pied sur la barre pour escalader le portail. C'est alors que nous avons ouvert le feu, au-dessus de leurs têtes. Charles a fait bon usage de sa Remington automatique : il a vidé les quinze cartouches tandis que le groupe en fuite se dispersait. Après quoi nous avons mis un certain temps à éteindre les feux allumés par les torches qu'ils avaient lâchées.

Plus tard, Niles Gilbert et deux autres représentants de la Ligue pour le maintien de l'ordre sont venus tenter de me convaincre de chasser les Mexicains, pour éviter que la ville ne brûle.

Charles a crié : « Allez donc descendre les connards qui la brûlent, votre ville. C'est pas comme si vous n'aviez pas assez de carabines.

— Tu as combien d'hommes, Peter ?

— Suffisamment. Et j'ai aussi armé les Mexicains. » Ce qui n'était pas vrai.

« Ça va mal finir pour toi. »

Consuela et Sullivan ont passé la nuit aux fourneaux, aussi y avait-il abondance de bœuf et de chevreau. Au matin, la moitié des familles avaient déjà demandé la permission de rester au ranch jusqu'à ce que la ville soit redevenue sûre. Les autres ont fait des provisions d'eau et de nourriture et sont parties à travers champs, à pied ou à cheval, en direction du fleuve et du Mexique. C'est la guerre, là où ils vont, mais il faut croire que ça vaut mieux qu'ici.

Naturellement, ils tiennent tous le Colonel pour leur sauveur – qui d'autre cela pourrait-il être que Don Eli ? Ça me reste sur le cœur, mais je n'ai pas cherché à rétablir la vérité. Comment voulez-vous qu'ils obtiennent jamais la démocratie : ils trouvent parfaitement normal que leurs vies soient régentées par des hommes puissants. À moins qu'ils ne soient simplement plus honnêtes que nous sur la question.

Mon père s'est bien tenu, régalant tous les enfants de ses histoires d'Indiens sur la galerie, leur montrant comment allumer un feu avec deux bouts de bois, faisant aussi des démonstrations de tir à l'arc (il est toujours capable de bander son vieil arc indien, dont j'arrive à peine à tirer la corde). Il était heureux, dans son élément, il riait beaucoup – je ne me souviens pas l'avoir vu comme ça depuis la mort de ma mère. Peut-être était-il fait pour être instituteur. Comme nous regardions les réfugiés marcher ou chevaucher vers le fleuve, leurs biens empilés sur des mules et des charrettes, il a dit : « À mon avis, c'est bien la dernière fois qu'on voit des Mexicains aller vers le sud. »

Et pourtant ils l'adorent. Le soir, ils rentrent dans leurs *jacals*, chauds l'été et froid l'hiver, tandis que lui rentre à la maison, notre maison, cette énorme monstruosité blanche, l'équivalent pour eux de mille ans de salaire, peut-être même mille fois mille ans. Et en attendant leurs enfants naissent mort-nés, et ils les enterrent près des corrals. *Mais qui es-tu pour dire qu'ils ne sont pas heureux ?* Voilà ce que vous diront les Blancs en vous regardant droit dans les yeux.

Après le départ du gros des Mexicains, quelques-uns d'entre nous sommes allés faire du porte-à-porte en ville : à tous ceux que nous ne connaissions pas, nous avons donné cinq minutes pour déguerpir. Campbell a mis de nouvelles affiches : TOUTE PERSONNE PORTANT UNE ARME À FEU SERA ABATTUE ET/OU ARRÊTÉE.

À six heures, les rues étaient désertes. Quatorze maisons ont été brûlées. Le sergent Campbell part demain faire soigner ses blessures. Apparemment, il s'est fait sonner les cloches pour ne pas être allé dans le Sud protéger les gros ranchs – cinquante mille hectares étant considérés comme une taille moyenne. Mais grâce au sucre de Guillermo, l'état de son bras ne semble pas avoir empiré.

Histoire de m'aider à me détendre, j'ai lu les journaux pour la première fois de la semaine. Une tempête a dévasté Galveston hier, trois cents morts. Une grande victoire vu que la dernière tempête en date en avait fait mille, marquant la fin du règne de Galveston comme ville-phare de l'État.

Sally a téléphoné à cinq heures du matin. Il semble que la fièvre de Glenn soit tombée.

18 août 1915

Aujourd'hui, quand tous ceux qui sont restés en ville se sont réunis, j'ai suggéré qu'on donne à la gare le nom de Bill Hollis (tué chez les Garcia), une motion soutenue et adoptée. Suis profondément désolé pour Marjorie Hollis. Alors que le nom de Glenn a été mentionné partout dans les journaux pour sa blessure, et que Charles y est salué comme celui qui a mené l'assaut contre le bastion des Garcia (avec chaque fois la précision qu'il est le petit-fils du célèbre pourfendeur d'Indiens Eli McCullough), Bill Hollis n'a été mentionné qu'une fois, dans le journal local.

Après coup je me suis demandé pourquoi je n'avais pas suggéré qu'on donne à la gare le nom d'un des nombreux Mexicains qui se sont fait tuer.

20 août 1915

Tempête, bonne rincée. Moral des troupes : excellent. Sauf le mien. Insomnie – les visages des Garcia sont revenus – quasi toute la matinée passée dans un brouillard nerveux, à chercher quelque chose à faire, comme si je n'arrivais pas à trouver de quoi m'occuper l'esprit... J'évite de fouiller les zones d'ombre, je sais ce que j'y trouverais.

Rendu visite aux Reynolds, demandé des nouvelles de la survivante, dont tout le monde sait maintenant qu'il s'agit de María Garcia. Apparemment elle s'est enfermée dans la chambre d'amis et s'est enfuie pendant la nuit, en volant une vieille paire de bottes car elle n'avait pas de chaussures.

Ike m'a fait signe de le suivre sur la galerie, où les autres ne pouvaient pas nous entendre.

« Pete, ne le prends pas mal, mais si j'étais cette fille, je serais tentée de croire que je suis la seule survivante d'un meurtre. » Il leva les mains. « Je ne dis pas que c'est vrai, mais de son point de vue à elle...

— J'étais contre depuis le départ.

— Je le sais. » Il racla ses bottes. « Parfois j'aimerais qu'on puisse vivre autrement par ici. »

Chapitre 13

ELI / TIEHTETI

1850

J'étais parmi eux depuis un an et les Comanches me traitaient comme n'importe lequel des leurs, même s'ils m'avaient à l'œil, tel un oncle anciennement débauché qui a promis de se réformer. J'avais reçu de Dame Nature des yeux et une peau naturellement sombres, et, l'hiver, j'entretenais mon teint hâlé en m'exposant au soleil, couché sur une peau de bête. La nuit, je dormais aussi profondément qu'un veau mort et il ne me venait même pas à l'esprit de fuir pour rejoindre les Blancs. Ne m'aurait attendu chez eux que la honte ; si d'aventure mon père était parti à ma recherche, je n'en avais rien su.

Escuté et Nuukaru continuaient à m'ignorer, aussi je passais mon temps avec les garçons de la tranche d'âge inférieure ; nous étions maintenant autorisés à dresser les chevaux de la bande et bientôt nous serions chargés de la *remuda* lors des raids. Des mustangs arrivaient continuellement des plaines :

dès qu'un troupeau était repéré, les braves les plus rapides partaient à leur poursuite, les attrapaient au lasso et ramenaient au camp les bêtes dont le cou ne s'était pas brisé. On leur bouchait ensuite les naseaux jusqu'à ce qu'ils s'affaissent et une fois dans cette position, on les attachait : c'était alors à nous de jouer.

Les Blancs, allez savoir, ont toujours été dingues des alezans, mais les Indiens, eux, ne les aimaient pas. Seules cinq sortes de chevaux nous intéressaient : les pintos roux, les pintos noirs, les appaloosas et les toveros, qu'ils soient roux ou noirs. Ces derniers, qu'on appelait « *medicine hats* », avaient des bandes sombres autour de la tête, des oreilles sombres et une marque en forme de blason sur la poitrine. Un certain type – le *pia tso?nika* ou « masque de guerre » – avait aussi des taches noires autour des yeux : de loin, on aurait dit un crâne ou une tête de mort. Des siècles de vie rude les avaient rendus aussi insaisissables que des pumas ; ils ne tenaient pas plus de l'animal domestique que le loup tient du toutou et vous ruaient dans les côtes à la moindre occasion. Nous les adorions.

Je dormais quand je voulais, je mangeais de même, et toute la journée je ne faisais que ce qui me chantait. Le Blanc en moi s'attendait toujours à recevoir l'ordre de faire telle ou telle corvée, à écoper de tel travail d'esclave, mais ça n'arrivait jamais. Nous montions à cheval, nous chassions, nous nous battions à mains nues, nous fabriquions des flèches. Nous abattions toute créature vivante qui croisait notre route – grand tétras et chien de prairie, pluvier et faisan, cerf à queue noire et antilope –, nous tirions sur des pumas, des wapitis et des ours de toutes tailles, puis nous larguions les dépouilles au camp pour que les femmes les nettoient, avant de repartir, poitrine bombée, comme des hommes. Le long de la rivière, nous déterrions des os de bisons géants ainsi que d'énormes coquillages fossilisés et presque trop lourds pour être soulevés ; nous dénichions des écrevisses et des éclats de poterie que nous portions en haut de la falaise pour les précipiter plus bas sur les rochers. Nous transpercions de nos flèches les lynx qui venaient la nuit chasser les canards dans les roseaux. Le temps se réchauffait, les bourgeons commençaient à éclore, les pousses des yuccas étaient sorties et de grosses fleurs blanches pendaient à trois mètres du sol. Il y avait des kilomètres de parterres de lupins bleus, de gaillardias, d'asters graciles, tantôt verts, tantôt bleus, tantôt rouges et orange, à perte de vue. La neige avait fondu et d'opulents nuages blancs flottaient haut, faisant cligner de l'œil le soleil à mesure que le vent les emportait vers le sud, jusqu'au Mexique, où ils s'évaporeraient pour toujours.

Il ne faisait aucun doute que certains d'entre nous seraient appelés à participer aux prochains raids. J'étais le plus âgé, le seul dont les poils commençaient à pousser, mais j'avais des lacunes : je tirais bien quand j'étais à terre, mais les autres garçons tuaient faisans et lapins d'un cheval au galop. Quand Toshaway vint dans les prés un matin avec son pistolet et un nouveau bouclier en peau de bison, c'est pourtant moi qu'il choisit entre tous. Les autres firent des commentaires, mais je les ignorai.

On marcha un moment, puis il cala le bouclier contre un peuplier rabougri et me tendit l'arme.

« Vas-y.

— Directement ?

— Oui. »

Je tirai et le bouclier tomba. Le plomb l'avait taché, mais pas entamé. Toshaway sourit et le redressa, puis je tirai à nouveau jusqu'à vider l'arme.

« Bon, dit-il. Un bouclier arrête les balles. Mais si une balle touche ton bouclier quand il est immobile, c'est que tu es un idiot. » Il passa son bras dans les lanières et fit des cercles rapides. « Toujours ton bouclier doit bouger. Bien sûr, les plumes te cachent, mais, plus important, un bouclier immobile n'arrête que les balles de pistolet. Une balle de carabine le transpercera, de la même manière que si tu sautes du haut d'un arbre sur du sol plat, tu te casseras la jambe, alors que si tu atterris sur une pente, tout ira bien. Un bouclier en mouvement arrête les balles de carabine. *Nahkusuaberu ?* »

Je hochai la tête.

« Bien, dit-il. Et maintenant on en vient à la partie amusante. »

On marcha encore quelques minutes jusqu'au milieu d'un vieux pré en bordure du camp. Je ne savais pas ce qui allait se passer, mais je savais que tout le monde le verrait. Une dizaine de braves environ étaient assis là au soleil à jouer au *tukii* ; lorsqu'ils me virent, ils se levèrent et récupérèrent leurs affaires. Chaque homme portait son arc et un panier de flèches.

« Bon, dit Toshaway. Ça va être très facile. Tu vas rester là et ces hommes vont te tirer dessus. J'aimerais que tu te serves le plus possible du bouclier.

— Où vas-tu ?

— Je ne veux pas prendre de flèche ! » Il sourit et me tapota le sommet du crâne.

Les braves formèrent une ligne de tir à une centaine de mètres, et quand tout fut prêt, Toshaway agita une flèche en me criant : « *Keta tsa tamakukumapu !* Elles sont émoussées ! » Les guerriers trouvèrent ça drôle. « Elles ne sont pas aiguisées ! » répéta-t-il.

Les gens sortaient au compte-gouttes de leurs tipis pour regarder la scène et je me demandai si Toshaway avait vérifié chaque flèche, vu que, d'une certaine façon, ce serait une bonne blague si quelques pointes acérées s'étaient mêlées aux autres – je ne valais qu'un cheval, deux chevaux tout ou plus, et il y avait des tas de gens dans le village qui ne m'avaient pas encore accepté.

« *Tiehteti tsa maka?mukitu-tu !* »

Je hochai la tête.

« Garde ton bouclier en mouvement ! »

Je me fis tout petit. Il faut quelques secondes à une flèche pour parcourir cent mètres, ce qui peut sembler une éternité, sauf quand elle vient droit sur vous. La plupart des flèches rebondirent contre le bouclier, une ou deux me manquèrent totalement, d'autres m'atteignirent à la cuisse, au tibia, puis de nouveau au même tibia.

Ça fit beaucoup rire. Plusieurs guerriers se mirent d'ailleurs à m'imiter, sautillant sur un pied et criant *anáa anáa anáa*, jusqu'à ce que Toshaway leur dise de regagner leur place.

« Il faut que tu bouges ! cria-t-il. Il est trop petit pour te cacher ! »

Les Indiens hilares ouvrirent le bal et mes jambes prirent encore des coups. Une flèche me frôla le front alors que je regardais par-dessus le bouclier.

« Tu n'as pas besoin de te protéger de celles qui de toute façon vont te rater ! » cria quelqu'un. J'étais recroquevillé sur moi-même, à essayer de me faire le plus petit possible ; les Indiens n'avaient jamais rien vu de si drôle et ça se poursuivit jusqu'à ce qu'ils aient épuisé leurs munitions.

Je m'apprêtai à retourner en boitant au village, mais le public protesta bruyamment. Les braves changèrent donc de côté avec moi afin qu'ils puissent ramasser leurs munitions.

« C'est pour ton bien », entendis-je. Mais maintenant j'avais le soleil en face. Les yeux plissés, je fixai une flèche en particulier qui n'avait pas l'air de bouger du tout.

Je me réveillai un peu plus tard : Toshaway, penché sur moi, marmonnait comme un prédicateur.

« Hein ? dis-je.

– Tu es réveillé ?

— *Haa*. » Je touchai mon pagne. Il était sec.

« Bon. Si tu veux bien m'écouter, je vais te dire quelque chose que m'a dit mon père un jour. La différence entre un homme courageux et un lâche est très simple. C'est une question d'amour. Un lâche s'aime... »

La tête me tournait et le sol était froid sous moi. Je me demandai si je m'étais fêlé le crâne. D'assez près, une flèche émoussée pouvait transpercer une biche.

« ... un lâche ne se préoccupe que de son propre corps et il l'aime plus que tout. Un homme courageux aime les autres d'abord et lui-même en dernier. *Nahkusuaberu ?* »

Je hochai la tête.

« Ça – il me donna une tape –, ça ne doit avoir aucune valeur pour toi. » Il me donna d'autres tapes, sur le visage, la poitrine, le ventre, les mains et les pieds. « Tout cela ne veut rien dire.

— *Haa.*

— Bien. Tu es un petit Indien courageux. Mais tout le monde s'ennuie. Lève-toi et laisse-les te tirer dessus. »

Peu après, j'étais de nouveau au sol. Les guerriers retournèrent à l'ombre et à leurs jeux tandis que Toshaway me donnait de l'eau fraîche et m'enveloppait la tête d'un morceau de couverture. Au final seuls mes yeux n'étaient pas couverts. Cela provoqua une nouvelle vague d'hilarité, mais ça faisait comme un casque et je cessai d'avoir peur. À la fin de la journée, la distance entre les guerriers et moi s'était réduite de moitié et ils devaient se concentrer pour m'avoir. Au bout d'une semaine, j'échappais totalement à leurs flèches.

En guise de cérémonie de fin d'études, j'affrontai une grosse baraque du nom de Pizon qui ne cachait pas qu'il aurait préféré que je sois un *na?raibboo* plutôt qu'un membre de la tribu, et qui me visa avec le pistolet de Toshaway. J'étais tendu à l'extrême, mais je repoussai chaque balle et maintins le bouclier en mouvement tout du long. Le regard que Pizon me jeta disait qu'il aurait bien aimé me faire sauter la cervelle, mais j'eus le droit de garder le bouclier. Comme c'était un objet sacré, on le conservait dans un écrin protecteur à l'extérieur du village. Si une femme venait à le toucher pendant ses menstruations, il faudrait le détruire.

Personne n'avait souvenir d'une chasse aussi mauvaise que celle de ce printemps-là. Dans la jeunesse de Toshaway, la prairie restait noire de bisons des semaines durant, mais la génération suivante n'avait rien connu de tel. Si la sécheresse était partiellement responsable, c'était surtout la faute des tribus de l'Est, dont la population augmentait sans cesse dans les Territoires indiens. Tous prenaient des libertés avec nos terres de chasse et nous passions autant de temps à les tuer qu'à tuer les Blancs. C'était d'ailleurs considéré comme un bon moyen d'entraîner les jeunes sans devoir aller trop loin.

Quand les yuccas eurent fini de fleurir, je partis avec Toshaway et quelques autres en repérage de bisons et d'intrus. Au bout de quatre ou cinq jours, on croisa la route d'un petit troupeau qui allait vers l'ouest, c'est-à-dire vers le Nouveau-Mexique et la partie des plaines la plus aride, ce qui signifiait que quelque chose les perturbait. Poursuivant vers l'est pendant que nous tuions un bison, les éclaireurs repérèrent un groupe de Tonkawas. Certaines tribus qui cohabitaient avec les Blancs suscitaient encore du respect, mais les Tonkawas avaient un faible pour l'eau-de-feu et leur vie ne valait pas grand-chose. Dix ans plus tard, il ne resterait d'ailleurs rien d'eux.

Nuukaru, qui était en train de vérifier ma technique d'écorchement, rengaina son couteau : en trois grandes enjambées, il était en selle. Je ne savais plus où j'avais mis mon arc ; le temps que je remonte à cheval, toute la troupe était déjà partie régler leur compte à ces dégénérés.

La prairie n'est pas aussi plane qu'elle en a l'air, elle s'apparente davantage aux ondulations de l'océan, avec ses pics et ses creux ; et comme j'avais moins hâte que les autres de tuer un Tonkawa, je les perdis bientôt de vue. C'était une belle journée. Tout autour de moi les herbes se couchaient et se relevaient par vagues ; le ciel était très clair, très bleu, à peine strié de quelques nuages. Le soleil me chauffait le dos. L'idée de pourchasser un Tonkawa n'avait rien d'attrayant. Je n'avais pas droit à une arme à feu, et même les deux pieds sur terre, je restais un archer très moyen ; à moins que ma cible ne fût droit devant moi et immobile, il m'était impossible de tirer d'un cheval en mouvement.

Mon cheval sentait que quelque chose clochait et n'avait de cesse qu'il ne rattrape les autres. Je le maintins à un petit galop régulier. J'avisai la position du soleil et l'idée de bifurquer vers le sud-est et les failles du Llano me traversa. Je pourrais chasser sans trop de mal avec l'arc et, si je ne me faisais pas rattraper, la Frontière devait être à deux semaines de chevauchée. Il y avait des parterres de petites fleurs rouges, des *puha natsu*; je cherchai leur nom anglais, mais je ne le connaissais pas. Je pensai à mon père. Je lâchai alors la bride de mon cheval et partis au grand galop.

Quelques minutes plus tard, j'entendis des coups de feu et des cris, et puis cavaliers et chevaux m'apparurent. Toshaway, Pizon et quelques autres se tenaient debout autour d'un homme à terre. Couché dans un parterre de gaillardias, plusieurs flèches plantées dans le corps, il avait perdu assez de sang pour repeindre une maison et ce rouge tranchait avec le vert alentour.

« Tiehteti-taibo ! Comme c'est aimable d'être venu. »

Les Comanches n'étaient ni essoufflés ni en sueur ; leurs chevaux broutaient tranquillement. À l'exception de Nuukaru qui tenait sa lance au cas où le Tonkawa reprendrait du poil de la bête, aucun ne portait d'arme. Ils auraient aussi bien pu être en train de jauger un chevreuil ou un wapiti tout juste chassé. Quant au Tonkawa, il respirait bruyamment tout en psalmodiant quelque chose ; du sang lui couvrait le torse et lui coulait du menton, comme s'il venait de se repaître de chair humaine.

Toshaway et Pizon échangèrent quelques mots, puis Pizon sortit de sa sacoche un vieux pistolet à un coup qu'il me tendit en présentant la crosse. C'était un calibre 69, de l'artillerie lourde.

« Allez, Tiehteti. »

Pizon ajouta : « S'il était toi, il te couperait un sein et le mangerait sous tes yeux. »

L'homme leva les yeux et m'identifia, puis son regard se perdit au loin dans la prairie. Son chant se fit plus insistant ; ça ne servait à rien de traîner, aussi je pressai la détente. Le recul me bouscula le poignet et l'homme se laissa aller un peu plus contre la roche. Puis son chant cessa et ses jambes s'agitèrent convulsivement, comme les pattes d'un chien endormi.

C'était un bel homme, à la longue chevelure ; Pizon prit tout le scalp jusque sous les oreilles. La balle avait dû libérer quelque chose, car lorsqu'on lui arracha les cheveux, la tête du brave s'ouvrit en deux, comme si une charnière articulait le bas de son visage et celui de son crâne, l'un tombant vers l'avant, l'autre vers l'arrière. On n'avait jamais vu une balle de pistolet avoir un tel effet. C'était de bon augure.

Mes compagnons étaient passés à autre chose mais je continuais à fixer l'homme, visage penché sur sa poitrine, secrets livrés à tous les vents.

« Tu fais une drôle de tête, Tiehteti-taibo.

— *Haa*, dis-je. *Tsaa manusukaru.* »

On nous envoya, Nuukaru et moi, récupérer les armes du mort, ainsi que tout ce qu'il avait laissé tomber ; ça me fit quelque chose de le voir couché là parmi les gaillardias ensanglantées et je rejoignis Nuukaru au galop. Il nous fallut une heure pour trouver le fusil du Tonkawa. C'était un Springfield tout neuf : Nuukaru n'en revenait pas – les Tonkawas étaient pauvres et leurs armes médiocres. « Ça doit venir de chez les Blancs, dit-il. Et son cheval aussi. »

Je m'en fichais. Récupérer les effets personnels du bonhomme ne m'intéressait pas – il ne possédait sans doute presque rien et je ne comptais pas passer ma journée à chercher un sac de guerre crasseux.

Je me demandai si j'étais le seul à savoir de combien de fusils et de chevaux disposaient les Blancs.

Le reste du groupe était hors de vue ; de tous côtés, de l'herbe à hauteur de taille, et par-dessus, le ciel. Mon cheval broutait des fleurs ; je voyais des lupins dépasser de sa bouche. Est-ce qu'on me laisserait garder le scalp du guerrier ?

Un des Tonkawas avait réussi à s'enfuir, mais il se retrouvait sans cheval sur un territoire qu'il ne connaissait pas. Il vivait en réserve, il était donc à peine supérieur aux Blancs. Il finirait vraisemblablement par mourir et on ne se fatigua pas à le poursuivre, d'autant qu'une fois passé le chaos de la bataille, il n'aurait pas de mal à nous repérer avant que nous ne le repérions et pourrait certainement abattre au moins l'un d'entre nous. Contrairement aux Blancs, dont les nobles chefs étaient disposés à sacrifier autant de soldats que nécessaire pour tuer ne serait-ce qu'un Indien, les Comanches ne voyaient pas l'intérêt de troquer l'un des leurs pour une vie ennemie. Encore un trait de caractère fâcheux, du moins dans la lutte contre les Anglos.

Au lieu de pourchasser le seul rescapé des Tonkawas, on se prépara donc à fêter la prise de leurs scalps, de leurs chevaux et de leurs fusils tout neufs, dont la nouveauté – même si personne ne le disait – était d'ailleurs un signe supplémentaire qu'un orage se préparait. Nuukaru finit par trouver le sac de guerre : il contenait des dizaines de cartouches papier, autre luxe des Blancs.

« Regardez-moi ça », dit-il.

Personne ne manifesta d'intérêt. On retourna au bison qu'on avait tué et on se régala de son foie et de sa bile, avant de faire un feu de mesquite et de bouse sèche pour y cuire la viande et la moelle. Le scalp du Tonkawa appartenait à Pizon ; mon rôle dans son exécution n'avait été qu'une formalité.

Le lendemain matin, le vent avait tourné et nous apporta une vague odeur de charogne ; je la sentais à peine, et puis la prairie avait toujours son lot de morts, mais les autres Comanches estimèrent qu'elle était notable. Après avoir emballé les restes du bison dans des peaux et chargé le tout sur les montures de réserve, on reprit la route. Quelques heures plus tard, on arriva à un petit canyon plein d'herbes hautes où courait un ruisseau ; on s'y engagea et l'odeur empira, jusqu'au moment où les chevaux refusèrent d'aller plus loin.

On n'entendait aucun bruit, sinon celui du vent, de la rivière, et des toiles de tentes qui claquaient. Il y avait plusieurs centaines de tipis et des milliers de vautours noirs qui déambulaient au milieu en se dandinant, comme s'ils avaient renoncé à la vie sauvage au profit de la civilisation.

Je me penchai et vomis ; quelqu'un derrière moi m'imita. Il fut décidé que je pénétrerais seul dans le village pour inspecter les lieux tandis que les autres m'attendraient en arrière.

« C'est une blague ? dis-je.

— Il n'y a que nous de vivant dans ce cloaque », dit Toshaway. Il me donna un morceau de tissu pour que je m'en couvre la bouche et le nez.

« Alors donne-moi ton pistolet.

— Tu n'en auras pas besoin.

— Donne-le-moi quand même. »

Il haussa les épaules et me tendit son arme, puis se pencha pour m'aider à nouer le tissu. « Pense à le soulever si tu vomis. Sinon tu vas le regretter. »

Quelques charognards s'envolèrent, d'autres s'écartèrent pour me laisser passer ; les mouches se déplaçaient par grandes vagues noires. Le sol était jonché de cadavres humains, par centaines ou par milliers, je n'aurais su dire, tous déchiquetés et décomposés, partiellement dévorés, noircis, déformés, innombrables. Mon cheval avança d'abord précautionneusement, mais comprenant bientôt que ça ne servait à rien, il se mit à piétiner ce qui restait des corps.

Il y avait des têtes, des segments de colonnes vertébrales, des pieds et des mains, des cages thoraciques, muscles tout noirs et os très blancs, de petits tas de graisse accrochés aux pierres, des jambes et des bras coincés dans les branches des peupliers, là où les avaient traînés pumas et lynx. Il y avait des fusils, des arcs, des couteaux éparpillés, qui commençaient à rouiller. Il y avait tant de morts que même les loups, les coyotes et les ours n'avaient pas pu tous les manger. Le soleil avait tout noirci, mais visiblement personne n'avait été scalpé. Qui donc avait bien pu leur faire ça ?

La plupart des chevaux avaient fui les loups ou s'étaient fait dévorer, mais quelques dizaines parmi les plus loyaux ou les plus démunis broutaient à la périphérie. Une grosse jument brun foncé était encore sellée, même si la selle lui avait glissé sous le ventre, l'empêchant quasiment d'avancer. Ça me fit rire. Je m'approchai ; elle ne bougea pas, résignée. Une fois la sangle tranchée, le bruit de la selle qui heurtait le sol lui fit faire un écart ; elle se secoua et partit au trot. Elle portait une marque de l'armée sur la croupe, mais la selle était indienne ; cet animal avait dû en voir, des choses.

Un des tipis était totalement fermé, entouré de pierres et de broussailles. Sans descendre de cheval, j'attrapai un des pans et coupai les cordes. L'intérieur révéla deux vautours morts et des dizaines de petits cadavres, soigneusement alignés et empilés les uns sur les autres. Ceux qui les avaient mis là étaient sans doute trop faibles pour les enterrer, ou peut-être les enfants mouraient-ils trop vite. C'était l'œuvre de la variole ou du choléra ou de quelque autre maladie. Je fis demi-tour et talonnai mon cheval pour retourner là où les autres m'attendaient.

« Ils avaient encore leurs cheveux ?

— Oui.

— Combien de personnes ?

— Des centaines. Peut-être des milliers.

— Je dirais environ un millier. Tu as touché quoi que ce soit ?

— Pas vraiment. Un tipi au soleil. »

Toshaway plissa les yeux et regarda alentour. C'était un joli petit canyon. « J'imagine qu'il y a pire endroit pour mourir.

— C'étaient qui ?

— La bande de Chien-qui-Cogne, je crois. Des Comanches Tenewas. Ce n'est pas leur territoire :

ils ont dû avoir un problème pour s'installer ici, ils fuyaient quelque chose. *Tásia*, sans doute. » Il se tapota le visage de l'index. «Le cadeau de nos amis les Blancs. »

Je conduisis mon cheval jusqu'au milieu du ruisseau et lui frottai les pieds et les pattes avec du sable, puis je fis la même chose pour moi. Je dormis dans mon coin ce soir-là, à bonne distance des autres. Quelques jours plus tard, avant de retrouver le camp, j'allai à la rivière procéder à un nouveau récurage ; je demandai à Nuukaru de m'apporter un bol de savon à base de yucca et de le poser par terre. Je nettoyai aussi mon cheval.

Quand j'arrivai au village, il se préparait une grande fête et une danse du scalp. Un homme-médecine m'emmena dans un tipi où il me fit me déshabiller : il me souffla dessus de la fumée de genévrier et de sauge, puis frotta mon corps de feuilles. Je lui dis que je m'étais déjà lavé au savon, mais il estimait que la fumée valait mieux.

Quelques semaines plus tard, un groupe de *comancheros*, ces Hispaniques qui commerçaient principalement avec les Comanches, déclarèrent avoir vu d'autres Indiens tuer des bisons. Quand Toshaway me dit que nous allions repartir en reconnaissance, je fis l'enthousiaste.

«Donne-moi un fusil des Tonkawas», dis-je.

Il devait penser qu'il y aurait de l'action parce qu'il me le remit sans rien dire, ainsi qu'une dizaine de cartouches papier.

Le soir, nous faisions du feu, mais seulement dans des ravines et à distance des arbres, de sorte que sa lumière restât totalement invisible. Les éclaireurs finirent par rentrer pour dire qu'un groupe d'Indiens était en train de massacrer les bisons – des Delawares, apparemment. Les Comanches ne l'auraient pas admis publiquement, mais les Delawares étaient les meilleurs chasseurs de toutes les tribus de l'Est, de bons pisteurs et des hommes à prendre au sérieux.

On décida de ne pas faire de feu et de dormir avant de les attaquer. Les Delawares ne firent pas de feu non plus, sans pour autant savoir qu'ils étaient repérés. Je pensai à eux, là-bas, dans le noir : ils étaient autrefois les rois de l'Est comme nous étions aujourd'hui ceux de l'Ouest, et voilà qu'ils avaient tué vingt bisons et ne pouvaient même pas faire de feu pour fêter ça.

La lumière était rase et grise ; une légère brume montait de l'herbe. Des chevaux couraient dans tous les sens et ça criait de tous côtés tandis que je fixais un homme qui avait reçu quatre ou cinq flèches mais se tenait toujours droit et bourrait calmement son fusil. Puis quelqu'un surgit par-derrière et le cloua au sol avec une lance. C'était Nuukaru. Le spectacle de cet homme qui se tortillait était éprouvant, mais ça n'avait pas l'air de faire grand-chose à Nuukaru.

Le reste des Delawares fut vite écrasé, sauf l'un d'eux qui parvint à s'échapper. J'étais resté à la lisière du campement et il passa juste à côté de moi. Il aurait aussi bien pu être immobile, mais il ne réagit pas quand je lui tirai dessus et la fumée m'empêchait de voir si je l'avais touché.

Il s'enfuit au galop. Je savais ce que j'avais à faire. Je n'avais pas le temps de recharger le fusil et je me doutais que Toshaway et Pizon m'observaient malgré la bataille. Le temps que je me fasse ces réflexions, ils avaient liquidé l'homme qu'ils étaient en train de tuer et repéré celui qui s'échappait ; déjà ils s'élançaient derrière lui.

Je partis à leur suite. Je n'avais jamais autant fouetté un cheval. Nous formions tous les quatre une longue ligne dans la prairie, le Delaware en tête. Son cheval était fabuleux et chaque foulée l'éloignait un peu plus de nous. Il avait presque huit cents mètres d'avance. Mais il n'y avait nulle part où se cacher, pas de canyon, pas de forêt, rien que de la prairie à perte de vue, et on finit par regagner du terrain. C'est alors que le cheval de Toshaway trébucha et percuta celui de Pizon. Je les contournai.

Une coulée sombre luisait dans le dos du Delaware, là où ma balle l'avait touché, et je fouettai de plus belle mon cheval, sans pour autant avoir la moindre idée de ce que je ferais si j'attrapais l'Indien.

Et voilà qu'il était à terre. Il avait voulu franchir un ravin, mais son cheval l'avait désarçonné. Il était étendu dans les hautes herbes.

Je le rejoignis en moins de temps qu'il n'en faut pour le dire et lui décochai une flèche, mais elle le manqua de presque deux mètres. J'essayai d'en encocher une autre, mais mes mains tremblaient et mon cheval s'agitait, aussi je me laissai glisser au sol.

Le Delaware n'avait pas bougé. Je repris confiance. J'avais les yeux rivés sur la corde de mon arc, à tenter de caler l'encoche de ma flèche, et les levai juste à temps pour le voir se retourner, armer et tirer dans le même mouvement.

Une longue flèche me sortait du corps. J'envisageai de m'asseoir. Je pris le temps de regarder puis décidai que tout allait bien. J'empoignai la flèche et l'arrachai.

Je comprendrais plus tard que le Delaware était si faible qu'il n'avait pu armer son arc à fond et que la sangle de mon carquois avait arrêté sa flèche, mais sur le moment, je ramassai l'arc que j'avais lâché, je visai soigneusement et lui décochai dans le ventre une flèche qui s'enfonça jusqu'aux pennes.

Il cherchait son carquois, perdu dans la chute. Je lui décochai une autre flèche, puis une autre encore, qui se planta entre ses côtes. Il tirait sur celle qui était fichée dans le sol et je savais qu'il comptait me la renvoyer. Je lui décochai toutes les flèches qui me restaient et il renonça, bien qu'il ne fût pas encore tout à fait mort. Je savais parfaitement que j'aurais dû aller le frapper, mais je n'avais guère envie d'approcher. J'avais honte de sa respiration et de ses gargouillis, honte de mes tirs médiocres, honte d'avoir peur d'un homme qui était presque mort. C'est alors qu'on me botta les fesses.

C'étaient Toshaway et Pizon. Je ne les avais même pas entendus approcher.

«*Kuʔe tsasimapʉ.*» Toshaway désigna le Delaware d'un mouvement de tête.

«Fais vite, dit Pizon. Avant qu'il ne meure.»

L'homme était couché sur le côté, aussi le fis-je rouler sur le ventre pour lui poser mon pied sur la colonne vertébrale et lui saisir les cheveux. Il leva le bras pour m'arrêter, mais je découpai tout le tour de son crâne, tandis qu'il ne cessait de me frapper la main.

«Arrache ! cria Pizon. Un geste ample ! »

Le scalp céda comme une branche qui craque. Le Delaware avait perdu. Je m'éloignai de quelques mètres et regardai le scalp : ça aurait bien pu être n'importe quoi, un morceau de peau de bison ou de veau. Le soleil se levait et j'eus soudain mal à la jambe : je m'étais coupé aux pointes de mes propres flèches quand elles lui avaient transpercé le dos. Il laissa échapper un dernier râle et de le voir là, par terre, criblé de flèches, mes flèches à moi, dans l'herbe pleine de sang, ce fut comme un voile qui se déchirait, comme un nouveau baptême, comme si Dieu lui-même m'avait choisi. Je courus jusqu'à Toshaway et Pizon, et les serrai dans mes bras.

«Petit Blanc de mes deux», dit Pizon. Mais lui aussi souriait. Il se tourna vers Toshaway. «On dirait bien que je te dois un cheval. »

Il y eut une grande danse de guerre à notre retour, car nous avions pris huit scalps, mais auparavant, Pizon raconta comment j'étais parti seul à la poursuite du Delaware, tel un vrai Comanche, avec mon arc et rien d'autre, «et on connaît les talents d'archer de Tiehteti». Tout le monde s'esclaffa, ce qui m'irrita. «Sans rire, poursuivit-il, nous n'avions pas affaire à un *Numu Tuuka* pouilleux, mais

198

à un guerrier, et la seule arme dont Tiehteti disposait, il ne sait pas encore s'en servir à cheval. Et puis prendre une flèche en plein cœur et que la flèche refuse de pénétrer... est-ce que ça n'en dit pas long sur Tiehteti ? »

Toute la soirée, l'homme-médecine qui m'avait purifié de la variole raconta à qui voulait l'entendre qu'il m'avait donné le pouvoir-médecine de l'ours, et que cela seul avait pu arrêter la flèche, mais personne ne le crut. Je savais que le Delaware était moribond quand j'étais arrivé, qu'il avait pris une balle dans les poumons et que son cheval l'avait projeté sur des pierres, que si je l'avais rattrapé cinq ou dix minutes plus tôt, il m'aurait brisé la colonne avec l'une de ses flèches, et que même dans son état, si la position de la sangle en cuir de mon carquois avait été autre, la pointe de sa flèche me serait rentrée dans le cœur. Mais à la fin de la nuit, ces détails étaient devenus insignifiants, et c'était bien le but de la danse du scalp : nous étions éternels, nous étions le Peuple Élu, l'écho de nos noms retentirait sous les étoiles bien après notre disparition de cette terre.

J'ouvris les yeux un peu avant l'aube. J'étais couché dans la cour de notre ancienne maison et un Indien se tenait au-dessus de moi. Je regardais les flèches me tomber dessus, mais décidai de ne pas croire ce que je voyais ; je me souvenais de m'être cogné la tête, sans doute étais-je encore sonné. Le Comanche était jeune et me disait quelque chose ; au bout d'un moment je reconnus son visage.

Quand vint le matin, je sentais encore le creux qu'avait laissé la flèche dans ma poitrine. Le soleil était levé et sa lumière pénétrait par la porte ouverte du tipi. Escuté et Nuukaru étaient dehors en train de fumer. J'allai m'asseoir avec eux. Les trois garçons qui m'avaient emmené chasser, tous trois de meilleurs chasseurs, cavaliers et archers que moi, vinrent me saluer, mais restèrent debout – je leur étais maintenant supérieur –, jusqu'à ce que Nuukaru les chassât d'un geste de la main. « Tu en as fini avec ces gamins », dit-il.

Escuté cria à sa mère de nous apporter à manger et voilà qu'apparurent des gâteaux de micocoulier, mélange de baies et de suif cuits sur le feu. Nuukaru la remercia et moi aussi, mais Escuté se contenta de prendre la nourriture et de manger. Il avait dû voir la façon dont je le regardais car il dit : « Chaque fois qu'on quitte le camp, on risque notre vie. Elles le savent. La moitié d'entre nous seront morts avant d'avoir vu quarante printemps. »

Peu après, Loup Gras, le fils aîné de Toshaway, vint nous voir avec sa femme.

« Voici donc ce fameux jeune Blanc... »

Escuté dit : « Tu es un homme à présent, Tiehteti. Je suis sûr que Loup Gras apprécie cette marque de respect, mais tu n'es pas obligé de regarder par terre. »

Loup Gras se pencha vers moi et me saisit le menton, puis sa main se radoucit. « N'écoute pas le trou du cul qui me sert de frère. Je le mets toujours de mauvaise humeur. » Il désigna sa femme par-dessus son épaule. « Je te présente Déteste-Travailler.

Tu l'as bien sûr déjà remarquée, mais comme te voilà un homme, tu peux lui parler et prendre acte de la fâcheuse douceur de ses mains. »

Déteste-Travailler, un peu en retrait de son mari, sourit et m'adressa un petit signe, mais ne dit rien. De loin la plus belle Indienne que j'avais jamais vue, elle avait un peu plus de vingt ans, une peau impeccable, des cheveux brillants et une jolie silhouette ; la maternité gâcherait bientôt tout ça – de l'avis général, une vraie tragédie. Son père avait demandé cinquante chevaux pour prix de la fiancée, ce que Nuukaru trouvait scandaleux, mais Toshaway gâtait affreusement ses fils – il suffisait de fréquenter Escuté pour s'en rendre compte : il avait payé les cinquante chevaux et le mariage s'était conclu.

Loup Gras était aussi grand que son père ; son visage était jeune mais il avait déjà les bras maigres et le ventre épais d'un homme bien plus âgé. Il était ce à quoi Toshaway ressemblerait s'il avait arrêté la chasse et les raids. Je saluai Déteste-Travailler de la tête et m'efforçai de ne pas manifester trop d'intérêt.

Loup Gras avait soulevé le cataplasme et me palpait délicatement, touchant l'os et la plaie ouverte, la blessure qui suintait encore. « Merde de merde, dit-il. Je n'ai jamais vu une blessure pareille sur un type encore en vie. » Il me regarda de haut en bas. « Mon père nous avait parlé de toi, mais il a tendance à aimer tout le monde et on se disait qu'il commençait à débloquer. En fait il avait raison. Ça n'est pas rien. » Il me prit par les épaules ; c'était un Indien très tactile. « Si tu as besoin de quoi que ce soit, demande-moi. Et ne traîne pas trop avec mon frère, c'est un petit merdeux plein de bile. » Puis lui et sa jolie femme s'en allèrent.

« Quel gros connard, dit son frère une fois qu'ils se furent suffisamment éloignés.

— Escuté espérait que Loup Gras lui enverrait sa femme, mais Loup Gras n'a pas encore l'intention de partager.

— J'ai tout le *tai?i* que je veux, je n'ai pas besoin que ce gros tas me fasse la charité. » Il regarda Nuukaru. « Alors que toi...

— Moi aussi je baise tant que je veux.

— Mouais, des vieilles, alors.

— Ta mère, par exemple.

— Tu en serais bien capable. »

Il y eut un silence. Je m'étais inventé des tas d'histoires de conquêtes, mais Nuukaru et Escuté se gardèrent bien de me poser la question.

Après le déjeuner, j'allai à la rivière laver mon trophée. Je grattai la peau pour enlever toute la chair et la graisse, rinçai le tout dans l'eau, frottai avec une pierre rugueuse et rinçai de nouveau ; je détachai le fascia avec mes doigts et répétai l'opération jusqu'à ce que l'intérieur du scalp soit blanc, lisse et doux. Puis je remplis d'eau savonneuse une cuve en bois et je lavai soigneusement les cheveux, séparant les mèches, m'efforçant de ne pas trop tirer, comme si le Delaware pouvait encore sentir ce que je faisais, retirant une à une les graines de bardane et d'autres plantes ainsi que les pellicules et le sang séché. Je refis ses nattes et remis les perles, des perles en verre rouge et turquoise, exactement là où lui les avait mises. Je fis une pâte à base de cervelle et de suif dont j'enduisis l'intérieur, passant une seconde couche quand la première eut séché. Je tendis enfin la peau sur un petit cerceau en bois de saule et la rapportai au tipi pour qu'elle y sèche à l'ombre.

Ce soir-là, on parla jusque tard dans la nuit. J'avais accroché le scalp au-dessus de ma couche et je le regardais tourner toute la soirée dans l'air chaud qui montait du feu. Les braises s'étaient éteintes et nous avions sombré quand il y eut un bruissement à la porte du tipi : quelqu'un essayait d'entrer et j'entendis mes compagnons se réveiller aussi. Je vis à sa chevelure que le visiteur était une visiteuse, mais il faisait trop noir pour distinguer autre chose.

« Si tu viens pour Escuté, je suis par ici.

— Et Nuukaru est droit devant, de l'autre côté du feu.

— Vous rêvez, tous les deux, dit la femme. Oubliez que je suis là.

— La femme de Loup Gras... Pas possible.

— Où est Tiehteti ?

— Ici, dit Escuté. C'est lui qui te parle.

— Il est là, oui ou non ?

— Je ne sais pas. Tiehteti, es-tu là ? Je crois bien que non. Je l'ai vu partir du côté des prés. Baise-une-Jument avait un truc à lui montrer. »

Déteste-Travailler dit : « Tu es vraiment un abruti, Escuté.

— Abruti mais drôle ?

— Parfois.

— Nuukaru, j'ai une mauvaise nouvelle. Pour la millième fois, une femme vient dans ce tipi et ce n'est pas toi qu'elle cherche.

— Je t'emmerde, dit Nuukaru.

— Quant à Tiehteti, déclara-t-il, il est temps pour lui de devenir un homme. C'est un processus qui exige un contact physique, aussi, tôt ou tard, sauf si tu préfères regarder un maître à l'œuvre, tu vas devoir dire à cette femme, qui compte parmi les plus belles Comanches mais aussi parmi les plus paresseuses, où tu te trouves dans ce tipi.

— Je suis là, dis-je doucement.

— Nuukaru, espèce d'avorton lubrique, ne crois pas que tu vas rester là à te masturber ; lève-toi et laisse à Tiehteti la jouissance du tipi.

— *Wuʔa tsa nakuhkuparu.*

— J'aimerais autant éviter, dit Escuté. Car je suis un sage, un grand meneur d'hommes, et un jour je serai ton chef. »

Nuukaru et lui prirent leur couverture et sortirent.

« Tiehteti ? Dis quelque chose, que je te trouve.

— Suis la paroi sur ta droite. »

Elle trouva ma couche à tâtons. Il faisait trop sombre pour la voir, ou même savoir qui c'était, sauf à sa voix, mais j'entendis le froissement de la robe qu'elle ôtait. Puis elle se glissa sous la fourrure. Sa peau était douce contre la mienne. Elle se mit à m'embrasser dans le cou, glissant ses doigts sur mon ventre. Je voulus la toucher mais elle remit ma main en place et continua à me caresser le ventre, puis les cuisses ; j'étais sûrement censé faire quelque chose, aussi j'essayai d'explorer entre ses jambes et mes doigts rencontrèrent sa toison, mais là encore elle me repoussa. Je commençais à me sentir docile. Je n'avais rien à faire : c'était une femme, plus une jeune fille, elle menait la danse.

Et c'était bien son avis aussi. Elle promenait ses ongles sur mon corps, de haut en bas, de bas en haut, sur ma poitrine, le long de mes jambes, tout en m'embrassant lentement dans le cou. Il me sembla que tout cela durait bien plus longtemps que nécessaire, puis elle finit par me grimper dessus et je me retrouvai en elle.

On entendit un bruit. Escuté passa la tête dans le tipi.

« Il y en a encore pour combien de temps, femme de Loup Gras ? Une minute ? Ou bien, laisse-moi deviner, il est déjà *pʉa*.

— Ouste, dit-elle. Va te masturber avec Nʉʉkaru. »

Elle m'embrassa le nez. Elle était penchée sur moi, parfaitement immobile. J'avais envie de me mettre à bouger, mais elle m'en empêcha.

« Comment tu trouves ça, beau-frère ? »

Je bredouillai quelque chose.

Elle remua les hanches. « Et ça, tu aimes ?

— Oui.

— Mmm. On va peut-être éviter. »

Je ne dis rien.

« Je crois qu'on va juste rester comme ça », dit-elle.

Je m'éclaircis la gorge.

« Ça me plaît aussi », dit-elle.

Une telle coïncidence me semblait incroyable. Puis elle se mit à bouger doucement, penchée sur moi. Nos fronts se touchaient, elle me tenait les mains, son haleine était douce. «Déteste-Travailler n'est pas mon vrai nom, dit-elle. Je m'appelle Oiseau-sans-Pareil.»

Quand Nuukaru et Escuté revinrent, je l'avais fait cinq fois avec Oiseau-sans-Pareil. Je m'attendais à un commentaire de la part d'Escuté, mais il s'abstint. Nuukaru et lui se murmurèrent quelque chose à l'oreille, puis Nuukaru alla se coucher ; au lieu de l'imiter, Escuté se glissa tout doucement jusqu'à nous. Il toucha les cheveux d'Oiseau-sans-Pareil, puis il me toucha délicatement le visage et me tapota la poitrine en prononçant en comanche des mots que je ne compris pas. Oiseau-sans-Pareil murmura dans son sommeil ; Escuté se pencha pour lui embrasser les cheveux. Il me donna une autre petite tape et m'embrassa sur le front, après quoi il regagna sa couche.

J'étais réveillé. Je réveillai Oiseau-sans-Pareil et on remit ça.

Au matin, tandis qu'une faible lumière grise pénétrait par le haut du tipi, je la sentis qui se levait. Je la retins.

«Non, murmura-t-elle. Il est déjà tard.

— Pourquoi est-ce qu'ils t'appellent Déteste-Travailler ?

— Parce que je fais le travail de dix hommes seulement. Au lieu de cinquante.» Elle se pencha et m'embrassa. «Ne me regarde pas en public. Cette nuit ne se reproduira sans doute pas. C'est la première fois que mon mari m'envoie dans le tipi d'un autre et je ne sais pas dans quelle humeur il sera quand je vais rentrer. »

Quelques heures plus tard, assis autour du feu, Nuukaru, Escuté et moi mangions de la viande de wapiti séchée en observant l'agitation du camp. Escuté n'était pas dans son état normal ; d'habitude il se coiffait soigneusement, ramenant ses cheveux en un éventail élaboré sur le sommet du crâne, mais ce matin, il ne s'était même pas peint le visage.

« Est-ce que Loup Gras va m'en vouloir ? demandai-je.

— Il va te couper la bite. J'espère que ça valait la peine.

— Ne l'écoute pas, dit Nuukaru. Tout le monde veut coucher avec Déteste-Travailler et tu es le seul à l'avoir fait en dehors du type qui a payé cinquante chevaux pour l'avoir.

— C'est mon père qui a payé cinquante chevaux, pas mon gros tas de frère. Si c'était mon père qui couchait avec elle, je m'en ficherais.

— Ça énerve particulièrement Escuté, comme tu peux le voir.

— Évidemment que ça m'énerve ! Ils sont où, mes cinquante chevaux, si je voulais me marier ? Et en attendant, c'est à Tiehteti qu'on envoie Déteste-Travailler.

— Avec qui veux-tu te marier ?

— Avec personne. Justement. Qui veux-tu que j'épouse maintenant que ce tas de graisse a pris la plus belle femme de l'univers ?

— Sa sœur n'est pas mal, dit Nuukaru.

«— Je me suis fait baiser, voilà. Lui c'est un gros lâche et c'est moi qui passe pour le méchant jaloux. Huit des chevaux qu'on a payés pour elle, c'est moi qui les avais donnés à mon père. C'est quand la dernière fois que mon frère a participé à un raid ?

— Arrête, dit Nuukaru.

— J'en ai rien à foutre qu'on m'entende.

— Maintenant, peut-être, mais plus tard ? »

On resta comme ça un moment. Je ne voyais pas pourquoi Escuté s'inquiétait. Il avait six scalps, et s'il était plus petit et plus mince que son père et son frère, il était bien bâti, il se déplaçait avec grâce et tous les jeunes Indiens, des deux sexes, l'admiraient. Et puis je me dis qu'il avait peut-être raison : il n'y avait que Déteste-Travailler qui fût son égale dans la tribu.

« Il y a une très belle captive qui appartient à Pieds Paresseux, une blonde. Une Allemande.

— Poils Jaunes, dis-je.

— Oui, elle. Elle vaut Déteste-Travailler.

— Je ne vais pas épouser une captive, putain. Ne le prends pas mal, Tiehteti.

— On est tous issus de captifs, à un degré ou à un autre, dit Nuukaru.

— N'empêche, très peu pour moi.

— Tu n'étais pas en colère, la nuit dernière, dis-je.

— Non. Et ce n'est pas contre toi que je suis en colère, Tiehteti ; je suis content que tu aies goûté ça, c'était mérité. C'est à mon père que j'en veux : simplement parce que le gros est l'aîné, il a tous les droits, et cinquante chevaux. Il n'a même pas essayé de marchander.

— Tout le monde sait que tu seras chef un jour, dit Nuukaru. Tout le monde. Contrairement à ton frère. Tout ce qu'il a pour lui c'est d'avoir un père riche.

— Ouais, et si je me fais tuer dans un raid avant de devenir chef ? Pendant que mon père entretient le gros et lui achète d'autres femmes ?

— Alors je veillerai à ce que tu ne te fasses pas scalper.

— Incroyable. » Escuté secoua la tête.

« Tu as encore un père, dit Nuukaru. C'est déjà quelque chose.

— Ton père est mort en brave et il ne s'est pas fait scalper, dit Escuté. Il est déjà sur les terres heureuses des chasses éternelles.

— Merci, Escuté, et c'est où, ça, exactement ? Au-delà du soleil, il paraît, quelque part vers l'ouest. C'est drôle, tu sais, des fois je brûle de demander conseil à mon père sur ceci ou cela, ou de sentir sa main sur mon épaule, mais tout le monde me dit qu'il est quelque part à l'ouest, juste derrière le soleil. Sauf que d'après Tiehteti, qui ne connaît pas nos usages, si on suit le soleil vers l'ouest, on finit par tomber sur une étendue infinie d'eau salée plutôt que sur une terre où les chevaux courent si vite qu'ils s'envolent, où il ne fait ni chaud ni froid, où le gibier vient se jeter sur ta lance avant de rôtir miraculeusement et où tout ce que tu manges est nappé de moelle succulente.

— Pardon, dit Escuté. Je n'ai pas le droit de me plaindre.

— Ah. Pour une fois tes lèvres remuent et on n'entend pas que des conneries.

— Je change de sujet, dis-je, mais vous croyez que j'ai une chance de revoir Déteste-Travailler ?

— Connaissant mon frère, non.

— Impossible de savoir, dit Nuukaru. Mais ne serait-ce que penser à elle serait une très mauvaise idée ; ça pourrait déplaire à Loup Gras. C'est incroyablement généreux, ce qu'il a fait, et peut-être qu'il ne l'a fait que pour se faire bien voir.

— Je crois qu'elle a aimé ça. »

Escuté secoua la tête. « Fais attention, mon gars.

— Elle a aimé ça parce que son mari lui a donné la permission. Si ça se reproduit sans qu'il le permette, ou s'il soupçonne seulement que ça s'est reproduit, il lui coupera le nez et les oreilles, et il lui tailladera le visage. Et tu développeras les mêmes signes.

— Tu as pour toi, sans faire injure à tes exploits, dit Escuté en levant la main, qu'il te considère comme encore très jeune, et à ce titre peu menaçant. C'est donc possible.

— Mais tu ferais mieux de penser à sa sœur, Fleur-de-Prairie, qui est célibataire.

— Et moins paresseuse. Moins jolie, aussi.

— Mais très jolie quand même. Et intelligente.

— Et de ce fait courtisée par tout un tas d'hommes bien plus glorieux que toi, des hommes qui ont tué plus d'un ennemi et volé quantité de chevaux.

— Sans parler du fait qu'Escuté a couché avec elle et qu'elle doit donc sûrement avoir des maladies.

— Peut-être que tu devrais concentrer tes efforts sur tes compétences de cavalier et d'archer, qui laissent notoirement à désirer, et prendre la visite d'hier comme tu prendrais une visitation du Grand Esprit.

— Des scalps et des chevaux, fiston. »

Je ne dis rien.

« Mais si une autre fille décide de venir dans ton tipi la nuit, de son plein gré, et réussit à ne pas se faire intercepter par Nuukaru ou moi, ce qui est hautement improbable, tu peux coucher avec elle en toute tranquillité. Tandis que la situation inverse... Imaginons que tu aies parlé à une fille et qu'elle t'ait donné certains signes, mettons par exemple qu'elle t'ait laissé lui mettre un doigt tandis qu'elle était hors du camp pour une corvée de bois, et que, certain de lui plaire et désireux de trouver un endroit respectable où lui faire l'amour, tu décides une nuit de lui rendre visite dans son tipi...

— Tu serais aussitôt tué par son père, dit Nuukaru. Ou un autre membre de sa famille.

— Qui donnerait alors un cheval à Toshaway en compensation de ta mort.

— En bref, dit Nuukaru, jusqu'à ce qu'elles soient mariées, les femmes peuvent coucher avec qui elles veulent, et elles sont seules à choisir. Si elles font pareil une fois mariées, on leur coupe le nez.

— Alors je fais quoi, moi, maintenant ? »

Escuté secoua la tête. « Non mais écoute-moi cet homme blanc. Et dire que ça ne fait que huit heures qu'il a perdu sa virginité.

— Des chevaux et des scalps, dit Nuukaru. Des chevaux et des scalps. »

Chapitre 14

JEANNIE MCCULLOUGH

En 1937, quand elle avait douze ans, un dénommé William Blount et ses deux fils disparurent de leur ferme près du ranch McCullough. La ferme était exsangue ; la famille vivait de viande de lapin et de la farine dont on lui faisait la charité. Selon la femme de Blount, son mari et ses fils étaient allés sur les terres des McCullough – toujours vertes et bien irriguées – chasser un chevreuil pour se nourrir. Aucun des trois n'était revenu et la femme prétendait avoir entendu des coups de feu en provenance du ranch.

Tout le monde savait ce qui arrivait quand on pénétrait chez les McCullough sans invitation. Les deux routes qui menaient en ville serpentaient au milieu de leurs cent mille hectares ; si vous tombiez en panne, mieux valait marcher quinze kilomètres le long de la route que de couper à travers champs où les gars chargés des clôtures risquaient de vous prendre pour un voleur. Après l'affaire Garcia, le ranch avait été classé réserve de gibier de l'État, ce qui signifiait qu'en plus de leurs vaqueros les McCullough avaient des gardes-chasses – théoriquement employés par l'État du Texas – en renfort de sécurité. Selon certains, ils enterraient dans les pâturages du fond une dizaine de personnes par an, braconniers et Mexicains confondus. Selon d'autres, c'étaient deux dizaines. *Tout ça, ce sont des racontars*, disait son père. Mais Jeannie voyait bien que ses frères se sentaient en famille avec les vaqueros alors qu'ils étaient mal à l'aise en présence des gardes-clôtures.

Le lendemain de la disparition des Blount, elles ouvrit la porte au shérif. Il se tenait là, tout seul. C'était un grand type mince, originaire du Nord, au nez aquilin et au visage buriné, qu'on soupçonnait d'être à moitié indien. C'est en cirant les bottes des Mexicains qu'il avait été élu face à Berger, le candidat du père de Jeannie. Berger chassait sur leurs terres et empruntait leurs chevaux ; Van Zandt, lui, ne venait qu'en cas de problème. Ou quand il lui fallait de l'argent, disait le père de Jeannie.

Il y avait à l'étage, sur le palier, juste au-dessous du vitrail de chez Tiffany, une banquette où l'on pouvait s'allonger et lire ; on entendait aussi ce qui se passait en bas sans être vu. Elle s'y installa. Le jour entrait par la fenêtre, éclairant les portraits de famille qui ornaient la montée d'escalier : le Colonel, appuyé sur son épée, en uniforme de la «Cause Perdue» des Confédérés, et puis sa défunte femme et leurs trois fils. La femme et un des fils (Everett, elle savait son nom) étaient nimbés d'une lumière surnaturelle ; Peter (le paria) et Phineas (que Jeannie aimait bien) avaient l'air normal. Chérubins et bustes en marbre complétaient la décoration. Elle écouta son père et le shérif.

«Je ne voulais pas venir», dit Van Zandt.

Son père répondit quelque chose qu'elle n'entendit pas.

«L'opinion générale, c'est qu'on devrait lancer des recherches pour retrouver les Blount.

— Evan, si on lâche dix adjoints sur nos terres chaque fois qu'un moricaud disparaît...

— Il s'agit d'un Blanc et de ses deux fils et ça s'émeut pas mal, en ville. Même les Mexicains. Je n'ai jamais vu ça.

— Oui, oh, ce n'est pas nouveau, dit son père. Ça n'est pas la popularité qui m'étouffe par ici, sauf quand les gens se font de l'argent sur mon dos avec les chevaux.»

Les rapports entre les McCullough et la population locale étaient tendus depuis un certain temps. Alors qu'un tiers de la ville était au chômage, il était apparu quelques mois plus tôt que le père de Jeannie avait refusé la construction sur leurs terres d'une autoroute qui aurait réduit de quarante-cinq kilomètres le trajet entre Laredo et Carrizo Springs. Le *San Antonio Express* s'était emparé de l'affaire. On disait la même chose des ranchs Ring et Kenedy: encore un empire planqué derrière sa grande muraille. Petit peuple, passe ton chemin.

«C'est ce foutu Roosevelt, dit son père. Tu verras ce que je te dis, c'est la dernière élection libre qu'aura connue ce pays. On est au bord de la dictature.»

Le lendemain, une foule s'était rassemblée à l'entrée de la propriété et n'en bougea pas de toute la journée. Au lieu d'aller leur parler, son père distribua les cinq ou six pistolets-mitrailleurs du ranch aux gars qui savaient s'en servir.

« Ne dors pas sur ton balcon, ce soir, lui dit son père. Ne t'approche pas des fenêtres et n'allume aucune lumière.

— Qu'est-ce qui va se passer ?

— Rien. Ce n'est pas la première fois que ça arrive. »

Elle alla se coucher de bonne heure, grimpant l'escalier de l'aile est où se trouvaient les chambres des enfants. Chaque chambre avait son grand balcon couvert où dormir quand il faisait chaud. Elle éteignit la lumière, réfléchit un instant, puis, désobéissant à son père, se glissa discrètement dans son lit d'extérieur. Les étoiles brillaient de leur éclat habituel ; elle écouta la stridulation des criquets, le ululement des chouettes, les meuglements du bétail, le chant des engoulevents, et le cri d'un coyote. Il y avait aussi les craquements de l'éolienne qui alimentait la citerne de la maison, mais c'est à peine si Jeannie les entendait. Le trille des rainettes indiquait qu'il allait pleuvoir. Elle entendit un bruissement sur le balcon d'à côté – son frère Paul.

« C'est toi ?

— Ouais, dit-il.

— Tu crois qu'y va se passer quoi ?

— J'sais pas.

— C'est n'importe quoi, l'histoire des Blount, hein ? »

Il ne répondit pas.

« Hein ?

— Je sais pas, dit-il.

— Et Jonas et Clint, ils sont couchés ?

— Ils sont avec Papa.

— Tu vois jusqu'au portail ?

— Arrête, avec tes questions. »

Il y eut un silence, puis il ajouta : « Je vois rien.

— Qu'est-ce qui va se passer s'ils entrent ?

— Eh ben, sans doute que Papa leur tirera dessus. Je l'ai vu sortir le fusil-mitrailleur tout à l'heure. »

Son père avait dû appeler le gouverneur parce que, le lendemain matin, une patrouille de Rangers arriva de San Antonio. Le surlendemain, il autorisa le shérif à fouiller la propriété. Ses cent mille hectares. On ne retrouva jamais les Blount, mais Jeannie savait comme tout le monde qu'on aurait aussi bien pu chercher une aiguille dans une botte de foin.

Sur les quatre enfants, seuls Jonas et elle aimaient l'école. Paul et Clint s'y ennuyaient. Son père, lui, ne voyait pas l'intérêt : la scolarisation obligatoire n'était qu'une ruse supplémentaire du gouvernement pour se servir dans ses poches. L'école se trouvait à McCullough Springs, ainsi nommée en hommage à son arrière-grand-père. Après l'incident des Blount, son père avait voulu restaurer ses rapports avec la population en offrant à l'école une fresque murale dont il était depuis longtemps question : une scène pastorale qui montrerait Américains et Mexicains travaillant ensemble à la construction de la ville. Mais le mural terminé, on découvrit des ouvriers agricoles *tejanos* squelettiques, les yeux exorbités, qui s'échinaient dans des champs d'oignons, avec quelques croix miteuses

dans le fond ; un *patrón* présentant une vague ressemblance avec le père de Jeannie surveillait le tout, monté
sur un cheval noir. On repeignit par-dessus et le père
de Jeannie cessa tout effort envers les habitants de
la ville.

Les McCullough assumaient le gros de la charge
financière de l'école, même si les Midkiff et les
Reynolds participaient un peu. Les petits Mexicains
étaient scolarisés gratuitement, mais jamais longtemps.
Ils venaient par intermittence, un mois par-ci, un mois
par-là, et la personne chargée de faire l'appel ne leur
courait pas après. Ça ne servait à rien de s'en faire des
amis : ils disparaissaient la moitié de l'année et quand
ils revenaient, il fallait tout recommencer. Avec les
enfants des fermiers blancs, c'était plus facile, mais dès
qu'elle les invitait au ranch, Jeannie voyait combien ils
auraient voulu être à sa place et leur comportement
s'en trouvait empreint d'un zèle désagréable. Elle finit
par cesser de se faire des amis. Il n'y avait que Fanny
Midkiff avec qui elle eût des choses en commun,
mais Fanny avait trois ans de plus qu'elle et ne pensait qu'aux garçons. Elle finirait mal, disait-on, toute
Midkiff qu'elle était.

Du vivant du Colonel, tant qu'il en eut l'énergie,
Jeannie était autorisée à faire ses devoirs avec lui.
Il passait ses matinées sur la galerie ouest, à l'abri du
soleil, et ses soirées sur la galerie est, pareillement
à l'abri. Il avait toujours de la visite. Un envoyé du
gouvernement (un Juif, à ce qu'on dit alors) apporta
un appareil enregistreur et le Colonel parla à la
machine pendant des heures. Il y avait des banquettes

sur chaque galerie pour qu'il puisse y dormir à son gré ; il dormait encore et encore, c'était là son activité principale. *Je finirai par dormir pour toujours*, lui avait-il dit.

Mais il ne dormait jamais bien longtemps. Il était toujours réveillé à temps pour tuer tel serpent qui tentait de traverser la grande cour de terre battue, espérant rejoindre l'ombre fraîche sous le porche couvert de l'entrée. *Un jour on se débarrassera de cette satanée cour de terre*, disait sa grand-mère. *Et ce jour-là, on se fera mordre par un serpent*, disait le Colonel.

Si Jeannie était près de lui quand il se réveillait, le Colonel l'envoyait chercher de la glace. Ou de la menthe ; il en avait planté autour d'un des étangs. Les juleps étaient la base de son alimentation. Jeannie broyait la menthe au fond du verre avant de rajouter trois cuillerées à café de sucre et de remplir le verre de glace pilée. Parfois, avant d'ajouter le bourbon, le Colonel la laissait goûter à la glace mentholée et sucrée.

Quand il ne faisait pas trop chaud, ils partaient se promener tous les deux, se frayant un chemin dans les hautes herbes sous le ciel dégagé, s'asseyant pour se reposer près d'un bosquet de chênes ou d'ormes à larges feuilles, ou le long d'un ruisseau quand il y avait de l'eau. Elle ratait toujours quelque chose : un cerf à queue blanche, un renard, le mouvement d'un oiseau ou d'une souris, une fleur hors saison ou un nid de serpent. Elle voyait deux fois plus loin que lui, mais se sentait aveugle en comparaison – elle ne remarquait presque rien, sinon l'herbe et le soleil. Elle se demandait souvent s'il ne lui racontait pas des sornettes, mais à chaque promenade, il trouvait un souvenir : le crâne blanchi d'un opossum, un bois de chevreuil, la plume lumineuse d'un pic flamboyant. Il marchait tout doucement et devait souvent s'arrêter et prendre appui sur elle. Quand ils tombaient sur un nid de serpent, le Colonel l'envoyait chercher à la maison un pot de kérosène à verser dans le trou, si du moins il ne faisait pas trop sec, mais le plus souvent, il faisait trop sec. Parfois, quand ils s'arrêtaient pour se reposer, il lui demandait d'ôter une épine de son pied jaune et durci : il ne portait pas de bottes – il perdait l'équilibre, en bottes –, seulement des mocassins. C'était le genre de cadeaux que lui faisaient les Indiens qui venaient le voir – les vrais Indiens des réserves de l'Oklahoma. Quand ils repartaient, il avait l'air triste et répondait sèchement au père de Jeannie ou à quiconque l'importunait. Jeannie était sa préférée, c'était évident ; et le père de Jeannie avait beau faire mine de s'en ficher, elle savait qu'il ne s'en fichait pas.

Si le Colonel était occupé ailleurs et qu'elle n'avait pas de devoirs, il lui revenait de rassembler les vaches laitières et de les traire. La douceur de leur souffle, le bruit du lait contre le métal, aigu d'abord, plus rond à mesure que le seau se remplissait... Ses frères détestaient ça : se faire fouetter le visage par la queue crottée d'une vache, ce n'était pas du travail de vaquero. Mais elle trouvait plaisir à voir le soulagement de l'animal, à entendre le son du jet de lait qu'elle orientait sur les parois du seau. Pas tout à fait une chanson, mais presque. Elle portait le lait à la cuisine où il était filtré, puis rangé dans la glacière ou bien laissé dehors pour faire remonter la crème et la prélever. Les domestiques avaient droit à autant de lait écrémé qu'ils voulaient, mais le reste était pour la famille. Il y avait toujours trop de lait et il arrivait bien souvent à des seaux entiers de cailler ; un des frères de Jeannie les portait alors aux baraquements des vaqueros. C'était quelque chose dont, adulte, elle aurait la nostalgie, le caillé avec du sucre brun et des morceaux de fruits. Avec la pasteurisation, on s'était mis à considérer ça comme un aliment dangereux ; elle en avait pourtant mangé toute sa vie.

Quand elle ne trayait pas les vaches laitières, elle s'occupait des veaux orphelins ; en théorie, ça revenait aussi à ses frères, mais ils s'y collaient rarement. Tout veau orphelin était conduit dans les enclos près de la maison. Jeannie attachait une vache à la clôture et éclaboussait de son lait la tête du veau, puis elle faisait en sorte que la vache sente l'odeur de son propre lait sur le veau avant de le lui amener au pis. En général la vache rejetait le veau étranger en lui donnant des coups de patte ; Jeannie devait alors attendre un moment avant de renouveler l'opération. Il arrivait que la vache cède tout de suite et laisse le veau téter, mais ça pouvait aussi prendre plusieurs jours. Clint et Paul achetaient toujours des chevaux avec l'argent qu'ils gagnaient comme ça ; personne ne savait ce que Jonas faisait du sien. Jeannie, elle, le confiait à son père ; à douze ans, elle ouvrit un compte à San Antonio et y déposa près de dix mille dollars.

Quand elle ne pouvait pas rester avec le Colonel sur la galerie, son deuxième lieu de prédilection était la vieille maison des Garcia, qu'on appelait toujours la *casa mayor* bien que les Garcia fussent morts depuis longtemps. Elle avait appris très tôt ce qui leur était arrivé.

«Pedro Garcia n'avait pas de fils pour faire tourner son ranch, avait expliqué son père, et ses filles ont toutes épousé des hommes pas bien qui ont criblé Pedro de dettes. Et ces hommes se sont mis à voler notre bétail et puis ils ont blessé ton oncle Glendale.

— Alors on est allés se venger.

— Non. Les Rangers sont allés chez eux pour essayer de leur parler et on les a accompagnés. Mais les Garcia se sont mis à leur tirer dessus.»

Pour Jeannie, rien ne surpassait les Texas Rangers. «Je suis contente qu'ils soient morts, dit-elle en parlant des Garcia.

— C'était des gens bien qui n'ont pas eu de chance», dit son père. Puis il ajouta : «Les gens bien, il ne leur arrive pas toujours que des choses bien.»

Avoir des filles, ça faisait partie des choses pas bien qui pouvaient vous arriver. Une fois, elle avait entendu son père dire à un journaliste venu pour les cent ans du Colonel : «Vous priez d'abord pour avoir des fils, et ensuite du pétrole. Prenez les Miller, à Carrizo : plus de vingt mille hectares et rien que du jupon à qui les transmettre.»

Elle était montée droit dans sa chambre et, soi-disant malade, n'était pas descendue souper. À partir de ce moment-là, ce que le Colonel pouvait dire de son père ne l'atteignit plus.

La maison des Garcia, construite dans les années 1760, avait été une des premières de la région.

Elle dominait la vallée de la Nueces depuis une hauteur où, même quand tout s'asséchait alentour, une source jaillissait toujours des rochers. Faite de gros blocs de pierre, elle ressemblait à un petit château. Une tour de garde de douze mètres de haut permettait de surveiller les environs hostiles et il était impossible de pénétrer à l'intérieur de la *casa mayor* par les longues ouvertures étroites qui lui tenaient lieu de fenêtres. Il y avait aussi des tas de petites meurtrières d'où Jeannie imaginait qu'étaient partis bien des tirs mortels contre ces sauvages d'Indiens.

Le toit s'était effondré depuis longtemps. À l'intérieur, buissons de mesquite et cassiers poussaient parmi les débris ; des chênes et des micocouliers dépassaient déjà des murs. De l'extérieur, la *casa mayor* ressemblait maintenant à un jardin clos, un endroit sûr et accueillant – ce qu'il n'était pas : le plancher était pourri et il y avait des clous rouillés, des ressorts, des bouts de bois déchiquetés, sans parler des épines de cassier. Jeannie n'avait pas le droit d'y entrer mais elle y entrait quand même, se frayant précautionneusement un chemin jusqu'à la tour. Il lui fallait encore enjamber des broussailles et des poutres à moitié brûlées pour parvenir à l'escalier de pierre qui montait en colimaçon jusqu'en haut, bien qu'il n'y ait plus là de plate-forme où se tenir. Elle restait donc sur l'étroite dernière marche et contemplait le paysage, du côté de la Nueces, en contrebas, et de l'autre, vers chez elle, jusqu'à McCullough Springs, ses petits immeubles et le grand bâtiment de pierre de la banque. Quand le Colonel était arrivé dans le coin, il avait d'abord vécu dans un *jacal*, puis dans une maison en rondins.

Celle-ci avait brûlé après la mort de sa femme et il l'avait reconstruite, en pierre.

Jeannie plissait les yeux pour ne pas voir les fermiers et les laboureurs, petites fourmis dans les champs près du fleuve, de même qu'elle évitait de regarder sa maison et la ville : elle essayait de voir la terre telle qu'elle était jadis. Le paradis du pauvre – c'est ainsi que la décrivait le Colonel. Mais Jeannie préférait s'imaginer en princesse, courtisée par tous les fils des *hacendados*. Elle aurait sept prétendants et aucun ne l'intéresserait et elle s'enfermerait dans la tour et elle refuserait de manger jusqu'à ce que le plus pauvre et le plus laid des sept se révèle être un prince déguisé, ce sur quoi elle traverserait l'océan en voilier jusqu'en Espagne où il ferait frais et où des serviteurs lui apporteraient des prunes.

D'autres fois, elle jouait à être Mrs Rosalie Evans, l'Anglaise dont son père parlait toujours, qui, quelques années plus tôt, s'était enfermée dans une tour comme celle-ci pour se défendre jusqu'à la mort, au nom de la démocratie, contre les communistes mexicains venus lui voler sa terre.

Quand elle était fatiguée de rester debout dans la tour (des marches étroites donnant sur un plongeon de quatre étages) ou que la luminosité ambiante lui faisait mal aux yeux, elle retirait tous ses vêtements et s'asseyait au beau milieu de la source, qui n'avait pas son pareil sur les terres des McCullough. Les vaqueros ne s'approchaient jamais de la *casa mayor* et elle savait que personne ne la surprendrait.

Le plus clair de l'eau courait sur les rochers rejoindre la rivière au-dessous, mais on avait autrefois endigué le ruisseau et un déversoir, sur le côté, alimentait une citerne sous la maison. Quand on passait la tête dans l'ouverture, ça sentait l'humidité. De la citerne, un autre chenal de pierre servait de déversoir jusqu'à une piscine en contrebas de la maison ; de là, un troisième déversoir menait à un bassin pour laver le linge ou la vaisselle, depuis lequel l'eau coulait vers une grande terrasse de terre aujourd'hui envahie par le mesquite et les plaqueminiers, anciennement jardin de la cuisine. C'était comme les ruines romaines des manuels scolaires, sauf qu'ici elle pouvait marcher le long de la piscine, l'imaginer remplie d'eau fraîche, et s'asseoir à l'ombre des chênes verts. Au loin, il y avait des collines ondoyantes, des bosquets de ces mêmes chênes et, en tout cas dans son imagination, des bisons en train de paître le long du fleuve. Bien sûr, tout ça n'irait pas sans danger ; il lui faudrait un pistolet contre les Indiens. C'était la vie rêvée.

Dans les prés en contrebas de la maison, on trouvait encore des murs de pierre et divers décombres, et puis les ruines d'une église et d'autres bâtiments importants dont l'usage restait aujourd'hui mystérieux. Un certain nombre de corrals étaient toujours debout, mais la digue avait été détruite si bien que l'eau n'arrivait plus jusqu'au déversoir. La *casa mayor* s'était desséchée, comme tout le reste. Le ruisseau coulait à présent dans son lit d'origine et passait devant la vieille église où, parfois, notamment quand il avait beaucoup plu, il y délogeait des choses intéressantes : de petits bouts de fer-blanc dont Jeannie ne voyait pas à quoi ils avaient pu servir, d'innombrables fragments de faïence colorée et des tasses brisées dont le Colonel disait qu'on y buvait du chocolat. Et puis des boutons en bois de cerf, des vis en cuivre, des pièces et des éclats d'os en tout genre.

Seuls les enfants s'intéressaient à la *casa mayor*. Les ouvriers mexicains, quand ils étaient obligés de venir chercher le bétail dans les champs alentour, se signaient toujours ; ce n'était pas leur faute s'ils étaient des catholiques ignorants. Et ce n'était pas la faute des Garcia s'ils avaient été des moricauds paresseux et des voleurs de bétail ; elle était désolée pour eux, même s'ils avaient tiré sur son oncle Glenn.

Parfois, elle trouvait étrange que des moricauds paresseux aient construit une maison en pierre si complexe, avec citerne, piscine et jardins divers, mais les rares fois où de telles pensées affleuraient à sa conscience, elle se disait que les gens faisaient souvent des choses bizarres, incompréhensibles – comme les Brenner, dont les deux fils s'étaient fait tuer en braquant une banque à San Antonio, ou la famille Morales, qui travaillait pour les McCullough depuis trois générations quand leur fille s'était enfuie pour se prostituer. C'est ce que lui avait dit Clint. Lui-même avait gravé son nom dans les murs de caliche tendres de la *casa mayor* – C-L-I-N-T – en lettres grandes comme lui.

Par un jour d'été brûlant, pendant les vacances, elle en avait eu marre de nager dans l'étang ; Clint, Paul et elle étaient partis à cheval jusqu'à l'*hacienda*.

Ils avaient pris un itinéraire sinueux et ils étaient tombés en chemin sur une source qu'aucun d'eux n'avait jamais vue – plus petite que celle de la *casa mayor*, mais une vraie source quand même – qui donnait naissance à un ruisseau bordé de plaqueminiers, de vignes sauvages et de chênes. Ils menèrent leurs chevaux jusqu'à un bassin naturel où on pouvait visiblement pêcher des grenouilles à foison, prenant note de l'emplacement pour pouvoir y revenir. Il y avait des ruisseaux partout sur le ranch, mais la plupart étaient à sec, leur lit rempli de sable et bordé de squelettes d'arbres morts. La faute à l'irrigation, disait le Colonel. Ça avait tout asséché. Et c'était là un autre trait remarquable de l'ancien fief Garcia : toutes les sources étaient encore alimentées, c'était la partie du ranch la mieux irriguée.

Jonas, le frère aîné de Jeannie, n'était pas avec eux. Comme il allait bientôt partir à l'université sur la côte Est, son père ne lui laissait pas prendre un jour de repos de tout l'été, en guise de représailles. Paul et Clint, les cadets, avaient décidé de ne pas travailler par cette chaleur. Bien des années plus tôt, Jeannie avait demandé à Clint s'il pensait que leur père devrait se remarier, pour qu'ils aient une vraie maman. Clint avait répondu : on en avait une, de maman, sauf que tu l'as tuée. En naissant, avait-il ajouté.

Seule consolation : Clint avait pris une bonne correction. N'empêche, elle savait que c'était vrai. Leur mère était morte en accouchant d'elle. La volonté de Dieu, avait dit son père. Encore qu'une autre fois il avait dit que c'était parce qu'il n'était pas allé à l'église.

Elle imaginait ce que ce serait, d'avoir une mère. Ensemble elles enfouiraient des trésors dans le sol et puis creuseraient pour les déterrer. Une fois, à l'école, elle avait enterré dans le bac à sable une grosse bague d'argent que le Colonel lui avait donnée, le plus profond possible. Quand elle était revenue un peu plus tard, Perry Midkiff venait de la déterrer. La maîtresse était là.

« C'est à moi, avait dit Jeanne-Anne en désignant la bague.

— Non, avait dit la maîtresse, il l'a trouvée, je suis témoin.

— Mais c'est moi qui l'avais mise là.

— Pourquoi est-ce que tu cacherais une bague au fond du bac à sable ? » Jeune, grosse, quasiment pas de menton, la maîtresse mourrait vieille fille, tout le monde le disait.

« Je voulais la découvrir », dit Jeannie. Mais quand les mots sortirent de sa bouche, elle entendit leur absurdité ; elle avait perdu la bague pour toujours.

Il y avait des tas de choses à découvrir quand on creusait le sol de la *casa mayor*, que ce soit dans l'enceinte des murs, dans la cour ou encore vers la vieille église et les *jacals* en ruine des vaqueros morts. Il était rare de ne pas trouver quelque trésor. Il y avait eu ce plastron d'armure espagnole en mauvais état que ses frères avaient complètement brisé en tentant de l'exhumer. Et puis des tas de vieilles armes, tellement rouillées qu'on pouvait à peine les identifier : une rapière, une pointe de lance, une hachette, des lames de couteau, un pistolet à un coup au percuteur cassé.

Ce jour-là, en longeant le ruisseau près de l'église, ils arrivèrent à un endroit où la berge s'était effondrée depuis peu, révélant, sous la terre, un couvercle de bois. Flairant un trésor, Clint creusa et tira dessus, puis se recula d'un bond. Là, qui les fixait en plein soleil, se trouvait un squelette humain dans des lambeaux de vêtements. Clint tendit le bras et attrapa le crâne. Il était petit – plus petit qu'un cantaloup – et d'un jaune profond. Et Jeannie qui croyait que tous les os étaient blancs. Le squelette portait un collier en or dont Clint se saisit aussi. « C'est une fille ! » s'exclama-t-il.

Il fit mine d'examiner le crâne un moment, puis le jeta dans l'herbe. Jeannie l'aurait bien touché mais ne pouvait s'y résoudre. Paul le remit à sa place, referma le cercueil et, du pied, ramena par-dessus de la terre et des pierres.

« Les bêtes vont le déterrer de toute façon, crétin.

— Il n'y a rien à manger là-dedans, dit Paul. Il n'y a que nous que ça intéresse. »

Ils retournèrent vers la source, à l'ombre, et se déshabillèrent, encore qu'ils fussent maintenant tous trop âgés pour enlever leurs sous-vêtements. Assis dans l'eau fraîche, ils contemplèrent les prés, les murets croulants de la vieille église, et la Nueces, tout au loin.

« Elle avait quel âge ?

— Une adolescente, dit Paul.

— Ton âge à peu près », dit Clint.

Ils finirent par avoir froid : la température de l'eau était constante, quelle que soit la chaleur extérieure. Ils mangèrent leur pique-nique sur les roches plates et chaudes. Non loin de l'église, un groupe de vaches les observaient. Voilà qu'un taureau arriva dans le pré, museau en l'air, et se mit à suivre une certaine génisse. Ils la regardèrent s'enfuir, s'arrêter et regarder par-dessus son épaule avant de fuir à nouveau. Jeannie voyait venir avec horreur le moment où les deux bêtes piétineraient le cercueil, mais elles ne s'en approchèrent même pas.

«Elles sont toutes pareilles, hein, dit Clint. Elles fuient mais au fond elles ne demandent que ça. Il ne va pas tarder à obtenir ce qu'il veut. Et elle aussi.»

Jeannie laissa échapper un rire nerveux et serra les cuisses. Sous les poils qui lui poussaient là, il y avait de drôles de morceaux de peau, et dessous encore, une petite ouverture dans laquelle Jeannie savait qu'un homme était censé entrer, même si elle ne voyait pas bien comment ni pourquoi elle le laisserait faire – sauf arrangement particulier, comme quand elle avait exceptionnellement permis à Paul de lui emprunter son cheval.

«Tu vois», dit Clint. Il la désigna du menton. «Elle sait de quoi je parle.»

La génisse était montée vers eux, mais s'était arrêtée à mi-chemin en les apercevant. Le taureau l'avait alors rattrapée ; elle ne s'était pas enfuie et il lui avait vite grimpé dessus.

«Regardez-moi l'engin», dit Clint.

Ils ne voyaient pas bien, mais le taureau avait visiblement enfoncé quelque chose dans la génisse et lui faisait faire des allées et venues. Il finit par se retirer, pantelant, tout à ses soufflements.

«Un de ces jours, un gros taureau va te faire la même chose.

— Laisse-la tranquille», dit Paul.

Clint mit un coup à son frère, lequel ne broncha pas. Pauvre Paul, si doux. Quelques années plus tard, Jeannie déposerait son faire-part de décès dans la chambre au lit impeccable, aux étagères encore pleines de westerns bon marché, aux photos de classe dûment dépoussiérées chaque semaine par les domestiques. *Tombé sous le feu de l'infanterie ennemie, forêt des Ardennes.* Janvier, de la neige jusqu'à la taille. Lui qui avait grandi dans le désert du Cheval Sauvage et n'avait jamais eu de vrai manteau.

Clint était mort le premier, en Italie. Les frères de Jeannie iraient mourir bien loin de chez eux, mais ce soir-là, des années avant qu'aucun des deux n'eût quitté le ranch à jamais, Clint était venu la voir et, sans un mot, lui avait donné le collier trouvé dans la tombe.

Clint le Cruel. C'était le surnom qu'elle lui donnait en secret, même si elle savait qu'il en aurait été blessé. Il s'amusait à attraper des oiseaux et d'autres petites bêtes pour les écorcher et les rembourrer jusqu'à leur faire perdre toute apparence animale : on aurait dit des coussinets bosselés ; il en avait plein sa chambre. À quatorze ans, il excellait au travail du ranch, mais son père n'en avait que pour Jonas, l'aîné. Clint était meilleur cavalier, et meilleur au lasso, qu'il maniait comme un Mexicain – par au-dessus, par en dessous, sans moulinets, sans mouvement superflu, manquant rarement sa cible. Il pouvait séparer un veau du troupeau avant même que la bête réalise où elle était. Il était toujours le premier à attraper un taureau par la queue pour le faire tourner et à grimper sur le plus sauvage ; Jeannie en avait vu, des chevaux ruer à s'en mettre sens dessus dessous sans pour autant parvenir à se débarrasser de Clint.

Mais ça ne changeait rien. Jonas était l'aîné et son père accordait plus d'attention à ses échecs – trop nombreux pour être énumérés – qu'aux triomphes de Clint. Un jour le ranch appartiendrait à son père, et à Jonas après lui. Tout le monde le savait. Clint le savait, qui avait passé deux jours au lit, malade d'avoir sifflé une des bouteilles d'eau-de-vie de mûre de sa grand-mère.

Mais Jonas partirait à la fin de l'été. Il avait dit à Jeannie, en confidence, qu'il ne reviendrait pas. Elle ne l'avait pas cru.

À strictement parler, Jeannie avait aussi une autre famille, deux autres grands-parents du côté de sa mère. Mais de ce côté-là, sa grand-mère avait disparu bien avant sa naissance – et aurait donc aussi bien pu ne pas avoir existé – et elle avait huit ans quand son grand-père était mort. Un fermier de l'Illinois venu acheter des terres que le Colonel vendait au rabais. Peut-être que Jeannie l'aurait mieux connu si sa fille, la mère de Jeannie, était restée en vie ; mais les rares fois où il leur rendait visite, il était si effacé et si révérencieux qu'on aurait dit un étranger. Il ne s'était arrogé aucun droit particulier sur Jeannie ou ses frères. Une fois, après son départ, le père de Jeannie avait dit de lui que c'était un homme qui savait rester à sa place.

Bien plus tard, elle s'était aperçue que, scientifiquement parlant du moins, elle était plus proche par le sang de cet humble fermier que du Colonel – pensée qu'elle s'était empressée de chasser. Lui mort, elle n'entendit plus parler de la famille de sa mère. Et elle ne s'en portait pas plus mal ; même le vaquero le plus pauvre valait mieux qu'un fermier. Elle s'intéressait bien davantage à son oncle Glenn. Il était tout jeune quand il avait été blessé, et elle imaginait qu'elle aurait fait la même chose que lui, signalant courageusement à son père que des Mexicains arrivaient par-derrière, avant de porter la main à son cœur et de mourir sans douleur. Bien sûr, Glenn n'était pas mort. Mais elle, elle serait morte. On aurait donné son nom à l'école, érigé une statue, et la maîtresse aurait amèrement regretté d'avoir laissé Perry Midkiff voler la bague en argent du Colonel.

Après la mort de ce dernier, sa grand-mère avait déménagé à Dallas, d'où elle venait de temps en temps vérifier que tout se passait bien. Jeannie ne s'était pas attendue à ce qu'elle lui manquât. Sa grand-mère exigeait qu'elle fît sa toilette et s'habillât avant le souper – obligations qui n'incombaient pas à ses frères ; elle lui décrassait vigoureusement les mains et lui nettoyait les ongles avec une tige en fer. Cela dit, elle menaçait aussi les garçons de sa cravache s'ils lui manquaient de respect ou disaient des choses impossibles en présence d'une dame. Mais elle ne venait pas souvent.

Jeannie était donc la seule femme de la maison et pas du tout préparée à ce qui advint quand elle avait douze ans ; elle alla trouver son père si précipitamment qu'elle en marcha presque sur un serpent. La vitesse à laquelle il comprit la situation, avant même qu'elle eût dit quoi que ce soit, témoignait qu'il devrait plus ou moins s'y attendre. Il se mit à sonner frénétiquement et tous deux patientèrent en silence jusqu'à l'arrivée de la bonne. Il était encore plus gêné qu'elle, c'était clair, et elle comprit qu'elle avait eu de la chance que cela ne se fût pas produit devant ses frères, ou à l'école, ou à l'église ; en fait, ça n'aurait pas pu arriver à un meilleur moment que lors d'une promenade solitaire, tandis qu'elle examinait les traces d'animaux près de l'étang.

« Grand-mère ne t'en a pas parlé du tout ? » Il sonna de nouveau. « Mais elles sont où, bon sang ! »

Jeannie n'en savait rien.

« Bon, d'un point de vue scientifique, tu es une femme. Et ton corps se prépare à ce que, dans des années et des années, quand tu seras grande, tu puisses te marier. »

Il avait dit « marier » mais elle savait qu'il pensait à autre chose. En le voyant là, dansant d'un pied sur l'autre, sa chemise blanche tachée de sueur, elle se dit soudain qu'elle ne pouvait plus totalement compter sur lui. Le Colonel avait raison ; la seule personne sur qui elle pouvait compter, c'était elle-même. Elle l'avait toujours plus ou moins su et cette prise de conscience évacua toute la honte de la situation ; elle n'était plus gênée que pour son père qui, malgré sa taille et ses grandes mains, restait totalement démuni. Elle lui demanda de l'excuser et se retira dans l'ancienne chambre de Jonas ; là, elle prit dans l'armoire un vieux tricot de corps qu'elle découpa pour en garnir son short.

Quand elle redescendit, une bonne l'attendait qui, après avoir inspecté et approuvé son bricolage, fit de son mieux, moitié en espagnol, moitié en anglais catholique crypté, pour lui expliquer ce qui se passait exactement et lui dire que, non, ça n'allait pas s'arrêter. Puis toutes les deux partirent en ville acheter le nécessaire.

Chapitre 15

JOURNAL DE PETER McCULLOUGH

5 septembre 1915

Glendale est rentré depuis deux semaines, mais il est pâle et faible, et il se bat toujours contre une infection. On le remmène à San Antonio demain. Le bras de Charlie va mieux mais n'est pas totalement guéri, et puis une image m'obsède, celle de mes deux fils gisant ensemble dans un cercueil.

Après une longue absence, l'ombre noire est revenue. Je la vois dans les recoins obscurs de mon bureau; elle me suit dans la maison, bien qu'elle ne se soit pas encore mise à m'appeler (une fois je l'ai vue se dresser du milieu de la Red River en crue, les bras tendus vers moi, comme le Christ). J'ai déchargé tous mes pistolets. Même plus la force d'en vouloir à Pedro et à mon père. Suis allé sur la tombe de ma mère, d'Everett et de Pete Junior (mordu par un serpent, ce qui n'est pas la faute du Colonel, sauf que je le lui reproche quand même).

Évidemment, mon père sent bien que quelque chose ne va pas. Mais il ne sait visiblement pas quoi. Plusieurs fois, m'ayant trouvé en train de lire dans la grande salle, il s'est arrêté, comme s'il attendait que je parle ; mais comme je ne disais rien – par où commencer ? –, il est reparti.

Un homme de l'intelligence de Pedro aurait dû savoir. C'est ce que dit la voix de mon père – celle que j'entends dans ma tête. Elle me dit aussi que Pedro n'avait pas le choix : ces hommes avaient épousé ses filles, ils faisaient désormais partie des siens, c'étaient les pères de ses petits-enfants. Et si Pedro n'avait pas le choix, nous ne l'avions pas non plus. Telle est la logique de mon père : il n'y a jamais le choix.

En attendant, mes lâchetés passées continuent de me hanter. Si j'avais épousé María (pour qui j'ai brièvement eu des sentiments) plutôt que Sally (qui était de mon rang)... Sally qui avait trente-deux ans et déjà deux ruptures à son actif, Sally qui adorait sa vie à Dallas, Sally dont l'amertume était flagrante dès sa descente du train, Sally qui n'était venue que parce que son père, le mien et son horloge biologique ne lui laissaient pas le choix. *J'étais si seule quand j'ai connu Peter* : voilà comment elle présente notre rencontre. Nos pères menant la génisse au taureau pour la perpétuation de la race. Peut-être que j'exagère ; en fait nos premières années de mariage ont été plutôt agréables. Et puis Sally a sans doute fini par comprendre que, comme je l'avais toujours dit, je n'avais pas l'intention de quitter ces terres. Bien des familles de notre standing, dit-elle à juste titre, ont plus d'une résidence. Mais notre famille n'est pas comme les autres.

Par moments, je vois José et Chico et (bien que ce soit impossible) Pedro de l'autre côté du fleuve, en train de nous tirer dessus. D'autres fois je me souviens des choses comme elles se sont vraiment passées : une demi-douzaine de cavaliers dans le noir, louvoyant dans les broussailles à des centaines de mètres de nous. Peut-être des Mexicains, vu la coupe de leurs vêtements, peut-être pas.

Comme j'étais à l'arrière, encore sur le haut de la berge, c'est moi qui avais le meilleur point de vue. Si j'avais pris mon temps pour tirer, si j'avais mis pied à terre... Mais je ne voulais pas les toucher. J'ai cru que je pourrais forcer la mort à passer son chemin, au moins temporairement, alors j'ai visé au-dessus de leurs têtes et j'ai vidé mon chargeur, rien que du bruit et de la fureur, la distance me dispensant de toute adresse. Si j'avais seulement réglé la planchette de ma hausse... C'est sans doute l'un des hommes que j'ai intentionnellement manqués qui a blessé Glenn. L'incident aurait pu s'arrêter là. Même si c'est peu probable.

Je ne peux pas m'empêcher d'avoir de l'empathie pour les Mexicains. Leurs voisins blancs les considèrent à peu près comme des coyotes qui seraient nés sous forme humaine, et c'est en coyotes qu'on les traite encore quand ils meurent. Mon réflexe est de les soutenir, et pour ça, ils me méprisent. Je me reconnais en eux ; ils se sentent insultés. Peut-être qu'on ne peut pas respecter un homme qui possède ce qu'on n'a pas. Sauf si on l'estime capable de nous tuer. Ils ont une préférence innée pour l'autorité musclée : les vieux rapports du type *patrón / peón* leur conviennent et toute tentative de faire bouger la ligne de démarcation leur semble manquer de dignité, ou suspecte, ou faible.

N'être qu'un animal, comme mon père, libre de toute mauvaise conscience – de toute conscience, en fait. Dormir profondément, rempli de certitudes tranquilles, toute vie humaine ne pesant que son poids de viande.

Dans mon sommeil, je vois Pedro, aligné avec ses vaqueros dans la cour. Les yeux ouverts, la bouche béante, dans un bourdonnement de mouches et d'abeilles. Je le vois sur son lit, sa fille morte à ses pieds, sa femme morte à ses côtés. Je me demande s'il les a vues mourir. Je me demande s'il a reconnu ses amis dans le visage des hommes qui les tuaient.

17 septembre 1915

Sally fait chambre à part. Glenn reste en convalescence à San Antonio ; on y va à tour de rôle pour lui tenir compagnie. Pilkington n'a pas d'explication. Les vaqueros soupçonnent de la sorcellerie, les mauvais offices d'une *bruja*.

Ce soir, à table, Sally a engagé la conversation.

« Colonel, quelle récompense est-ce que vous proposiez, dans le temps, pour un loup abattu ? »

Réponse de mon père : « Dix dollars par peau. Pareil pour une panthère.

— Quel serait le prix d'un Mexicain, à votre avis ?

— Arrête, ai-je dit.

— Je demande, Pete, c'est tout. C'est une question légitime.

— Pas besoin d'offrir de récompense, dit Charles.

— Dix dollars, ce serait trop ? Ou pas assez ?

— Je préférerais qu'on évite ce genre de propos. Et pas que ce soir.

— Je ne sais même pas si tout ça t'affecte, Peter, je n'arrive pas à dire. Vous autres ? Vous trouvez que Peter a l'air affecté ? »

Tout le monde s'est tu. Et puis le Colonel a pris la parole : « Pete prend les choses à sa façon. Laisse-le tranquille. »

Elle s'est levée et elle a emporté son assiette à la cuisine en jetant un regard furibond à mon père. Moi, elle me déteste déjà.

J'essaie de me consoler en me disant que nous ne sommes pas les seuls à souffrir. Il y a deux semaines, les ponts du chemin de fer qui mène à Brownsville ont (encore) brûlé, les lignes du télégraphe ont été coupées, et deux ouvriers blancs pris au hasard dans un groupe se sont fait assassiner en plein jour. Une vingtaine de *Tejanos* ont été tués en représailles – sans compter ceux dont on n'a pas entendu parler. Le 3e de cavalerie affronte régulièrement l'armée mexicaine le long du fleuve ; ça tire d'une berge à l'autre. Trois cavaliers ont été tués par des insurgés près de Los Indios, et en face de Progresso, côté mexicain, ils exhibaient sur un piquet la tête d'un soldat américain porté disparu.

Plus gai, il y a la douceur de l'air et la terre qui revient à la vie. Il continue de pleuvoir. Des euphorbes, des héliotropes, des colibris partout dans les arbres de Panamá, des papillons bleus royaux, le parfum de l'ébène et du gaïac. Au coucher du soleil les nuages s'enflamment et le fleuve scintille. Mais pas pour Pedro. Pour Pedro, il n'y a que la nuit.

1er octobre 1915

Me suis réveillé sur une chaise près du lit d'hôpital de Glenn en pensant que si j'attendais suffisamment, ma mère viendrait me masser la nuque. J'ai toujours compté sur les autres pour chasser les fantômes. En me rasant, le visage que j'ai vu dans le miroir de l'hôpital n'était pas tout à fait le mien, comme si le verre était défectueux et que mes traits s'en trouvaient déformés, disproportionnés, comme ceux d'un mort.

3 octobre 1915

De retour à la maison. Le juge Poole est venu de Laredo me dire que Pedro Garcia ne payait plus ses impôts depuis huit ans. Je l'ai vu venir. La honte m'a submergé ; j'entendais à peine ce qu'il me disait tellement le sang battait dans mes oreilles.

Il me regardait.

« Ça m'étonne, ai-je dit.

— Pete, c'est moi qui tiens le registre des impôts du comté de Webb et j'ai vérifié auprès de Brewster, qui tient celui de Dimmit.

— J'ai quand même du mal à y croire. »

Poole est resté assis là à trembloter comme un seau de lait caillé. Il savait que je le traitais de menteur, mais comme je suis le fils du Colonel, il a préféré passer outre. Il a répété que l'État du Texas proposait de nous vendre toutes les terres des Garcia, soit plus de cinquante mille hectares, contre l'arriéré d'impôts. « Le shérif Graham a déjà pris possession de la propriété au nom du tribunal.

— Je croyais que les ventes forcées devaient être annoncées par voie d'affichage.

— C'est fait. Sur la porte du tribunal, même. Mais ça m'étonnerait que quiconque lise l'annonce vu que d'autres choses ont été affichées par-dessus. Je ne vois pas pourquoi il faudrait qu'un spéculateur yankee surenchérisse sur une terre qui vous revient de droit. »

Comme tous les hommes adultères, il est aussi passionné qu'un commis voyageur, aussi sûr de lui que le Christ sur sa longue route... Que l'insécurité de la région ait fait fuir les spéculateurs yankees depuis belle lurette ne comptait visiblement pas pour lui. Mais je n'avais pas d'échappatoire... Je l'ai prié de m'excuser, prétextant que je n'avais pas tous mes esprits à cause du souci que je me faisais pour Glenn. Il a hoché la tête et m'a tapoté la main de sa grosse patte huileuse.

J'espère que l'instrumentalisation du nom de mon fils ne me condamnera pas aux flammes de l'enfer, encore que pour me débarrasser de la compagnie de Poole, j'aurais peut-être accepté. J'ai pris congé, mais avant d'avoir pu me retirer (de mon propre salon), Poole a suggéré qu'il ne dédaignerait pas une petite gratification pour ses bons offices. Cent dollars, me suis-je dit, mais il a lu dans mes pensées. Dix mille dollars lui paraissaient raisonnable, est-ce que je n'étais pas d'accord ?

Poole aurait pu proposer la terre à n'importe qui, mais les Reynolds et les Midkiff (et tous les autres éleveurs de bétail du Texas) ont des problèmes d'argent notoires, et vu ce que le Colonel dépense en droits pétroliers, on doit donner l'impression d'être riches. Les gens ont toujours un faible pour le perdant. Jusqu'à ce qu'il s'agisse de prendre sa défense.

J'aimerais bien savoir si Pedro était effectivement en retard pour ses impôts. D'un an, peut-être. Mais pas de huit. Il savait ce qui arrive aux Mexicains qui ne paient pas. Ce qu'il ne savait pas, c'est que ça pouvait aussi arriver à ceux qui paient. J'entends d'ici le Colonel – aucune terre n'a été acquise honnêtement depuis que le monde est monde – mais je ne me sens pas mieux pour autant.

Prix total pour les terres des Garcia : 103 892,17 dollars. À peu près ce qu'elles valaient du temps des Apaches.

27 octobre 1915

Le Colonel a tenu à ce que je l'accompagne à la *casa mayor*. Quand nous avons mis pied à terre, il a sorti de ses sacoches plusieurs bidons de kérosène.

«Non, ai-je dit.

— C'est ce que j'aurais dû faire il y a cinquante ans, Pete. C'est comme de tuer tous les loups mais de laisser un joli terrier pour que d'autres s'y installent.

— Je ne te laisserai pas brûler leur maison.

— Et moi, je ne te laisserai pas m'en empêcher.

— Papa.

— Pete, ça fait trop longtemps qu'on n'a pas eu une vraie discussion, toi et moi. Je sais que je suis dur avec toi. Et toi, tu m'en veux pour les droits pétroliers. Je n'aurais pas dû faire ça dans ton dos. Je suis désolé, mais je ne voyais pas d'autre moyen.

— Je me contrefiche des droits pétroliers.

— Il nous les fallait.

— On s'en tire très bien. Contrairement à certains voisins.

— Tu sais que je l'aimais beaucoup, le vieux Pedro.

— Pas assez, il faut croire.»

Il y eut un long silence.

«Je n'ai pas besoin de te dire à quoi ressemblait cette terre, a-t-il dit. Et tu n'as pas besoin de me dire que c'est moi qui l'ai saccagée. C'est vrai, de mes propres mains, et à jamais. Tu es assez vieux pour te souvenir de l'époque où, d'ici au Canada, l'herbe était haute à gratter les couilles d'un brabant et, oui, peut-être que dans mille ans ça redeviendra ce que c'était, même si j'en doute. Mais c'est toute l'histoire de l'humanité. De la terre au sable, du fertile au stérile, des fruits aux épines. On ne sait faire que ça.

— Les broussailles, ça s'arrache.

— À un prix délirant, qu'avant on empochait.

— On continue à bien s'en tirer.»

Il a haussé les épaules. «Pete, j'aime cette terre et j'aime ma famille, mais le bétail, je ne l'aime pas. Toi, tu as grandi avec. Je ne dirai pas que moi j'ai grandi avec le bison, parce que même si c'est vrai, c'est une exagération, mais je dirai que pour toi, une vache a quelque chose de sacré, et l'homme qui s'en occupe aussi, tandis que moi, je peux vivre avec comme je peux vivre sans ; je me suis lancé dans le bétail pour faire vivre ma famille, et j'ai vu tant de choses disparaître de mon vivant que la disparition de cette chose-là ne me fait ni chaud ni froid. Ce qui me ramène à mon propos. Qu'est-ce qu'on a perdu cette année, sur un seul pâturage, à cause des Garcia ?

— Papa», ai-je répété. Un drôle de mot dans la bouche d'un homme de près de cinquante ans. Mais le Colonel a repris :

«Dans les seuls prés de l'ouest, rien que cette année, on a perdu quarante mille dollars. Dans les autres prés, peut-être quatre-vingt mille. Et je dirais qu'ils nous volent depuis un certain temps déjà, au moins depuis l'arrivée du premier gendre. D'accord, il y a eu la sécheresse ces quatre dernières années, mais est-ce que la sécheresse réduit de moitié ton nombre de veaux ? Pas quand on nourrit les bêtes comme on les a nourries. C'est normal de perdre d'un coup trente pour cent des mères ? Non, ce n'est pas normal. Il a fallu une intervention humaine. Rajoute à ça le manque à gagner sur les portées et ils nous ont volé près de deux millions de dollars.

— N'oublie pas le manque à gagner sur les portées des mules.»

Il a secoué la tête et son regard s'est perdu au loin. S'est ensuivi un long silence. Bien sûr, je n'ai pas eu à acheter cette terre, comme lui. Bien sûr, pour moi cette propriété va de soi, à un point qu'il ne peut même pas concevoir. Les terres des Garcia vont doubler la taille du ranch, qui plus est à un moment difficile pour les autres éleveurs ; c'est un très beau coup, d'un certain point de vue, et je me demande s'il est capable de voir les choses autrement. Il s'était remis à parler.

« Tu n'as jamais eu de mal à t'opposer à ta famille, Pete. Mais c'est compliqué pour toi de t'opposer aux étrangers. Ça a toujours été ça, ton problème. » Il s'est épongé le front. « Je vais brûler ce nid de vipères. Tu m'aides ou pas ?

— À quoi ça va nous servir d'avoir tout ça ?

— Autrement ce sera à quelqu'un d'autre. Quelqu'un allait finir par mettre la main sur ces terres de toute façon, Ira Midkiff peut-être, ou Bill Reynolds. Ou bien Poole en aurait eu la moitié, Graham un quart et Gilbert le dernier quart. Ou un investisseur pétrolier fraîchement débarqué. La seule chose de sûre, c'est que Pedro allait les perdre. Son heure était passée.

— Elle n'est pas passée toute seule.

— On dit la même chose toi et moi, mais tu ne le vois pas.

— Ça aurait pu se passer autrement.

— En vérité, non. C'est comme ça que les Garcia ont eu leurs terres, en se débarrassant des Indiens, et c'est comme ça qu'il fallait qu'on les prenne. Et c'est comme ça qu'un jour quelqu'un nous les prendra. Ce que je t'engage à ne pas oublier. »

Il a pris deux bidons de kérosène, un dans chaque main, et il a grimpé lentement l'escalier. Les bidons étaient lourds, il peinait ; il a failli les lâcher.

En le regardant, je me suis dit qu'il était d'un autre temps, comme un fossile sur la berge d'une rivière ou d'un océan, sorti d'une époque où chacun se servait sans se sentir le moins du monde tenu de se justifier.

Au final il n'est pas pire que nos voisins : eux sont simplement plus modernes dans leur façon de penser. Ils ont besoin d'une justification raciale à leurs vols et leurs meurtres. Et mon frère Phineas est bien le plus avancé d'entre eux : il n'a rien contre les Mexicains ou contre toute autre race, mais c'est une question économique. La science plutôt que l'émotion. On doit soutenir les forts et laisser périr les faibles. Ce qu'aucun d'eux ne voit, ou ne veut voir, c'est qu'on a le choix.

J'ai entendu mon père renverser des choses dans la maison. À cheval, il fait encore jeune ; à terre, il porte le poids de chacun de ses ans. En le voyant se traîner avec ses bidons, je n'ai pas pu m'empêcher d'avoir de la peine pour lui. Peut-être que je suis fou.

Je l'ai suivi à l'intérieur. J'aurai pu le bousculer et lui arracher le kérosène des mains. Mais il était trop tard. Ça n'était déjà plus qu'une formalité.

La poussière avait pénétré par les fenêtres et les portes ouvertes et recouvrait tout ; on y voyait des traces d'animaux. Le sang avait séché en vagues taches noires. Au salon, mon père avait empilé les meubles et versé du kérosène par-dessus. Je l'ai suivi ailleurs dans la maison, dans les chambres, puis dans le bureau de Pedro.

Là, il a vidé tous les tiroirs de leurs papiers : vieilles lettres, archives concernant le bétail, contrats, actes de naissance et de décès sur dix générations, titres de propriétés originaux, de l'époque où la région entière était une province espagnole : la Nouvelle-Santander.

Après avoir tout aspergé, il a gratté une allumette. Je suis resté là à regarder les feuilles se rétracter, le feu se répandre sur le bureau et grimper le long du mur sur une grande carte du Texas, du temps où tous les noms étaient espagnols. J'ai entendu quelqu'un crier mon nom – la voix de Pedro. Et puis je me suis rendu compte que c'était celle de mon père. Je suis sorti du bureau pour le rejoindre : la maison était totalement enfumée, il avait allumé des feux dans les autres pièces.

Je me suis penché pour marcher sous la fumée. Dans la chambre de Pedro et Lourdes, le lit commençait à brûler ; le baldaquin s'est embrasé d'un coup, illuminant l'obscurité de la pièce. Je me suis demandé combien de générations avaient été conçues là ; je savais que le Colonel avait dû se poser la même question.

À travers les flammes, j'ai vu une forme sombre qui m'appelait à elle ; ce fut un effort de m'en détourner pour aller vers la lumière du jour. Quand j'ai atteint la porte, mon père descendait déjà en boitant et se dirigeait vers les étables des Garcia, un bidon dans chaque main.

Chapitre 16

ELI / TIEHTETI

Le bison

L'Empire comanche s'étirait du Mexique aux Dakotas, à savoir la zone la plus dense en bisons de tout le continent. Les tribus du Nord les chassaient de manière saisonnière, mais les Kotsotekas, dont le territoire était au centre, chassaient toute l'année : l'été, les mâles, plus gras, et l'hiver, les femelles. Jusqu'à leur troisième printemps, la viande des uns et des autres était aussi savoureuse ; après ça, la viande des femelles était meilleure et c'était surtout pour leur cuir qu'on tuait les vieux mâles.

On chassait à la lance ou à l'arc. La lance demandait un peu plus de cran ; il fallait aller aussi vite que l'animal et, d'une main, lui enfoncer la lance entre les côtes, au travers des organes, jusqu'au cœur. Dès qu'il sentait la morsure de l'arme, le bison se retournait et tentait de vous écorner ou de vous écraser contre les autres bêtes en pleine course. Le seul moyen de s'en sortir était de se donner tout entier à la lance et d'utiliser le poids de l'animal pour enfoncer la pointe plus profond. Sauf si on se faisait écraser avant.

Aussi méchant qu'un grizzli, le bison moyen faisait deux fois la taille d'une vache. Il était capable de sauter par-dessus la tête d'un homme quand il voulait, mais c'était rare – si votre cheval trébuchait, ou mettait le pied dans un trou de chien de prairie, il y avait fort à parier qu'il ne resterait de vous rien à enterrer : contrairement aux chevaux, les bisons faisaient tout leur possible pour vous piétiner.

L'arc donnait plus de marge de manœuvre, l'animal pouvant être tué à quelques mètres de distance, d'une flèche tirée selon un angle aigu derrière la dernière côte. Mais de la même façon, dès qu'il sentait la flèche, le bison se retournait pour tenter de vous encorner. Les meilleurs chevaux changeaient de direction au son de l'arc et ce quart de seconde d'avance suffisait généralement à vous sauver la vie.

Jusqu'à l'arrivée des grands fusils Sharps, il fallait tuer les bisons en pleine course, par-derrière et de côté. Un groupe de cavaliers jouaient du fouet jusqu'à provoquer la panique chez les bêtes, puis poussaient leurs chevaux devant les bisons de tête pour que le troupeau dévie et finisse par tourner en rond. C'est alors que les chasseurs passaient à l'attaque.

Une fois qu'on avait tué autant de bêtes qu'on pouvait en dépecer en une journée, on libérait le troupeau de sa ronde folle et il disparaissait dans la prairie. Les animaux abattus étaient charcutés là même où ils gisaient. Encore que charcuter ne fût pas le bon mot. Les Comanches étaient de véritables chirurgiens. Ils incisaient soigneusement le long de la colonne vertébrale, où se trouvaient la viande la plus savoureuse et les tendons les plus longs, puis ils détachaient la peau. Si le village était à proximité, une nuée d'enfants optimistes faisaient déjà le siège de quiconque œuvrait au découpage pour obtenir un morceau de foie chaud arrosé de bile. On retirait l'estomac : le liquide restant une fois qu'on avait enlevé l'herbe était aussitôt bu en guise de tonique, ou tamponné sur le visage de ceux qui avaient des boutons ou d'autres éruptions cutanées. On pressait les intestins jusqu'à les vider, après quoi ils étaient grillés ou mangés crus. On mangeait également crus, à mesure que se poursuivait le dépeçage, les reins, la graisse périrénale et celle qu'on trouvait au niveau des lombes – encore qu'on fît parfois légèrement griller tout ça avec les testicules du bison. Si l'herbe était rare, on donnait le contenu de l'estomac aux chevaux. L'hiver, en cas de gel, on retirait l'estomac entier et ceux qui avaient des engelures y plongeaient leurs mains ou leurs pieds pour les réchauffer ; la guérison était généralement totale.

Si l'eau était rare, on ouvrait les veines de l'animal pour boire le sang avant qu'il n'ait le temps de coaguler. On brisait le crâne et on étalait sur une peau de bête la cervelle grasse et tendre pour la manger aussi ; on coupait les pis des femelles allaitantes pour y téter directement le lait chaud. Si la cervelle n'était pas consommée tout de suite, on la gardait pour tanner les peaux ; la cervelle des autres animaux suffisait normalement à tanner leur peau, mais le bison était trop gros.

L'estomac vide était rincé et séché pour servir d'outre ; en l'absence de casseroles en métal, on pouvait y cuire des aliments en le remplissant à demi d'eau et en ajoutant des pierres brûlantes jusqu'à ébullition. Pour transporter l'eau, on avait aussi souvent recours à une peau de cerf : dans ce cas, celle-ci était soigneusement examinée puis retirée entière avant qu'on n'en couse les extrémités.

Mais revenons au bison. Une fois les organes comestibles consommés, les chasseurs se retiraient et les femmes prenaient le relais pour le travail plus dur de la découpe. Elles détachaient la chair des os en lanières d'un mètre de long environ. Ces lanières étaient disposées sur l'intérieur, propre, de la peau de l'animal fraîchement tué, et quand celle-ci était pleine, on la refermait sur la viande et on la nouait, puis on chargeait le tout sur un cheval ou un travois pour le ramener au village où la viande sécherait. La viande séchée était remisée dans des réceptacles en peau appelés *oyóotu* dont on cousait l'ouverture avec les tendons de l'animal. Une fois sèche, elle se conservait indéfiniment.

La langue, la bosse et les côtes étaient des morceaux de choix et on les gardait généralement pour les faire griller. On brisait les os, on les faisait cuire, puis on récupérait la moelle au bon goût de beurre, la *tuhtsohpe ʔaipu* : elle servait soit de sauce – nature ou, comme mentionné précédemment, mélangée à du miel pour la sucrer –, soit de dessert, une fois refroidie et mélangée à des gousses de mesquite écrasées.

Des omoplates, on faisait des pelles et des binettes. Les os de moindre taille étaient brisés, puis durcis au feu, et taillés pour devenir des aiguilles et des poinçons, ou encore des couteaux, des pointes de flèche et des racloirs. On mettait les sabots à bouillir pour en faire une sorte de colle qui servait à fabriquer les selles, à recouvrir de tendons les arcs, et à quasiment tout le reste. Chaque brave en avait une petite quantité pour les réparations d'urgence. Les cornes servaient à transporter le nécessaire à feu et puis, bien sûr, la poudre des carabines.

Les qualités de combustible des bouses s'amélioraient au fil des saisons qu'elles passaient dans la prairie : elles brûlaient plus longtemps, plus lentement et de façon plus régulière que le bois de mesquite. Sèches et réduites en poudre, elles servaient aussi à isoler les porte-bébés du froid et de l'humidité – même si le duvet de massette, quand du moins on en trouvait, était tenu pour supérieur.

Avec le tendon du long de la colonne, ainsi que le fascia trouvé sous les omoplates, le long de la bosse et dans l'abdomen, on fabriquait toutes sortes de fils, de cordes et de renforts pour les arcs. Les longues touffes de poils de la tête étaient tressées en fils, cordes et lassos. De l'épais ligament du cou, on faisait des pipes, et de l'os central de la bosse, des instruments pour redresser les flèches, même si beaucoup préféraient utiliser leurs dents.

Quant à la queue, sa peau servait à faire des fourreaux, et ses os, des manches de couteau et des massues. On découpait la trachée et on la scellait pour obtenir des pots à pigments, argiles et maquillages. La pâte jaune solide qu'on trouvait dans la bile servait aux peintures de guerre. Une fois séchés, les pis devenaient des bols et autres récipients (surtout que les poteries étaient fragiles, lourdes et globalement inutilisables par des gens qui passaient leur vie à cheval). On faisait bouillir les fœtus dans leur placenta, et comme c'était un mets plus tendre que la plus tendre viande de veau, on les donnait à manger aux bébés, aux personnes âgées et à ceux qui avaient de mauvaises dents. Le péricarde était transformé en sac, mais on laissait toujours le cœur là même où le bison était tombé : lorsque l'herbe pousserait entre les côtes restantes, le Créateur verrait que son peuple ne prenait que ce dont il avait besoin et veillerait à ce que les troupeaux se renouvellent, et reviennent, encore et encore.

Chapitre 17

JEANNIE McCULLOUGH

Le Colonel mourut en 1936. Jonas partit pour Princeton l'année suivante et ne revint que deux fois ; les deux fois il se disputa violemment avec son père. On ne parlait plus de lui dans la maison. La grand-mère de Jeannie aussi avait disparu, sauf qu'elle n'était pas morte : elle était retournée vivre à Dallas avec son autre famille.

Le père et les frères de Jeannie soupaient dans les pâturages ou prenaient un repas froid en rentrant, tard, après s'être occupés du bétail. Au retour de l'école, les garçons se changeaient en vitesse et sautaient à cheval rejoindre leur père ; Jeannie faisait ses devoirs. Le samedi, un répétiteur venait de San Antonio lui donner du travail supplémentaire. Sa grand-mère avait insisté et son père disait oui à tout ce qui pouvait l'occuper. Un jour, elle se rebellerait, elle ne ferait que la moitié de ses devoirs. Elle savait déjà ce dont elle se dispenserait : le latin, oh oui, le latin – et le répétiteur la regarderait sévèrement par-dessus son long nez luisant tandis qu'elle proclamerait triomphalement qu'elle n'avait pas traduit une ligne de Suétone.

Une fois ses devoirs finis, le silence de la maison commençait à lui peser ; elle mettait ses bottes et marchait en tapant des pieds simplement pour entendre le bruit de ses pas, puis elle dînait seule sur la galerie. Elle écoutait l'allocution radiophonique du Président, et parfois, quand elle était particulièrement énervée, elle laissait la radio allumée pour que son père soit obligé de sortir l'éteindre quand il rentrerait. Assez jubilatoire, sachant combien ces allocutions le mettaient en colère.

À cette époque, elle avait déjà cessé de s'occuper du bétail. Elle savait qu'elle aurait pu devenir très compétente en poursuivant ses efforts, mais le travail était long et fastidieux, il se faisait en pleine chaleur, et puis elle n'était pas la bienvenue. Même le Colonel, fondateur du ranch, n'avait pas touché à un lasso les trente dernières années de sa vie – il ne voyait pas l'intérêt du bétail, sinon pour les réductions d'impôts. C'était au pétrole qu'il fallait s'intéresser. Maintenant, chaque fois que son grand-oncle Phineas leur rendait visite, toujours avec un géologue dans son sillage, Jeannie montait derrière eux et les écoutait parler schiste argileux, sable et diagraphie, ce qui mettait le géologue dans un état de grande excitation. Il se fichait que Jeannie n'ait que treize ans : il ne demandait pas mieux que de discourir sans fin sur tout ce qu'il connaissait. Et Jeannie voyait bien que Phineas était content qu'elle écoutât. L'industrie pétrolière était en pleine expansion ; dans certaines zones du sud du Texas, vous n'aviez pas besoin d'allumer vos phares pour conduire de nuit : il y avait tellement de gaz qui brûlait que le ciel en était éclairé des kilomètres à la ronde.

Sa grand-mère revenait de temps en temps, son parfum désuet mêlé à l'odeur des pastilles de menthe, le triangle austère de son visage émergeant de sa robe noire – toujours noire, comme si elle portait un deuil connu d'elle seule. Rien n'allait jamais : elle se disputait avec les domestiques, elle se disputait avec le père de Jeannie, elle se disputait avec ses frères. Elle descendait aux baraquements et ordonnait aux ouvriers de laver leurs draps. Quant à Jeannie, elle était priée de prendre un long bain pour ouvrir les pores de sa peau qui, selon sa grand-mère, s'élargissaient de mois en mois.

Après avoir fait tremper son visage et mis du démêlant dans ses cheveux, puis s'être séchée et rhabillée, Jeannie s'asseyait sur le sofa de la bibliothèque et sa grand-mère nettoyait sous chacun de ses ongles avant de les limer, de repousser les cuticules et de lui appliquer de la crème hydratante sur les mains. *Nous finirons bien par faire de toi une vraie jeune fille*, disait-elle, même si Jeannie n'avait pas touché à un lasso depuis plus d'un an et que ses mains n'étaient plus calleuses depuis longtemps. Une fois sur trois, Jeannie devait apporter l'intégralité de sa garde-robe dans la bibliothèque pour que sa grand-mère en vérifie l'état d'ajustement – *cette robe te donne l'air d'une domestique en goguette*. Les articles incriminés étaient mis de côté et emportés à Dallas pour y être retouchés.

Sa grand-mère venait toujours de la ville avec des nouvelles que Jeannie trouvait profondément ennuyeuses, sauf quant il s'agissait de jeunes filles de bonne famille dont la réputation était perdue, lesquelles jeunes filles s'étaient mises à figurer en bonne place dans les sermons de sa grand-mère. Du moins Jeannie ne s'endormait-elle plus pendant ces grands discours, et d'une certaine manière, elle trouvait réconfortant de s'entendre dire de ne pas se mettre au soleil – *tu as assez de taches de rousseur comme ça* –, de faire attention à ce qu'elle mangeait – *tu as les hanches de ta mère* –, de se laver les cheveux tous les jours et de ne jamais porter de pantalons. Ensuite sa grand-mère lui prenait les mains, comme s'il avait pu se passer quelque chose depuis la dernière inspection, dix minutes plus tôt ; mais non, c'étaient toujours les mêmes doigts boudinés et disgracieux que toutes les leçons de piano du monde ne parviendraient pas à métamorphoser. Les doigts noueux d'arthrite de sa grand-mère ressemblaient aux serres d'un animal, mais elle avait jadis eu d'élégantes mains blanches, malgré toutes les années qu'elle avait gâchées dans ce ranch.

Un mois environ après la fin du collège, sa grand-mère l'informa, après les nouvelles d'usage sur la vie à Dallas, qu'elle avait été acceptée au pensionnat de Greenfield, dans le Connecticut. Jeannie ne savait pas qu'elle avait postulé. *Tu pars dans six semaines. Demain, on ira en train à San Antonio t'acheter des vêtements corrects.*

Elle s'insurgea en vain le restant de l'été. Clint et Paul estimaient qu'il ne servait à rien de résister. Quant à son père, trop content qu'il puisse exister un endroit qui conviendrait mieux à sa fille, il alla jusqu'à invoquer Jonas pour suggérer qu'elle se plairait peut-être dans le Nord.

Je ne suis pas Jonas, protesta-t-elle. Mais tout le monde savait que ce n'était qu'en partie vrai. Les perles et les quatre paires de gants de chevreau donnés par sa grand-mère n'apaisèrent en rien sa colère et elle ne jeta pas même un regard à son père lorsqu'il la mit dans le train. Ce soir-là, après avoir tiré les rideaux de son compartiment couchette, elle contempla longuement les perles. Elles valaient vingt mille dollars, avait dit sa grand-mère ; il était hors de question que sa petite fille ait l'air vulgaire.

Jonas était censé l'attendre à Penn Station, à New York, mais il arriva avec une heure de retard. Dans l'intervalle, elle était tombée sur un homme, pantalon baissé et postérieur très blanc, qui se pressait contre une femme en tournure rouge dans la cabine du fond des toilettes pour dames. Elle était ressortie précipitamment, mais s'était rendue à l'évidence cinq minutes plus tard : elle n'avait pas le choix. Elle y était donc retournée, choisissant la cabine la plus éloignée de celle du monsieur et de son amie. Miraculeusement, on ne lui avait pas volé ses bagages. *Je déteste cet endroit*, fut la première chose qu'elle dit à Jonas. Il mit ses valises en sûreté puis l'emmena déjeuner. Ils marchèrent parmi les hauts immeubles. *Ne regarde donc pas tant en l'air*, dit-il. *Tu vas passer pour une touriste.*

Mais elle ne pouvait pas s'en empêcher. Les photos ne rendaient pas compte de la taille des bâtiments qui se penchaient de façon inquiétante au-dessus d'elle, prêts à lui tomber dessus pour l'écraser – si toutefois elle ne se faisait pas renverser par un taxi avant. Ses oreilles bourdonnaient du vacarme des camions et des cris des gens, et le rythme fou de son cœur ne se calma que lorsqu'elle fut bien au nord de la ville, dans le train pour Greenfield, de retour parmi les arbres et les prés. Elle voyait des moutons et des vaches éparpillées qui broutaient au loin, des Holsteins et des Jerseys. *Ça, au moins, je connais*, se dit-elle – ça ferait toujours un sujet de conversation avec ses nouvelles camarades de classe.

Il y avait à Greenfield bien des choses qu'elle appréciait : les vieux bâtiments de pierre, leurs toits pentus, leurs hauts murs couverts de lierre, la lumière vaporeuse qui nimbait les paysages – leur soi-disant été ressemblait à l'hiver texan –, les forêts épaisses et les champs à perte de vue autour de l'école. Elle ne se serait jamais doutée qu'il existât autant de nuances de vert, ni qu'il pût y avoir sur terre tant de pluie et d'humidité. L'école n'avait que quarante ans, mais à voir la vigne vierge qui avait tout envahi et les arbres qui grattaient aux carreaux dans le vent, on lui en aurait donné quatre cents. Dans les rares moments de la journée qu'elle avait à elle, il lui était difficile de ne pas se sentir gonflée d'importance, comme sur le point de se faire enlever par un prince, ou par le fils d'un premier ministre – qui serait anglais plutôt qu'espagnol, c'était maintenant clair. Encore que, d'autres fois, elle se disait qu'elle n'avait pas forcément envie de se faire enlever du tout, qu'elle serait peut-être elle-même Premier ministre – ça n'était pas inconcevable, le monde évoluait. Elle se voyait derrière un grand bureau en bois, en train d'écrire des lettres à ses loyaux concitoyens.

Elle n'avait pas beaucoup de temps à elle. L'organisation des journées était stricte : réveil, petit-déjeuner et prière, puis leçons, exercice physique, dîner, étude. Extinction des feux à vingt-trois heures, avec déambulation d'un surveillant pour veiller au respect des horaires.

Elle partageait sa chambre avec une certaine Esther, qui était juive, plutôt petite, et qui pleurait tous les soirs jusqu'à épuisement. À la fin de la première semaine, quand Jeannie remonta après le dîner, Esther et ses affaires étaient parties. Le père d'Esther possédait jadis des usines en Pologne, mais les Allemands lui avaient tout pris et le chèque acquittant les frais de scolarité s'était révélé sans provision. Jeannie déménagea dans une chambre plus agréable, qu'elle partageait maintenant avec une fille timide mais cordiale, qui s'appelait Corkie. Contrairement à Esther, Corkie semblait parfaitement à l'aise dans leur nouvelle école ; elle connaissait tout le monde, même s'il semblait à Jeannie qu'elle n'avait pas beaucoup d'amies. En plus d'une grande taille et d'une carrure de bûcheron, elle trimbalait partout une sorte de résignation – à son long visage qui ne serait jamais joli, aux petites bosses rouges au-dessus de sa bouche, à ses cheveux secs et fourchus. Vu ses vêtements, sans forme, de couleurs ternes, et le peu de soin qu'elle mettait à son apparence, Jeannie pensait qu'elle devait venir d'une famille très pauvre et faisait du coup tout ce qu'elle pouvait pour être gentille, lui rapportant en douce du dessert du réfectoire comme elle portait jadis des seaux de lait caillé aux vaqueros de son père.

Ce lundi-là, quand on lui demanda au déjeuner qui était sa nouvelle camarade de chambre, elle répondit que c'était Corkie Halloran.

«Ah, tu veux dire la Grande Sappho?»

C'était Topsy Babcock: petite, jolie, cheveux blond pâle, teint assorti, et un sourire qui s'allumait et s'éteignait comme un feu de signalisation, tantôt approbateur, tantôt désapprobateur – Topsy n'était pas de celles qu'il était indifférent de décevoir. Les autres filles de la tablée rirent de Corkie Halloran et Jeannie rit aussi, sans savoir pourquoi.

«Elle était à Spence mais ils ont trouvé qu'elle passait un peu trop de temps avec une certaine fille, si vous voyez ce que je veux dire.

— Ils auraient dû l'envoyer à Saint-Paul, là au moins elle aurait été dans son élément!»

Tout le monde trouva ça hilarant. Jeannie se contenta d'un hochement de tête.

Le week-end suivant, Corkie invita plusieurs élèves chez elle, à une quarantaine de minutes seulement de l'école. Jeannie fut surprise de constater que nombre de filles qui s'étaient moquées de sa camarade de chambre au déjeuner étaient pourtant de la partie: Topsy Babcock, Natalie Martin, Kiki Fell et Bootsie Elliott. Elle s'attendait à une vieille guimbarde, ou bien à une camionnette, mais c'est un chauffeur en uniforme au volant d'une Packard à sept places qui vint les chercher.

Kiki demanda : «C'est à toi qu'ils avaient collé la Juive, c'est ça ?» C'était Topsy en brune, bien que ses cheveux fussent coupés juste sous l'oreille, presque aussi court qu'un garçon ; on disait qu'elle s'était fait raccourcir le nez. Depuis son arrivée à Greenfield, Jeannie passait de plus en plus de temps devant le miroir, le soir, à s'examiner. Son nez s'était considérablement redressé, mais ses yeux couleur de brouillard ou de pluie restaient insipides. Elle avait le menton pointu et un grand front ; la cicatrice qui lui barrait le sourcil – et dont elle avait toujours été fière parce qu'elle ressemblait à celles de ses frères – lui donnait l'air d'un garçon. Une cicatrice profonde, immanquable.

«McCullough..., dit Topsy. C'est juif, non ?»

Les autres filles gloussèrent, sauf Corkie, qui regardait par la fenêtre.

«Je ne crois pas.

— Je plaisante. Évidemment que ça n'est pas juif.»

Jeannie ne dit plus rien du voyage. Les maisons étaient rares, et les routes, bien qu'étroites et sinueuses, pavées. Il y avait de hautes haies, des granges rouges et d'incontournables murs de pierre. Tout cela, à l'ombre ; le soleil ne traversait qu'à peine les arbres, le ciel semblait étroit et bas, il faisait frais bien qu'on ne fût qu'en septembre.

Topsy, Kiki et Bootsie étaient ensemble à l'école primaire ; les autres se connaissaient sans doute au même titre que Jeannie connaissait les enfants Midkiff et Reynolds. L'autre silencieuse de la voiture, Natalie, avait de longs cheveux auburn et une poitrine opulente qu'elle cachait en se tenant voûtée. Elle regardait ostensiblement par la fenêtre, ce qui l'empêchait de croiser le regard de Jeannie, même si, comme tout le monde, elle souriait à tout ce que disait Topsy.

Ce fut un soulagement quand la voiture s'engagea entre deux piliers de pierre et remonta une longue allée bordée de grands arbres. Il y avait là des hectares de pelouse : Jeannie n'avait jamais vu tant d'herbe aussi verte de sa vie. Elle tenta de calculer le nombre de têtes de bétail qu'on pourrait y élever (en comptant cinq bêtes pour deux hectares, ça semblait jouable), mais se garda bien de partager ses réflexions.

En haut de la colline apparut la maison. Jeannie commença à se sentir gênée. Si la maison n'était pas plus grande que celle du Colonel, elle était plus grandiose : arches, piliers, tourelles, granit sombre et statues de marbre, l'air de tenir tête aux éléments depuis les siècles des siècles.

« Il fait quoi, ton père ? »

Toutes les filles se tournèrent vers elle. Même Corkie lui jeta un regard qui disait qu'elle avait fait un faux pas. Mais c'était trop tard. Corkie répondit : « Il va dans les bureaux de sa société à New York, il joue aux raquettes à son club, il monte à cheval et il chasse beaucoup. Et il travaille à son roman.

– Quel genre de société ?

— Tu sais... » Corkie haussa les épaules.

Bootsie Clark dit : « Le père de Poppy aussi monte à cheval et chasse, j'imagine. » Poppy était le nom que les autres avaient décidé de lui donner. « C'est un cow-boy. N'est-ce pas ?

— Les cow-boys sont des employés.

— Alors comment se définirait ton père ?

— C'est un éleveur. » Elle allait ajouter *mais ce n'est pas de là que vient notre argent* quand les autres filles l'interrompirent.

« Il fait ces grandes chevauchées, là, jusqu'au Kansas ?

— Ça ne se fait plus depuis le siècle dernier.

— Dommage, dit Bootsie. Ça avait l'air palpitant. »

Jeannie ne savait pas s'il valait mieux répondre ou laisser tomber. « Ça ne se faisait pas au galop comme dans les films. Il fallait que les bêtes aillent au pas, sinon elles maigrissaient trop.

— Qu'est-ce que tu penses de la maison de Corkie ? dit Natalie, changeant de sujet. La tienne est plus grande, j'imagine.

— Pas vraiment, non.

— Mais si, sûrement. Il paraît que tout est plus grand, au Texas. »

Elle haussa les épaules. « Ma maison n'est pas aussi belle que celle-ci. Et autour, c'est loin d'être aussi vert.

— Vous avez quelle superficie de terrain ? »

C'était mal élevé de demander ça – au Texas, personne n'oserait –, mais elle savait qu'elle devait répondre.

« Trois cent quatre-vingt-seize *sections*.

— C'est pas beaucoup, dit Topsy.

— Elle a dit sections, pas arpents.

— Ça fait quoi, une section ?

— Ils ne parlent même pas en arpents. C'est trop petit, les arpents.

— Ça fait quoi, une section ? demanda Kiki pour la seconde fois.

— Deux cent soixante hectares. »

Pour une raison qui échappa à Jeannie, sa réponse provoqua chez toutes les filles, sauf Corkie, une hilarité proche de l'hystérie. Corkie regardait le chauffeur, attendant qu'il ouvre la porte.

« Et tu vas être éleveuse, toi aussi ?

— Je ne crois pas.

— Tu seras quoi, alors ?

— Elle sera la femme de quelqu'un, dit Corkie. Comme nous toutes ici. »

Cet après-midi-là, elles firent une promenade à cheval. En contrebas de la maison se trouvait une écurie avec une vingtaine de chevaux, un immense corral qu'ils appelaient un manège et un grand pré. Un bois impeccable entourait le tout, mais Jeannie n'osa pas demander jusqu'où allait la propriété. Il y avait des hommes dans la pénombre, qui coupaient des branches et les chargeaient sur une charrette.

Jeannie portait des jodhpurs et des bottes d'équitation empruntés à la petite sœur de Corkie. Elle se sentait ridicule, mais les autres aussi étaient habillées comme ça. Elle se dit qu'elles étaient sans doute parties pour une grande balade, quatre ou cinq heures, et elle regretta de n'avoir pas mangé davantage au déjeuner.

« Tu as certainement des chevaux, dit Natalie.

— Oui, répondit-elle. Et toi ?

— Il n'y a pas vraiment la place, à Tuxedo Park, dit Natalie d'un ton dédaigneux.

— Mais il y a la place pour les Juifs, dit Topsy.

— Topsy et Natalie étaient voisines de la fille avec qui tu as partagé ta chambre.

— Son père a acheté une maison près de chez nous il y a dix ans, dit Topsy. Mais le club a toujours refusé de l'accepter comme membre : sa famille n'a jamais pu tremper un seul orteil dans le lac. Il suffisait qu'on les entende se baigner pour que quelqu'un appelle la police.

— Raconte-lui le mariage.

— Ils ont organisé un mariage, l'été dernier. Mais tous les enfants de Tuxedo Park ont tourné les panneaux et du coup les invités ne trouvaient pas la maison. Ça a complètement gâché la cérémonie. » Elle sourit. « Le problème, c'est quand les gens croient qu'il leur suffit d'avoir de l'argent... »

Jeannie hocha la tête. On amena les chevaux : des alezans, poitrine plus étroite et jambes plus longues que les chevaux qu'on utilisait au ranch pour le bétail.

« Je leur ai dit de mettre la selle de ma sœur sur celui-ci », dit Corkie. Elle lui tendit les rênes. « Tu fais à peu près la même taille qu'elle. » C'était une selle toute simple, sans pommeau ni troussequin relevé ; quand Jeannie grimpa sur l'animal, les étriers, trop courts, lui firent un drôle d'effet, comme s'ils étaient réglés pour un enfant.

C'était un grand cheval, perché sur de longues jambes, de près de seize mains ; à le voir, on l'imaginait rapide, mais il était encore plus rapide que ça. Il était tellement plus puissant que les chevaux du ranch qu'il s'apparentait davantage à une automobile. Avec les chevaux qu'on utilisait pour le bétail (des *quarter horses*, disaient les filles), il y avait une forme de négociation, des moments où on laissait la monture faire à sa guise. Mais ce cheval-ci était à la fois rapide et totalement soumis : si vous lâchiez les rênes, il ne savait pas quoi faire – autant lâcher le volant d'une voiture. Il ne semblait avoir été créé, comme tout le reste dans la vie de ces filles, que pour les servir.

Jeannie avait à peine besoin des rênes : le cheval réagissait à la moindre tension de ses jambes. Il était d'ailleurs si réactif qu'au début elle eut du mal à le diriger, au point de douter de ses compétences de cavalière. Elle n'était pas à l'aise sur cette selle, et lorsque vint le premier galop, elle eut bien du mal à s'y maintenir. Le groupe descendait à vive allure un chemin parfaitement entretenu qui menait à une série de haies. Corkie sauta par-dessus la première et Jeannie s'alarma, mais suivit malgré tout. Il n'y avait pourtant pas lieu de s'inquiéter : le cheval franchit l'obstacle sans qu'elle eût rien à faire.

Au bout d'une heure, le reste des filles étant fatiguées, on décida de rentrer à l'écurie. Jeannie pressa ses talons dans les flancs du cheval et, espérant faire peur à Topsy et Bootsie, fusa dans le petit intervalle qui les séparait, avant de dépasser Corkie elle-même. Le cheval s'amusait, aussi fit-elle au grand galop un tour de piste du corral (du *manège*, se reprit-elle), d'un périmètre de presque sept cents mètres. C'était un bon cheval, il n'avait pas envie d'arrêter et elle fut prise d'une immense tristesse en pensant à la vie qu'il menait dans ce corral, à ne parcourir que quelques kilomètres de chemins soignés, monté par des filles qui passaient plus de temps devant la glace que sur une selle. Une vie sans intérêt.

Le temps qu'elle calme l'animal et le ramène à l'écurie, les autres filles attendaient tandis que le palefrenier et ses enfants étrillaient déjà leurs chevaux.

Bootsie dit : « Elle monte comme un cow-boy, n'est-ce pas ?

— Ça te fait bizarre de ne pas avoir de poignée où te tenir ?

— On n'y touche pas », dit Jeannie. Elle savait qu'au début elle avait eu l'air gauche, mais elle estimait s'être bien rattrapée. De toute évidence, elle était meilleure cavalière que les autres, y compris peut-être Corkie. Et de toute évidence les autres ne le reconnaîtraient pas. Sauf à trouver moyen d'en faire une insulte. Elle fut tentée de remonter sur le cheval et de partir au galop dans les bois, sur la longue route qui la ramènerait au Texas. Pas plus dur que tout ce qu'avait pu faire le Colonel. Son père rembourserait le cheval.

« Alors il sert à quoi ? dit Bootsie, qui parlait toujours du pommeau surélevé.

— C'est pour les outils, pour accrocher le lasso, tout ça.

— En tout cas tu n'avais pas l'air à l'aise. Je suis sûre que tu t'y feras.

— Je suis meilleure cavalière que vous toutes », dit-elle. Elle sentit son visage s'enflammer ; on l'avait poussée à dire quelque chose dont elle n'était pas certaine. « Sauf Corkie, ajouta-t-elle.

— N'empêche, dit Bootsie. Tu avais l'air bizarre.

— Ça, ça n'était rien par rapport à ce qu'on fait chez moi.

— Sans doute parce qu'il y a plus d'espace, là-bas.

« — Parce qu'on attrape au lasso des bêtes énormes et qu'on essaie de ne pas mourir encorné.

— Je crois qu'elle vient de dire qu'on mourrait encornées.

— Oh, on mourrait, ça s'est sûr. Mais d'ennui.

— Je rentre, dit Corkie, adossée à la porte de l'écurie, l'air épuisé. On va bientôt passer à table.»

Cette nuit-là, Jeannie n'arrivait pas à dormir ; après une longue errance dans des couloirs obscurs, elle finit par trouver la cuisine, en quête d'un verre de lait. Elle venait d'ouvrir la glacière quand elle entendit quelqu'un derrière elle.

«Tu n'as rien à faire là», dit une voix. C'était une domestique.

«Pardon.»

Le visage de la femme s'adoucit. «Tu n'as qu'à demander, mon cœur. On te l'apportera.»

Après avoir bu son lait, elle décida d'aller dehors. Il faisait sombre, mais l'écurie était éclairée, aussi descendit-elle la pente d'herbe humide – tout était humide, ici. Elle n'avait rien de précis en tête ; peut-être parler à son cheval, le faire sortir en douce pour une balade nocturne, s'enfuir avec lui et ne jamais revenir. En approchant, elle vit que la lumière venait d'une fenêtre à l'étage, qu'elle avait d'abord pris pour le grenier à foin. Quelqu'un bougeait derrière le mince rideau et on entendait vaguement de la musique. Elle était maintenant assez près pour sentir l'odeur de l'écurie. Quand la personne repassa derrière le rideau, elle reconnut le palefrenier. Il vivait avec sa famille au-dessus des chevaux.

Elle le regarda s'asseoir dans un fauteuil et baisser les paupières pour écouter tranquillement la radio. Elle n'en croyait pas ses yeux : chez elle, même les ouvriers les moins qualifiés qui ne faisaient que poser des clôtures toute la journée dormaient dans le bâtiment réservé aux vaqueros. Ils ne vivaient pas avec les animaux.

Elle se sentit soudain très fatiguée et reprit le chemin de la maison ; elle avait froid aux jambes et les pieds mouillés à cause de la rosée. On n'était qu'en septembre, ce n'était que le début. *Ça va s'arranger*, se dit-elle. Elle pensa au Colonel prisonnier des Indiens ; s'il avait survécu là-bas, elle pouvait bien survivre ici. Mais même ça, ça sonnait faux : des mots, rien que des mots, il s'agissait d'une autre époque.

De retour dans la maison, elle entendit du bruit et vit de la lumière au bout d'un couloir. Elle s'y dirigea. C'était une bibliothèque ou un genre de bureau ; il y avait du feu dans la cheminée et quelqu'un d'assis dans un fauteuil en cuir, qui fumait la pipe. Elle s'approcha, jusqu'à ce que l'homme finisse par lever la tête.

« Excusez-moi », dit-elle.

C'était le père de Corkie. On aurait presque dit un adolescent dans la lumière tamisée ; il avait dû avoir ses enfants drôlement jeune. Il était très beau. Bien plus beau que Corkie. Il retira ses lunettes : il avait le regard embué, comme de chagrin. Il se frotta les yeux et dit : « Tu es la petite Texane, c'est ça ? »

Elle hocha la tête.

« Ça te plaît, ici ?

— C'est vert. L'herbe est belle. » C'était tout ce qui lui était venu et elle avait peur de dire autre chose.

«Ah, la pelouse, dit-il. Oui, merci.» Il ajouta : «Mon arrière-grand-père a vécu au Texas avant que celui-ci ne rejoigne l'Union. En fait, c'est en partie grâce à lui que ça s'est fait. Et puis on a eu la guerre de Sécession, alors il est revenu ici. J'ai toujours eu envie d'aller y faire un tour.

— Vous devriez.

— Oui, un de ces jours. Il semblerait que c'est là-bas que tout le monde aille pour faire fortune. Je devrais sans doute aller jeter un œil.»

Elle ne dit rien.

«Bon, dit-il en hochant la tête à son tour. Il faut que je m'y remette.» Il chaussa ses lunettes. «Bonne nuit.»

Le lendemain, après le petit-déjeuner, Corkie lui murmura qu'elle ne devait pas parler à son père quand il travaillait dans la bibliothèque.

«Il termine son roman, dit-elle. Ça fait très longtemps qu'il est dessus et il ne faut pas le déranger.»

Jeannie s'excusa. Elle fouilla sa mémoire : avait-elle jamais vu son père à elle pleurer ? Non, jamais.

Le week-end suivant, elle prit le train pour aller voir Jonas à Princeton. Le voyage était plaisant et elle se sentit très adulte de voyager comme ça, toute seule, dans une région qu'elle ne connaissait pas. Il lui semblait qu'elle n'en reviendrait jamais de tout ce vert. Et pourtant, où qu'on soit, il y avait toujours comme une légère odeur de moisi, de pourrissement, comme si, quoi qu'on fasse, les arbres reviendraient toujours, la vigne vierge recouvrirait tout, l'œuvre des hommes serait engloutie et eux-mêmes se décomposeraient dans la terre molle comme tous ceux qui les avaient précédés. Jadis ici, c'était comme au Texas, mais maintenant, il n'y avait que des gens, des gens et encore des gens ; plus de place pour du neuf.

Jonas la retrouva à la gare ; elle le serra longuement dans ses bras. Elle portait son collier de perles et une jolie robe.

« Alors, comment ça se passe ?

— Oh, ça va. »

Il tripota les perles, fut sur le point de faire un commentaire, puis se ravisa.

« Tu vas t'y faire, dit-il. Tu es mieux là-bas qu'à végéter à McCullough ou à Carrizo. Tu n'y apprendrais rien.

— Les gens sont froids.

— Ça arrive.

— Il y avait deux hommes dans mon compartiment, eh bien, ni l'un ni l'autre ne m'a seulement dit bonjour. Et ça a été comme ça pendant une heure.

— C'est différent, par ici. »

Plus tard ils retrouvèrent les amis de Jonas : Chip, Nelson et Bundy. Il n'était que quatorze heures, mais ils avaient déjà commencé à boire. Chip éclata de rire en entendant l'accent de Jeannie. C'était un jeune homme grassouillet – pas vraiment gros, mais comme relâché de partout – et bronzé à l'extrême, avec une confiance en lui que ne justifiait pas son physique.

« Sacrés McCullough. Pas de doute, vous êtes bien des Texans. Au début on ne vous a pas crus ; c'est que celui-ci donne très bien le change », dit-il en désignant Jonas du doigt. Puis, inclinant la tête et plissant les yeux, il examina Jeannie. « Bundy, celle-là non plus n'a vraiment rien d'une poupée de suie. On doit avoir affaire aux seuls Sudistes cent pour cent blancs de toute l'histoire du pays. »

Comme Jeannie rougissait, Bundy lui posa la main sur l'épaule. « Ne fais pas attention. On sort tous tellement du même moule qu'on est perdus quand il y a quelqu'un de nouveau. »

Mais Chip n'en avait pas fini avec elle : « Que pensez-vous de cette guerre, mademoiselle McCullough ? Est-ce qu'il faut envoyer les Marines ou attendre ? »

Elle dut avoir l'air interdit.

« La guerre que Hitler a déclenchée ? La semaine dernière ?

— Je ne sais pas, dit-elle.

— Mon Dieu, McCullough, je me demande bien ce qu'ils vous apprennent à Greenfield.

— Comment devenir une épouse modèle, dit Nelson.

— Laisse donc tomber ces putes et va chez Miss Porter. » Il eut un geste de la main. « On va t'arranger le coup. De toute façon tu apprendras que dalle à Greenfield. »

Et ainsi de suite pendant quatre heures. Elle ne pouvait rien dire que ces garçons ne sachent déjà : ils avaient des théories sur tout. Jonas et elle finirent par aller faire un tour du campus.

« Ils plaisantent, Jeannie.

— Je les déteste. Je déteste tous les gens que j'ai rencontrés ici. »

Elle pensait qu'ils passeraient la soirée ensemble, mais Jonas avait du travail. La prochaine fois, dit-il, elle pourrait loger chez lui et rencontrer d'autres amis à lui – des connaissances utiles, il serait très facile de la faire rentrer à Barnard le moment venu. Mais pour l'heure, il était fatigué et en retard dans ses devoirs. *Parce que tu as passé l'après-midi à boire avec tes amis*, pensa Jeannie.

Elle envisagea de lui rappeler qu'elle avait fait trois heures de train pour venir le voir et en mettrait trois de plus à rentrer à Greenfield, mais elle était trop en colère pour dire quoi que ce fût. Quand elle arriva à New York, il faisait déjà nuit et sa correspondance pour le Connecticut n'était pas pour tout de suite. Elle se promena à l'extérieur de la gare, jetant un œil aux vitrines des prêteurs sur gages, bousculée par la foule, regardée par certains hommes d'une façon qui, au Texas, leur aurait valu une balle de carabine, ou au moins d'être arrêtés en vue d'un interrogatoire. Les gros titres des journaux n'en avaient que pour la guerre : les Allemands avaient envahi la Pologne. Malheureuse comme elle était à Greenfield, c'est à peine si elle avait eu conscience de ce qui se passait, et même à présent, il lui semblait plus important d'avoir son train.

Elle arriva à l'école juste avant l'extinction des feux et comme elle avait oublié de manger, elle se coucha le ventre vide. Le lendemain, Corkie l'informa que le bal d'automne avait été annoncé ; il faudrait qu'elle invite un cavalier – plusieurs cavaliers même, de préférence. Corkie, que tout ça n'intéressait pourtant guère, avait déjà établi une liste d'une vingtaine de jeunes gens avec l'intention de tous les inviter. Jeannie s'excusa et se réfugia à la bibliothèque, où elle passa la journée.

Ça allait être catastrophique. Non seulement elle n'avait personne à inviter – les seuls garçons qu'elle connaissait étaient les amis de Jonas –, mais le week-end précédent, quand les filles s'étaient mises à danser après s'être servies dans la cave des parents de Corkie, Jeannie ignorait tous les pas. Charleston, *jarabe tapatío*, valse, carré du «box step». Elle ne connaissait aucune danse. Corkie avait essayé de lui montrer, mais ça ne servait à rien, à rien du tout ; il lui faudrait des années entières pour apprendre tout ça. Humiliation garantie. Même monter à cheval avec ces filles-là – seule activité qu'elle eût presque maîtrisée – s'était révélé dégradant, d'une certaine façon.

En attendant, les autres parlaient déjà des bals où elles iraient plus tard, les grands bals de Noël ; à quatorze ans, elles avaient l'âge. Jeannie comprit que ses camarades de classe s'étaient préparées à cet instant toute leur vie ; pendant qu'elle rendait visite à son frère, les autres avaient passé la journée avec leur mère à acheter des robes. Et, bien entendu, toutes connaissaient des dizaines de garçons convenables qui feraient des heures de route pour assister au bal.

Ce samedi-là, elle prépara un petit bagage de week-end et dit à Corkie qu'elle retournait voir son frère. Elle prit le train pour New York et se mit en quête d'une banque – elle n'avait pas assez d'argent pour le voyage qu'elle projetait –, mais il s'avéra que les banques étaient fermées le week-end. Toutes ? Toutes. Elle finit par entrer chez un prêteur sur gages aux abords de la gare. L'homme qui tenait la boutique avait une cinquantaine d'années ; il ne devait pas manger beaucoup ni voir souvent la lumière du jour, et parlait avec un fort accent étranger. Jeannie n'avait encore jamais vu de Juif comme lui. Elle tendit le collier de perles de sa grand-mère.

« Elles sont vraies ?

— Bien sûr. » L'homme regarda derrière elle, dans la rue, pour voir si quelqu'un l'attendait. Puis il mit les perles dans sa bouche, comme s'il allait les manger, sauf qu'il se contenta de frotter chacune d'elles contre ses dents de devant. Après quoi il les inspecta à la loupe.

« C'est un policier qui t'a envoyée ici ?

— Non.

— J'aimerais savoir pourquoi tu me les apportes à moi.

— J'ai vu la vitrine. » Elle haussa les épaules.

« Elles sont à toi, tu as le droit de les vendre ?

— Oui. »

Il la regarda sans rien dire.

« C'est quoi, ça, comme chapeau ? » demanda-t-elle dans une tentative de conversation polie.

Il répondit quelque chose qui ressemblait à *hipah*. « Je suis juif. Un mauvais Juif, malheureusement, qui travaille le jour du Sabbat. Ne t'inquiète pas, je ne vais pas te manger. Mais je ne peux pas non plus acheter ton collier.

— Je n'ai pas d'argent. J'ai voulu aller à la banque mais elles sont toutes fermées. Il faut que je rentre chez moi.

— Je suis désolé. »

Ils restèrent un moment à se regarder, puis il finit par dire : « Je vais aller réveiller mon frère. Mais il te dira la même chose. »

Un autre homme, bien mieux habillé, arriva de l'arrière-boutique. Il examina les perles, les frotta contre ses dents, les regarda à travers un autre verre grossissant puis sous une lumière vive et enfin dans un appareil qui ressemblait à un microscope.

«De toute évidence elles valent plusieurs milliers de dollars...

— Vingt mille dollars, dit Jeannie.

— Huit mille, dit-il. Et encore, un bon jour, face au client idéal.

— Ça m'irait.»

Il sourit. «Je ne peux pas te les acheter. Tu es trop jeune. Désolé.»

Elle sentit les larmes lui monter aux yeux. Elle avait envie de reprendre le collier et de s'enfuir, mais elle se força à rester là pour qu'ils la voient pleurer.

«Tu es trop jeune, répéta-t-il.

— Je m'en fiche. Je ne partirai pas.»

Les deux hommes se regardèrent et se mirent à parler dans une langue étrangère. Finalement, celui qui était bien habillé lui dit : «On peut te donner cinq cents dollars. Je voudrais te proposer davantage, mais je ne peux pas.»

Au travers des larmes, elle dit : «Mille dollars et c'est d'accord.»

Le soir même, elle était dans le train pour Baltimore. Quatre jours plus tard, quand sa grand-mère vint la chercher à San Antonio, elle lui dit qu'elle s'était fait voler le collier.

Ce n'était pas une histoire qu'elle avait racontée à grand monde, et même Hank n'en avait jamais compris toute la portée. C'était le point de bascule de son existence, le moment le plus important, d'une certaine façon ; elle avait vu le monde et elle avait battu en retraite. Jonas, malgré tous ses défauts, avait tenu bon. Elle imaginait parfois ce qu'aurait été sa vie si elle était restée dans le Nord. Une vie identique à celle de Jonas, installée, confortable ; elle aurait été la femme de quelqu'un. Mais elle voulait être autre chose.

N'empêche que Jonas avait quatre enfants qui l'adoraient et une dizaine de petits-enfants. Alors que ses maisons à elle, ses trois maisons, étaient vides. Monuments inutiles. Et c'est un petit-fils qu'elle connaissait à peine qui hériterait de l'œuvre de sa vie – et sans doute n'aurait-il pas les épaules assez larges. *Ce n'est pas juste*, pensa-t-elle. Elle en aurait pleuré.

Elle regarda autour d'elle. Elle en était sûre à présent. Il y avait une odeur dans la pièce, une odeur de gaz.

Chapitre 18

JOURNAL DE PETER McCULLOUGH

1er novembre 1915

Phineas est arrivé d'Austin. Nous sommes apparemment les enfants chéris de la capitale pour avoir tué dix-neuf de nos voisins et réussi par la même occasion à faire blesser deux des nôtres. Phineas parle de se présenter au poste de lieutenant-gouverneur.

Glenn est rentré, mais il reste souffrant. Mon frère et lui ont beaucoup discuté. Les garçons ont toujours aimé Phineas ; ils le voient comme le Colonel en plus jeune, l'apogée de la virilité triomphante. Je me garde bien de leur dire ce que je pressens, même s'il n'aurait sans doute pas cette élégance si les rôles étaient inversés – je crois que j'aurais plutôt droit à une balade dans les prés et à une balle dans la tête.

Comment deux hommes du même sang peuvent-ils donc être si différents... Mon père doit s'imaginer que ma mère a batifolé avec un poète, un scribouillard ou quelque autre sous-homme bigleux et pleurnichard.

Je me suis toujours vu comme étant double : celui d'avant la mort de ma mère, aussi intrépide que mes frères, et celui d'après, hibou perché dans l'ombre regardant les autres s'agiter dans la lumière.

Comment Phineas et le Colonel peuvent-ils donc s'adresser à cent personnes sans jamais se poser la question de ce que pense leur auditoire ? Moi, c'est tout juste si j'arrive à dîner sans me demander si je n'ai pas trop parlé, ou peut-être pas suffisamment, si j'ai trop ou pas assez bu ; je m'efforce de faire le moins de bruit possible avec mes couverts et je prends garde au choc du verre d'eau lorsque je le repose sur la table. Pourtant quand j'ai enjambé le mur, chez les Garcia, je me suis oublié.

J'entretiens leur tombe, à l'insu de tous. Ce jour-là, après mon départ, ils ont été enterrés dans la même fosse : mère, père, filles, petits-enfants, employés divers. Ni croix, ni inscription. À cause du caliche, le trou n'était pas très profond, aussi ai-je empilé des pierres et de la terre par-dessus. Et dire que le vieux Pedro envoyait toujours le prêtre à ses vaqueros après une fausse couche et payait systématiquement pour qu'ils aient un cercueil capitonné et un enterrement chrétien. Je continue à voir la maison telle qu'elle a toujours été ; du coup, c'est chaque fois le même choc – les murs noircis, les oiseaux qui volent librement là où jadis il y avait un toit... Le bois était vieux et sec, ça n'a pas brûlé qu'à moitié. Il ne reste presque rien dedans : des clous, des morceaux de verre et de métal. Mais même avec tout ça sous les yeux, quelque chose en moi préfère croire à une illusion.

Voilà peut-être pourquoi je suis perpétuellement déçu : j'attends du monde qu'il soit bon. Comme un chiot. Et c'est ainsi que, tel Prométhée, jour après jour je suis défait.

Phineas et moi sommes allés voir ce qui restait de la *casa mayor*. En route il m'a expliqué qu'il s'était déjà entretenu avec le juge Poole des « problèmes fiscaux » des Garcia. J'ai attendu qu'il reconnaisse qu'il y avait une combine, en vain. Il ne me fait pas totalement confiance. Pas plus que le Colonel.

Une fois sur place, Phineas a accusé le coup. Il est resté en selle, immobile, tandis que je mettais pied à terre pour aller me recueillir sur la tombe. Il a dû comprendre où j'allais ; il ne m'a pas suivi. En passant devant la source, j'ai vu que quelqu'un y avait jeté un chien mort : j'ai attrapé l'animal au lasso et je l'ai sorti de l'eau.

« On voit parfaitement jusqu'à cette foutue frontière, hein ? »

Il exagérait mais j'ai compris ce qu'il voulait dire.

« Tu sais, Pete, peut-être que tu ferais bien d'éviter de venir ici pendant un moment. Même moi je trouve ça pénible, alors toi... » Il a secoué la tête.

« Pedro Garcia était un ami.

— C'est bien ce que je dis. »

J'ai contourné la maison pour m'asseoir sur le patio et contempler la vue. Quelques minutes plus tard, il m'a rejoint.

« Tu ne devrais pas en vouloir à Papa de ce qui s'est passé.

— Ça me paraît difficile.

— N'importe comment, ce serait arrivé. Bien sûr, Pedro n'avait pas huit ans d'arriérés fiscaux. Mais il y a certaines choses qu'il aurait pu faire...

— À savoir ?

— Mieux marier ses filles, par exemple. J'imagine qu'il croyait les rendre heureuses, mais...

— Les marier à des Blancs, tu veux dire ?

— Et pourquoi pas ? C'est ce qui s'est fait dans toutes les vieilles familles. Ils ont su lire les signes avant-coureurs et ils ont marié leurs filles aux bonnes personnes. » Il haussa les épaules. « C'est Darwin en action, Pete. Alors que la situation exigeait de diluer, Pedro a préféré doubler la dose. »

J'ai repensé à Pedro m'encourageant à rendre visite à María. J'en ai eu le cœur serré.

« Papa et toi vous êtes d'accord sur bien des choses.

— Il ne se passe pas une minute sans que je pense au ranch.

— Tu viens deux fois par an, ai-je dit.

— Tu crois qu'il y a une banque à Austin pour prêter un demi-million de dollars à un ranch qu'elle n'a jamais vu et dont tout ce qu'elle sait, c'est qu'il a des dettes par-dessus la tête, putain ? Et Roger Longoria, à Dallas ? Tu ne t'es donc jamais demandé pourquoi il nous accorde de si bons taux ? Voire pourquoi il nous prête seulement de l'argent ? Ou comment ça se fait que l'élevage s'effondre partout au Texas mais que, va savoir, nous, on trouve des fonds facilement ? »

J'ai décidé de changer de sujet. « En attendant Papa dépense tout en droits pétroliers.

— Papa flaire le changement comme un ivrogne un salon de thé. Il a plus de jugeote que nous deux réunis et s'il avait eu un tout petit peu d'ambition, il serait gouverneur.

— J'en doute franchement. »

Il a secoué la tête. Critiquer le Colonel, c'est comme critiquer Dieu, ou la pluie, ou les Blancs, bref, tout ce qu'il y a de bien sur terre.

« J'ai passé presque toute ma vie à me demander comment tu fonctionnais, a-t-il dit. Je t'ai d'abord cru lent à la détente, ensuite je me suis dit que tu devais être communiste. Et puis j'ai fini par comprendre : tu es un sentimental, voilà tout. Tu crois au libre parcours des bêtes, au code d'honneur, à la noblesse du pauvre vaquero et au vide qui tient lieu de cœur aux banquiers – tous ces trucs que tu as pêchés dans les romans de Zane Grey... »

Il se trouve que je n'ai pas lu Zane Grey. J'aime assez Owen Wister, cela dit, mais à quoi bon expliquer la différence à mon frère.

« ... tu sais, au bon vieux temps, quand Papa voulait augmenter son troupeau, il se servait en bêtes dans la nature ou bien il payait un sang-mêlé dix *cents* par tête volée. S'il trouvait un veau non marqué, il le marquait ; si une terre lui plaisait, il la clôturait. Quand quelqu'un ne lui revenait pas, il le faisait déguerpir. Et puis... – il me regarda d'un air qui en disait long – ... à l'époque, quand quelqu'un volait ton bétail, tu traversais le fleuve, tu brûlais tout le village et tu ramenais ses bêtes avec les tiennes sur tes terres.

— On ne peut pas dire que ça ait beaucoup changé.

— Oh que si, ça a changé. Maintenant il faut une calculatrice pour savoir si tu produis assez de viande par hectare pour payer tes employés. Un quart du boulot part en débroussaillage et un autre quart à lutter contre les mouches de Libye et les tiques. Alors quand on en est à s'inquiéter pour ce genre de connerie de merde...»

J'ai levé la main pour l'arrêter. «C'est notre lot, Finn. On peut s'en plaindre ou bien on peut continuer à travailler. Personnellement j'aime autant travailler. Papa s'est persuadé qu'on est assis sur une mer de pétrole, mais il se trompe ; on est assis sur un tas de titres très chers et sans valeur portant sur le sous-sol de terres qui ne nous appartiennent même pas.» Je pensais avoir marqué un point, mais il souriait. Il m'a fallu mobiliser toute ma volonté pour ne pas partir.

«Quand est-ce qu'ils ont trouvé du pétrole dans le nord du Texas, Pete ?»

Ils ont toujours fait ça, m'appeler par mon prénom, comme un enfant qu'on gronde. Et moi je me sens encore obligé de leur répondre, comme si j'allais réussir à exposer mon point de vue, alors que l'expérience de plusieurs dizaines d'années me prouve le contraire.

«Il y a douze ans, a-t-il dit voyant que je ne répondais pas. Et aujourd'hui la moitié de notre pétrole vient de là-bas. Spindletop n'a été découvert que deux ans plus tôt. Le plus grand puits de pétrole de toute l'histoire de l'humanité, avant quoi les Rockefeller, les Mellon, les Pew et tous ces enfoirés de la côte Est se sont fait des millions en Pennsylvanie. En Pennsylvanie ! Un État où il y a de quoi remplir deux pauvres seaux à tout casser. Putain, Pete, la tête de forage de Hughes, c'était en... quoi, 1908 ? Avant ça, les foreuses n'étaient pas très différentes de ce qu'utilisaient les Romains. Tu suis ?»

Le regard perdu au-delà de la tombe des Garcia, je n'ai pas dit que 1908 était aussi l'année de la découverte, dans une grotte de La Chapelle-aux-Saints, d'un homme simiesque, un homme de Neandertal vieux de cinquante mille ans, soigneusement inhumé avec un cuissot de viande et plusieurs silex taillés pour sa protection dans l'au-delà. Cinquante mille ans que l'homme croit à une vie après la mort. Il y croyait avant même d'être vraiment un homme.

«... c'est ce qu'était l'élevage en 1865. Ça ne peut que se développer. Même si on ne trouve du pétrole que sur quelques hectares, l'investissement sera couvert.»

Je suis retourné à mon cheval, en silence, et il a fait de même. Nous avons redescendu la colline, traversant le hameau des Garcia, la chapelle en ruine et le vieux cimetière ; la tour brûlée de la *casa mayor* reste le point culminant. Nous avons lentement dévié vers le fleuve, sans parler, mon frère un peu en arrière.

Il a fini par me rattraper : «Tu sais, j'ai toujours été content que ça te plaise, de vivre ici. Quand tu es parti faire tes études, j'ai bien cru que j'allais me retrouver coincé à devoir m'occuper du ranch, mais tu es revenu. Et je t'en ai toujours su gré, parce que le ranch est trop précieux pour être confié à quelqu'un qui n'est pas de la famille. Voilà ce que je voulais te dire. Je te suis reconnaissant d'être là.

— Merci.

— Souviens-toi que tu n'es pas seul, que moi aussi, comme toi, je pense au ranch.»

Je n'ai rien dit. Phineas a hérité de mon père sa fabuleuse aptitude à rendre tout compliment condescendant. Et puis j'ai demandé : «Qu'est-ce que trafique Poole ? J'essaie de comprendre comment cette histoire de terres pourrait ne pas se retourner contre nous.

— Arriérés d'impôts.

— Développe.

— Arriérés d'impôts, a-t-il répété. Et puis le juge semble avoir envie de quitter le comté de Webb, on lui cherche une place à la cour d'appel. Mais tu peux fouiller tant que tu veux. Les Garcia devaient de l'argent au Trésor public, et si ça n'était pas dans les registres, eh bien maintenant, ça y est, voilà. »

Autres événements dans la région :

18 octobre : six insurgés ont attaqué un train près d'Olmito (cinq morts).

21 octobre : soixante-quinze insurgés ont attaqué un détachement de l'armée à Ojo de Agua (trois morts, huit blessés).

24 octobre : seconde attaque du pont de chemin de fer à la gare de Tandy.

30 octobre : le gouverneur Ferguson a refusé d'envoyer un renfort de Rangers. Pourquoi ? Trop cher. Et hors de question d'augmenter les impôts.

C'est peut-être aussi bien : chaque insurgé qu'ils tuent fait naître cent vocations. Les *Tejanos* n'ont rien contre l'armée, mais ils détestent les Rangers.

15 novembre 1915

Maintenant que nous sommes officiellement propriétaires des terres des Garcia, comme l'avait prévu mon père, nous avons tout de monarques débonnaires. Là où Pedro était avare, nous employons la moitié des hommes de la ville. À présent, quiconque veut du travail en a : arracher les broussailles, creuser des canaux d'irrigation, rassembler vingt ans de taureaux Longhorn non marqués. Deux hommes se sont fait encorner et Benito Soto est mort d'une crise cardiaque, mais tous les jours il y a du monde au portail qui demande si on embauche. Malgré les avertissements du shérif, je permets à quelques Mexicains de porter des armes. Travailler pour un gringo suffit parfois à se faire descendre par les *sediciosos*.

Qu'on ait l'air d'avoir les mains propres après ce qui s'est passé, je trouve ça ahurissant. Et déprimant. Comme si j'étais le seul à me souvenir de la vérité.

Amélioration humeur impérative. Records de pluie : déjà cinquante-trois centimètres. Plus vite on se débarrassera des fourrés, plus l'herbe poussera. La ville est couverte d'un voile de fumée avec toutes les broussailles qu'on brûle, et dans cette fumée je ne vois que du bon. Les cendres vont fertiliser le sol et on sait bien que la chaleur favorise la germination des graminées et des boutelous.

Le fait que personne d'autre ne se soit vu offrir la terre des Garcia suscite une certaine amertume en ville (chez les Blancs). La veuve de Bill Hollis est une des meneuses. Elle n'a pas d'argent – elle n'aurait même pas pu acheter cinquante hectares, alors cinquante-deux mille... –, mais elle sent bien qu'il y a là une injustice. Dutch Hollis, le frère de Bill, n'a visiblement pas dessoûlé depuis la mort de son frère.

Suggérer au Colonel de proposer à Marjorie Hollis un bon prix pour sa maison, histoire qu'elle quitte la ville. Et peut-être qu'on connaît quelqu'un à quelques comtés d'ici qui pourrait donner du travail à Dutch. Ça ne peut pas lui réussir de rester dans le coin, avec notre grosse maison blanche sur la colline et la tombe de son frère...

C'est ma façon de régler les problèmes. Mais le Colonel, lui, se fiche parfaitement de savoir que des gens ne l'aiment pas.

1er janvier 1916

Sally a décampé à Dallas, chez son père et ses sœurs, et Glenn et Charlie avec elle.

Après leur départ, je suis allé sur les tombes de Pete Junior, de ma mère et d'Everett. J'ai planté du seigle pour qu'elles restent couvertes de verdure. Les oiseaux vont sans doute tout manger. À savoir si c'est bien ou pas que le cimetière soit si près de la maison...

Tour à la *casa mayor* dans l'après-midi. La tombe des Garcia s'est beaucoup enfoncée. Passé trois heures à la remplir de terre. Rentré bien après la nuit tombée.

En attendant, les raids de bandits se poursuivent : trois ranchs touchés à l'ouest du Pecos. Après plusieurs mois de lourdes pertes, le 12e de cavalerie a traversé la frontière et brûlé deux villes mexicaines.

Sally et les garçons sont de retour. Elle m'a accusé d'être plus triste pour les Garcia qu'elle-même ne l'a été pour son propre fils. A demandé pourquoi j'y vais si souvent.

« Parce que personne d'autre n'ira.

— Ces moricauds ont blessé Glenn. J'aimerais bien que tu y penses.

— Oui, eh bien, on les a tués. Tous les dix-neuf, alors que pas un n'était là quand Glenn s'est fait tirer dessus.

— Ça ne veut pas dire qu'on est quittes.

— Tu as raison, mais on n'est pas assez dans la famille, hein ?

— Je me demande si je ne commence pas à te détester. Mais bon, je ne suis même pas sûre que tu le remarquerais.

— Si tu me détestes, c'est à cause de mon sens moral. »

Ça l'a laissée sans voix. Je suis allé dans mon bureau, j'ai mis des bûches dans la cheminée et j'ai déplié les couvertures sur le sofa.

Trois mois que nous faisons chambre à part ; il a fallu ça pour je me demande comment j'ai jamais pu éprouver quoi que ce soit pour elle. Elle est toujours jolie, et charmante, à sa façon. Mais si elle a jamais eu la moindre pensée qui ne la concerne pas de près ou de loin, je ne suis pas au courant.

Chapitre 19

ELI / TIEHTETI

1850

On apprit avant l'été que les Penatekas, les plus nombreux et les plus riches des Comanches, avaient presque totalement disparu. L'épidémie de petite vérole de l'année précédente avait laissé place au choléra – maladies propagées dans les deux cas par les chercheurs d'or qui faisaient leurs besoins dans les cours d'eau – et un hiver rigoureux avait achevé les survivants. Quand revinrent les premières sturnelles, les Penatekas, à quelques centaines d'exceptions près, pourrissaient dans le sol.

On déplaça le campement vers le nord, dans ce qui était alors encore le Nouveau-Mexique, pour échapper à la puanteur des malades indiens et à la contagion des Blancs qui continuaient à traverser la Canadian River en direction de la Californie. Nous étions à présent en territoire yamparika, et j'avais espéré tomber sur Urwat et me venger ; mais je ne le croisai pas, car les Mangeurs-de-racines étaient partis plus au nord encore, en territoire shoshone.

Malgré l'extermination de dix mille Comanches, les plaines n'avaient jamais été aussi peuplées. Nos terrains de chasse voyaient s'installer toujours plus de tribus déplacées – depuis celles de l'Est comme les Chickasaws et les Delawares, jusqu'aux Wichitas et aux Osages, plus proches de nous. On n'avait jamais vu aussi peu de bisons et les chasses du printemps n'avaient pas fourni assez de viande ou de peaux pour nous permettre de tenir toute l'année. Toshaway et les autres anciens décidèrent de jouer le tout pour le tout en préparant le plus grand raid de l'histoire de la bande : on négligerait les fermes texanes pour aller directement au Mexique. En raison de la taille du raid et de la distance à parcourir, un certain nombre de femmes et de jeunes garçons accompagneraient les guerriers pour s'occuper du campement, et ce furent trois cents personnes au total, parmi lesquelles Toshaway, Nuukaru et Escuté, qui partirent en juillet pour ne revenir qu'en décembre.

Je restai au village où, en l'absence des hommes et vu la pénurie de bisons, les jeunes garçons, scalps ou pas, patrouillaient et chassaient sans discontinuer. On sentait que les choses changeaient pour le pire. Le village faisait vide ; il manquait à chaque famille au moins l'un des siens et un découragement général s'était installé. Seul le négoce des captifs portait à l'optimisme : on pouvait s'adresser à n'importe quel fort pour revendre les Blancs au gouvernement qui payait parfois jusqu'à trois cents dollars, quand ce n'était pas plus. On acheta plusieurs Blancs aux Mangeurs-de-racines pour aller les vendre à des habitants du Nouveau-Mexique, qui les revendirent ensuite aux forts.

Déteste-Travailler ne revint jamais dans mon tipi, mais d'autres filles se mirent progressivement à le fréquenter, parce que leur *notsakapu* – leur amant – était parti en expédition, et puis tout le monde savait que j'étais solitaire et que je ne parlais guère aux autres jeunes *tekʉniwapʉ*. Scalp ou pas scalp, j'étais toujours un captif et les autres hommes ne voyaient pas l'intérêt de me parler.

Aussi les femmes venaient-elles me trouver tandis que je chassais ou faisais la sieste quelque part, et me confiaient leurs secrets. Elles me disaient qui couchait avec le mari d'une amie ou avec le *paraibo*. Qui projetait de partir rejoindre les Mangeurs-de-racines ou de fonder une nouvelle bande. Qui allait s'enfuir avec son *notsakapu* parce que les parents du jeune homme n'avaient pas les moyens de payer le prix de la fiancée. Qui en avait marre d'être la troisième épouse de quelque vieux sous-chef bedonnant qui, soit dit en passant, mentait sur ce qu'il avait fait. Qui avait attrapé la *pisipʉ* en couchant avec un homme marié, et est-ce que ça valait la peine de payer un homme-médecine pour avoir un remède ?

Une nuit quelqu'un entra dans mon tipi et s'assit près de l'ouverture, cherchant ma couche dans le noir. Je sentis une odeur sucrée que je ne reconnaissais pas, une odeur de miel, ou peut-être de cannelle.

« Qui est là ?

— Fleur-de-Prairie. »

Je remuai les tisons pour y voir quelque chose. Elle n'était peut-être pas aussi jolie que sa sœur, Déteste-Travailler, mais elle était quand même beaucoup trop bien pour moi, aussi je me dis qu'elle était sans doute venue pour parler.

«Je suis fatigué», dis-je.

Elle passa outre et enleva sa robe. Après l'acte, elle sombra si vite, blottie contre moi, que je me demandai si ce n'était pas là tout ce qu'elle était venue chercher : quelqu'un auprès de qui dormir pendant que son petit ami était loin avec Toshaway et les autres. Je ne m'assoupis qu'à demi. Il faisait trop sombre pour voir son visage, mais son corps était chaud, sa peau douce, son odeur agréable. Je restai longtemps couché là, à respirer contre son cou. J'avais de nouveau envie d'elle mais je ne voulais pas la réveiller. Et puis je dus m'endormir pour de bon car voilà qu'un peu plus tard elle me secoua pour me réveiller. Elle était en train de se rhabiller.

«Ne t'attends pas à ce que ça se reproduise et n'en parle à personne.»

Est-ce que je n'avais pas été à la hauteur ? «C'est aussi ce que m'a dit ta sœur.

— Peut-être, mais moi je ne suis pas une traînée, alors dis-toi bien que c'est la vérité.

— Elle aussi, c'était la vérité.

— Tu es donc un des rares privilégiés à ne l'avoir eue qu'une fois.

— Ah ouais.»

Elle ajusta sa robe. «Ce n'est pas vrai, en fait.

— Tu peux revenir te coucher. On n'est pas obligés de faire quoi que ce soit.»

Elle délibéra, puis se glissa près de moi. Je lui laissai autant de place que possible.

« Bonne nuit.

— Ça doit être dur pour toi, depuis qu'ils sont tous partis ?

— C'est dur pour tout le monde.

— Mais surtout pour toi. Nuukaru et Escuté sont tes seuls amis.

— Ce n'est pas vrai.

— Tu as qui d'autre, alors ? »

Je haussai les épaules.

« C'est quoi, ce que tu sens ? dis-je pour changer de sujet.

— Ça ? C'est de la sève de peuplier de Virginie. La sève des bourgeons, on ne la trouve qu'au printemps.

— Ça sent bon. »

Il y eut un silence.

« Les gens sont bêtes, dit-elle. Tout le monde ici descend de captifs.

— Tout le monde ne le porte pas sur son visage.

— Et Loup Gras ?

— Non, ce n'est pas vraiment un ami.

— Pauvre Tiehteti.

— Pas pauvre du tout, dis-je.

— D'accord, pardon.

— C'est l'heure de dormir.

— Je me demande quand tu arrêteras d'être aussi gentil.

— C'est l'heure de dormir, répétai-je.

— Tu es gentil. C'est évident. Tu ne donnes pas d'ordres, en général tu dépèces toi-même tes prises de chasse, tu...

— Demande donc à ce *papi bo?a* au-dessus de nous si je suis gentil. » Je montrai du doigt le haut du tipi, où pendait le scalp du Delaware.

« C'était un compliment. »

Peu après, elle toucha ma cuisse. Je ne savais pas trop ce que ça voulait dire. Elle remonta légèrement la main. « Tu ne dors pas ?

— Non. »

Elle me tira sur elle et releva sa *kwasu*. Comme toujours ce fut trop rapide, et puis gênant parce qu'elle essaya de continuer à remuer. Je voulus rouler sur le côté mais elle me retint.

« Ce n'est pas grave, dit-elle. Tout le monde va vite avec moi au début. »

J'étais agacé par tant d'assurance. Puis je décidai de ne pas l'être et m'endormis. Quand je me réveillai, elle était partie. Mais elle revint la nuit suivante.

Le jour, nous ne nous parlions pas, mais la nuit, une fois le feu réduit à rien, je l'entendais batailler avec les pans de l'entrée du tipi, avant de se retrouver dans mon lit. Dès la troisième nuit, j'avais mémorisé chaque centimètre carré de sa peau, comme un chiot aveugle, même s'il arrivait parfois, quand sa coiffure ou son parfum étaient différents, que je ne sois pas certain que ce fût elle. Les Comanches étaient habitués à cette incertitude, laquelle jouait à l'avantage des femmes, qui satisfaisaient ainsi leurs envies sans risquer leur statut, plus qu'à celui des hommes qui n'étaient souvent pas sûrs de savoir qui ils avaient conquis, ou s'ils n'avaient pas plutôt été conquis en couchant avec une femme qu'ils ne désiraient pas. La nuit, toutes les peaux étaient douces, les imperfections ne se voyaient pas, les dents tordues semblaient droites, tout le monde était grand et bien fait – une belle sorte de démocratie. Les femmes refusaient de dire leur nom, aussi fallait-il leur embrasser le sein, l'oreille, le menton, pour que la forme se révèle – la courbe de la hanche ou de la clavicule, la douceur du ventre, la longueur de la gorge : il fallait tout toucher. Le lendemain, on assemblait les images engrangées par les mains et la bouche en regardant les filles aller et venir au soleil et on se demandait : laquelle ?

Ça avait toujours été comme ça. On racontait l'histoire d'une belle jeune fille à qui un amant rendait visite chaque nuit (ce qui, en tant qu'hommes, nous était interdit, mais l'histoire remontait à d'autres temps) ; comme sa passion se muait peu à peu en amour, elle commença à s'interroger sur l'identité de ce galant dont elle connaissait chaque partie, mais pas le tout. À mesure que le temps passait, sa curiosité se mua en obsession, car elle voulait être avec lui de jour comme de nuit, sans plus jamais de séparation. Un soir, juste avant qu'il ne vienne à elle, elle se noircit les mains de suie de sorte à lui marquer le dos pour avoir la réponse. Au matin, lorsqu'elle se leva pour aller chercher l'eau de sa famille, elle vit l'empreinte de ses mains sur le dos de son frère préféré. Elle poussa un cri et s'enfuit de honte, et son frère, qui l'aimait plus que tout, s'enfuit après elle. Mais elle ne ralentissait pas et lui ne parvenait pas à la rattraper. Et c'est ainsi qu'ils parcoururent la terre entière, jusqu'à ce qu'elle devînt le soleil et son frère la lune, tous deux condamnés à ne partager le ciel qu'à des moments précis et à ne plus jamais pouvoir se toucher.

Fleur-de-Prairie, elle, vivait une histoire sérieuse avec un garçon qu'on appelait Fonce-sur-l'Ennemi, qui avait cinq ou six ans de plus que moi et faisait partie du grand raid avec Toshaway, Pizon et les autres. Elle avait seize ans, âge considéré comme nubile par les Comanches, mais le prix de cinquante chevaux fixé pour Déteste-Travailler avait effrayé la plupart des prétendants de sa sœur, ce qu'elle tenait pour un avantage momentané puisqu'elle savait qu'aucun homme de la tribu n'avait les moyens de devenir son époux ; elle savait aussi que dès que reviendrait la prospérité, elle serait achetée par un vieux chef adipeux et que c'en serait fini de cette vie-ci.

C'était là un sujet d'inquiétude muette pour la plupart des filles. Fleur-de-Prairie espérait pouvoir échapper au mariage jusqu'à vingt ans, soit un an de plus que sa sœur, avant qu'un vieillard décide de se l'offrir pour femme. Fonce-sur-l'Ennemi n'avait pas cinquante chevaux, ni même vingt – il devait, selon elle, en avoir dix –, et sa famille, guère plus ; le père de Fleur-de-Prairie ne le considérerait jamais comme un parti possible. À vrai dire, aucun jeune guerrier ne possédait le capital requis par son père, la générosité dont avait fait preuve Toshaway étant sans précédent. Elle était donc condamnée à être la troisième ou quatrième femme de quelqu'un qu'elle n'aimerait jamais, tout en bas de l'échelle domestique ; une fois mariée, elle passerait le reste de sa vie à racler des peaux de bête comme une vulgaire *na?raiboo*.

En attendant, je m'étais réconcilié avec mon arc. Un jour sur deux, étant donné le manque de bisons, je tuais un chevreuil, un wapiti ou une antilope pour l'approvisionnement du village, même si, comme tout le monde, je devais aller de plus en plus loin pour trouver les bêtes. Vint un moment, au cours du mois d'août, où j'étais parti depuis presque cinq jours quand je me dis soudain qu'il me suffirait de poursuivre vers l'est pour finir par rejoindre les Blancs. Mais à contempler la plaine depuis mon cheval, à côté d'une mule chargée de viande pour la bande, je réalisai que rien ni personne ne m'attendait là-bas, aucun proche, sauf peut-être mon père, qui, s'il était toujours en vie, n'avait rien fait pour me retrouver. Nombre de familles blanches recherchaient activement leurs enfants et la nouvelle des récompenses promises se propageait vite parmi les tribus. Un mois auparavant, un nègre libre du Kansas avait débarqué au village, créant une telle surprise qu'il fut décidé de ne pas le tuer : sa femme et ses deux enfants, nègres eux aussi, avaient été capturés et il espérait les racheter.

Nous ne les avions pas mais nous savions qu'ils avaient été vus avec une autre bande, plus à l'ouest, et après l'avoir nourri et lui avoir permis de se reposer deux nuits durant avec sa monture, on le mit sur la piste des *Noyukanuu*. Les seuls non-Indiens que nous détestions sans exception étaient les *Tuhano*, ou Texans, que nous tuions toujours à vue. Les autres Blancs, ou les nègres d'ailleurs, étaient en général jugés selon leur mérite individuel : si un homme avait été particulièrement courageux ou malin – par exemple en surprenant un campement comanche en plein jour –, non seulement on l'épargnait, mais on le traitait encore en hôte d'honneur aussi longtemps qu'il souhaitait rester. Le père de Toshaway m'expliqua qu'avant l'arrivée des *Tuhano* les Comanches n'avaient rien contre les Blancs – ça faisait des centaines d'années que nous commercions avec les Français et les Espagnols – et que seule la venue des *Tuhano*, cupides et violents, avait changé la donne. Les Blancs le savaient, aussi un Texan qui se faisait prendre par les Indiens se prétendait-il du Nouveau-Mexique ou du Kansas. Se dire texan, c'était se condamner à rôtir à petit feu. Même le couteau était une mort trop douce pour un Texan.

Tandis que je regardais un front froid balayer la plaine, je décidai de rentrer au village. Je notai que je n'avais pas envisagé de retourner chez les Blancs depuis plusieurs mois, et que si je le faisais, ce serait sans doute pour me retrouver dans un orphelinat, ou au service de quelqu'un, sans compter que la tribu me traitait en adulte mais qu'il en irait tout autrement des Blancs. Et puis, bien sûr, il y avait Fleur-de-Prairie, qui niait qu'il se passât entre nous quelque chose de sérieux, mais qui revenait tous les soirs dans mon tipi. Si je la voyais en train de porter de l'eau, je portais son seau pour elle, ou bien je l'aidais à ramasser du bois ou à écorcher tel animal que j'avais tué pour sa famille. Son père ne me voyait pas d'un mauvais œil, mais j'avais beau être en théorie le fils de Toshaway, il préférait Escuté, qui était plus âgé et qui n'était ni blanc ni captif, lui.

Les autres garçons avaient honte pour moi, surtout parce qu'ils savaient que dès que Fonce-sur-l'Ennemi reviendrait, Fleur-de-Prairie oublierait mon existence, et que, sans aller jusqu'à me tuer, Fonce-sur-l'Ennemi ne manquerait certainement pas de me faire très mal, une probabilité que les autres me rappelaient sans cesse, m'incitant, sinon à ne plus voir Fleur-de-Prairie, du moins à ne pas me rabaisser en public. Mais si je l'avais jadis trouvée moins belle que sa sœur, j'avais changé d'avis. Fleur-de-Prairie se mouvait avec la légèreté d'un faon. Elle n'avait pas les seins, les pommettes, les yeux démesurés de sa sœur, mais tout chez elle était délicat, comme si le Créateur avait choisi d'éviter tout superflu. Alors ça m'était bien égal, de me rabaisser.

Et puis il y avait bien d'autres sujets d'inquiétude. Nous avions suffisamment à manger, certes, mais le menu était le même chaque soir ; nous manquions de tout ce que nous obtenions normalement par le biais du commerce, sucre, maïs, courges, car nous n'avions pas de chevaux ou de peaux supplémentaires à échanger. Nous manquions de plomb, de poudre et de vis pour réparer nos fusils ; nous étions dans une contrée froide et aride qui ne nous était pas familière. L'ordre des choses continuait à se déliter lentement : on comptait sur les jeunes garçons pour chasser quand ils auraient dû s'amuser, les vieillards se retrouvaient à faire des tâches réservées aux femmes. C'était peut-être cette déchéance générale qui avait conduit Fleur-de-Prairie à mon tipi la première fois. Ou bien était-ce parce qu'en juin, au moment où les guerriers du raid avaient dû atteindre le Mexique, elle avait plusieurs fois vu en rêve le cadavre scalpé de Fonce-sur-l'Ennemi, ce qu'elle ne pouvait raconter à aucun autre Comanche car ça portait malheur ; si, pour une raison ou une autre, elle avait décidé de raconter ses rêves, ils auraient été nombreux, parmi les anciens, à l'accuser d'être une *bruja*, et ils l'auraient chassée de la tribu ou mise à mort. Évidemment, si quelqu'un avait jeté un sort à Fonce-sur-l'Ennemi, c'était moi – même si je ne croyais pas à ces choses-là et que j'étais désolé pour lui, car il m'avait parfois emmené chasser : je ne voulais pas qu'il se fasse scalper, peut-être seulement capturer par les Mexicains et jeter en prison où il resterait à jamais.

L'un dans l'autre, c'était le meilleur été de ma vie, et malgré la morosité générale, j'étais comblé comme jamais. Je risquais chaque jour de me faire tuer par des Blancs ou des Indiens ennemis, ou bien déchiqueter par un ours ou une horde de loups des plaines, mais il était bien rare que je fasse quelque chose contre mon gré. Là résidait peut-être d'ailleurs la principale différence entre Blancs et Comanches : les Blancs étaient prêts à sacrifier leur liberté pour vivre plus longtemps et mieux manger, les Comanches n'y auraient jamais renoncé. Je dormais dans le tipi quand il faisait frais, sous un dais de branchages quand il faisait chaud, ou encore à la belle étoile. J'allais chasser ou me promener quand je voulais. Et puis j'avais une petite amie, même si elle se considérait aussi comme la petite amie d'un autre. La seule chose qui me manquait vraiment, c'était la pêche, car les Comanches refusaient de manger du poisson, sauf à mourir de faim. Mais même quand je partais chasser seul, alors que j'aurais pu pêcher, je m'en abstenais.

En octobre, les anciens décidèrent qu'il fallait partir vers le sud, en territoire connu, car ici l'hiver serait bien pire et la nourriture plus rare. Quoique les guerriers partis en raid ne fussent pas rentrés, ce qui commençait à inquiéter tout le monde, on démonta le campement en laissant, pour qu'ils nous retrouvent, des instructions détaillées sous forme de hiéroglyphes gravés sur un arbre.

On s'installa non loin de notre ancien campement, à une quinzaine de kilomètres au nord de la Canadian River ; on s'attendait à trouver l'emplacement pris, vu sa proximité avec plusieurs pistes indiennes bien connues, mais il était libre et l'herbe haute. L'année avait été humide et il y avait largement assez de fourrage pour nourrir nos chevaux tout l'hiver, ce qui était bon signe. Mauvais signe, en revanche, le fait qu'aucun autre cheval n'ait brouté là. La tribu poursuivit donc jusqu'à une dépression, car de l'avis général, un nombre considérable de Comanches, en plus des Penatekas, avaient dû périr pour qu'un tel site fût resté inoccupé depuis notre départ.

Quand les guerriers du raid revinrent enfin en décembre, la seule bonne nouvelle fut que Toshaway, Escuté et Nuukaru étaient encore en vie. Ils étaient tous si pâles et si amaigris qu'on les prit d'abord pour des esprits. Toshaway avait presque perdu un pied à cause de ses engelures et Escuté avait reçu une balle à l'épaule au début du raid, passant les trois mois suivants à chevaucher l'épaule cassée. C'est à peine s'il pouvait lever le bras qui tenait son arc.

En juin, ils avaient capturé huit cents chevaux, mais ils étaient ensuite tombés dans une embuscade – l'armée et les Mexicains collaboraient à présent, au lieu de s'entre-tuer comme ils l'avaient toujours fait – et près de la moitié des guerriers kotsotekas avaient été abattus ou dispersés. L'armée, aidée de plusieurs patrouilles de Rangers, avait pourchassé les survivants loin au Nouveau-Mexique.

Pendant ce temps, le campement des femmes parties avec eux, qui attendaient leur retour du Mexique, s'était fait attaquer par les Mescaleros : elles avaient toutes été massacrées ou emmenées en captivité. Les animaux avaient dispersé les cadavres de sorte qu'il était impossible de les compter. La fille de Toshaway figurait parmi les disparues, et des trois cents Kotsotekas partis en raid, il n'en était même pas revenu quarante – et puis, pour indicible que ce soit dans le même souffle, près de mille chevaux avaient aussi été perdus, ce qui signifiait que nous n'avions rien à échanger et que l'hiver serait encore pire que prévu. De ce jour-là jusqu'au début du printemps, tous les autres bruits furent noyés par les pleurs et les lamentations ; la moitié des femmes avaient des entailles au visage et aux bras, certaines allant jusqu'à se sectionner un doigt entier pour honorer leurs morts.

Fleur-de-Prairie cessa de me fréquenter pendant un temps, car Fonce-sur-l'Ennemi, dont on savait seulement qu'il était mort, était tombé si vite derrière les lignes ennemies qu'on n'avait pas retrouvé son corps, et qu'on le supposait scalpé et profané. Elle ne mangeait presque pas et ne quittait plus son tipi ; comme ils n'étaient pas mariés, elle ne pouvait pas porter le deuil en public ou dire à quiconque qu'elle avait su quand c'était arrivé, qu'elle avait vu sa mort aussi clairement que si elle avait été présente.

Chapitre 20

JEANNIE McCULLOUGH

1942

Phineas la convoqua à Austin une semaine après la fin du lycée. On était en mai et il faisait déjà chaud – presque trente-huit degrés à McCullough, trente-deux à Austin. Il serait agréable de faire un tour au lac de Barton Springs, de se coucher dans l'herbe et de regarder les nageurs – couples en train de flirter, jeunes gens jouant au ballon –, de passer la journée seule dans un endroit où personne ne la connaîtrait. Elle n'irait pas, bien sûr. Certaines personnes pouvaient toujours vous surprendre – son arrière-grand-père, par exemple –, mais pas elle. *Je suis rasoir*, se dit-elle. *Prévisible. Mais courageuse à ma façon, courageuse malgré...* Elle n'aimait pas penser au Nord, à cette époque de sa vie. Elle y était malheureuse, elle était donc partie, voilà tout. Prendre des risques ne l'effrayait pas quand il s'agissait d'obtenir ce qu'elle voulait, même si ça échappait aux autres ; alors elle était véritablement courageuse. Mais comme personne ne le savait, cela ne comptait pas.

Le train roulait vers Austin. Il y avait davantage de voitures sur l'autoroute, le double ou le triple de ce qu'elle avait pu voir quand elle était petite ; la plupart des Texans vivaient aujourd'hui en ville, disait-on. Dans le comté de Dimmit, ça ne se voyait pas. Elle regarda un pick-up à l'arrière duquel se serraient une demi-douzaine de Mexicains, genoux repliés contre un tas de ferraille, tandis que le chauffeur zigzaguait, changeant constamment de file ; à la moindre erreur ils valseraient tous sur la chaussée. Elle se demanda pourquoi ils se laissaient traiter de la sorte. Des animaux, disait son père. Les jours d'élection, elle l'accompagnait dans le quartier sud de McCullough : rues poussiéreuses, cahutes de tôle d'où pendaient des tresses de piments et de la viande de chèvre, et partout le bourdonnement des mouches. Son père distribuait des pavés de bœuf stockés dans la glacière à l'arrière de son véhicule, ainsi que des caisses de bières tièdes ; il acquittait l'impôt nécessaire à ce que ces gens puissent voter et leur montrait comment cocher le bulletin. *Gracias, patrón. Gracias.* Ils étaient plus affables que les nègres – encore une chose que disait toujours son père.

Les fenêtres du train étaient ouvertes et la brise lui rafraîchissait le visage, mais sous sa robe et sous les aisselles, elle transpirait. C'était l'époque de l'année où la chaleur s'affranchissait, torture insidieuse. Ou plutôt non. C'était comme un coup de massue sur la tête d'un veau. Et ça ne ferait qu'empirer jusqu'en septembre. De l'autre côté du compartiment, trois soldats la regardaient à la dérobée, dont un bien plus âgé que les deux autres, des Mexicains tout intimidés qui avaient à peine son âge. La plupart des bureaux de conscription n'avaient pas encore appelé les Blancs, même si certains, comme les frères de Jeannie, s'étaient enrôlés volontairement.

Elle étudia son reflet superposé au paysage sec qui défilait par la fenêtre. *Je suis jolie*, se dit-elle. Il y avait plus jolie, mais elle était bien au-dessus de la moyenne. Phineas va me proposer un poste. Une sorte de conseillère particulière, de confidente. Mais ça n'était pas possible non plus. Elle n'avait même pas les compétences pour être secrétaire puisqu'il fallait connaître la sténo. Il n'y avait rien qu'elle sût vraiment faire, rien qu'elle maîtrisât. De l'amateurisme. À quoi bon. Si elle disparaissait à cet instant, ça ne changerait rien pour personne.

Sensiblerie, sensiblerie. Elle appuya sa tête contre la vitre et sentit les vibrations du train. *Ce n'est même pas un mot à toi*, pensa-t-elle, *c'est Jonas qui dit ça*. Au nord, elle apercevait les collines, la proéminence du Llano. Le Colonel, lui, savait ces choses-là : ce rocher a dix millions d'années, celui-ci deux cents, là c'est une fougère prise dans la pierre. Voilà que les soldats la regardaient ouvertement. Jeune encore, c'est-à-dire un ou deux ans auparavant, elle les aurait fixés jusqu'à leur faire baisser les yeux ; mais elle les laissa la boire du regard et s'adonner à leurs fantasmes – c'est du moins ce qu'elle s'imaginait. Dans quelques mois ils partiraient à la guerre et beaucoup ne reviendraient pas, prenant leur dernier repos dans une terre étrangère. Le cas de tous les trois, peut-être, leur histoire coupée court. Elle se demanda qui survivrait ; elle misa sur le plus grand, mais comment savoir – les temps avaient changé : une seule bombe faisait des centaines de morts, des centaines de mères éplorées. Saisie par l'émotion, elle se demanda si elle ne pourrait pas leur offrir quelque chose, des cigarettes ou un soda. Mais c'était un geste vide de sens, l'argent ne pouvait pas les aider. Il n'y avait qu'une seule chose qui serait significative, et elle s'autorisa à y penser un moment, croisant et décroisant les jambes, ajustant sa robe. Ça lui avait traversé la tête, mais c'était hors de question, elle ne s'était jamais offerte à personne. Au fond, quelle importance ? Parfois elle aurait donné n'importe quoi, vraiment n'importe quoi, pour être soulagée de sa virginité. Mais non, se dit-elle, impossible, ça ne pouvait pas être un quelconque soldat boutonneux, ni cet autre, plus âgé et plus inquiétant, avec autour du cou une marque rouge laissée par le rasage comme elle aurait pu l'être par une corde. C'est lui qui va mourir. Elle le sut aussitôt. C'était excitant. Un vrai mélodrame.

Puis elle se sentit coupable. Elle pensa à ses frères, qui étaient encore en Amérique, à s'entraîner en Géorgie. À coup sûr Clint allait vouloir crâner et se ferait tuer. Paul ferait plus attention, encore qu'il se laisserait facilement convaincre de prendre des risques, surtout si c'était pour tirer d'affaire un ami. Pourvu qu'il n'ait pas d'amis, sinon il se ferait sûrement tuer. Jonas s'en tirerait : c'était le seul de ses frères qui se comportât en héritier. Il ne prendrait aucun risque s'il y avait quelqu'un d'autre pour le prendre à sa place. Et il était officier.

L'herbe avait déjà bruni sous l'effet de la chaleur. Au sud, la plaine texane s'étendait jusqu'au Mexique ;

au nord commençait le relief. L'été recouvrait tout d'un voile jaune. Un mulet tirait une charrue. Sans qu'elle puisse l'expliquer, il était clair qu'il ne pleuvrait pas des semaines durant ; l'aridité était telle qu'on se disait qu'il ne pleuvrait peut-être même plus jamais.

Son oncle Phineas était un homme puissant, président de la Commission des Chemins de Fer, plus puissant que le gouverneur, disait-on. Ce n'était pas vraiment son oncle, mais son grand-oncle, et il fixait la quantité de pétrole qu'on pouvait extraire sur l'ensemble du territoire texan. Ce qui, apparemment, en déterminait le prix. C'était sans doute comme pour le bétail. En cas de sécheresse, tout le monde devait vendre au plus vite, de sorte que les prix baissaient, même s'ils remontaient lorsque la viande se raréfiait. Sauf que les usines bloquaient maintenant le processus – elles achetaient la viande au rabais à des éleveurs qui avaient le couteau sous la gorge, tout en faisant monter les prix à l'autre bout – allant dire aux clients des villes, qui n'y connaissaient rien, que sécheresse signifiait pénurie. C'était là que se faisait maintenant l'argent : non plus dans les pâturages, mais dans ces bâtiments de béton. Armour & Swift. Son père les détestait. En attendant, il y avait plus de pétrole au Texas que partout ailleurs dans le monde. Les gens de cette industrie-là, on ne les entendait guère se plaindre.

Elle ouvrit les yeux. Elle était allongée par terre dans la grande salle, à regarder le feu. Elle voyait son bras : peau flasque et presque translucide, montre de travers au poignet. Peut-être qu'elle arriverait à remuer un doigt ? Non. Ses yeux balayèrent la pièce puis se posèrent sur un globe terrestre près du divan. Il n'était pas plus vieux qu'elle et pourtant bien des pays y figurant avaient cessé d'exister. Un individu seul n'avait aucune chance. Elle vit que le mortier de la cheminée s'effritait ; bientôt les pierres se descelleraient. *C'est arrivé quand ?* se demanda-t-elle. Puis elle se dit : *Moi-même je ne m'attendais pas à vivre aussi longtemps.* Sauf qu'elle mentait. Elle avait toujours su que c'était les autres qui y passeraient avant elle.

La mort, compagne de chaque instant ; pas comme dans le Nord policé. Jonas l'avait senti et s'était protégé. *Toi, tu ne te rendais pas compte.* Ou bien si, mais tu croyais pouvoir y échapper. Elle regarda les braises. Elle se demanda si elle l'avait vraiment su d'avance, pour Paul et Clint, ou si c'était encore un tour de l'esprit, d'imprimer dans la mémoire quelque chose qui n'avait jamais existé, comme une cassette trafiquée.

Phineas avait été bon pour elle. C'était difficile de mesurer le pouvoir dont il disposait à l'époque : comme l'OPEP bien des années plus tard, la Commission des Chemins de Fer contrôlait le prix du pétrole dans le monde entier. Phineas était devenu extrêmement riche. Il avait entre ses mains la fortune de tous les acteurs de l'industrie pétrolière texane, et de tous les politiques – vous pouviez forer tant que vous vouliez, mais impossible de pomper une goutte de pétrole sans son feu vert.

Les bureaux de la commission se trouvaient dans un immeuble gouvernemental austère. Seul indice de leur présence : les voitures – des Packard, une Cadillac Sixteen, des Lincoln Zephyr et des Continental. Phineas avait un bureau d'angle, aux murs tapissés de trophées : la Winchester Yellowboy du Colonel, une paire de Colts Peacemaker, des plaques de l'Association des Éleveurs du Sud-Ouest et de celle des *Old Trail Drivers*, qui conservait la mémoire des transhumances du dix-neuvième siècle. Et puis des photos de lui avec des éléphants, des lions et toutes sortes de gibiers à ramure – il avait chassé sur les cinq continents. Et puis d'autres avec Teddy Roosevelt à Cuba : Phineas, tout sourire, plus sûr de lui que le vieil homme.

Il avait maintenant soixante-quinze ans et, lorsqu'il était assis, dégageait toujours une impression de pouvoir. Rien à voir avec le Colonel : grand, d'épais cheveux blancs, des costumes de prix, de ravissantes secrétaires. Il ne portait ni bottes de cow-boy, ni bolo – affectations d'une génération encore à venir –, et ressemblait plutôt à un banquier de la côte Est.

Mais sa santé déclinait. Il avait les jambes enflées et le cœur fragile. Il n'atteindrait jamais l'âge de son père, c'était évident.

Jeannie observa la secrétaire qui déposait devant eux du café et une assiette de *kolaches*, ces gâteaux tchèques adoptés par les Texans : une brune aux yeux violets, pommettes saillantes, silhouette impeccable – Jeannie ne serait jamais assez jolie. Phineas lui demanda des nouvelles de Paul et de Clint, et la félicita d'avoir terminé le lycée. Est-ce qu'elle avait des projets ? Pas particulièrement. Elle s'installa dans un fauteuil d'où on voyait le Capitole et le centre d'Austin. On n'était qu'à cinq heures du ranch mais le dépaysement était total.

Une fois que la secrétaire eut fermé la porte, quelque chose changea dans la façon d'être de Phineas ; Jeannie sut qu'il comptait parler affaires.

« J'imagine qu'il est clair pour toi comme pour moi que le ranch perd de l'argent. »

Elle hocha la tête, bien que ce ne fût pas clair du tout : le prix de la viande n'avait cessé d'augmenter depuis le début de la guerre.

« J'ai vécu sur cette terre avant même que la région soit pacifiée, poursuivit-il. J'y ai enterré ma mère, mon père et mon frère. Et voici que mon neveu – ton père – mène la propriété droit dans le mur. Il dépense sans scrupule l'argent de la famille, à croire que les billets repoussent comme l'herbe au printemps. Je me demande bien pourquoi le Colonel a fait de lui l'actionnaire majoritaire. » Il se laissa aller contre le dossier de sa chaise. « Tu as vu les comptes ?

— Je ne crois pas.

— Bien sûr que non. » Il lui fit signe de le rejoindre de son côté du bureau, où était ouvert un registre. Il désigna un chiffre : quatre cent mille dollars. « Les ventes de bétail l'an dernier. Ça paraît beaucoup, et ça l'est, parce que ton père vend beaucoup de bêtes. Mais les trente-sept pages qui suivent ne sont que des dépenses. » Il se mit à tourner les pages, une à une d'abord, puis par deux ou trois, jusqu'à la fin. Là, il désigna un autre chiffre, à peine inférieur à huit cent mille dollars. « Les dépenses du ranch représentent presque le double de ses revenus. »

Il doit y avoir une erreur, se dit-elle. Mais elle demanda plutôt : « Et ça dure depuis combien de temps ?

— Oh, vingt ans, au moins. La seule chose qui nous empêche de passer dans le rouge, c'est le pétrole et le gaz. Mais les puits sont vieux et peu profonds, et le Colonel, dans sa grande sagesse, n'a accordé de concessions que sur quelques petits milliers d'hectares, pensant qu'on négocierait le reste à des prix bien plus élevés. Ce que nous n'avons pas encore fait. »

Il marqua un nouveau temps.

« Pour des raisons qui m'échappent, il y a dans notre État un club d'enfants riches qui aiment jouer aux éleveurs. Si tant est que ce terme ait un sens aujourd'hui. Bob Kleberg a mis dans la tête de ton père qu'avec quelques modernisations, de meilleurs taureaux et deux trois portails automatiques, il pouvait gagner de l'argent en vendant de la viande, exploit auquel Kleberg n'est pas parvenu sur ses propres terres. Comme tu le sais peut-être, ou peut-être pas, le ranch King, avec ses cinq cent mille hectares, était au bord de la faillite jusqu'à ce que Humble Oil leur prête trois millions de dollars. Ce qui d'ailleurs est bien dommage, car j'avais fait à Alice King une proposition très généreuse. Et puis j'ai toujours aimé la côte. »

Il observa sa réaction, mais elle ne dit rien, aussi poursuivit-il.

« Ton père compte sur le fait que je ne vivrai pas éternellement : il croit qu'une fois qu'il aura mon argent ça résoudra tous ses problèmes. Ce qu'il ne semble pas comprendre – à moins qu'il ne s'en fiche, tout simplement –, c'est que, même avec mon argent, le ranch fera faillite. La seule question, c'est combien de millions il aura engloutis avant. »

Voilà donc pourquoi il l'avait fait venir : il voulait qu'elle trahisse son père. Elle s'étonna de constater que c'était bien moins problématique qu'elle n'aurait pu l'espérer. Son père, malgré son image de dur à cuire, était un dandy. Elle l'avait toujours su – peut-être parce que le Colonel passait son temps à le dire. Gagner de l'argent était le cadet de ses soucis : ce qu'il voulait, c'était faire la une des magazines, comme le Colonel avant lui. Elle avait toujours su que le Colonel n'avait aucun respect pour lui et elle voyait à présent que Phineas, l'autre célébrité de la famille, ne le respectait pas non plus.

« Tu veux que nous allions déjeuner ? Ou bien as-tu encore un peu de patience pour les affaires ?

— Ça va, dit-elle.

— Bien. Dis-moi ce que tu sais de la provision pour reconstitution des gisements.

— Rien.

— Bien sûr. Et ton père n'en sait pas plus long. La provision pour reconstitution des gisements contribue à faire de l'industrie pétrolière quelque chose d'aussi éloigné de l'élevage de bétail que le pôle Nord l'est du pôle Sud. À l'heure actuelle, elle dit que si tu creuses des puits pour trouver du pétrole, tu peux déduire vingt-sept pour cent et demi de tes revenus.

— Pour compenser les dépenses liées à la prospection ?

— C'est en tout cas ce que nous racontons aux journaux, même si en général soixante pour cent de ces dépenses sont déjà passés en frais généraux.

La provision pour reconstitution des gisements est quelque chose de totalement différent. Chaque année, un puits qui produit du pétrole te fait gagner de l'argent tout en te permettant de réduire tes impôts.

— Tu fais un bénéfice, mais tu appelles ça une perte. »

Elle voyait bien qu'il était satisfait.

« Ça paraît malhonnête.

— Au contraire. C'est la loi, aux États-Unis.

— Quand même.

— Quand même rien du tout. Cette loi a une bonne raison d'être. Il y a des gens pour élever du bétail, même à perte : pas besoin de mesures incitatives. Alors que le pétrole, lui, coûte cher à trouver, et encore plus cher à extraire. C'est une entreprise infiniment plus risquée. Alors si le gouvernement veut que nous trouvions du pétrole, il doit nous encourager.

— Donc on devrait forer ?

— Bien sûr qu'on devrait forer. Que ton père reste obsédé par les vaches, ça me dépasse. L'argent qu'on a gagné jadis, on le doit à un excès de cheptel qui a consommé en dix ans l'herbe de pâturages millénaires. On bourrait les prés comme ces tiroirs à dossiers, là, pleins à ras bord, c'était comme à la mine : une mine d'herbe. Mais comme tu dois le savoir à force de m'écouter, les réalités concrètes, c'est ennuyeux, surtout pour les gens comme ton père. Que font tous ces péquenauds du Kentucky qui boursicotent quand ils gagnent leur premier million ? Ils achètent un ranch qu'ils remplissent de vaches Hereford, de la même manière qu'ils se paient une Packard et une jolie femme. Mais ils n'attendent pas plus du ranch que de la voiture ou de la femme que l'investissement soit rentable.

«En attendant, nous autres, nous devons vivre avec notre temps. Je reçois des appels du secrétaire d'État à la Marine qui ne veut pas le moindre contrôle de la production. Ce qu'il veut, c'est du forage, du forage et encore du forage : le seul avantage qu'on ait sur les Allemands, c'est notre pétrole. Un oléoduc est en construction entre ici et le New Jersey, où sont toutes les raffineries, et on attend le pétrole texan jusqu'à la moindre goutte.»

Il regardait dehors. Il se remit à parler, mais elle n'arrivait pas à suivre – encore des histoires d'impôts – et elle commençait à se sentir mal : elle ne pouvait pas parler de ça à son père, c'était impossible. *La guerre ne durera pas éternellement*, c'est ce qu'il disait toujours, *tout redeviendra comme avant.* Elle se demanda ce que ça faisait d'être son père, se prendre au sérieux comme ça, se fantasmer comme une sorte de prince – le prince d'un pays dont, certes, personne n'aurait jamais entendu parler. Bien sûr, à sa décharge, les gens s'étaient mis à lui donner raison ces derniers temps. Le Colonel était mort depuis suffisamment longtemps pour que le père de Jeannie intéressât les journalistes ; ils venaient le voir et il leur racontait les histoires du Colonel, mélangées aux siennes – la fois où le Colonel et lui avaient pris d'assaut une maison pleine de voleurs de chevaux mexicains pendant ce qu'on appelait les «*bandit wars*» de 1915, cette série d'attaques perpétrées contre les ranchs par des rebelles mexicains. On disait aussi qu'il avait tué un homme de sang-froid.

N'importe, son père appartenait à une race en voie de disparition, qu'on s'en réjouisse ou qu'on le déplore. Presque toutes les vieilles familles d'éleveurs avaient fait faillite et la plupart des gens vivaient en ville, ce qu'elle n'arrivait d'ailleurs toujours pas à comprendre. L'époque de la Conquête de l'Ouest était terminée, et ce depuis longtemps, même si certains ne voulaient pas l'admettre. Quant à son père, avec ses traits épais et ses grosses mains, il était enfin devenu ce à quoi il aspirait depuis l'enfance : le représentant d'une époque disparue, le héraut du bon vieux temps. Que lui-même ne l'ait pas connu importait peu : il emmenait les journalistes voir les corrals et leur sortait le grand jeu, jouant du lasso et leur montrant comment séparer un animal du troupeau. Il entretenait quelques vieux chevaux, plus doux, pour les visiteurs, ce qui aurait été impensable jadis : les chevaux coûtaient cher et ils servaient à travailler, pas à s'amuser.

Un bruit de klaxon la tira de ses pensées. Phineas parlait toujours.

« ... même si encore presque personne n'a l'électricité dans la région des Collines et même si on rencontre encore parfois un gosse déguenillé à dos d'âne, cette guerre a fait entrer le reste du monde de plain-pied dans la modernité. La cavalerie polonaise s'est cassé les dents sur les chars allemands, le moindre cannibale du Pacifique Sud a déjà vu un chasseur Zéro, et s'il y avait encore quelqu'un pour douter que l'ère du cheval est révolue, la question est maintenant réglée. »

Elle hocha la tête. C'était évident, même pour elle.

« Jeannie, dit-il, sous peu on trouvera que notre époque ne consommait quasiment pas de pétrole. Et c'est pour ça qu'il faut que nous creusions des puits. Je suis fatigué de prêter de l'argent à ton père. »

Le train du retour, le lendemain, fit un long arrêt à San Antonio. L'air était immobile, le soleil tapait sur le wagon. Elle s'appuya contre la vitre et s'efforça de respirer lentement, en pensant à des choses fraîches : les étangs, la source de la *casa mayor*. Il y avait des soldats partout, des Mexicains qui transpiraient dans leurs uniformes, tête pendante, baignés de sueur, n'espérant pas plus loin que le redémarrage du train. On aurait dit un troupeau de bœufs en route pour l'abattoir. On avait abandonné des milliers d'hommes aux Japonais, qui les décapitaient à l'épée. Même si MacArthur, lui, s'était échappé. Avec un peu trop de morgue au goût de Jeannie.

Elle scruta les visages mais ils avaient tous les yeux baissés. Des morts vivants. Combien n'étaient même pas encore des hommes ? Elle n'en pouvait plus d'être seule, mais elle voyait d'ici la tête de son père : *Je l'ai donnée à un soldat*, fini le grand fardeau. Clint et Paul avaient été dans une maison à Carrizo. Son père l'avait su à l'avance. *Mais moi je n'ai pas le droit*.

Quand elle était plus jeune et qu'elle trouvait son père en train de travailler dans son bureau, elle s'asseyait à côté de lui pour lire, ou bien s'accrochait à son cou et regardait par-dessus son épaule, jusqu'à ce qu'il finisse par se tourner vers elle pour lui donner un baiser muet, signe qu'elle devait le laisser tranquille.

C'était tout ce qu'il avait à offrir. Un câlin et un baiser. Mais il embrassait aussi ses chevaux, et consacrait des mois à les comprendre, bien davantage que ce qu'il avait jamais consacré à sa fille.

Phineas ne faisait que se servir d'elle, certes, mais il lui avait donné de son temps, même lorsqu'elle était petite ; il ne devait pas trouver ça bien passionnant et pourtant il avait mis un point d'honneur à lui expliquer tout un tas de choses. Pour son père, elle ne représentait qu'une gêne. Un désagrément. Quelque chose qui aurait pu être un fils.

Elle exagérait, ce n'était pas totalement vrai, mais c'est qu'elle enrageait de ces soirées passées seule dans la maison tandis que son père et ses frères restaient dans les pâturages. Ça allait mieux depuis le départ de Clint et de Paul, mais ce n'était pas mirobolant. Il t'aime, se dit-elle, mais il préfère ne pas penser à toi. Que préférait-il ? Les chevaux. Les vaches. Les femmes, peut-être, encore que si c'était le cas, elle n'en avait jamais eu vent. Elle décida que si elle avait un jour des enfants, elle ne les laisserait jamais seuls.

« De toute façon je n'aurai pas d'enfants », dit-elle tout haut.

L'employé des wagons-lits qui se tenait dans l'embrasure de la porte, un nègre, leva les yeux, puis les détourna, gêné. Le train se mit en branle. Elle se demanda ce qu'elle dirait à son père.

À seize ans, elle avait embrassé un vaquero dans l'écurie qu'il était censé nettoyer ; ils étaient restés là dix minutes, la langue du garçon remuant, légère, dans sa bouche. Toute la nuit, elle avait pensé à lui, à ses pommettes, à ses cils soyeux. Mais quand elle était allée le trouver le lendemain, il ne l'avait pas laissée approcher. Une semaine plus tard, il était parti. Elle savait que personne ne les avait vus ; c'était comme si son père l'avait senti, senti que quelque chose la rendait heureuse, et qu'il avait tout gâché.

En attendant, il se fichait que la famille décline. Lui seul comptait. Ils finiraient sur la paille et tout ce qu'ils avaient accompli tomberait dans l'oubli. Leur sort ne serait pas différent de celui des Garcia : une maison en ruine où joueraient des enfants étrangers, une jeune fille dans une tombe. Elle s'appuya contre la vitre et écouta le roulement de la machine sur les rails en dessous, la fin était inéluctable.

Non. Elle ne le permettrait pas. Elle ne savait pas comment, mais elle arrêterait son père, c'était une certitude absolue. Phineas était vieux, son père était un âne et Jonas ne pensait qu'à lui. Paul et Clint étaient de joyeux sauvages, qui caracolaient sans rien dans la tête. *Il ne reste que moi*, pensa-t-elle. *Je vais devoir faire quelque chose.*

Jorge vint la chercher à la gare de Carrizo. Elle n'avait pas envie de parler, aussi s'assit-elle à l'arrière, ce qu'elle ne faisait normalement pas ; il n'était pas dans son tempérament de traiter les gens comme des domestiques. Mais Jorge n'en prit pas ombrage. Il eut même plutôt l'air soulagé. Il aimait autant qu'elle pouvoir rester dans ses pensées, faire un tour en voiture pour réfléchir, comme elle, considérer sa vie, tourner ses problèmes dans sa tête. Elle en fut gênée, sans trop savoir pourquoi.

Comme ils remontaient l'allée de caliche, la maison apparut au sommet de la colline, d'un blanc éblouissant en plein soleil dans le vert sombre des chênes et des ormes, sous un ciel bleu pâle de chaleur. Laquelle chaleur serait insoutenable au troisième étage et à peine supportable au deuxième. Ce soir Jeannie dormirait sur son balcon couvert, avec une bassine d'eau glacée sur les draps et deux ventilateurs. Elle reconnut, garé devant la maison, le coupé noir de sa grand-mère. Le chauffeur, un Blanc, était assis tout seul sur la galerie, loin des vaqueros qui dînaient bruyamment.

On avait tiré les rideaux contre le soleil et la maison sentait la pierre chaude. Jeannie monta changer de robe ; elle se recoiffa et se rafraîchit le visage avant de descendre retrouver son père et sa grand-mère dans la salle à manger.

Son père sourit et se leva pour l'embrasser, et elle sut aussitôt qu'il se passait quelque chose. Elle se dit qu'un de ses frères avait peut-être été blessé, puis elle se souvint qu'ils n'avaient même pas encore quitté le pays. Bien sûr, ça ne voulait rien dire : un de leurs vaqueros avait perdu son fils pendant sa période d'entraînement, écrasé par une jeep de l'armée. Tout ça lui traversa la tête en une seconde, mais elle l'en chassa aussitôt. On ne souperait pas tranquillement s'il était arrivé quelque chose à Paul ou à Clint.

Sa grand-mère, plus faible encore que Phineas, ne se leva pas ; Jeannie la salua et l'embrassa sur la joue.

« Comment s'est passé ton voyage ?

— Chaudement.

— Et comment va Phineas ?

— Bien. »

Son père, qui n'appréciait guère Oncle Phineas, enchaîna : « Ta grand-mère était justement en train de me dire qu'elle avait parlé au doyen de la faculté de Southwestern, à Georgetown. »

Jeannie hocha la tête.

« Tu peux faire ta rentrée en août.

— Ah, en fait ça ne m'intéresse pas », dit-elle gaiement, comme si on lui avait demandé son avis.

Il y eut un échange de regards entre sa grand-mère et son père, puis ce dernier poursuivit : « Jeannie, ce n'est pas toujours drôle, mais dans la vie on a tous des responsabilités. Moi je dois faire tourner ce ranch. Ta grand-mère ici présente doit veiller à ce que je ne fasse pas de bêtises. » Il sourit à sa mère d'un air indulgent. « Et toi, tu dois faire des études. »

Il ne la respecte pas, pensa soudain Jeannie. Elle en fut estomaquée. Sa discussion avec Phineas n'était que du vent, sans valeur. Elle se sentit glacée. Elle finirait à Southwestern ; il faudrait bien s'y faire.

« Cette fois-ci, tu ne seras pas loin », dit sa grand-mère.

Plus tard, elle ne se souviendrait pas avoir pris de décision, c'était comme si les mots étaient sortis tout seuls. « Je ne serai pas secrétaire.

— Rien ne t'y oblige.

— Ni institutrice.

— On a tous des obligations, Jeannie.

— J'ai eu cette même discussion avec Phineas », dit-elle avec légèreté. Elle but un peu d'eau.

« Eh bien tu vois.

— Il m'a montré les comptes. »

Son père commença à parler mais ses mots à elle le rattrapèrent. Elle avait voulu le regarder droit dans les yeux, mais se contenta de fixer son assiette. « La vérité c'est que le ranch ne tourne pas. Pas du tout. »

Elle leva la tête ; l'expression de son père ne trahissait rien. Du coin de l'œil, elle vit que sa grand-mère essayait d'attirer son attention.

« Je sais ce qu'on perd, avec le bétail.

— Oui, oh, tu ne devrais pas trop écouter ce vieux Phineas », dit son père. Il tenta de sourire à nouveau, mais n'y parvint pas.

Elle se sentit nauséeuse. Est-ce qu'elle avait attrapé la fièvre dans le train ?

« ... ce ranch n'est pas un endroit pour une jeune fille aussi douée que toi, dit son père. Tu entreras à l'université – une chance que, personnellement, je n'ai jamais eue – à la fin de l'été.

— Ta vie n'est pas plus dure que la mienne, dit-elle. Tu vis dans une maison à vingt mille dollars, mais tu fais comme si on était à la rue. On perd quatre cent mille dollars par an avec ton bétail. Phineas dit qu'il est fatigué de te prêter de l'argent. Il va falloir faire quelque chose. »

Voilà : trahison déclarée. Son père était en train de dire : *Quitte la table, quitte la table immédiatement.* « Non », répondit-elle. Elle n'aurait d'ailleurs sans doute pas pu ; ses jambes ne l'auraient pas portée. « Jour après jour tu fais semblant de subvenir aux besoins de la famille, quand tout ce que tu fais, c'est de gaspiller son argent.

— C'est mon argent, dit-il. Pas le tien. Tu n'as pas voix au chapitre, tu n'es qu'une enfant.

— C'est l'argent du Colonel. Tu n'as jamais gagné l'ombre d'un dollar.

— Arrête.

— Ça fait deux semaines que nous n'avons pas soupé ensemble. Pourquoi ? Parce que tu joues avec tes chevaux. La fois d'avant remonte à presque six semaines. Si tu peux faire ça, c'est uniquement grâce au pétrole. »

Elle s'attendait à prendre une gifle, mais son père sembla se calmer et dit : « Le pétrole paie les aménagements qu'on fait sur nos terres, ma chérie. Il paie pour qu'on n'ait pas à dormir dans la boue quand on rassemble les bêtes, pour qu'on puisse rentrer à la maison et dormir dans de vrais lits. Il paie aussi l'avion, parce qu'on ne peut plus embaucher assez de monde pour surveiller les pâturages à cheval.

— Eh bien, peut-être qu'on ferait mieux d'arrêter de rassembler les bêtes une fois pour toutes, dit-elle. Ça nous économiserait beaucoup d'argent. »

Alors il se leva, se posta devant elle, s'avança, et puis rien. Il fit demi-tour et quitta la pièce. Elle l'entendit arpenter lentement la maison dans un tour rassurant du propriétaire. Ses pas descendirent le couloir et passèrent devant le petit salon pour atteindre la porte d'entrée qui claqua derrière lui.

« C'était parfaitement idiot de ta part », dit sa grand-mère.

Jeannie haussa les épaules. Avait-elle détruit son univers ? Quelque chose lui dit qu'elle n'y avait de toute façon jamais tenu. Un jour plus tôt, une heure plus tôt, il eût été impensable qu'elle parlât ainsi à son père, ou à qui que ce fût d'autre.

«Je ne savais pas que tu avais peur de lui, dit-elle. C'est parce que le Colonel ne t'a rien laissé?»

Sa grand-mère fit mine de l'ignorer. «Tu ne peux pas rester ici, Jeannie. Encore moins après ça.»

Jeannie se dit que si elle devait ne jamais reparler à sa grand-mère, ni à quiconque de sa famille, elle ne s'en porterait pas plus mal.

«Ton père ne va pas te laisser à la tête du ranch.

— Il n'y a pas de ranch. On vit de pétrole et d'emprunts.

— C'est Phineas qui t'a écrit ce petit discours? Parce que si tu penses qu'une femme aura la moindre place dans ses manigances, tu te trompes.» Elle eut un air mauvais. «Et à plus d'un titre.

— Eh bien, nous verrons.» Elle pensait à son père, à sa maigreur; elle savait qu'il se réveillait la nuit.

Sa grand-mère posa soigneusement son couteau et sa fourchette de part et d'autre de son assiette. Tout en lissant la nappe d'une main, elle but une gorgée de sherry. «Je sais depuis toujours que tu me trouves ennuyeuse, dit-elle. Tu penses que c'est ma nature, ou mon tempérament, ou sans doute n'y as-tu même jamais pensé. Mais quand j'ai décidé de venir vivre ici, je me suis retrouvée à devoir choisir entre être aimée et avoir mon mot à dire. Et toi aussi tu vas devoir choisir. Ou bien ils t'aimeront mais ne te respecteront pas, ou bien ils te respecteront mais ne t'aimeront pas.

— Les choses changent.

— C'est peut-être l'impression qu'elles donnent, mais quand la guerre sera finie et que les hommes rentreront, elles redeviendront ce qu'elles ont toujours été.

— Eh bien, nous verrons, répéta Jeannie.

— Cet endroit... », dit sa grand-mère. D'un geste de la main, elle balaya non seulement Jeannie, mais aussi tout le reste : la maison, la terre, leur réputation. « J'ai beau appartenir à la plus riche famille de quatre comtés, on me jette encore des regards noirs quand je vais voter. »

Il y eut un silence. Jeannie comprit que, toutes ces années, elle n'avait demandé que ça – que sa grand-mère la traitât en confidente, en personne à part entière –, mais voilà qu'elle n'en voulait plus. Sans doute aurait-elle dû se sentir flattée. Or elle avait honte. Honte que sa grand-mère se fasse humilier par son propre fils, honte qu'elle se plaigne de son sexe. L'empathie qu'elle aurait dû ressentir se mua en colère : sa grand-mère aurait dû frayer avec les bonnes personnes et résoudre ce problème de société, car si elle ne s'en chargeait pas, qui le ferait ? C'était pure faiblesse, de la part de la famille entière, et Jeannie sentit la peur et le respect que toute sa vie cette femme lui avait inspirés se dissoudre aussi vite que ceux qu'elle avait eus pour son père. Elle se redressa sur sa chaise et lissa sa robe ; elle serait seule dans la vie, c'était clair, mais pour l'heure elle s'en fichait.

« Tu ne trouveras pas de mari ici pour comprendre qu'on en est au vingtième siècle. Tu entends ?

— Tu veux dire que je finirai comme toi.

— Exactement. Mariée à quelqu'un comme ton père ou ton grand-père ou tes frères. Pour le genre d'homme qui choisit de vivre ici, tu ne seras jamais qu'un endroit où se réchauffer.

— Pas moi.

— Tu n'auras pas le choix, Jeannie. »

Chapitre 21

JOURNAL DE PETER MCCULLOUGH

10 mars 1916

Hier, Pancho Villa est passé au Nouveau-Mexique et a fait vingt morts. Aujourd'hui on ne voit guère de Blancs se promener sans pistolet ou carabine, même pour aller à l'épicerie.

Les Allemands ont promis d'envoyer leur infanterie en renfort de l'armée mexicaine si celle-ci décidait de franchir la frontière. La ville est en émoi ; nous ne sommes qu'à quinze kilomètres du rio Grande.

Je garde pour moi qu'il est peu probable que le Kaiser Guillaume envoie des troupes à McCullough Springs quand il perd dix mille hommes par jour en France. Je garde aussi pour moi que le nombre d'Américains tués à Columbus est le même que le nombre de *Tejanos* qu'on retrouve morts chaque matin dans les fossés du sud du Texas. Je garde tout cela pour moi parce que cette nouvelle menace semble arranger tout le monde : les voisins qui ne se parlaient plus sont redevenus amis, les femmes ont à nouveau des raisons de faire l'amour à leur mari, les enfants rebelles s'acquittent sagement de leurs devoirs et rentrent à temps pour le dîner.

Quatre Mexicains retrouvés morts à la sortie de la ville, des adolescents. Personne ne connaît leur identité, ni celle de leurs meurtriers. Les vaqueros pensent que ce sont des *fuereños*, de l'intérieur du Mexique, mais comment ils déduisent ça d'un cadavre boursouflé, ça me dépasse. Aucune mention de l'incident dans le journal. S'il s'était agi de quatre mules mortes, il y aurait eu enquête, mais là, les gens se contentent de pester contre le coût de l'enterrement.

14 mars 1916

Encore du sang sur nos mains. Charles a été emmené à Carrizo. Il était en ville pour l'approvisionnement quand il est tombé sur Dutch Hollis. Il n'était que midi mais Dutch était déjà passablement ivre; devant les passants, nombreux à cette heure, il a accusé notre famille de divers crimes (dont nous sommes certainement coupables), et notamment d'avoir manigancé la mort des Garcia pour récupérer leurs terres.

Charles et lui se sont battus et Dutch l'a vite emporté; Charles est alors allé chercher son pistolet dans la voiture. Dutch a peut-être, ou peut-être pas, cherché à dégainer son couteau (un canif dans son étui, comme tous les hommes en portent ici). Charles l'a tué d'une balle en plein visage.

Notre contremaître, Garza, est arrivé à temps pour assister au dernier acte : *Madona, vous auriez dû voir ça, sa main n'a même pas tremblé*, m'a-t-il raconté, pensant que je serais fier.

Charles est rentré à la maison, mais sitôt après il a sellé son cheval, direction le Mexique. Le Colonel et moi l'avons rattrapé à quelques kilomètres du fleuve et convaincu de revenir.

« Ça va aller », lui ai-je dit en chemin.

Il a haussé les épaules.

« On va se dépatouiller. » Il n'a rien répondu. J'ai senti cet éternel sentiment d'impuissance m'envahir : mon existence est totalement vaine – ça semble en tout cas être l'avis général.

« Il l'a bien cherché, a dit Charles. À force de déblatérer ses saloperies dans toute la ville.

— Avec la mort de son frère...

— Son frère ? Et le mien, de frère ? » Il a talonné son cheval pour rattraper le Colonel, qui chevauchait devant nous. Ils se sont fait un signe de tête, sans un mot – compréhension tacite, comme entre mon père et Phineas. J'ai été pris de picotements... en fait c'est moi qui devrais fuir au Mexique...

Est-ce qu'il a eu raison ? Lui et Sally semblent du même avis... Est-ce qu'une quasi-mort équivaut à une mort ?

Le shérif Graham nous attendait à la maison. Fini le bluff, Charles est devenu livide. Mais Graham a dit qu'il n'y avait pas d'urgence. Il avait soif.

Nous avons passé le reste de la soirée tous les quatre sur la galerie, à boire du bourbon devant le coucher de soleil, eux trois de leur côté, discutant librement de la meilleure façon de gérer l'incident tandis que le ciel virait comme toujours au rouge sang, ce que, assis un peu à l'écart, j'étais le seul à trouver symbolique.

À les entendre parler de la mort de Dutch Hollis, on aurait pu croire à un accident dû à la foudre ou à une brusque inondation, la main de Dieu. Pas celle de mon fils. *Pas eu le choix, un réflexe*, et le shérif de hocher la tête et de boire notre alcool. Et mon père de lui remplir son verre.

Failli les interrompre pour faire remarquer que toute l'histoire de l'humanité participe d'un seul mouvement inexorable : celui qui va de l'instinct animal à la pensée rationnelle, du comportement inné au savoir acquis. Un jeune puma abandonné en pleine nature deviendra un puma adulte parfaitement normal. Mais un enfant qu'on abandonnerait pareillement deviendrait un sauvage méconnaissable, inapte à la vie en société. Pourtant il y a des gens pour prôner le contraire et dire que nous sommes des créatures instinctives, comme les loups.

Une fois la nuit tombée, et tout le monde convaincu de la droiture de mon fils, Graham a conduit Charles à Carrizo, l'avis général étant qu'il valait mieux qu'il passe la nuit en prison pour ménager l'opinion publique. En attendant, Glenn a gardé ses distances. Le moins qu'on puisse dire, c'est qu'il ne sait trop quoi penser de ce qu'a fait son frère.

15 mars 1916

J'ai été voir le corps de Dutch Hollis avant qu'on ne l'enterre. Il était dans le cabanon derrière le bureau du shérif, couché sur des blocs de glace, pas rasé, ni lavé, ses vêtements sales, tachés de sang. Et puis, comme tous les morts, il avait perdu le contrôle de ses entrailles. Il n'y a pas si longtemps, vingt ans peut-être, c'était un enfant réclamant sa mère... puis un adolescent en passe de devenir un homme... Je l'ai soudain revu en train de jouer du violon avec son frère chez les Midkiff. J'ai jeté un œil au petit trou noir à la lisière de son sourcil : une machinerie complexe, cassée pour toujours, jadis capable de mots et de musique... Nous avons mis un terme à tout cela.

Quelque chose brillait sous sa chemise : un pendentif de femme... Je l'ai soulevé, mais je n'arrivais pas à voir grand-chose dans la pénombre. Alors j'ai cassé la chaîne, ce qui a fait sursauter sa tête, et puis je suis sorti en vitesse pour retourner au soleil.

En arrivant à la maison (mon cœur battant la chamade tout du long, comme si j'avais commis un grand crime, comme si le crime n'était pas de l'avoir tué mais d'avoir pris son pendentif), j'ai vu qu'il n'y avait pas de photo, pas de message, pas de boucle de cheveux : le pendentif était vide. Je l'ai porté chez les Garcia pour l'y enterrer avec nos autres victimes, toujours persuadé d'être suivi, toujours en proie à la culpabilité. Il y a ceux qui sont nés pour être chasseurs et ceux qui sont nés pour être chassés... J'ai toujours su que j'étais de ces derniers.

16 mars 1916

Charles est rentré, mais il n'a pas le droit de quitter les quatre comtés sur lesquels s'étend notre propriété.

Il se promène la tête haute ; j'ai du mal à le regarder. Le juge Poole nous assure qu'il ne sera pas inculpé. Lui-même, le shérif et mon père ont d'ailleurs rendu visite à tous ceux qui risquaient d'être appelés comme jurés.

Je tiens à dire que je suis partagé entre l'espoir qu'il soit puni et celui qu'il soit disculpé. Non. Je ne suis pas partagé. Je ne veux qu'une chose, qu'il soit acquitté. Mais ses forfaits se multiplient... les forfaits de ce fils élevé de mes propres mains.

J'ai été en ville nous approvisionner, chapeau enfoncé bas sur le visage, terrifié tout du long à l'idée de tomber sur Esther Hollis, la mère de Dutch et de Bill. Et puis ce soir, à mon immense soulagement, je me suis souvenu qu'elle était morte depuis des années.

Ça n'a l'air de poser de problème à personne, et surtout pas aux Mexicains. Le *coraje*, ils disent : chaleur, poussière, épines. Ça arrive même aux chevaux. Alors, que ça arrive au petit-fils d'un grand *patrón* – un homme au sang vif –, comment s'en étonner. Surtout quand on salit la réputation de sa famille. Et en public, avec ça... En vérité, c'était la seule chose à faire.

Pendant ce temps, les deux frères Hollis se décomposent. Impossible de croire que nous soyons vraiment faits à l'image de Dieu. Nous tenons encore du reptile, de l'homme des cavernes inféodé à sa lance. De la créature des marais que nous fûmes. Et pourtant certains veulent y retourner. Rapproche-toi du reptile, disent-ils. Rapproche-toi du serpent, tapi à attendre. Bien sûr, ils ne disent pas *Serpent*, ils disent *Lion*, mais il n'y a guère de différence entre les deux, sinon en apparence.

24 mars 1916

Les jurés se sont prononcés : il n'y aura pas de poursuites.

2 avril 1916

Malgré Dutch Hollis et malgré les Garcia, notre nom pèse plus lourd que jamais. Là où je m'attends à de l'amertume, je rencontre le respect ; là où j'anticipe la jalousie, je trouve des encouragements. Ne volez pas les McCullough, ils vous tueront ; ne les calomniez pas, ils vous tueront aussi. Mon père pense que c'est parfait. Je lui dis que nous sommes au dixième siècle du second millénaire.

En fin de compte la réalité lui obéit : les gens nous voient comme des êtres à part. S'ils se rendaient compte que nous sommes faits de chair et de sang tout comme eux, ils nous pourchasseraient avec des fourches et des torches. Ou, plus exactement, avec des pieux et de l'eau bénite.

Au chapitre des souffrances extra-familiales, les hommes de Villa ont attaqué hier les quartiers de l'armée à Glenn Spring. Ça n'ôte rien à mon amitié pour le peuple mexicain, mais mon père et moi avons hâte de voir arriver notre fusil-mitrailleur Lewis, qui tire dix cartouches de calibre 30 à la seconde. Une bénédiction pour ceux qui doivent tenir à très peu contre beaucoup. Mais la guerre en Europe cause de gros retards de livraison.

Selon des sources fiables, le gouvernement mexicain se prépare à attaquer Laredo – les troupes de Carranza se rassembleraient de l'autre côté du rio Grande. Pour les Mexicains, il faut revenir à la frontière originelle (la Nueces). Pour les Texans, la frontière est quatre cent cinquante kilomètres plus au sud, près de Durango.

Sally veut aller vivre à San Antonio, à Dallas ou même à Austin – n'importe où, sauf ici.

«On est parfaitement en sécurité, lui ai-je dit. On n'est pas prêts de voir les Teutons ou l'armée mexicaine à notre porte.

— Ce n'est pas ça qui m'inquiète.

— Ce sont les garçons ?

— Oui. Les trois garçons. Les deux qui sont en vie et celui qui est mort.

— Ça va aller.

— Jusqu'à ce qu'ils recommencent. Ou que le frère de quelqu'un les retrouve.

— Il n'y a plus de fils Hollis. On s'en est chargés.

— Il y aura quelqu'un d'autre.»

J'ai failli lui dire que c'était sa récompense pour avoir épousé le fils du grand Eli McCullough, mais je me suis abstenu. J'étais vidé de toute énergie.

«Mes neveux à Dallas ont des carabines, a-t-elle dit. Ils s'en servent pour chasser le chevreuil. Ils font des études, ils courent après des filles qu'ils feraient mieux d'éviter, mais...» Elle a eu un sanglot. «J'ai été voir le petit...

— Dutch ? ai-je dit doucement.

— ... ils l'avaient mis dans un cabanon derrière le bureau de Bill Graham. Une honte.»

Je n'ai rien dit. Ça fait trop longtemps que ça va mal entre nous. Et puis chaque fois que je me suis pris à espérer, elle a tout gâché. J'ai détourné les yeux, je me suis renfermé.

« Tu vas peut-être rester seul ici, Pete. Je refuse de perdre un autre fils. »

Chapitre 22

ELI / TIEHTETI

Printemps 1851

Aux oreilles des Blancs, les noms des Indiens manquaient singulièrement de dignité et de logique, et augmentaient d'autant la difficulté à comprendre pourquoi il aurait fallu les traiter comme des êtres humains plutôt que comme des «nègres de la Prairie». Cela tenait à ce que les Comanches considéraient comme tabou d'utiliser le nom d'un mort. Contrairement aux Blancs, chez qui des millions de personnes se partagent une poignée d'appellations toutes interchangeables au final, un nom comanche vivait et mourait avec la personne qui le portait.

Ce n'étaient pas les parents qui choisissaient le nom de leur enfant, mais un membre de la famille ou une personnalité de la tribu, parfois en mémoire d'une action accomplie par cette personne, ou d'après tel objet qui l'inspirait. On pouvait toujours changer un nom qui ne profitait pas à celui qui le portait. Enfant chétif et timide, Fonce-sur-l'Ennemi avait ainsi reçu ce nom courageux censé l'aider, et ça avait marché. Certains membres de la tribu se voyaient « renommés » deux ou trois fois au cours de leur vie adulte, selon que leurs amis et leur famille trouvaient une appellation plus intéressante. Le propriétaire de la captive allemande Poils Jaunes, dont le nom de naissance était Six Cerfs, avait été renommé Pieds Paresseux à l'adolescence, ce qui lui était resté. Le fils de Toshaway, Loup Gras, devait son nom au fait que celui qui le lui avait donné avait vu un gros loup la veille de sa naissance : comme une telle vision n'était pas courante et que le nom n'était pas mauvais, il l'avait gardé. « Toshaway » signifiait « Bouton Brillant », nom qui remontait à sa naissance, mais ça me faisait bizarre de penser à lui en ces termes, aussi pour moi restait-il « Toshaway ». Les noms à consonance espagnole étaient fréquents, même s'ils ne voulaient souvent rien dire : Pizon, Escuté, Concho. Un guerrier dénommé Hisou-ancho avait été fait prisonnier à l'âge de sept ou huit ans : son nom de baptême était Jesus Sanchez et comme il ne répondait à rien d'autre, on l'avait gardé.

Bien des noms comanches étaient trop vulgaires pour être consignés par écrit, aussi, quand la situation l'exigeait, les Blancs les modifiaient. Le chef qui emmena le fameux raid contre Linnville en 1840 (au cours duquel cinq cents guerriers pillèrent un entrepôt de vêtements raffinés et s'enfuirent en hauts-de-forme, robes de mariée et chemises de soie) s'appelait Po-cha-na-quar-hip, ce qui signifiait Bite-Qui-Reste-Toujours-Dure. Mais pas plus cette version que la traduction plus délicate d'Érection Permanente ne pouvaient paraître dans les journaux, aussi décida-t-on de l'appeler Bosse-de-Bison. On le désigna ainsi jusqu'à sa mort, bien des années plus tard, sur une réserve où il tentait de se mettre à l'agriculture, dépouillé par les Blancs de sa terre et du prestige de son nom. N'empêche qu'à ses propres yeux il était encore Bite-Qui-Reste-Toujours-Dure.

L'homme-médecine qui conduisit avec Quanah Parker la nation comanche contre les Blancs dans la guerre de la Red River en 1874 s'appelait Isahataʔi, ce qui signifie Chatte-de-Coyote. Les journaux l'appelèrent Ishtai, Eshati, ou encore Eschiti, sans proposer de traduction. Un des neveux de Toshaway s'appelait A-Voulu-Baiser-une-Jument, nom acquis à l'adolescence, et Déteste-Travailler, je l'ai déjà dit, s'appelait d'abord Oiseau-sans-Pareil. Les Comanches étaient bon enfant et acceptaient avec humour les noms qu'on leur donnait, mais quand A-Voulu-Baiser-une-Jument obtint son premier scalp et qu'on décida de l'appeler désormais Homme-sur-la-Colline, il ne protesta pas.

Dès février, la tribu se retrouva affamée. La dernière grosse prise de bisons remontait à plus d'un an et la plupart des chevreuils, des wapitis et des antilopes de la région avaient été chassés au cours de l'hiver. Les rares animaux encore en vie ne se déplaçaient que de nuit, vivant tant bien que mal de brindilles et de broussailles sèches. Nous en étions déjà à suivre les rats de prairies jusqu'à leurs nids pour manger leurs stocks de fruits et de noix, ainsi que les rats des prairies eux-mêmes quand nous parvenions à les attraper ; la tribu entière savait que les très jeunes, les très vieux et les malades ne tarderaient pas à mourir, et c'est effectivement ce qui serait arrivé si nous n'étions pas tombés sur un troupeau de bisons en route vers le nord.

Tout le monde vit là le signe que notre malchance touchait à sa fin et que le Créateur de Toutes Choses nous avait pardonné. À l'apparition des premières fleurs du printemps, nous avions reconstitué nos provisions de viande et de peaux, et nous attendions l'été et la chaleur avec impatience, même si pour les femmes cela signifiait une double charge de travail, puisqu'elles devaient préparer les peaux pour l'arrivée des *comancheros*.

En mai, le temps des raids était revenu. L'année précédente, la bande avait perdu un tiers de ses effectifs et presque toute sa richesse en chevaux : si les expéditions de l'été n'étaient pas couronnées de succès, notre survie serait menacée. Toshaway était de la partie, mais Escuté, qui ne pouvait pas encore vraiment tirer à l'arc, reçut l'ordre de rester : je partirais à sa place. Nuukaru partirait aussi, mais contrairement aux autres jeunes braves, on ne l'entendait guère se répandre sur les exploits qu'il allait accomplir.

« N'aie pas l'air si abattu, dit Escuté. Tu pourras toujours ramener une superbe Mexicaine et m'écouter la baiser. »

Nuukaru secoua la tête.

« Laisse-moi deviner. Tu as un mauvais pressentiment.

— Arrête », dit-il en me désignant.

Escuté regarda dans ma direction : « Il a toujours de mauvais pressentiments, celui-là. Ne l'écoute pas.

338

— J'en ai eu un la dernière fois.

— Ah, le grand *puha tenahpʉ*. J'avais presque oublié.

— Les choses changent, dit-il. Qu'on le veuille ou non. Les Penatekas...

— Qu'ils aillent se faire foutre, les Penatekas. C'était les *tai?i* des Blancs et ils ont eu ce qu'ils méritaient.

— Ils étaient quatre fois plus nombreux que nous.

— C'étaient les putes des Blancs, ils ont attrapé leurs maladies.

— Ah, bien sûr. Les guerriers du plus grand raid jamais infligé aux Blancs étaient aussi leurs putes.

— Ça remonte à dix hivers.

— Leurs troupeaux de chevaux étaient gros comme des troupeaux de bisons.

— Nʉʉkaru, on a eu une seule mauvaise année et tu es un putain de rabat-joie. Tu n'as qu'à demander à pouvoir rester là, parce que si tu continues à dire ce genre de trucs au lieu de chanter le *woho hubiya*, quelqu'un finira par te faire taire avec un tomahawk.

— Si on a un autre raid comme celui de l'an dernier, dit Nʉʉkaru, il ne restera personne pour me faire taire.

— Ne l'écoute pas, Tiehteti. C'est avec ce genre d'attitude qu'on se fait tuer. » Escuté secoua la tête. « Vous allez ramener mille chevaux et cent scalps et cinquante esclaves mexicains. Voilà ce que vous allez faire. Ça ne sert à rien d'en parler.

— D'accord, dit Nʉʉkaru.

— J'ai tellement mal au bras que je ne peux pas dormir, putain, mais tu ne m'entends pas geindre comme un gamin. Tue des Mexicains, meurs en héros, je m'en fous, mais dire ce genre de trucs, ça ne sert à rien ; autant te trancher la gorge, et celle des tiens, tant que tu y es. »

« L'idée est d'éviter les Blancs, dit Toshaway, mais...
— Ne t'inquiète pas pour moi, dis-je.
— Parfait. » Il embrassa du regard le village, bien plus petit que l'année précédente. « Si seulement tu étais né vingt ans plus tôt, Tiehteti : c'était la vraie vie, alors. Les loups des plaines nous suivaient dans nos raids parce qu'ils savaient qu'ils auraient à manger. » Il se gratta le menton. « Mais peut-être ces jours heureux reviendront-ils. »

On descendit des hautes plaines pour se trouver à nouveau dans des paysages de mesas et de canyons : des arbres, surtout des chênes et des peupliers de Virginie, de l'herbe haute et des gaillardias foisonnantes qui dessinaient des taches colorées sur des kilomètres.

Toshaway avait des parents près de la source de la San Saba. En les cherchant, on tomba sur les décombres récents d'un campement comanche, soixante-dix cadavres environ, tous scalpés. Il y avait là quelques guerriers, mais pour l'essentiel, c'étaient des femmes et des enfants. Toshaway venait de retrouver ses cousins. La bande était issue des Kotsotekas. Nombre des femmes et des filles avaient subi la même chose que ma mère et ma sœur, jusqu'au découpage de leur corps. On passa la journée à les enterrer.

« Les hommes doivent encore être en expédition », dit Pizon.

Il y avait des traces de bottes partout, des bottes faites à Austin, ou à San Antonio, ou quelque part dans l'Est. Les tipis, les armes et l'équipement du camp avaient été jetés en tas et brûlés. J'en aurais pleuré de honte, mais les visages des autres Comanches étaient impassibles et ils se contentèrent de dire que quelques années plus tôt seulement, l'implantation blanche la plus proche était à des centaines de kilomètres et que ce n'était pas bon signe qu'ils aient trouvé ce village.

«Les Blancs, combien sont-ils ? demanda Toshaway. Tu le sais ?

— À peu près vingt millions, à ce qu'on dit.»

Il eut un petit grognement.

«Allez.

— Je suis sérieux.»

— D'accord, Tiehteti.»

Cessant de creuser un moment, je l'accompagnai dans un grand cercle à cheval autour du campement. Le massacre ne pouvait être l'œuvre d'une escouade de Rangers : douze hommes n'auraient pu venir à bout de soixante-treize Comanches, même des femmes et des enfants. Toshaway penchait pour trois cents cavaliers, mais les traces se couvraient les unes les autres ; les attaquants avaient sans doute passé au moins une journée à violer et piller, c'était donc difficile à dire.

Je pensai aux empreintes de mon père. Il marchait un peu en canard, le pied gauche plus ouvert que le droit, et pour un homme de sa carrure et de son poids, il avait de tout petits pieds. Je décidai de ne pas regarder.

En haut d'une colline, on trouva des ornières, comme si deux chariots avaient été garés là. L'herbe était brûlée jusqu'au sol.

«Bizarre, dit Toshaway.

— C'étaient des canons, dis-je. C'est pour ça que l'herbe est brûlée.

— C'est très lourd, les canons, non ?

— Les *howitzers*, un cheval peut les tirer. L'armée les utilisait tout le temps contre les Mexicains.»

La colline se trouvait à deux cents mètres environ du village et les balles de mousquet qui jonchaient le sol devaient être des boîtes à mitraille. Un *howitzer* chargé de ces projectiles équivalait à deux cents carabines tirant en même temps, ou bien, comme disait mon père, à la main même de Dieu.

«C'est vraiment bizarre, Tiehteti. Comment est-ce qu'ils ont pu se mettre en position sans se faire repérer, par exemple ? Et pourquoi est-ce qu'ils auraient traîné des canons jusqu'ici s'ils n'étaient pas certains d'y trouver des Indiens ? Voilà ce que je trouve étrange.» Il secoua la tête. «Quelqu'un les a guidés.

— Ils ont dû se mettre en place dans le noir.

— Oui, dans le noir, bien sûr. Mais quand même. Ils savaient qu'il y avait là des Indiens.» Il resta un moment à regarder les ruines du village.

«Malheureusement on dirait que les hommes sont presque tous tombés dans leurs feux de camp : je n'ai pas réussi à savoir si mon cousin était du lot. Mais j'ai reconnu sa femme et ses deux filles.»

Les autres étaient maintenant en train de se laver des traces de sang et de suie dans la rivière. Avant de partir, on tailla le tronc d'un peuplier pour obtenir une zone plane où graver des hiéroglyphes disant ce qui s'était passé et combien de corps nous avions enterrés, au cas où d'autres membres de la bande reviendraient.

La nuit suivante, on aperçut des feux de camp au loin, le type de feux que seuls faisaient les Blancs, deux fois plus grands que nécessaire, une vingtaine au total. Ça ne pouvait être que l'armée, car tous les Rangers du Texas n'auraient pas été assez nombreux.

Après discussion pour savoir s'il fallait voler leurs chevaux, on décida plutôt de ne pas s'arrêter : il serait moins risqué de prendre des bêtes aux Mexicains. Au lieu de dormir, on chevaucha toute la nuit pour mettre de la distance entre les soldats et nous, et on traversa le Pecos sans avoir vu personne d'autre, malgré des traces fraîches de chevaux ferrés laissées par un petit groupe de voyageurs. On débattit pour savoir s'il fallait les suivre ou pas, mais l'armée était encore proche et on décida de nouveau d'attendre. À la sortie de la vallée du Pecos, le terrain se fit plat et sec : longues langues de caliche, bosquets de chênes, mesquite et cassiers, genévriers isolés. On ne relâcha pas la garde avant d'avoir atteint les monts Davis, où l'itinéraire à suivre suscita un nouveau débat : fallait-il prendre la route habituelle, qui passait devant le vieux fort du Presidio Del Norte où il y avait de l'eau, de la bonne herbe et où ça monterait moins, ou plus à l'est par les montagnes, avec davantage de dénivelé et moins d'eau, mais aussi moins de passage ? Les jeunes – qui voulaient des scalps – regrettaient qu'on ait renoncé à affronter l'armée et les voyageurs dont on avait vu les traces, aussi fut-il décidé de prendre la route du fort.

Restant à distance de la ville, on descendit progressivement dans la vallée avant de traverser le fleuve puis de remonter dans les montagnes. À une journée de cheval de la frontière se trouvait un *latifundio* connu pour détenir mille chevaux.

Il y avait un petit village rattaché au *latifundio* et on laissa la *remuda* à la garde d'une demi-douzaine de jeunes. La plupart étaient des cavaliers et archers plus accomplis que moi, mais ça ne comptait pas, car j'avais un scalp, et pas eux.

Après avoir choisi les meilleures montures et nous être couvert le visage et le corps de peinture rouge, noire et jaune, on se ceignit les bras et les poignets de bracelets d'argent et de cuivre, et on attacha des plumes à la crinière des chevaux. Toshaway avait veillé à ce que j'aie un *medicine hat* avec un grand blason brun sur la poitrine et je passai un long moment à le maquiller. Je me vidai aussi par trois fois l'intestin, mais la dernière fois je ne fis que de l'eau. J'observais Toshaway et Nuukaru. Toshwaway riait et plaisantait avec les uns et les autres, s'assurant que tout le monde était prêt ; Nuukaru restait dans son coin, l'air concentré, et je le vis aussi aller dans les broussailles, puis y retourner une seconde fois quelques minutes plus tard. J'essayai de manger un peu de pemmican mais j'avais la bouche trop sèche et je finis par décider que c'était aussi bien ; si d'aventure je devais être blessé au ventre, autant qu'il soit vide.

Le soleil allait se coucher quand une cloche se mit à sonner dans l'hacienda – sans doute la cloche du dîner, mais les Comanches crurent que nous avions été repérés : tout le monde sauta sur son cheval, direction le village et le ranch, et chacun d'ajuster son bouclier. Si quelques rares cavaliers étaient armés de fusils à canon scié ou de pistolets à répétition, la plupart tenaient leurs arcs prêts avec une demi-douzaine de flèches dans la même main, une septième flèche déjà encochée, carquois placé de sorte à avoir accès à d'autres flèches dès que nécessaire. Les rênes étaient attachées serrées pour ne pas gêner ; ne restaient que les genoux pour diriger son cheval.

Le soleil dans le dos, on se traça un chemin silencieux dans les broussailles jusqu'à la lisière du village avant de lancer les chevaux au galop. Il fallait traverser une petite zone à découvert ; il y eut des cris de triomphe et des ululements comme s'il s'agissait de fêter un grand événement. Des Mexicains tout de blanc vêtus s'enfuirent dans le maquis local, le *chaparral*, au cri unanime de «*Los bárbaros !*». On vit un seul petit nuage de poudre entre deux maisons et un mousquet sortant d'une fenêtre. Je visai la gauche immédiate du canon mais mon cheval allait trop vite et je manquai mon tir. Le temps que je range tant bien que mal mon fusil et que je saisisse mon arc, nous étions dans le village : une large rue principale avec des petites maisons blanches en pisé de chaque côté. Je me demandai combien d'habitants il pouvait y avoir. Je vis d'autres nuages de poudre, mais je n'entendais que les cris et les ululements ; je me mis à croire que je ne serais pas blessé. Tout se passait au ralenti. Je voyais chaque pierre, chaque motte de terre. Les flèches filaient vers les silhouettes embusquées sur les toits ou derrière les murs. Un garçon armé d'une *escopeta* dévalait la rue devant nous ; il perdit son chapeau et au moment précis où il tendait le bras pour le rattraper, il reçut une flèche, puis une autre. Se détournant brusquement, il disparut entre deux maisons.

Voilà que nous étions au bout du village. Il n'y avait qu'une seule rue, aussi je fis demi-tour et repartis dans l'autre sens. Un vieil homme surgit avec un pistolet : il visa soigneusement et je sentis la balle me frôler. Avant que j'aie pu armer mon arc, mon cheval obliqua et le piétina ; au bruit, je sus qu'il ne se relèverait pas. Puis je me retrouvai à galoper le long d'un grand mur en pisé : de petits nuages de terre battue m'accompagnaient et je compris qu'on me tirait dessus. J'étais en tête mais les flèches continuaient à filer à ma droite et à ma gauche, et j'atteignis de nouveau le bout du village.

Un homme en costume noir d'*hacendado*, accroupi derrière un buisson de mesquite, tirait calmement avec un pistolet à répétition. Je lui décochai deux flèches, mais elles s'empêtrèrent dans les branches ; c'est alors qu'une flèche tirée de derrière moi se fraya un passage, et l'homme tomba à la renverse. J'entendis *woupwoupwoup* et vis Toshaway brandir son arc puis se détourner en quête d'autres cibles. Je me dis que je n'avais sans doute pas assez tiré et je venais de m'arrêter pour localiser mes flèches quand le bord de mon bouclier vient me heurter le nez : il y avait là un homme en chemise blanche dans un nuage de poudre et je lui décochai prestement une flèche. Il lâcha son mousquet et fit quelques pas d'ivrogne, puis courut vers le *chaparral*, la longue flèche se balançant devant lui. Je lui transperçai le dos d'une autre flèche, sans pour autant le ralentir. Il disparut. Prenant soudain conscience que j'étais immobile, je talonnai mon cheval et retournai vers la rue.

Il ne s'agissait plus tant d'une charge que d'une mêlée générale. Des flèches continuaient à me frôler, des hommes continuaient à tomber ; je regardais quelqu'un, aussitôt il tombait, je regardais quelqu'un d'autre, il tombait aussi – je commençais à me prendre pour la main de Dieu. Puis je me souvins de mon bouclier : je venais de le relever en le remuant quand il vint de nouveau me cogner la tête. Je tentai de m'essuyer les yeux et talonnai mon cheval au moment même où mon bouclier encaissait un troisième, puis un quatrième coup. Je l'agitai furieusement. Recroquevillé derrière, j'atteignis le bout du village et chargeai droit dans le *chaparral* pour me ressaisir.

Une femme avec un enfant apparut devant moi, qui courait aveuglément. D'un coup de genou, je parvins à dévier mon cheval avant qu'il ne la piétine, puis je décrivis un grand cercle avant de retourner vers le village. La rue n'était plus que cadavres et Comanches occupés à les scalper. La plupart des cavaliers étaient partis ailleurs. On entendait des tirs à quelques centaines de mètres de là, vers la bâtisse principale du ranch. Quelqu'un surgit de derrière un mur de terre avec un mousquet, regarda autour de lui et fila vers le *chaparral*. Je déchirai sa chemise d'une flèche, mais il continua sa course : j'avais manqué presque tous mes tirs. Je restai un instant immobile sans qu'il se passe rien, puis galopai vers la fusillade.

Une douzaine d'Indiens avaient encerclé la maison et lui tiraient dessus avec leur arcs et parfois une carabine. Les habitants étaient bien vivants puisqu'on voyait régulièrement des nuages de poudre sortir des fenêtres et des meurtrières. Sur le patio de pierre, deux hommes gisaient près d'un fusil à canon scié, d'une baguette à tasser et d'un baril de poudre renversé.

Le gros des Comanches était en train de rassembler les chevaux. À regarder le siège de la maison, je fus pris d'une sensation étrange et préférai, avant qu'on m'enrôlât, partir aider ceux qui regroupaient les bêtes.

On chevaucha la nuit entière, mais tout le monde était de belle humeur : un troupeau d'un millier de chevaux s'étirait devant nous, assez pour remettre notre bande sur pied. Je pensai à l'homme que j'avais blessé au dos et au ventre, à celui que mon cheval avait piétiné, à tous ceux que j'avais visés sans être sûr de les avoir atteints. Je me dis qu'il y avait une chance que tous soient morts. Aucun d'eux ne m'avait fait revivre ce que j'avais éprouvé en tuant le Delaware et je me demandai si je retrouverais jamais cette sensation. Ce n'étaient que des Mexicains, me dis-je, ils m'auraient fait la même chose ; d'après mon père, les Mexicains prenaient autant de plaisir à torturer que les Indiens.

Aux environs de midi, nous avions atteint les contreforts et nous grimpions par un lit de rivière asséché. Ayant passé le haut de la colline, on s'arrêta pour reprendre nos esprits. Je cherchai Toshaway et le trouvai avec Pizon, en train de remplir sa gourde à un ruisseau tout en maudissant les Indiens qui avaient fait passer les chevaux dans l'eau plutôt que sur les berges.

«Ah, dit Pizon. Le Grand Tiehteti.

— Celui qui charge devant.»

J'eus un large sourire.

«Oh, c'était vraiment beau, Tiehteti, te voir charger comme ça droit sur eux et voir chacune de tes flèches rater sa cible, et puis eux tous qui essayaient de te tuer et qui rataient aussi.» Il gloussa et secoua la tête. «Mémorable.

— J'en ai eu un, dis-je.

— Tu es sûr?

— Oui, dans le ventre. Et dans le dos. Et j'en ai tué un autre avec mon cheval.

— Tu les as scalpés?

— Non, j'ai continué.» Je ne savais plus pourquoi je ne les avais pas scalpés. «Il y en avait un qui avait un mousquet.

— Ah, un mousquet.

— Pizon et moi étions dix pas derrière toi, mais on aurait dit que tous les rayons du soleil convergeaient vers toi; tu étais le trophée que voulaient tous ces villageois tandis que nous, ils ne nous voyaient même pas.

— Et tu galopais sacrément vite.

— C'est ce que vous aviez dit de faire.

— Si tu attaques, ne galope pas plus vite que tu ne peux tirer.

— Ne t'inquiète pas, on les a tous tués pour toi. Et Saupitty et Dix Bisons ont tué ceux qui nous avaient échappé. Un beau massacre, putain.

— Mais comment j'ai pu les rater?

— Je serais tenté de dire que tu tires comme une femme, dit Pizon. Mais ce serait injuste envers les femmes.

— Tiehteti, si tu charges droit sur quelqu'un, peu importe que tu bouges. Mais si ta cible est de côté, ça change tout. Si ton cheval est en pleine course, tu vises un pas derrière la cible si elle est proche, pour que la flèche pénètre, mais si ta cible est loin, alors il faut peut-être viser cinq pas derrière, encore que bien sûr, ça dépend de l'angle, du vent et de ta vitesse d'approche. Quand le cheval est au galop, tu dois te souvenir que la flèche retombe en avançant. Hier tes flèches ont toutes été trop courtes, comme si tu visais droit sur tes cibles.

— C'est ce que je faisais, dis-je.

— Et merde, dit Pizon, il mérite quand même un scalp. Je n'ai jamais tué autant de types qui ne savaient même pas que j'étais là. » Puis il ajouta : « Tu es couillu, Tiehteti. J'étais inquiet pour toi. Et Toshaway a raison, tu es vraiment à chier, comme archer. » Il vit ma tête. « À cheval, en tout cas. Je t'ai vu tirer au sol, tu t'en sors plutôt bien. Mais à notre retour, je te conseillerais de t'entraîner le restant de l'année à cheval, et seulement sur des cibles latérales.

— Et peut-être qu'on veillera à ce qu'à l'avenir tu aies quelques pistolets. Maintenant que les Blancs en ont de toute façon, ce n'est pas si abominable de s'en servir.

— Je n'ai pas arrêté d'en demander.

— Si je t'en avais donné un, tu en serais où, avec ton arc ? » Il secoua la tête. « Tu es très bon, au pistolet, tout le monde le sait, mais ça ne sert à rien de s'exercer à ce qu'on sait déjà faire. »

On resta là un moment. Je remplis mon *pihpóo* d'eau boueuse. Au nord on voyait le fleuve et la montagne qui semblait en surgir, mauve et bleu dans le lointain. Puis Nuukaru déboula des rochers, suivi d'un autre jeune *mahimiawapi*.

« Nous sommes suivis. Peut-être cent hommes, peut-être plus. »

Nous étions immobiles, à le regarder.

« Vous avez entendu ? dit-il.

— Tu es une vraie petite fille, Nuukaru.

— Il faut qu'on bouge d'ici.

— Cent hommes ! Mais d'où est-ce que qu'ils ont pu sortir, putain ? dit Pizon. Il ne reste pas cent chevaux dans toute la province.

— Cent, cinquante, enfin beaucoup, quoi. Je ne sais pas comment vous le dire.

— D'abord ils étaient cent, maintenant cinquante, bientôt ce sera cinq bergers croulants et leurs chèvres.

— Toshaway, dit Nuukaru, prends tes jumelles. Mais tu n'en auras pas besoin. »

Il remonta la pente en courant.

Pizon regarda le garçon qui était descendu avec Nuukaru. « Est-ce qu'il fait sa femmelette ?

— Je n'arrivais pas à voir si c'étaient des hommes ou des chevaux, mais en tout cas il y avait beaucoup de poussière. » Puis il ajouta : « Mais il a une meilleure vue que moi.

— Un trou du cul et son bétail, à tous les coups.

— Ils suivent le même itinéraire que nous.

— C'est une rivière asséchée au milieu du *chaparral*. Avec une source au sommet de la colline. Tous les animaux à cinq kilomètres à la ronde suivent ce chemin.

— Je crois bien que ce sont des hommes, Pizon. »

Pizon l'envoya balader. «Ne deviens jamais comme ça, Tiehteti. Il y a des tas de raisons de s'inquiéter, mais quand tu commences à croire que le moindre buisson cache quelque chose, tu t'épuises vite et tu ne vois plus l'homme qui t'attend vraiment pour te tuer.»

Il cracha par terre.

«*Yee*, ça me rend dingue. À l'approche de Presidio, là il sera bien temps de s'en faire.»

Il y eut un silence.

«Ah, gosses que vous êtes.»

Toshaway revint.

«*Tuato?yeru*, les jeunes ont raison. Quand on arrivera au fleuve, tu emmèneras les chevaux par la piste du nord. Nous autres on va laisser des traces allant vers l'ouest.»

Pizon le regarda.

«Ils ont raison. C'est loin et il y a beaucoup de poussière, mais ce sont des hommes, et ils sont à nos trousses.»

C'est avec seulement quelques kilomètres d'avance que, la nuit tombée, on parvint au fleuve.

L'eau était peu profonde car les grandes pluies d'été n'étaient pas encore tombées. C'était une chance. La lune n'était pas encore levée, c'en était une autre.

Pizon et une vingtaine de cavaliers emmenèrent le troupeau vers l'aval, marchant au milieu du cours d'eau. Ils continueraient comme ça avant d'obliquer vers les montagnes du Texas. Le reste de la troupe brouilla leur piste en piétinant les deux berges, ne laissant visibles que des traces qui allaient clairement en amont et sur la berge opposée, bref tout sauf leur véritable direction. Puis on remonta le fleuve.

«On sert d'appât, dis-je.

— S'ils sont bêtes, ils croiront qu'on a traversé directement, ils s'enfonceront dans la zone rocheuse côté texan et ils se demanderont bien par où on est passés. S'ils sont malins, ils se diront qu'on a remonté le fleuve.

— Et s'ils le descendent ?

— Espérons dans l'intérêt de la tribu qu'ils ne le descendront pas.

— Donc ils vont nous suivre.

— Probablement.»

Quand le sol se fit rocailleux, on sortit de l'eau en file indienne et, après une brève discussion quant au lieu des retrouvailles, on se sépara en trois groupes qui prirent chacun une direction différente. Je poursuivis vers l'ouest avec Toshaway et quelques autres.

«Si ce sont des Mexicains, peut-être qu'ils ne nous suivent pas», dit-il.

La lune avait fini par se lever, éclairant les alentours. Soudain, du bruit : c'était une dizaine de cavaliers qui remontaient le fleuve. Puis voilà qu'un autre groupe sortit des fourrés et les tirs commencèrent pour ne plus s'arrêter. Je fonçai dans le *chaparral*. Quand je me retournai, seul Toshaway était encore en selle, un autre Indien monté derrière lui. Je m'embusquai derrière un bosquet, fusil pointé vers une petite ouverture entre les branches, à attendre que les hommes passent à mon niveau pour presser la détente. L'un d'eux s'effondra et je me détournai aussitôt, plongeant dans l'épaisseur des broussailles ; les tirs ne discontinuaient pas, brisant les branches autour de moi, mais j'étais caché et je ne ralentis pas. Quelques minutes plus tard, je n'entendis plus personne. C'était un miracle que les épines aient épargné mes yeux. Je poursuivis vers le sommet sur un peu plus d'un kilomètre, avant de tourner en rond en attendant.

Il y eut quelques coups de feu près du fleuve. Je m'arrêtai pour recharger mon fusil puis je repartis vers le bruit. Je vis alors un homme accroupi dans les broussailles. C'était Toshaway. Il était nu, son pagne noué autour de sa cuisse pour bander une blessure. Il ne lui restait que son arc et une poignée de flèches ; son couteau et son pistolet avaient disparu. Il monta derrière moi, talonna le cheval, et on repartit.

« Tu es blessé ? demanda-t-il.

— Je ne crois pas.

— Alors c'est ton cheval qui l'est. »

Il avait raison. Les flancs de l'animal ruisselaient de sang que j'avais pris pour de la sueur. « Tu es un bon cheval, dis-je.

— Finis-le, mais doucement.

— Et ta jambe ?

— La balle a dû rater l'artère, sinon je ne serais plus là. »

On chevaucha pendant deux heures, grimpant la pente aride en restant au creux des lits de ruisseaux asséchés pour ne pas être à vue. L'eau qui jadis creusait ces sillons avait disparu depuis longtemps : ils étaient aussi poussiéreux que le reste. Tandis que je surveillais nos arrières, Toshaway arracha les épines d'un cladode de figuier de Barbarie, l'ouvrit en deux et l'appliqua sur sa blessure, puis je nouai son pagne sur le cataplasme. Le muscle était déjà salement tuméfié. Derrière nous, la montagne plongeait vers le fleuve ; on n'avait parcouru qu'une faible distance, mais on avait beaucoup grimpé. Je voyais des cavaliers là où l'eau réverbérait la lumière de la lune et je savais qu'ils nous voyaient aussi sur le fond clair des rochers.

« En selle.

— Tu as mal ?

— Si j'ai mal ? Oh, Tiehteti. »

On entendit des coups de feu près du fleuve – ils avaient trouvé l'un des nôtres. La fusillade ralentit, puis cessa. Je me demandai qui c'était.

« Avance », dit Toshaway.

Au lever du soleil, mon cheval était presque mort. Toshwaway était tout pâle et en nage. Devant nous, au nord, une grande vallée sèche s'étendait sur des dizaines de kilomètres.

« Il te reste de l'eau ?

— Mon *pihpóo* a pris une balle au fleuve.

— Très mauvaise nouvelle », dit-il.

Le cheval s'était couché sur le flanc. C'était la fin.

Toshaway incisa une veine dans le cou de l'animal et passa une minute à boire. Puis il me fit faire de même. Le cheval ne protesta pas. Toshaway but de nouveau. J'étais déjà gavé de sang, j'avais du crin plein la bouche et envie de vomir, mais il me força à boire encore. La respiration du cheval s'accéléra.

« Marchons à présent, dit Toshaway, et espérons que les vautours ne mèneront pas nos amis jusqu'au *tusanabo*. »

J'examinai mon fusil, et quand je vis que le percuteur était cassé, je le jetai dans les fourrés.

« C'étaient des Indiens qui menaient, putain. Des Lipans. Et il y avait aussi des Blancs. » Il secoua la tête. « Les Apaches sucent les Mexicains qui sucent les Blancs. On a tout le monde contre nous. »

L'après-midi venu, on avait gagné la vallée. D'en haut, on apercevait une rangée d'arbres plus au nord : un cours d'eau – mais pour l'atteindre il nous faudrait traverser des kilomètres à découvert, entre les cactus *cholla* et ces yuccas qu'on appelle « poignards géants ». Un coup d'œil suffirait à nous repérer.

« Je ne crois malheureusement pas que je vais tenir si on fait le tour par l'extérieur.

— On va traverser.

— Non. Donne-moi quelques flèches et toi, fais le détour en restant caché.

— On va traverser, répétai-je.

— Tiehteti, c'est bien de sacrifier ta vie, mais pas pour un mort.

— On traverse. »

En fin d'après-midi, nous étions à l'ombre, près du ruisseau. Ce n'était guère qu'un filet boueux, du genre à vous donner la pire diarrhée, mais on but tous les deux pendant de longues minutes. Je laissai Toshaway et partis avec mon arc voir si je trouvais un chevreuil ou quelque autre nourriture ; on avait aussi besoin d'un estomac pour fabriquer une gourde.

J'attendais depuis un moment parmi les saules, à l'affût du gibier, quand j'aperçus un homme sur un cheval bai qui remontait le ruisseau. Il tenait à la longe un petit pinto sellé, couvert de traces de mains peintes, semblable au cheval que montait Dix Bisons.

C'était un Blanc. Il portait des vêtements en peau de daim neufs et plusieurs scalps frais à la ceinture. Je me préparai à bouger quand il s'arrêta : il regardait mes traces de pas dans la boue. J'avais bandé mon arc si lentement qu'il n'aurait rien vu, même en me regardant en face ; la lumière qui filtrait à travers les branches dessinait des motifs sur son corps et je me concentrai sur un point lumineux, puis lâchai la corde. Il vit la flèche. Son cheval se détourna et fonça dans les broussailles, dans un bruit de branches cassées. Je me déplaçai d'une dizaine de mètres et décochai une autre flèche, puis j'attendis. Il me sembla voir son cheval juste derrière les arbres. Je finis par approcher en décrivant un cercle.

L'homme gisait dans l'herbe, à l'ombre. Il avait arraché la flèche, qu'il tenait encore à la main, et quelque chose chez lui me fit penser à mon père. Mais la ressemblance était ténue, des cheveux noirs et sales, des yeux injectés de sang, une peau pâle sous son chapeau. Il me fixait, mais ce n'était qu'une illusion. Je comptai les scalps accrochés à sa selle et le tournai sur le ventre pour lui prendre le sien.

En plus des deux chevaux, il avait deux Colts Navy flambant neufs, un fusil de calibre 69, une ceinture avec étuis presque neuve, une poire à poudre, un couteau, une bourse lourde de balles, trois gourdes d'eau et une besace pleine de nourriture. Je gravai ma flèche d'un X, puis je déshabillai l'homme et fis un ballot de ses vêtements, au cas où Toshaway en aurait l'usage.

Le pinto broutait au bord de l'eau. Je l'appelai d'une sorte de petit hennissement et il vint aussitôt. Je n'étais plus sûr qu'il ait appartenu à Dix Bisons, mais il avait une selle comanche et des empreintes de mains rouges et jaunes un peu partout.

Au nord, du côté des montagnes, on voyait des arbres et de l'herbe tendre ; ce serait si facile de sauter à cheval et de partir. Finies les embuscades. Je serais à Bexar en huit jours. Mais la tentation s'évanouit bientôt et je rejoignis Toshaway.

Après avoir fait honneur à la viande séchée et à l'eau pure que transportait l'homme, on mangea ses prunes et ses pommes. Je commençai à voir la vie du bon côté quand Toshaway décida qu'il était temps de nettoyer sa plaie. Il avait ouvert d'autres cladodes de figuier de Barbarie et ramassé suffisamment de feuilles de créosotier pour un cataplasme ; il les écrasa avec un peu d'eau et trempa dans le mélange deux lambeaux de chemise qui n'étaient pas souillés. Puis il s'assit près de l'eau.

« N'y va pas comme un boucher, dit-il, mais ne lambine pas non plus. »

Il mordit un bâton et j'attaquai le tour de la plaie avec mon couteau à scalper. Je vis le blanc de ses yeux et le bâton lui tomba de la bouche. Je finis de découper les chairs nécrosées puis le retournai pour passer à l'autre côté. J'enfonçai ensuite les bandes de chemise dans la plaie jusqu'à les faire traverser. J'avais commencé à panser quand il revint à lui. Il ne semblait pas remarquer l'urine qui lui coulait toujours entre les jambes. La blessure saignait profusément, mais il me dit que c'était bon signe. Quand j'eus fini le pansement, complété par les tranches de figuier, on serra le tout avec un autre morceau de la chemise du chasseur de scalps.

Tandis qu'on était assis là, Toshaway me dit qu'il savait que c'était moi qui avais tué Ours Grognon, la nuit où j'avais été enlevé, mais qu'il avait gardé ça pour lui.

« Je n'ai pas compris non plus, dit-il. Je savais que c'était toi, et pourtant je n'ai rien dit. »

Je me tus.

« J'ai senti que tu avais l'étoffe, dit-il. Et maintenant tout le monde le verra aussi. »

Je ne l'écoutais plus vraiment. Je pensais à la nuit de ma capture, à ma mère, à mon frère, à ma sœur. Voyant l'expression de mon visage, il me dit que sa grand-mère était une captive mexicaine – toute la tribu avait des captifs pour ascendants, c'était la tradition comanche, le moyen d'entretenir la vigueur du sang.

On poursuivit notre route, renouvelant régulièrement son cataplasme. Quelques jours plus tard, une ruche dans un arbre creux nous permit de remplir notre besace de miel : un peu pour nous, le reste pour sa plaie. Nous nous reposions de jour et ne voyagions que de nuit.

Quand on regagna les plaines, deux semaines plus tard, la plaie n'avait pas cicatrisé, mais elle n'était plus rouge ni enflée. Deux semaines encore et nous étions de retour au village.

Chapitre 23

JEANNIE

Printemps 1945

Un orage terrible. Des pluies torrentielles s'abattant si dru que le sol n'avait pas le temps de les absorber, des nuages si lourds qu'ils bloquaient la lumière. À midi il faisait complètement noir. Les éclairs se répondaient à travers la maison ; il ne pouvait s'agir que d'un tir de mitraille, une erreur de cible d'une mission de la base aérienne de Kaufman. Elle regarda le feu se propager à toute allure dans un groupe de genévriers près de la maison, des arbustes entiers s'embrasant en amont des flammes, jusqu'à ce qu'une grande gerbe de pluie l'éteignît.

Son père travaillait dans les pâturages les plus éloignés et ne rentra pas pour le souper. Quelques heures plus tard cependant, son cheval se présenta au portail, seul et encore sellé. Il faisait beaucoup plus sombre à présent ; Jeannie distinguait à peine ses propres pieds. Il était impossible de partir à sa recherche, mais il ne faisait pas froid, et puis c'était un homme qui ne manquait pas de ressources, il rentrerait sans doute le lendemain matin, trempé et fatigué d'avoir tant marché, mais sans autre dommage.

Elle eut pourtant un sommeil agité, se réveillant toutes les heures, jusqu'à ce qu'elle finisse par voir la lune en regardant dehors. Les vaqueros attendaient tous en bas ; on lui avait déjà sellé son cheval. Aux premières lueurs ils suivirent ce qui restait des traces du cheval souris de son père, presque effacées par la pluie, mais suffisamment lisibles quand Jeannie y mettait du sien.

Les traces menaient à un grand arroyo mais ne continuaient pas sur l'autre berge. La lumière gagnait l'horizon et les oiseaux se mirent à chanter comme s'il ne s'était rien passé. Jeannie et les vaqueros les plus anciens poursuivirent les recherches, tandis que les chevaux et le gros des hommes restaient en arrière de sorte à ne pas brouiller les signes éventuels ; mais même plus tard, quand le jour fut levé, ils ne trouvèrent aucune trace.

Son père avait dû mettre pied à terre en arrivant au cours d'eau. Ou, plus probablement, il était arrivé à toute allure, aveuglé par la pluie et l'obscurité, et avait été éjecté de sa monture. Il ne restait maintenant plus dans l'arroyo qu'un mince filet boueux, mais des herbes pendaient des sycomores haut sur les berges. Un corps aurait pu être entraîné à des kilomètres, des dizaines de kilomètres.

Quatre jours plus tard, un vaquero des Midkiff le trouva dans une cluse, après avoir repéré le blanc d'une plante de pied sous les broussailles et les débris divers qui flottaient là. Personne ne la prévint ; le téléphone sonna, puis Sullivan monta dans son pick-up pour aller en ville. Il revint avec un carton contenant les vêtements de son père sur le siège passager. Ils étaient sales et déchirés, mais elle reconnut la chemise. Elle la prit pour la porter à son visage mais la relâcha aussitôt. Le tissu grouillait de mouches vertes et bleues.

Clint était mort à Salerne et Paul au cours de la bataille des Ardennes, malgré ses prières quotidiennes, malgré son indéfectible présence à l'église le dimanche. À la mort de Clint, elle avait continué à prier pour Paul et Jonas ; et puis, des mois avant sa mort, elle s'était aussi mise à prier pour son père. Voilà qu'elle se demandait si, d'une certaine façon, elle ne les avait pas tués. Ça n'était pas moins plausible que le contraire. Elle décida de ne plus prier pour Jonas. Et Jonas survécut.

Vu l'état de son père, on organisa les funérailles pour le lendemain, et tandis qu'elle se reposait sur son lit cet après-midi-là, épuisée mais incapable de dormir, il lui apparut soudain que le ranch devait continuer à tourner, et qu'il ne restait qu'elle.

Elle s'accorda encore quelques minutes puis se fit couler un bain, se savonnant diligemment mais sans perdre de temps, comme elle imaginait qu'une mère laverait son enfant. Elle mit sa robe noire, puis changea d'avis ; ce n'était pas le moment de devoir faire attention à ses vêtements. Elle passa un jean et de vieilles bottes, sachant que sa grand-mère aurait désapprouvé – sa grand-mère qui bien sûr n'était plus là, puisqu'elle était décédée l'année précédente. Elle se maquilla légèrement. C'était presque pire que mettre un pantalon, mais ses cils, blonds comme le reste, la rajeunissaient. *Où est Jonas ?* se demanda-t-elle.

Ça faisait quatre jours que le travail était totalement interrompu – tout le monde s'était mis à la recherche de son père. Vaqueros, gardes-clôtures, ouvriers s'occupant des éoliennes : les trente employés étaient maintenant rassemblés près du bâtiment où ils dormaient, assis sur la galerie ou à l'ombre des arbres, parlant à voix basse et se demandant ce qui allait se passer.

Elle leur dit que rien ne changerait, que si, pour une raison ou une autre, elle n'était pas là, les salaires seraient distribués par Mrs Wright, la comptable. Tout le monde sera payé pour ces quatre derniers jours, poursuivit-elle, et demain vous aurez la journée. Mais d'ici là, il faut s'occuper des cluses et récupérer les bêtes qui sont chez les Midkiff. Et puis tout ce que l'orage a cassé, réparez-le, inutile de demander avant.

Elle s'abstint de dire qu'elle n'était pas légalement autorisée à signer leurs chèques de paie et passa le reste de la journée et toute la nuit à s'inquiéter tour à tour de ce qu'il n'y aurait personne à l'enterrement et de savoir où trouver le testament de son père : leur avocat avait retourné son bureau dans tous les sens, en vain. Vers minuit, Jeannie mit la main sur le document dans un vieux classeur. Il avait été actualisé à plusieurs reprises : une fois en faveur de Clint et une autre en faveur de Paul, mais la dernière version, qui ne datait que de quelques mois et avait certainement dû beaucoup coûter à son père, la nommait seule héritière de sa part du ranch. Jonas héritait d'une partie des droits pétroliers, c'était tout.

Un sentiment de joie l'envahit ; elle ne put s'empêcher de sourire, puis de rire. Après quoi elle se sentit affreusement mal. N'empêche que Phineas serait ravi – ils se partageraient désormais l'intégralité de la propriété. Jonas, lui, s'en accommoderait ; il tentait de revenir d'Allemagne, mais les vols étaient rares et toujours pleins, et il lui faudrait des semaines en bateau. Elle recommença à s'inquiéter pour l'enterrement.

À l'extérieur, plusieurs feux brûlaient déjà où cuisaient des veaux, des chèvres et des porcs. On avait été à Carrizo acheter des haricots, du maïs, du café et deux douzaines de gâteaux tout prêts. Et puis cent caisses de Pearl et quatre caisses de bourbon. La maison n'avait pas été aussi vivante depuis des années ; en cuisine, on s'activa toute la nuit à ce à quoi il fallait s'activer, et pareil pour les bonnes qui devaient changer les draps des chambres d'amis, sortir les lits pliants de la réserve et préparer la maison à recevoir.

Phineas arriva avec un entourage conséquent. Se présenta un filet, puis un flot de gens d'Austin, de San Antonio, de Dallas, de Houston, d'El Paso et de Brownsville, les autres propriétaires de ranch de la région et des journalistes : près de cinq cents personnes au total, ce qui commença par faire pleurer Jeannie – son père était bien plus populaire qu'elle ne l'avait cru. Au fil de la journée, elle comprit toutefois que beaucoup étaient venus par politesse, pas tant envers son père qu'envers elle, ou envers la famille, ou pour ce que représentaient les McCullough.

Quant aux Mexicains des environs, bien que la plupart eussent, non sans raison, détesté le défunt, tous vinrent aussi, parce que c'était ce qui se faisait quand votre *patrón* mourait.

La dernière fois que la maison avait été aussi pleine, c'était pour l'enterrement du Colonel, mais l'ambiance était tout autre alors, empreinte d'un véritable chagrin, marquée par la fin d'une époque – tous ces hommes mûrs qui ne pouvaient plus s'arrêter de pleurer. Cette fois-ci les visages étaient graves, mais pas douloureux, et les conversations restaient fluides. Son père n'avait pas compté. C'était injuste, mais plus elle y pensait, plus elle recevait de condoléances, plus elle entendait les circonstances de sa mort racontées à mi-voix ici et là dans la pièce, plus elle sentait monter la colère. Il était mort bêtement. Tué par son entêtement et son manque de discernement. Les vaqueros avaient filé chez eux dès le début de l'orage – la foudre tuait plus de cow-boys que les armes à feu – mais son père, avec ses idées arrêtées, avait voulu finir le comptage. *Ça m'est égal de prendre quelques gouttes* – ses derniers mots.

Elle circulait dans la maison aux odeurs de bœuf, de chevreau et de porc grillé parmi ces centaines de gens qu'elle remerciait d'être venus et qu'elle encourageait à se resservir – plats de haricots, sauces et tortillas à foison, litres et litres de bière et de thé glacé. Elle passait sans cesse en cuisine : oui, il fallait encore tuer un veau – à faire griller aussitôt –, oui, il fallait retourner à Carrizo – impossible de savoir combien de temps ces gens resteraient. Sullivan apparaissait à intervalles réguliers pour lui glisser un verre de thé froid dans la main. Sa robe était tachée de sueur. Elle monta se changer, mais elle n'avait rien d'autre ; naturellement, c'était sa seule robe noire. Elle la suspendit devant le ventilateur, s'essuya avec une serviette de toilette puis se posta elle-même devant le ventilateur. Elle se dit qu'il faudrait vérifier le salaire de Sullivan. Sa famille travaillait pour la sienne depuis trois générations et elle connaissait l'avarice de son père. Elle fut tentée de s'allonger mais savait qu'elle s'endormirait.

Une fois redescendue, elle continua à évoluer dans la foule, entendant à peine ce qu'on lui disait. Elle vit dans un coin son oncle Phineas, appuyé sur sa canne, en train d'entretenir un groupe de jeunes gens. Il avait l'air de tant s'amuser qu'elle se détourna quand il l'appela.

Les vaqueros et les Mexicains du voisinage se tenaient avec déférence et parlaient doucement, mais ces messieurs des villes – tous en bottes de cheval et chapeau de cow-boy – prenaient bruyamment leurs aises comme s'ils avaient été chez eux. Face à eux, elle se sentait faible. Son arrière-grand-père n'aurait pas approuvé ce genre d'hommes. Elle aurait bien aimé qu'un des vieux amis du Colonel débarquât – comme quelques-uns le faisaient encore parfois – et, en sa mémoire, tire en l'air les six balles de son revolver pour que la maison se vide.

Mais même ça, ça relevait du fantasme. De ce qu'elle savait d'eux, les cow-boys, même vieux, ne se sentaient souvent guère à l'aise quand il y avait du monde ; ils avaient tendance à devenir polis, respectueux, et la plupart n'auraient même pas pu regarder dans les yeux ces hommes d'un genre nouveau, ces gens de la ville.

Jonas manqua l'enterrement mais réussit malgré tout à rentrer d'Allemagne où la guerre, en pratique, était terminée. Elle faillit l'étouffer quand elle le retrouva à la gare; elle ne savait trop à quoi s'attendre – un regard absent, de profondes cicatrices, une canne – mais il avait l'œil vif, l'air en forme et la démarche assurée.

En entrant dans la maison, tandis que leurs pas résonnaient dans la grande salle caverneuse, avec ses murs de pierre et ses dix mètres sous plafond, ses premiers mots furent: «Il faut qu'on te sorte d'ici, et vite. Tu n'auras pas une vie normale. Dans quelques semaines la guerre sera finie, je peux te trouver du travail à Berlin. Ce serait sans doute comme secrétaire ou quelque chose dans le genre, mais on pourrait habiter ensemble.»

Elle ne sut trop quoi répondre – proposition tentante mais parfaitement inconcevable: elle ne serait pas secrétaire. C'était à son frère de rentrer chez lui et non à elle de partir à l'étranger.

«Et puis merde, poursuivit-il, on a de l'argent. Tu n'as pas besoin de travailler, viens, c'est tout.

— C'est comment, là-bas?»

Il haussa les épaules.

«Tu as dû voir des choses affreuses.

— Pas pires que ce qu'ont vu les autres.»

Elle voulait lui demander s'il avait tué quelqu'un ou vu quelqu'un mourir, mais c'était comme s'il avait senti venir la question: il se leva brusquement et traversa la pièce pour aller regarder les vieux dessins, les figurines et les statues de marbre. Il secouait la tête, soulevait tel ou tel objet puis le reposait.

« Tu veux manger quelque chose ? demanda-t-elle de loin.

— On ferait mieux d'aller sur la tombe. Je ne peux pas rester très longtemps. »

C'était absurde – il avait mis une semaine à venir –, mais elle décida de laisser faire, ne sachant pas vraiment ce qu'il avait en tête.

« Tu préfères y aller en voiture ou à cheval ?

— Allons-y à cheval. Ça fait quatre ans que je ne suis pas monté. »

Au cours du souper, qu'il appelait maintenant « dîner », il lui avait demandé, d'une manière qu'elle avait trouvée trop directe : « Est-ce qu'il y a des hommes qui te plaisent, dans le coin ? »

Non. L'année précédente il y avait eu un nouveau vaquero, moins beau que les autres avec son nez épaté ; ils s'étaient embrassés derrière la cloison de branchages d'un des corrals et, plus tard, s'étaient allongés ensemble près de la source de l'ancienne maison des Garcia. Là, il avait été plus entreprenant qu'elle ne le souhaitait – les rares hommes qui restaient arrivaient visiblement à leurs fins bien trop vite –, mais cette nuit-là, toute seule, en y repensant, elle avait regretté d'avoir arrêté ses mains. Ces opportunités ne semblaient se présenter qu'à des intervalles fort distants ; aussi quelques jours plus tard, quand ils se mirent d'accord pour un nouveau rendez-vous, elle s'y était rendue avec un préservatif antédiluvien en poche – trouvé bien entendu dans la chambre de Clint. Elle avait attendu une heure, puis une autre, couchée sous les arbres dans l'herbe douce qui dominait la vieille église.

Son vaquero n'était pas venu. Ce qui s'était passé n'était cette fois encore pas très mystérieux : craignant le père de Jeannie, craignant pour leur emploi, les amis du jeune homme l'avaient mis en garde. Elle en avait pleuré des jours durant – même pour cet homme qu'elle tenait (par snobisme, elle le savait maintenant) pour inférieur à elle, elle n'était pas assez bien. Elle s'était toujours vue comme une conquête de prix : blonde, menue, pas aussi voluptueuse que certaines mais ne manquant pour autant pas de féminité ; son nez retroussé s'était redressé, ses yeux s'étaient agrandis, et sous une certaine lumière elle se demandait si elle n'était pas franchement belle. La plupart du temps en tout cas elle était pour le moins jolie, bien plus jolie que la moyenne ; il y avait à Carrizo une jeune Mexicaine plus jolie qu'elle, certes, mais cette fille était pauvre.

Et pourtant... Elle avait vingt ans, elle était censée profiter de la vie, avoir des prétendants. Or elle n'en avait pas – sauf quelques gars du coin qui avaient peut-être l'impression, erronée en ce qui la concernait, de lui faire la cour. Elle ne se considérait pas comme riche, mais se savait perçue comme telle. Elle se méfiait de tous les Blancs des environs ; ils avaient d'elle une image fausse. Elle connaissait les vaqueros et leur faisait plutôt confiance – ce n'était pas dans leur intérêt de salir sa réputation – mais visiblement cette confiance n'était pas partagée, ou bien ça venait d'un manque de respect, ou peut-être la sentaient-ils trop désespérément demandeuse.

Quant à Jonas, elle le reconnaissait à peine. Son visage s'était étoffé, sa carrure aussi ; plus rien de juvénile. Il parlait trop vite, comme on faisait dans le Nord, et, comme dans le Nord, il jurait constamment ; il affichait une assurance excessive. À table il se saoula au bourbon. Ils discutèrent devant un feu énorme – gaspillage inutile, aurait pensé leur père – et au moment d'aller se coucher, refusant de monter dans la chambre qui avait été la sienne – une vraie comédie –, il s'enroula dans une couverture pour dormir sur un sofa près de la cheminée. Quand elle se retrouva en chemise de nuit dans sa chambre à elle, Jeannie se dit qu'elle serait responsable en cas de désastre. Jonas s'en était absous – il se fichait pas mal de la maison et de leur héritage. Héritage dont, bien sûr, il avait été en grande partie exclu. Cette insulte finale de leur père avait dû le piquer, même s'il avait reçu la moitié des droits pétroliers, ce qui, au final, l'intéressait bien davantage que la terre.

Le lendemain matin, ils prirent leur petit-déjeuner dans la grande salle, où ils pouvaient écouter la radio.

« Est-ce que tu vas rester ici jusqu'à la fin des combats ? »

Il secoua la tête. « Je me souviens de Papa éteignant ça dès que Roosevelt passait à l'antenne », dit-il en désignant le poste.

Elle se demanda si elle devrait défendre leur père pendant tout son séjour. Il s'avérerait qu'elle devrait le défendre pendant toute leur vie. « Il ne le faisait plus depuis le début de la guerre, dit-elle. Le jour du débarquement en Normandie, il a donné congé à tout le monde et on s'est tous assis ici pour écouter, et il a dessiné une grande carte, en disant : ça, c'est la division de Paul, la 82ᵉ division aéroportée, qui a atterri ici, et ça, c'est celle de Jonas. Il a tout écrit pour que tout le monde voie. Il était fier de vous.

— Eh bien, il s'est trompé, parce que je n'ai débarqué que le deuxième jour. Et Paul n'a pas du tout débarqué sur une plage : lui et son parachute ont atterri au beau milieu des Allemands.

— Je ne me souviens plus des détails, admit-elle.

— Tu te souviens quand il a dit que l'élection de Roosevelt était la fin de la démocratie américaine ? Ou que les grandes sécheresses du "Dust Bowl" étaient une invention communiste ? » Il secoua la tête. « Je ne sais pas comment on peut être ses enfants.

— Il n'était pas si horrible que ça. » Elle ne se souvenait pas que son frère fût si froid ; peut-être ne le connaissait-elle finalement pas. Elle ferma les yeux.

« Je me souviens de lui disant qu'on vivait sur la Frontière, poursuivit Jonas, la Frontière avec un grand F. Je répondais que la fin de la Frontière datait d'avant sa naissance et il me sermonnait sur les traditions que nous perpétuions. Quelles traditions ? je disais, un truc qui ne dure que vingt ans ne crée pas de traditions. Enfin bon... Je ne sais pas ce que ça va devenir, ici, mais là tout de suite je ne vois pas l'intérêt. Pas assez civilisé pour avoir une vie culturelle et pas assez sauvage pour qu'il y ait du piment. La province. »

Elle ne répondit pas.

«Tu devrais vendre. Garde les droits pétroliers, mais prends un nouveau départ. Rien de plus facile que de te faire rentrer à Barnard.

— Hors de question que j'aille vivre dans le Nord, dit-elle doucement.

— Tu n'étais qu'une gosse.

— Je suis plus heureuse ici.

— Jeannie.» Il porta la main à son front comme s'il n'avait jamais entendu pareille ânerie. «Tout ce qu'on nous a inculqué n'était que mensonges et mauvaises blagues. C'était toujours : les Yankees ceci, les Yankees cela, des ordures finies, des monstres de prétention. Et puis un jour je me suis dit que si Papa les détestait tant, c'était sûrement des gens pour moi. En fait il était bien pire que tous ceux que j'ai pu rencontrer à Princeton : riche héritier mais toujours à se plaindre d'être pauvre et pressuré. Et sa façon de traiter les Mexicains...»

Elle ne dit rien.

Il avait les yeux fermés. «J'étais vraiment con quand j'ai débarqué là-bas.»

Il resta une semaine de plus, jusqu'à ce qu'ils soient tous deux bien sûrs que la succession fût en ordre. Sa colère avait fini par s'épuiser. Il changea son testament pour qu'elle hérite de tout au cas où il lui arriverait quelque chose, et signa aussi une procuration. Elle se sentit plus proche de lui qu'elle ne l'avait jamais été ; elle avait perdu son père, mais retrouvé son frère. Puis il reprit le train vers l'Est, vers la guerre, et elle ne le revit pas pendant trois ans.

À compter du départ de Jonas et pour un temps indéfini, elle vécut selon un rythme de chat, dormant les trois quarts du jour, se réveillant au milieu de la nuit pour arpenter la maison vide, pleurant jusqu'à épuisement sur le sofa et se réveillant quelques heures plus tard le soleil dans les yeux. Elle remontait dans sa chambre aux lourds rideaux, trouvait devant sa porte son petit-déjeuner ou son déjeuner sur un plateau, œufs froids, viande froide, passait à la salle de bains.

Elle n'avait rien à faire. Pas de travail, rien d'utile sur quoi se concentrer. Une fois par semaine – elle savait alors qu'on était jeudi –, elle trouvait sur la table de la salle à manger une écritoire avec les chèques de paie de tous les employés qu'elle signait un à un et laissait près de l'entrée. Elle pensait à son père et pleurait, elle pensait à ses frères et pleurait ; vaguement consciente que le temps passait, elle se demandait pourquoi Phineas ne l'appelait pas, pourquoi il ne l'avait pas invitée à venir vivre avec lui. Et souvent elle ne savait plus si c'était pour ça qu'elle pleurait, ou bien pour son père, ou pour ses frères, ou même pour son arrière-grand-père, mort depuis presque dix ans mais qui lui avait toujours manifesté bien plus de tendresse que son père.

Il avait dû s'écouler un mois. Ou deux. Toujours est-il qu'elle se réveilla un matin avec le soleil et accepta l'absolue certitude que plus personne, jamais, ne s'occuperait d'elle.

Une semaine plus tard, un représentant de la compagnie Southern Minerals se présenta pour lui parler de son avenir.

«Ça fait plusieurs fois que je passe, mais on me disait toujours que vous étiez souffrante.»

Il avait beau se comporter en vieille connaissance, elle resta les bras croisés, bien campée sur le seuil. Il ne tarda pas à lui proposer un million de dollars plus 12,5 % pour les droits d'exploitation pétrolière de l'ensemble de la propriété, moins la zone déjà prospectée par Humble. Il connaissait toute son histoire. Il savait qu'elle avait perdu ses frères à la guerre, son père dans un accident, et que Jonas était retourné en Allemagne.

«Vous pourrez déménager en ville.» Il se reprit aussitôt. «Ou élever tranquillement vos bêtes. La vie sera plus facile.» Il lui jeta un regard plein d'empathie.

Elle gardait les yeux détournés, elle aurait voulu qu'un vaquero passe par là.

«Vous parlez comme un pasteur, dit-elle.

— Merci.» Il sourit et se remit à parler fourrage, météo, à demander comment se portaient les bêtes, et au bout d'un moment, quand elle eut trouvé quoi dire, elle l'interrompit.

«Est-ce qu'il y a d'autres gens que les veuves et les orphelins pour accepter des royalties d'un huitième, aujourd'hui?»

Il sourit de nouveau, pas dupe, et surtout pas de son manque de politesse si laborieusement préparé. Il s'était rapproché et elle résista à l'instinct de reculer – le seuil aurait alors été libre. Et puis cette chaleur: il aurait été naturel de l'inviter à entrer pour échapper au soleil, mais elle décida qu'il pouvait bien se rapprocher tant qu'il voudrait, elle ne céderait pas. Quoiqu'elle se demandât dans le même temps si ça n'était pas idiot,

374

si elle ne méjugeait pas la situation. Est-ce que toutes les bonnes étaient parties ? Comment avait-il passé le portail ?

Il était si proche qu'elle sentait son haleine, et l'angoisse d'être seule avec lui se fit plus oppressante. Tous les employés étaient dans les pâturages à des kilomètres de là – les cris seraient inutiles – et Hugo, le cuisinier, était parti faire des courses à Carrizo. Elle était seule et cet homme ne la prenait absolument pas au sérieux.

«Je crois que je commence à me sentir fatiguée», dit-elle.

Il hocha la tête mais continua à parler. Quand il retira son chapeau pour s'essuyer le front, elle vit qu'il n'avait pas de marque de bronzage : il passait sa vie dans un bureau. Pour la seconde fois il dit que ce n'était pas un endroit pour une jeune femme seule, et elle fut prise d'un frisson, de la nuque jusqu'au bout des doigts ; il était peut-être déjà trop tard. Il prendrait ce qu'il voudrait. La bouche soudain sèche, elle réussit quand même à dire : «Si vous ne partez pas, j'appelle le shérif.»

Il se tint là comme si cette déclaration méritait réflexion, ou peut-être simplement pour lui montrer qu'il ne partait que parce qu'il le voulait bien. Puis il tendit le bras et lui pressa l'épaule en lui souhaitant un bon après-midi.

Une fois la porte refermée, elle alla droit au bureau de son père, passant devant des dizaines de fenêtres ouvertes et de portes-fenêtres aux serrures inutiles – il y avait tant de moyens d'entrer dans cette maison. Sans doute était-il en train de faire le tour.

Dans le tiroir, elle trouva le pistolet de son père, mais lorsqu'elle fit la manipulation qu'on lui avait apprise, le chargeur tomba par terre et rebondit sous le bureau.

Elle déverrouilla l'armoire où se trouvaient les autres armes et prit le fusil .25-20 avec lequel elle avait chassé, enfant. Ses frères le considéraient comme un jouet mais elle avait tué deux chevreuils avec. Elle trouva les bonnes cartouches, prépara l'arme et retourna dans l'entrée. Ça avait pris plusieurs longues minutes. C'était ridicule. Si l'homme l'avait vraiment suivie, il lui serait tombé dessus depuis longtemps. Elle sentit monter sa rage envers Jonas, envers son père, envers...

Il y avait quelque chose dehors : c'était la Ford du type de la compagnie pétrolière – déjà au portail. Elle le regarda, petite tache au loin, ouvrir la grille et sortir de la propriété. Elle se sentie épuisée. Elle avait besoin de s'allonger.

Au lieu de quoi elle chargea plusieurs revolvers (elle n'avait plus confiance dans l'automatique), les mit dans un panier et fit le tour de la maison en les répartissant comme elle aurait disposé des bouquets : un dans le grand vase près de la porte d'entrée, un sur une étagère dans la cuisine, un troisième à côté de son lit et le quatrième près de son canapé préféré dans la grande salle.

Elle sortit sur la galerie – d'où on voyait loin par-delà les collines, presque jusqu'à la grand-route – et analysa ce qui venait de se passer. Il ne fallait pas appeler le shérif. C'étaient les vaqueros qu'il fallait appeler. La pensée du type se faisant tuer lui allégea l'esprit et chassa ses idées noires. Elle s'assit et, tout en regardant les nuages, imagina la scène ; il tomberait comme un bœuf ou un cochon, droit sur le menton. Elle se demanda pourquoi ses mains tremblaient. *Je suis en train de devenir folle*, se dit-elle. Elle quitta la galerie et déambula dans la maison, s'arrêtant devant le miroir de l'entrée. Quelle blague. Les pistolets, quelle blague : elle n'était qu'une gamine jouant à faire l'adulte. À nouveau elle se demanda si elle devenait folle.

Ce fut un soulagement d'entendre le cuisinier rentrer et se mettre à discuter avec une bonne. Peut-être avait-elle parlé toute seule, peut-être les bonnes l'avaient-elles entendue. Ils avaient tous raison – Jonas, son père, sa grand-mère –, elle n'avait rien à faire ici.

Elle vit le premier pick-up des vaqueros passer la crête d'une colline à l'horizon, avec la remorque des chevaux qu'on ramenait des prés. Puis le deuxième, et le troisième. Tout devint plus léger. C'était aussi simple que ça. Elle allait leur dire. Et elle se fichait bien de savoir ce qui arriverait au type – *je m'en fiche*, se dit-elle, *je m'en fiche complètement*. Ce n'était pas le Nord, ici ; on n'accostait pas les gens comme ça. Même charger les pistolets avait été une erreur. Ce qu'il lui fallait, c'était s'entourer d'un rempart, un rempart d'hommes, comme l'avait fait son père.

Sullivan, les vaqueros, eux tous sauraient quoi faire. Elle décida d'agir avant qu'une réflexion plus poussée ne la fasse fléchir. Ce type n'était sans doute pas si méchant, elle avait sans doute mal interprété la situation, elle était jeune, elle était seule (*n'oublie pas qu'il t'a accostée*, se dit-elle). Oui, voilà. Le type ne s'en tirerait pas comme ça – même Jonas serait d'accord ;

il n'en mourrait pas, mais il passerait un sale quart d'heure. En quoi ça consisterait exactement, elle ne le savait pas. Et ne voulait pas le savoir. Elle se remémora la façon dont il l'avait touchée et décida de ne pas se laisser le temps de changer d'avis. Hugo annonçait le souper mais elle était déjà dehors, sur le sentier menant au dortoir des vaqueros.

Chapitre 24

JOURNAL DE PETER McCULLOUGH

25 mars 1917

La sécheresse est de retour mais le bétail reste rentable grâce à la guerre. Au réveil d'une nuit d'intense activité cérébrale, j'ai ouvert les rideaux en m'attendant à trouver le paysage verdoyant de ma jeunesse et de mes rêves. Mais à l'exception des alentours immédiats de la maison, ce n'étaient qu'herbes sèches et éparses, buissons d'épines et aires de caliche nues. Mon père a raison : nous avons détruit cette terre pour toujours, en une génération.

N'empêche qu'il a embauché des agents pour ramener ici des fermiers du Nord. Des trains ont été affrétés spécialement. On va montrer aux Yankees les meilleures fermes (bien irriguées), les meilleures maisons (à savoir la nôtre, comme c'est la plus tape-à-l'œil), et leur proposer des terres exsangues pour cinq cents fois le prix payé par les propriétaires actuels. J'ai reçu l'ordre de me faire discret.

Depuis deux mois, le Colonel dévie une partie de l'eau des étangs où boivent les bêtes vers la pelouse (car nous avons désormais une pelouse à la place de notre cour de terre battue) et il a fait endiguer la rivière qui passe sous la maison, devant le pré d'Everett, pour inonder les terres qu'on voit depuis la galerie. Ike Reynolds est venu se plaindre qu'il n'avait plus d'eau mais le Colonel lui a exposé ses raisons et Ike est reparti convaincu.

Même les sources de Carrizo sont à peine alimentées ; ce serait dû à l'irrigation. Et les *resacas* sont toutes à sec. On dirait que la terre entière se transforme progressivement en désert ; l'humanité va mourir et sera remplacée par autre chose. Il n'y a pas de raison qu'il n'y ait qu'une seule espèce humaine. Je suis sans doute né mille ans, ou peut-être dix mille ans trop tôt. Un jour, les hommes comme mon père feront à leurs contemporains le même effet que ces Romains qui jetaient les chrétiens en pâture aux lions.

6 avril 1917

Entendu Charlie, Glenn et mon père qui discutaient : suis allé dans la grande salle voir ce qui se passait – tous les trois se sont tournés vers moi et se sont tus. Suis ressorti, bien sûr. Les générations ont beau se succéder, on dirait que rien ne change : cette compréhension muette entre mon père et les autres, ces regards silencieux dont j'ai toujours été exclu. Wilson a déclaré la guerre à l'Allemagne aujourd'hui.

9 avril 1917

Charlie et Glenn sont venus me trouver. Ils ont décidé de s'engager. Je leur ai dit qu'ils feraient mieux d'attendre la fin de l'année, quand il nous sera plus facile d'embaucher des gars pour les remplacer. Ça ne les a pas convaincus. «On ne manque pas d'argent pour embaucher qui on veut», a dit Charlie.

Sally a passé la journée dans sa chambre, incapable de se lever.

C'est la pire guerre à laquelle ils pouvaient vouloir participer. Des mitraillettes et des obus d'une demi-tonne. J'ai toujours cru que les Européens étaient revenus à l'âge de pierre en débarquant en Amérique, mais on dirait bien qu'ils ne l'ont jamais quitté. Sept cent mille morts rien qu'à Verdun.

La solution, c'est une nouvelle ère glaciaire qui nous rejette tous dans l'océan. Qui donne à Dieu une seconde chance.

12 avril 1917

Les garçons ont pris le train pour San Antonio aujourd'hui. Sally fait ses bagages pour aller dans sa famille à Dallas. Elle m'a dit que c'est pour ça qu'elle aurait préféré qu'on ait des filles. J'ai répondu que j'étais d'accord.

«Viens avec moi», m'a-t-elle dit.

Impossible de lui expliquer pourquoi je ne survivrais pas à Dallas.

Mauvais augure – tout de suite après avoir dit au revoir à Glenn et Charlie, appel de la poste : le fusil-mitrailleur est arrivé. Après plusieurs juleps, le Colonel et moi avons décidé de l'essayer.

On a choisi le plus gros chargeur – presque cent coups –, qu'on a laborieusement installé. Une fois compris comment la machine se remontait – à peu près comme une montre de poche –, on s'apprêtait à envoyer des figuiers de Barbarie dans l'autre monde quand un groupe de pécaris fort malchanceux est apparu à l'horizon.

Ils étaient à presque quatre cents mètres, mais, d'après la brochure, la mitrailleuse est capable de trois fois cette portée pour les « tirs sur zone ». Le Colonel les distinguait à peine, aussi j'ai proposé de prendre les manettes pendant qu'il regarderait dans ses jumelles. Couché par terre derrière la mitrailleuse, avec lui debout à côté, j'ai vu une vague silhouette remuer au loin.

On a relevé le viseur et j'ai tiré une brève décharge, peut-être cinq coups.

« Bordel de merde, Pete, tu les as ratés de presque trente mètres.

— Ça doit être le vent. » J'avais les oreilles qui sifflaient. J'ai fait mine d'ajuster le viseur.

« Bon, ils se sont remis à bouffer. Tu tires ou tu fais dans ton froc ? »

J'ai visé le petit troupeau – qui à cette distance ressemblait à une tâche marron dans le vert des broussailles – et pressé la détente. C'était comme de s'accrocher à une locomotive. Il ne s'agit pas tant de viser que de diriger le tir, comme avec un tuyau d'incendie.

«Gauche! criait le Colonel, droite, droite, balance à droite!... et maintenant à gauche, plus à gauche, gauche gauche, *gauche gauche*!» J'obéissais et voyais les balles faire gicler la terre entre les formes marron qui s'agitaient.

«Mets l'autre chargeur, il y en a qui remuent encore.»

Je me suis exécuté.

«Bordel à queue, a-t-il dit, je me demande si ça fait vraiment quatre cents mètres...»

J'ai noyé sa voix dans le bruit de la mitrailleuse.

Quand nous avons remballé nos affaires, ma jument, qui a l'habitude que je tire des chevreuils, des cailles et des dindes, avait les yeux exorbités. Elle savait que quelque chose d'anormal couvait. Le cheval de mon père, lui, avait disparu; il a fallu presque une demi-heure pour le retrouver.

Avant de rentrer, nous sommes allés inspecter les dégâts. Les pécaris étaient éparpillés sur une grande zone de caliche plate, diversement déchiquetés et désarticulés. On aurait dit qu'ils avaient mangé de la dynamite.

«Bien», a dit mon père en voyant le carnage. Il a fait le tour en hochant la tête. Et puis il a demandé: «Tu crois qu'ils en ont des comme ça, les Allemands?

— Par milliers.»

La mitrailleuse avait suffisamment refroidi pour que je l'arrime à ma selle. Bien sûr que les Allemands ont des fusils-mitrailleurs. Mais ce n'est pas dans la nature de mon père de voir les choses sous cet angle. On a pris le chemin du retour.

«Je me souviens du temps où un Colt à cinq coups était une arme de destruction massive. Et puis vingt ans après peut-être, il y a eu le fusil Henry : chargez-le dimanche, vous tirerez toute la semaine. Dix-huit coups, je crois.

— On n'arrête pas le progrès.

— Tu sais que je m'étais toujours dit que tes bouquins te mèneraient quelque part. Ça m'a fait de la peine de voir que non.

— Bien sûr que si, ils m'ont mené quelque part.

— Loin d'ici, je veux dire. Tu crois que je ne sais pas, mais je sais. Mon frère était exactement comme toi. C'est de famille.»

J'ai haussé les épaules.

«Mauvais endroit, mauvaise époque... mauvais je sais pas quoi.

— J'aime cette famille et j'aime cette terre», ai-je rétorqué parce que, allez savoir, à ce moment-là, ça me semblait vrai.

Il a failli répondre, et puis non. Sur le chemin de lumière et de poussière qui nous ramenait vers notre grande maison blanche sur la colline, il s'est visiblement détendu, s'abandonnant au rythme du cheval ; je devinais que son esprit vagabondait, sans doute de l'un à l'autre des innombrables hauts faits pour lesquels le monde entier l'admire.

Je me suis mis à penser au temps qu'il passait à la maison quand j'étais petit (aucun), tandis que ma mère lui trouvait des excuses. Est-ce qu'elle lui a pardonné ce jour-là, tout à la fin ? Moi, non. Elle ne cessait de nous faire la lecture, tentant de nous distraire, ne nous laissant guère le temps de nous ennuyer ou de remarquer son absence. Une version pour enfants de l'*Odyssée*, et mon père comparé à Ulysse. Mon père contre les cyclopes, les mangeurs de lotus, les sirènes. Everett, bien plus âgé, lisait dans son coin. Plus tard j'ai retrouvé son journal : des dessins précis de filles à la peau mate, entièrement nues... Puisque, d'après ma mère, mon père était comme Ulysse, je me voyais naturellement en Télémaque... Il semblerait aujourd'hui que je sois plutôt Télégonos, ou quelque autre fils perdu dont les actions ne furent jamais consignées. Et puis ce n'est bien sûr pas la seule faille de l'histoire.

13 avril 1917

Ce matin, Sally est venue me trouver dans mon bureau, où j'avais dormi, avec du café et des *kolaches*. Je me suis dit qu'elle devait avoir quelque chose à me demander. Elle n'est pas encore partie pour Dallas.

« Alors, ce nouveau fusil ?

— Je crois que le Colonel en est plutôt content.

— C'est celui qu'on utilise ou c'est celui des Teutons ?

— Le nôtre, bien sûr.

— Mais les Teutons aussi en ont.

— Bien sûr.

— Bon, j'espère que tu t'es bien amusé. » Elle a secoué la tête. « En écoutant vos tirs, je ne pouvais penser qu'à une chose : Glenn et Charlie.

— Je sais. »

Tandis qu'elle restait debout, là, j'ai remarqué les rides autour de ses yeux, plus profondes chaque année, comme les miennes. Dans cette lumière, elle ressemblait à ma mère, avec sa peau et ses cheveux pâles... Mais contrairement à ma mère, Sally a toujours quelque chose derrière la tête. Encore qu'aujourd'hui, elle avait l'air fatiguée de réfléchir. Je l'ai prise dans mes bras.

«Je ne crois pas que je puisse rester ici.

— Ça fait un moment que tu dis ça.

— Ce ne sont pas des paroles en l'air.»

J'ai haussé les épaules et relâché mon étreinte, mais elle a resserré la sienne.

«Il faut qu'on se soutienne, toi et moi», a-t-elle dit. Puis elle a ajouté: «Ça fait des semaines que tu ne m'as pas touchée.

— Tu ne m'as pas touché non plus.

— Si. Mais tu n'as pas remarqué.

— Les garçons vont s'en sortir.

— Pete, avec qui est-ce que tu parles en toute franchise?»

Je ne savais pas trop où elle venait en venir. «Il n'y a personne d'autre.

— Alors vas-y, a-t-elle dit. Dis-moi exactement ce que tu penses. Pas ce que tu penses que je veux entendre, mais la vérité.

— Tu dis n'importe quoi.»

Elle m'a regardé. «Je sais que je ne te fais pas beaucoup d'effet. Je ne t'en ai jamais fait.»

Que pouvais-je lui dire? Que j'ai toujours su que ma place était ici? Qu'un jour quelque action nécessaire prouvera que je ne suis pas né en vain? Un homme de quarante-sept ans, qui attend que le destin mène la danse... C'est déjà le cas, on dirait.

« Tu m'as promis qu'on irait vivre en ville quand les enfants seraient partis.

— Je sais.

— J'ai encore quelques années potables devant moi. Il y a des hommes qui me trouvent toujours séduisante. Si tu veux que je parte seule à San Antonio, dis-le-moi. Sinon je veux bien qu'on vive entre cette maison et un endroit civilisé, si tu m'accompagnes une partie du temps.

— Le ranch va s'effondrer si je pars. Et puis on ne peut pas laisser le Colonel tout seul.

— Tu t'inquiètes pour ton père ?

— Il a quatre-vingt-un ans. »

Elle a secoué la tête avant de regarder longuement par la fenêtre.

« C'est ton dernier mot ? »

15 avril 1917

Sally est partie pour la gare. On a fait l'amour quatre fois ces deux derniers jours, plus que pendant tout le reste de l'année. Profonde dépression quand je l'ai déposée, à quoi bon vivre seul... Lâché plusieurs fois le volant en laissant la voiture aller... Mais pas ça non plus. Sans doute une étape nécessaire. Ça finira par faire sens. Le cuir chevelu s'est mis à me picoter bizarrement, comme la nuit où on est partis attaquer les Garcia, comme plusieurs fois dans ma jeunesse, par exemple la fois où Phineas s'est avancé pour prendre le licou du cheval noir. Mon père voulait que je le fasse, mais devant tous ces gens, impossible.

Quand je suis arrivé à la maison, il faisait sombre et la maison aussi était sombre, calme et vide. Ajouté quelque chose à la liste commencée à Austin, la liste d'abord intitulée «Sept sortes de solitudes» (un homme et une femme assis près l'un de l'autre, un garçonnet accroché à la jambe de sa mère, une pluie froide, les cris des corbeaux, le rire d'une petite fille dans une rue pavée, quatre policiers en train de marcher, penser à mon père); bien sûr, la liste compte maintenant des centaines d'articles. J'aurais dû la brûler il y a longtemps, mais au lieu de ça, j'ai ajouté autre chose: «une maison calme».

Demain je vais laisser partir tout le personnel sauf Consuela et une ou deux bonnes. Personne ne devrait avoir de mal à trouver du travail – les hommes sont appelés de tous les côtés – et puis je vais leur donner trois mois de gages.

J'ai essayé de dormir mais au bout de quelques heures je me suis relevé; j'ai déambulé partout en allumant les lumières. Le vent faisait trembler les fenêtres de l'autre côté de la maison. Pour finir, n'y tenant plus, je suis sorti voir si mon père était encore debout.

Chapitre 25

ELI/TIEHTETI

Automne 1851

Pizon et ceux qui conduisaient les mille chevaux volés étaient rentrés au camp une semaine avant nous, et des retardataires continuaient à arriver au compte-gouttes. Nous avions perdu onze hommes mais le raid était discrètement considéré comme un succès. Sauf qu'encore quelques succès de ce genre et il n'y aurait plus d'Indiens pour monter les chevaux.

Des expéditions plus modestes se poursuivirent tout l'été, surtout à l'initiative d'hommes jeunes qui avaient besoin de chevaux et de scalps, à la fois pour se marier et parce qu'ils n'avaient pas d'autre moyen d'asseoir leur prestige. L'armée avait presque terminé d'établir une seconde ligne de forts – de Belknap à Mason en passant par Abilene – mais bien des colons s'étaient déjà installés au-delà de cette seconde ligne. Pour les anciens, le signe le plus inquiétant venait des nids d'abeilles dans les arbres creux, qui semblaient précéder les avant-postes des colonies d'environ cent cinquante kilomètres et arrivaient maintenant presque jusqu'au Llano. Nous nous réjouissions de l'abondance de miel, mais nous savions ce qu'elle signifiait.

La nouvelle de notre prospérité retrouvée était parvenue jusqu'aux *comancheros* et je convainquis Toshaway de doubler le prix des chevaux qu'on troquait. Auparavant, un bon cheval s'échangeait parfois contre une poignée de perles ou quelques mètres de calicot, mais nous voulions désormais plus de munitions et de pièces détachées pour nos armes à feu, plus de têtes de flèche en acier et plus de nourriture. Je restais au camp à chasser et dresser des chevaux, même si l'essentiel de mon temps, je le passais avec Fleur-de-Prairie ; elle n'était plus gênée d'être vue en public avec moi puisque j'avais maintenant autant de prestige que Nuukaru ou même Escuté, même si j'étais toujours moins capable qu'eux.

L'événement phare de la fin de l'été fut la capture d'un jeune chasseur de bisons qui, comme le reste de son groupe, avait surestimé la protection de l'armée et des Rangers. On les surprit dans les gorges inférieures du canyon de Palo Duro et tous ses compagnons périrent au cours d'un bref combat. Il sortit en rampant de sous leur chariot, bras en l'air ; sachant ce qui l'attendait, j'encochai aussitôt une flèche mais Pizon me bouscula et je le manquai.

Barbe et cheveux blonds, yeux bleus, il n'avait pas trente ans et dégageait une sorte d'innocence. J'étais content de récupérer sa Springfield, ses balles et ses moules Minié, mais le véritable trophée, c'était lui. Comme il était vivant, sans la moindre blessure, et que le campement était tout près, on décida de l'y ramener pour le torturer.

Cela provoqua l'excitation générale, interrompant tout le travail pour la journée. On aurait dit l'arrivée d'un cirque en ville ou l'annonce d'une pendaison chez les Blancs. Sans doute avait-il compris ce qui allait se passer car il me supplia de l'aider. Mais je ne pouvais rien faire, et des captifs de fraîche date, à la position plus précaire que la mienne, lui piétinèrent le visage pour signifier leur loyauté.

La torture d'un prisonnier représentait un insigne honneur pour les femmes du village et on rassembla toutes les anciennes comme les plus jeunes. Fleur-de-Prairie fut très déçue de ne pas être choisie. Après avoir intégralement déshabillé le chasseur, puis attaché ses pieds et ses mains écartés à des pieux de sorte qu'il soit suspendu juste au-dessus du sol, les élues se moquèrent de ses poils incolores et de ses parties intimes, ratatinées par la peur. Une femme s'assit sur lui et fit mine de le chevaucher, pour la plus grande joie de l'assemblée. Presque tout le village était là, les enfants assis ou debout sur les épaules des adultes, exactement comme dans le public des pendaisons. Les femmes allumèrent quatre tout petits feux, sous les mains et les pieds du prisonnier. Elles ne les alimentaient que parcimonieusement, maintenant les flammes au minimum, ne les attisant que lorsqu'il cessait de crier, signe que les terminaisons nerveuses étaient mortes. Elles augmentaient alors la température en ajoutant une brindille à la fois, jusqu'à ce qu'il se remette à chanter.

Il avait crié à s'en casser la voix et les enfants l'imitaient joyeusement. Quand vint l'après-midi, il n'émettait quasiment plus le moindre son et je me demandai si ses cordes vocales s'étaient rompues. En guise de dîner, on lui donna du bouillon et de l'eau, ce que son corps accepta volontiers même s'il devait savoir pourquoi on les lui donnait ; plus tard, on le nourrit de nouveau. Je passai à proximité, le pensant à demi inconscient, mais il me reconnut et me supplia de le tuer – de chrétien à chrétien. Je restai là à réfléchir, sachant bien ce que je voudrais qu'on me fasse à sa place. Mais Toshaway me rattrapa tandis que je retournais au tipi.

« Je sais à quoi tu penses, Tiehteti. Tout le monde le saura et la punition sera lourde. Sans doute plus lourde que tu ne crois.

— Je ne pense à rien, dis-je. Il tue nos bisons.

— D'accord, dit-il. D'accord, Tiehteti. »

Fleur-de-Prairie était en feu, cette nuit-là. Je fis de mon mieux, mais après la deuxième fois, j'avais moins envie. Comme elle continuait à se frotter contre moi, je finis par l'arrêter.

« D'habitude je n'arrive pas à me débarrasser de Nuukaru et Escuté », dit-elle. Ils étaient en raid, aussi avions-nous le tipi pour nous. « Pour une fois où ils m'auraient été utiles...

— Je suis sûr que d'autres sont encore réveillés, si c'est ce que tu veux.

— Tu sais bien que non. » Elle se lova contre moi.
« Qu'est-ce qui ne va pas ?

— Rien.

— C'est à cause du Blanc, hein ? »

Je secouai la tête.

« D'accord, dit-elle. Pardon d'être insatiable.

— Donne-moi juste une minute.

— Ce n'est pas grave.

— Je vais essayer. » Mais rien à faire.

Au matin, juste après le petit-déjeuner, on coupa les mains et les pieds du prisonnier parce que tous les nerfs étaient morts, et lorsque ses cris se calmèrent, on déplaça les feux sous les moignons, là où les terminaisons nerveuses étaient encore en état. Moins de gens regardaient à présent et bien que le village entier résonnât de ses hurlements, on n'y faisait presque plus attention.

Toshaway m'expliqua que c'était un événement récurrent autrefois, mais à mesure que les raids s'étaient éloignés du village, il était devenu trop périlleux de ramener vivant un homme adulte juste pour le torturer.

« Je vais chasser », dis-je.

Il me regarda.

« Ça va », ajoutai-je.

Quand on voudrait ne pas voir de serpent, ils sont partout, et quand on en cherche un, ils sont introuvables. Certains guerriers enduisaient de venin leurs flèches de guerre, mais j'étais si maladroit avec mon équipement que je n'avais jamais voulu m'y risquer.

N'empêche que je savais traire un crotale. J'y passai presque toute la journée, mais je finis par trouver sur un rocher surélevé un gros *wutsutsuki* qui se chauffait au soleil de la fin d'après-midi. Quand il eut fini de remuer, je lui coupai la tête et l'enveloppai dans un morceau de daim.

Le deuxième soir, on redonna au chasseur de bisons du bouillon et de l'eau. Il n'avait alors plus qu'une cinquantaine de spectateurs assis autour de lui, qui mangeaient en le regardant. J'allai me coucher comme si de rien n'était et j'attendis que toutes les conversations se soient tues. Le ciel était couvert et la nuit presque noire – bon signe, à mes yeux. Je me dirigeai silencieusement vers le lieu de la torture.

À mon approche, l'homme émit un son. *Pitié*, peut-être? Il avait bien pu dire n'importe quoi.

Mon plan était stupide. Il faisait sombre et le paquet sanguinolent cachait de petites dents acérées. Tant pis, j'utilisai le dos de mon couteau pour presser la tête du serpent au-dessus de la bouche du prisonnier. Rien qu'une ou deux gouttes, mais déjà il s'agitait. «Laisse faire, dis-je. Ne t'accroche pas.» Je lui entaillai la gorge et y versai le reste du venin. Je sentis que je m'étais éraflé la main.

Sa respiration commençait à s'altérer.

Je partis me nettoyer dans la rivière.

En rentrant au tipi, je trouvai Fleur-de-Prairie dans mon lit, aussi excitée que la nuit précédente.

Après, elle demanda: «Tu étais où?

— Je me promenais.

— Tu étais mouillé.»

J'avais des fourmis dans le bras. Je finis par lui demander : «Ça ne te gêne pas, ce qu'on a fait à cet homme ?»

C'était sorti plus fort que je ne l'avais voulu.

«C'est parce qu'il est blanc, c'est tout.

— Pas sûr.

— Ce n'est pas une conversation à avoir, avec personne.

— Je sais bien. Je ne compte pas en parler.

— Même avec moi.»

Il y eut un silence.

«Je sais que tu n'es pas faible. Tout le monde le sait.» Elle pesait ses mots. «Toshaway dit qu'un jour tu seras chef. Ils sont en train de te préparer une peau de bison, ça devait être une surprise.

— Je te demandais seulement ce que ça t'avait fait.

— Ils te préparent une peau qui montre comment tu as tué le Delaware, comment ta magie t'a protégé de ses flèches, et comment tu as sauvé Toshaway des soldats. C'est censé être une surprise.» Puis elle ajouta. «Cet homme est blanc. Penses-y.

— On ne faisait pas ce genre de choses là où j'ai grandi.»

Elle se détacha de moi. «Tu sais, je n'ai pas toujours été kotsoteka, dit-elle.

— Ah ?

— Quand j'étais *tɯepɯrɯ*, je devais avoir six ans, les Texans ont attaqué ma bande. Mon frère nous a emmenées à la rivière, ma sœur et moi, et il nous a dit de nager. Ils l'ont tué d'une balle dans la tête alors qu'il était dans l'eau. Ils m'ont aussi tiré dessus, mais ils m'ont manquée. Le lendemain, avec ma sœur,

on est revenues au campement et on a trouvé ma mère morte, au milieu de cent autres cadavres : des femmes, des vieillards, des enfants. Les Texans lui avaient coupé la tête et ils l'avaient plantée sur un bâton fiché dans le sol. Et puis ils avaient pris un *tutsuwai* et le lui avaient enfoncé entre les jambes ; il y avait tellement de sang qu'on savait qu'elle était encore vivante à ce moment-là. Mais il n'y avait pas de sang autour de son cou : ça, ils l'avaient fait après. Je suis donc née et j'ai grandi *pena tuhka* mais maintenant je suis kotsoteka.

— Il est arrivé la même chose à ma mère et ma sœur. Et à mon frère.

— Tiehteti, ça n'est pas possible, ça. » Elle attrapa ses affaires et entreprit de s'habiller. Je décidai de m'en ficher. Bien entendu, elle avait raison : elle avait le droit de parler de sa famille, mais je n'avais pas le droit de parler de la mienne, parce qu'une famille qui n'était pas comanche, c'est comme si elle n'avait jamais existé.

« Tu peux m'arrêter si tu veux », dit-elle.

Je ne dis rien. Elle eut un petit sanglot. Puis je l'agrippai et la tirai à moi.

« Je n'en parlerai plus », dis-je.

Elle haussa les épaules, se déshabilla de nouveau, et on resta couchés l'un contre l'autre jusqu'à ce qu'elle finisse par s'endormir.

Je restai éveillé, à réfléchir, tentant de déterminer si le fourmillement dans mon bras descendait le long des côtes ou si c'était mon imagination. Puis je pensai à mon père. Au début des années 1840, les Blancs l'emportaient si rarement sur les Comanches

qu'on entendait parler de la moindre victoire dans tout l'État du Texas. De toutes ces années-là, le seul combat à avoir fait tant de victimes comanches était l'expédition menée par Moore dans le Colorado. D'après Moore, plus de cent cinquante braves avaient trouvé la mort, mais certaines rumeurs disaient qu'il s'agissait surtout de femmes et d'enfants, que les guerriers étaient à la chasse au moment de l'assaut. Mon père était alors avec Moore et parlait parfois du raid, mais de la même façon qu'il parlait du reste. C'était arrivé, voilà. Les petits Indiens devenaient de grands Indiens. Tout le monde savait ça.

Fleur-de-Prairie m'embrassa dans son sommeil. «Tu es bon, murmura-t-elle. Tu es honnête et bon et tu n'as peur de rien.»

Le lendemain matin, le chasseur de bisons était mort. Son visage et son cou étaient enflés, mais personne ne sembla le remarquer. Les gens étaient surtout déçus. Encore un signe que les traditions se perdaient : par le passé, un captif aurait été maintenu en vie deux ou trois jours de plus.

Si on me soupçonna, personne n'en fit état. Fleur-de-Prairie passait toutes ses nuits avec moi et Toshaway me dit que si je voulais emprunter des chevaux pour proposer au père le prix de la fiancée, ils étaient à ma disposition. Il s'éclaircit alors la voix et glissa, un ton plus bas, que cinquante chevaux ce serait très excessif : les temps avaient changé.

On me remit la peau de bison préparée à mon intention, ainsi qu'un tipi rien que pour moi. L'année tournait bien. L'automne venu, les pluies se firent lourdes et la chaleur quitta les plaines. Le froid vivifiant des nuits laissait place à des journées ensoleillées, la chasse était bonne, et je commençai à faire des projets avec Fleur-de-Prairie.

Mais quelques semaines après la mort du chasseur blanc, les Indiens se mirent à tomber malades.

Chapitre 26

JEANNIE

Été 1945

Vint le 8 mai 1945, et pendant quelques semaines, il sembla que tout allait changer. Et puis tout continua comme avant. Ses frères ne rentrèrent pas et les vaqueros se livraient à leurs occupations sans elle – elle ne voyait pas l'intérêt de les aider à perdre de l'argent. Plusieurs fois elle fit sa valise, tellement perdue qu'elle était prête à accepter la proposition de Jonas, mais jamais elle ne parvint à le joindre avant d'avoir changé d'avis. Elle était certaine qu'elle aurait beau le retrouver à Berlin, ça se passerait exactement comme à Princeton : il l'abandonnerait, d'une façon ou d'une autre.

La plupart du temps elle s'ennuyait. Elle allait à Carrizo faire des courses pour le cuisinier (se débrouillant systématiquement pour oublier quelque chose) ou à San Antonio voir des modistes de sa connaissance qui promettaient toujours de lui présenter des jeunes gens mais ne lui présentaient jamais personne. Elle rendait visite à Phineas, attendant à chaque fois qu'il l'invite à séjourner chez lui, dans l'imposante demeure qui dominait Austin ; elle se voyait bien assise avec lui sur la galerie à parler jusque tard dans la nuit, mais c'était un homme secret (*tu n'es plus une enfant*, selon sa formule), aussi logeait-elle à l'hôtel Driskill.

C'était une bonne année pour la terre. L'herbe était restée verte. Tous ces beaux pâturages... elle savait qu'elle ferait bien d'acheter quelques centaines de têtes. Mais le bétail était un luxe, les chevaux étaient un luxe, même l'herbe était un luxe : les ranchs moins prospères ressemblaient maintenant à de vastes étendues poussiéreuses. Et puis de toute façon elle préférait l'herbe aux vaches.

Une fois par semaine, elle sellait General Lee, le cheval de son père, pour lui faire faire un tour. Sullivan, qui avait voulu abattre l'animal, était contre – sans doute à juste titre. General Lee avait failli avoir raison d'elle à plusieurs reprises. Il se tenait bien tranquille pendant qu'on le sellait et pile au moment où elle montait, il se mettait à botter. En général il ruait sans trop de contorsions, mais il l'avait désarçonnée plus d'une fois. Tu devrais m'être reconnaissant, lui disait-elle. Tu ne dois qu'à moi d'être en vie.

Mais reconnaissant, il ne l'était pas. Il devait sentir qu'elle ne l'aimait pas, ou pas vraiment, à moins que, comme elle, il ne s'ennuyât, voilà tout, parce qu'il n'avait ni travail ni projet et que, sur la durée, ça fait le lit des mauvaises habitudes.

Jadis, le Texas fourmillait de chevaux sauvages, cinq millions, dix millions, personne ne savait. Mais la plupart avaient été capturés et envoyés aux Anglais pendant la Grande Guerre. Entre le conflit et le recyclage des déchets de l'abattoir, il n'y avait quasiment plus de mustangs dans tout l'État. Quand elle était petite, presque tous les vieux chevaux du ranch finissaient bêtes de labour dans l'Est, mais l'arrivée du tracteur avait changé ça. Les vieux canassons servaient maintenant à nourrir les autres animaux.

Le pétrole, voilà ce qui comptait. Les Alliés avaient brûlé sept milliards de barils pendant la Seconde Guerre mondiale, dont quatre-vingt-dix pour cent provenaient des États-Unis, et principalement du Texas. La bataille de Normandie n'aurait pas été possible sans «Big Inch» et «Little Big Inch», les fameux oléoducs. Les Alliés avaient vogué vers la victoire sur une mer de pétrole texan.

Ça la laissait parfois songeuse : si les oléoducs n'avaient pas été construits à temps, si on avait renoncé à libérer l'Europe, peut-être que Paul et Clint seraient encore en vie. Ou peut-être que les combats dureraient encore. Peut-être que Jonas aussi serait mort. On n'entendait que ça : si on n'avait pas fait telle ou telle chose épouvantable, la guerre n'aurait jamais pris fin.

Elle n'était pas sûre d'y croire. C'était le genre de choses qu'on disait après une chute de cheval : je voulais descendre de toute façon. Et puis, pour ce qui était de la fin de la guerre, les Russes ne valaient au final pas mieux que Hitler.

Non, elle n'irait pas en Europe. Elle ne suivrait pas son frère partout comme un chien errant. Quelque chose allait changer, elle le sentait.

Depuis que les vaqueros s'étaient occupés du type de la compagnie pétrolière, personne d'autre n'était venu. Mais elle reçut un jour une lettre d'un responsable de chez Humble Oil qui souhaitait l'inviter à déjeuner.

Ils se retrouvèrent en ville. Il était bien habillé, il avait des traits fins, une raie impeccable séparait ses cheveux gris. Beau, bronzé, il lui fut tout de suite sympathique. Et sitôt qu'ils eurent commandé leurs steaks, il lui proposa quatre millions, et vingt-cinq pour cent de royalties.

C'était le double de la proposition de Southern Minerals. Mais après avoir fait mine d'y réfléchir sérieusement, elle dit : « Et quoi d'autre ? »

Il ne se départit pas de son expression bienveillante.

« Je sais que vous installez des portails automatiques dans certains ranchs, mais nous en avons déjà.

— Qu'est-ce que vous voudriez d'autre ?

— Et si je vous demandais de nettoyer toutes les terres dans un rayon de... – il fallait un chiffre élevé – ... un kilomètre et demi de chaque puits ?

— Vous voulez qu'on arrache vos broussailles ? »

Elle hocha la tête.

« Vous voulez qu'on déracine tous les fourrés sur deux cent soixante-quinze mille mètres carrés autour de chaque puits ? »

Est-ce que c'était le nombre exact ? Elle n'en avait aucune idée. Elle n'avait pas non plus la moindre idée de comment il l'avait calculé sans stylo ni papier. Mais elle savait qu'elle ne pouvait pas trahir son ignorance, aussi dit-elle : « À vrai dire, nous voulons que vous débroussailliez la zone autour de chaque forage, que ça devienne un puits ou pas. »

Il rit, lui rappelant Phineas. « Mon petit, vous vous rendez compte qu'il y a des tas de propriétés au Texas où la présence de pétrole est avérée, et où personne ne demande ce que vous demandez.

— Je sais que vous avez payé trois millions et demi et plus de royalties au ranch King. Et c'était il y a dix ans, alors qu'on n'était sûr de rien. Je sais aussi tout le travail que vous avez fait sur leurs terres parce que Bob Kleberg est un ami. »

Il y eut un silence. Qui dura. Dehors la rue était animée, pleine de gens en tenues de ville qui faisaient leurs courses ou sortaient déjeuner. Elle fut sur le point de s'excuser : elle avait exagéré – sauf que, bien sûr, cet homme voulait obtenir d'elle quelque chose, comme l'autre, aussi s'obligea-t-elle à ne rien dire, comme si ce silence était parfaitement naturel. Elle resterait là, sans rien dire, cent ans s'il le fallait. L'homme regardait par la fenêtre. Elle observa ses yeux brillants, ses traits délicats – des traits masculins, mais d'une grande finesse –, il tenait visiblement plus de sa mère. Un très bel homme. Ce qu'il savait aussi bien qu'elle, se dit-elle soudain. Il semblait sur le point de parvenir à une décision. Il était en train de trancher.

« J'aimerais pouvoir vous proposer mieux, mais... » Il leva les mains.

« Et si nous nous branchions simplement sur vos canalisations ?

— Amusant.

— Après tout, elles ne transportent guère de pétrole pour le moment. Elles vont rouiller.

— Si vous comptez vous lancer vous-même dans la prospection, miss McCullough, laissez-moi vous dire qu'il n'y a pas mieux pour faire faillite. Vous finirez dans une bicoque avec pour voisins des nègres et autres bons à rien. Si vous acceptez notre proposition, cette terre fera vivre votre famille pour des siècles et des siècles sans que vous ayez à lever le petit doigt, sinon pour signer le contrat. »

Elle savait qu'il avait tort, mais elle ne savait pas pourquoi. Elle savait aussi qu'un mot de plus dévoilerait son ignorance, si toutefois il n'était pas trop tard. Elle ramassa ses affaires, serra la main de son interlocuteur et sortit du restaurant avant même qu'ils n'aient été servis. Des steaks à trois dollars. Est-ce qu'elle aurait dû laisser de l'argent ? Non. Elle ralentit, descendant tranquillement la rue de cette ville qui portait le nom de sa famille. L'ombre des marquises, les voitures garées, le ciel lumineux entre les devantures de brique des magasins. Quatre millions de dollars. Ça ne voulait pas dire grand-chose pour elle. La vérité, c'est qu'elle se sentait davantage coupable pour le prix du steak.

Puis elle se sentit bête. Elle n'avait rien d'une adulte, elle n'était qu'une gamine. D'après le comptable, elle allait devoir au gouvernement cinq millions de dollars de droits de succession – ça aussi, ça lui avait semblé abstrait. On pouvait demander un report, mais il allait falloir forer, et vite ; il s'agissait de trouver les bonnes personnes. Phineas lui avait dit de ne pas s'en faire, mais elle ne s'en faisait pas de toute façon.

La rue n'était plus goudronnée. Elle dépassa les maisons des Mexicains, leurs passages crasseux, leurs portes qui fermaient mal, leurs habitants entassés à dix par pièce, leurs morceaux de viande séchant au soleil, pleins de mouches. Elle ferait certainement mieux de faire demi-tour et de rattraper le type de Humble Oil avant qu'il ne parte.

Pourtant elle marchait toujours. Broussailles et parcelles cultivées. Ses souliers chics s'enfonçaient dans la terre de la route ; ils seraient fichus. C'était idiot de discuter sans Phineas. Idiot aussi ce qu'elle avait dit sur les canalisations. Elle n'accepterait plus d'aller seule à ces rendez-vous. Mais ça n'était qu'une absurdité de plus. Phineas ne serait pas toujours là, il était comme son père.

Elle vit Ed Freeman dans son champ d'oignons, en train de bricoler son système d'irrigation. Est-ce qu'il leur devait toujours de l'argent ? Elle le salua d'un geste de la main et il eut l'air inquiet – comme s'il allait devoir lui venir en aide. Elle poursuivit son chemin le long du bas-côté, le dos ruisselant de sueur.

Son père l'avait laissée détester les mathématiques ; il lui avait dit que ça n'avait pas d'importance qu'elle soit bonne ou pas dans cette matière. Là encore il s'était trompé. C'était important. Qu'est-ce que ce type avait calculé ? Un kilomètre et demi par un kilomètre et demi ? Non, c'était un problème de géométrie. *Pas la moindre idée*, pensa-t-elle.

Elle regarda passer une voiture dans un tourbillon de poussière, un Blanc qui emmenait quatre Mexicains travailler. Numéro d'immatriculation : 7916. Soixante-dix-neuf fois seize. Impossible. Elle ne voyait pas comment ce type avait fait. Et pourtant.

Sitôt rentrée, elle avait appelé Phineas pour tout lui raconter, y compris l'histoire des canalisations. Il lui dit de ne pas s'en faire : elle n'avait rien dit que Humble Oil n'ait déjà envisagé. Elle se sentit soulagée. Mais voilà que Phineas parlait toujours. Il l'invitait à Austin, il avait quelqu'un à lui présenter.

Chapitre 27

JOURNAL DE PETER McCULLOUGH

17 avril 1917

« Vous-même, Colonel, vous vous lanceriez dans l'agriculture ?

— Bien sûr, c'est la valorisation logique des terres. »

Ils sont peut-être cinquante, tous sur leur trente et un, à manger du filet de bœuf et à boire du bordeaux dans la grande salle en écoutant le Colonel vanter les merveilles de notre climat méridional. J'envisage de quitter mon coin d'ombre sur la galerie pour leur signaler que sa politique, c'était de tirer sur les fermiers qui voulaient nous faire payer un droit de passage lors des transhumances. Et qu'il a passé sa vie à dire qu'au bas de l'échelle des êtres on trouve ceux qui trifouillent la terre. Il met ça sur le dos de ses années indiennes, mais c'est une opinion commune chez tous les hommes qui travaillent à cheval, des riches éleveurs aux plus pauvres vaqueros.

«... le jardin d'hiver du Texas, est-il en train de dire, deux cent quatre-vingt-huit jours de pousse... vous n'aurez plus jamais à soulever une pelletée de neige de votre vie.» Applaudissements diffus. «Et puis, rajoute-t-il, vous allez voir que la proportion de femmes éclairées est bien moindre que ce dont vous avez l'habitude dans l'Illinois.» Rires et nouveaux applaudissements. Je refuse d'écouter; je décide d'aller faire un tour.

Bien entendu on ne leur montrera que les fermes qui tournent bien, pas celles dont l'eau était trop salée pour l'irrigation, ni celles issues de l'ancien ranch Cross S, divisé en lots il y a moins de dix ans, et dont la plupart sont en train de retourner à l'état de broussailles généralisées. Un sol à peu près aussi fertile que le désert de Chihuahua.

18 avril 1917

Suis tombé sur Raymond, le fils Midkiff, au magasin. Il conduisait quelques bêtes après l'orage de grêle cet après-midi quand il a vu la caravane de fermiers de l'Illinois arrêtée sous des arbres.

Les types étaient sur la route, à examiner des grêlons gros comme des oranges, se disant qu'ils auraient pu y rester. L'un d'eux a interpellé Raymond pour lui demander si ce temps était exceptionnel.

«Ça, oui, leur a-t-il dit. Mais vous auriez dû voir l'an dernier, quand il a plu.»

Quand le Colonel est rentré, il était furieux et il m'a dit qu'il fallait virer cet enculé de mongol de ses deux qui conduisait des veaux sur le chemin du bas.

Lui ai expliqué qu'on ne pouvait pas virer Raymond Midkiff. Réponse : très bien, alors on n'a qu'à le descendre. Ai rappelé que les Midkiff sont nos voisins.

Évidemment, les fermiers ont tous cru que Midkiff plaisantait. Les champs irrigués sont plutôt luxuriants. Ces types n'ont pas les repères nécessaires pour comprendre ce pays ; on en a même entendu certains citer le dicton « après la charrue vient la pluie », ce vieux mythe des Grandes Plaines. Je me demande dans quel siècle ils vivent.

Au milieu de tout ça, je me sens horriblement seul... Sentiment que j'ai toujours eu l'occasion d'étudier de près.

19 avril 1917

Le ranch Pinkard – vingt-six mille hectares – a été intégralement vendu et partagé en lots. La famille va vivre à Dallas. J'ai été rendre visite à Eldridge Pinkard. Il avait du mal à croiser mon regard – on a presque le même âge, son père est arrivé ici peu après le Colonel.

« La banque aurait tout pris, un de ces jours, Pete. » Il a haussé les épaules. « Même avec le cours du bœuf, cette sécheresse... Il a fallu que je retire nos billes avant qu'il ne reste plus rien.

— Il paraît que tu as acheté quelque chose dans les Cross Timbers ? »

Il a eu un petit gloussement amer. «Cinq cents hectares, pas moins.

— De quoi élever quelques têtes.»

Nouveau haussement d'épaules. Il a remué la terre du bout du pied puis balayé du regard ces pâturages qui furent les siens. «Avant que tu n'aies trop pitié...

— Je n'ai pas pitié, ai-je menti.

— Si, mais je te remercie. Je ne voulais pas le dire à ceux qui restent, mais toi et moi on se connaît depuis le temps où il y avait encore des Indiens.

— Oui.

— J'étais sacrément déprimé par tout ça jusqu'à ce que je parle à Eustice Caswell, du bureau de conscription.» Il a secoué la tête. «Pete, d'ici un an tous les hommes valides auront été appelés. Je ne peux même pas aller aux chiottes sans qu'on essaie de me refiler une obligation de guerre à dix dollars. Et puis... la vérité, c'est que je suis jaloux des gars qu'on envoie là-bas : le temps qu'ils arrivent en France, ils auront vu plus de pays que moi dans toute ma vie. Quand j'ai compris ça, je me suis mis à voir cette situation comme ma dernière chance. J'aurais été fou de ne pas la saisir.

— Sans doute, oui.

— C'est pas comme si nos pères avaient grandi ici, Pete. Pas comme si les gens étaient là depuis longtemps. C'est juste l'endroit où ils se sont arrêtés.

— Les clôtures n'ont pas retenu que les bêtes», ai-je dit.

On aurait dit qu'il allait pleurer, et puis non, et j'ai vu que sans être heureux, il n'était pas triste non plus. L'idée de partir d'ici lui plaisait. «Tu sais, si je restais, je construirais des routes partout, jusqu'à pouvoir abattre le même boulot avec seulement un quart de la main-d'œuvre, faire dix minutes de voiture plutôt que quatre heures de cheval, dîner chez moi tous les soirs et utiliser des camions pour nourrir les bêtes. Ça pourrait tourner comme une machine bien huilée si on le voulait vraiment. Mais malgré ça...» Il leva le pied et écrasa sous sa botte une pousse de mesquite. «Regardons les choses en face, Pete. Cette terre est foutue. Je regrette qu'il n'y ait pas de photos de quand on était gosses, je voudrais oublier qu'elle ressemble à ça, maintenant.»

Quand je suis rentré, mon père m'a avoué qu'il était au courant depuis des mois – il a acheté la moitié des droits pétroliers des terres des Pinkard. J'ai demandé comment on allait les payer.

«J'ai décidé de vendre les pâturages de l'autre côté de la Nueces.

— Et les taureaux, on va les mettre où ?

— En enlevant la part du courtier, on se fait presque soixante-dix-huit dollars par hectare. On peut mettre des clôtures où on veut. Ça paie les droits pétroliers du sous-sol des Pinkard et la moitié du prix des terres des Garcia.

— Ces pâturages, on les voit de toutes les hauteurs de la propriété.

— Et alors ? On regardera les jolies fermières.

— Et si je refuse de signer la vente ?

— Tu peux refuser tout ce que tu veux.»

Sauf qu'en réalité je ne peux pas. Il savait que je signerais et de fait, j'ai signé. Je me console en me disant qu'à vrai dire ces pâturages n'étaient pas très pratiques. Le Colonel, lui, m'a consolé en me disant qu'on avait gardé les droits pétroliers. «De toute façon, la surface vaut pas trois clopinettes, a-t-il dit. On a du bol que ces crétins de Yankees aient été trop occupés à parler de leurs universités pour s'en rendre compte.»

Très bien, sauf que ces pâturages étaient le seul endroit sensé où mettre les taureaux. Ça va devenir bien plus compliqué de contrôler la reproduction, maintenant : du travail supplémentaire pour nous et pour les vaqueros, et des coûts supplémentaires aussi.

Quant aux droits pétroliers, ça a déjà pas mal foré le long du fleuve ; on ne fait même plus attention aux camions et à tous ces nouveaux ouvriers. Les baux ont triplé. N'empêche qu'à ce jour les gisements les plus proches sont à Piedras Pintas, loin vers l'est, et ils ne donnent que quelques centaines de barils par jour, avec une pompe. Le reste, c'est du gaz, qui pour le moment ne sert à rien.

26 avril 1917

Après une absence d'une semaine, le Colonel est rentré aujourd'hui de Wichita Falls avec tout un appareil de forage rotatif presque neuf, réparti entre plusieurs vieux camions. Il dit l'avoir eu pour un bon prix. *Les anciens proprios ont fait faillite.* Comme si c'était un argument de vente.

Le Colonel a aussi ramené un type totalement ivre qui se prétend géologue. Et un autre ivrogne qui se prétend maître foreur. Les ivrognes numéro trois, quatre et cinq sont les ouvriers de plancher et de la tour de forage. On les dirait droit sortis d'une porcherie.

«Ça vient d'où, tout ça ? lui ai-je demandé.

— De Wichitas Falls, a-t-il répondu, comme si je ne savais pas où il avait été.

— On rajoute des éoliennes ?

— Laisse faire. »

Le géologue et lui ont été explorer les prés sablonneux des Garcia. L'assembleur de derrick, le foreur et le mécano se sont retirés sur la galerie pour boire.

4 mai 1917

N'ayant rien trouvé de mieux, ils ont déterminé un endroit où forer, à tout juste huit cents mètres de la maison, sur la base du souvenir fumeux d'un suintement que mon père aurait peut-être vu il y a cinquante ans, et qui n'a jamais reparu depuis.

«Intéressant, comme endroit, lui ai-je dit, on va tout voir et tout entendre de la maison. J'imagine qu'il n'y avait nulle part d'autre où forer sur nos cent mille hectares.

— C'est ce qu'a dit le bâton de sourcier. Toujours faire confiance au bâton. »

Parfois je n'arrive pas à savoir s'il me prend pour un idiot ou s'il en est un lui-même.

27 mai 1917

Panique chez les Mexicains. Six de nos meilleurs hommes, parmi lesquels Aarón et Faustino Rodriguez, m'ont informé qu'ils démissionnent et rentrent au Mexique : ils craignent pour leur famille.

La raison, c'est que ces braves gens d'Austin viennent de voter de nouveaux crédits pour étoffer les troupes de Rangers. Le nombre de Rangers le long de la frontière va monter à huit cents (contre quarante actuellement).

J'ai tenté d'expliquer aux vaqueros qu'au Mexique, c'est la guerre : ils s'en moquent. Moins dangereux qu'ici, d'après eux.

Freddy Ramirez (notre bras droit, qui le premier avait repéré le vol de bétail des Garcia) a aussi donné sa démission. Les usines du Michigan recrutent encore des Mexicains. Du moins c'est ce qu'il a entendu dire.

J'ai essayé de tourner ça à la blague : « Le Michigan ? *Muy frío !* », ai-je dit en me frottant les bras.

Il n'a pas trouvé ça drôle. « Le froid, on peut y survivre. Les *Rinches*, c'est moins sûr. »

Mon père se fiche que nous perdions sept de nos meilleurs gars. Après que la moitié de nos employés ont été mis à contribution pour construire le derrick et apporter le matériel nécessaire sur le site, le vrai travail a commencé. Le vacarme est oppressant. Là où avant les bruits du bétail se mêlaient aux craquements d'une éolienne, on se croirait dans une gare, sauf que le train ne se rapproche jamais, pas plus qu'il ne s'éloigne ni ne se tait. Avec la chaleur, toutes les fenêtres sont ouvertes. Je me promène du coton plein les oreilles.

19 juin 1917

Le forage se poursuit, mais jusqu'ici, rien que du sable. En attendant, la ville est quasiment méconnaissable depuis la vente du ranch Pinkard et d'autres plus petits ranchs du même genre. Des pick-up et des saisonniers au lieu des chevaux et des vaqueros. Gilbert vend de l'engrais à la chaîne. J'ai été lui acheter des barres à mine, quelques pelles et une caisse de cartouches calibre 30 pour la mitrailleuse Lewis.

« C'est le prix pour moi aussi ? » Tout est trois fois plus cher qu'avant.

« Nan. Je me dis qu'il faut qu'on se serre les coudes, nous autres qui restons. » Il a fait semblant de faire des calculs sur un carnet et réduit la note de moitié. Ça faisait quand même vingt pour cent d'augmentation par rapport au mois dernier. J'ai décidé de ne rien dire.

« Il reste qui ? ai-je demandé.

— Côté moricauds, personne. Environ dix familles sont parties, les Vargas, les Guzman, les Mendes, les Herrerra et les Rivera, je ne sais même pas qui d'autre, putain – on aurait dit que tout ça s'est fait d'un coup : ils ont vendu leurs parcelles à Shaw, le propriétaire de l'auberge, ils ont acheté de vieux pick-up et ils ont filé dans le Michigan, à quarante ou cinquante, en caravane. Me reste plus un manteau ni une couverture. Paraît que Ford a embauché deux mille Mexicains dans une seule usine. C'est assez drôle quand on y pense : ces moricauds vont se mettre un peu de graisse sur les mains et plus seulement dans les cheveux, à construire des voitures et tout... »

J'ai été tenté de lui rappeler que plusieurs de ces «moricauds» (Vargas et Rivera, au moins) étudiaient à l'université de Mexico pendant que Gilbert et ses louchards de frères faisaient du trafic de génisses à Eagle Pass.

«Même le vieux Gomez a vendu. Il a liquidé tous ses produits à prix coûtant. J'ai récupéré des caisses et des caisses de meules gisantes, de mors, de brides en crin de cheval et de cordons de cuir. Plus tout son bordel de *curandero*. Tu le crois, ça? Tu as ici même, devant toi, le nouveau guérisseur de la ville.»

L'idée que des Mexicains pourraient faire confiance à Niles Gilbert pour leur vendre des remèdes m'a déprimé. J'ai payé et je me suis dépêché de sortir, mais j'ai quand même entendu: «Le plus drôle, c'est que tout ce petit monde me manque. J'aurais jamais cru dire ça, vu les ennuis qu'ils ont causés.»

Nobles sentiments de la part d'un assassin. Je suppose que je ne vaux pas mieux.

Malgré le départ des dernières familles mexicaines d'origine (dont beaucoup étaient là depuis cinq ou dix générations, bien plus longtemps que tous les Blancs), une nouvelle vague est venue prendre leur place. Les nouveaux arrivants ne parlent absolument pas anglais et seront des proies faciles pour des hommes comme Gilbert. N'empêche, ça vaut mieux que le nord du Mexique, où c'est encore la guerre ouverte. *Je sais pas de quoi ils se plaignent*, a dit mon père. *Au moins y a pas d'impôts.*

Une fois rentré à la maison, je suis allé aider à la rotation des bêtes, qu'on faisait sortir de l'enclos numéro dix-neuf. On est en train de tout quadriller de clôtures et, comme le disait Pinkard, ça commence vraiment à tourner comme une machine bien huilée. Mais à quel moment le travail perd-il son âme ? Ça, on dirait bien que personne ne le sait.

20 juin 1917

Besoin d'un nouveau pick-up. Me suis décidé pour un Wichita. Idéalement le 2,5 tonnes. Reste à choisir entre un engrenage à vis et une transmission par chaîne.

Ai envisagé un Ford (le modèle T est maintenant fabriqué à Dallas) mais tous les propriétaires de Ford ont eu l'épaule disloquée (ou cassée) à cause du retour de la manivelle de démarrage. On reconnaît un conducteur de Ford à son bras dans le plâtre – une vieille blague.

Ceux qui construisent de la pacotille n'ont aucune chance de survie dans le monde actuel. Les gens veulent des choses qui durent.

21 juin 1917

Une pauvre Mexicaine est venue frapper à notre porte aujourd'hui. J'ai été surpris qu'elle ose franchir le portail. Son visage me disait quelque chose, mais je n'arrivais pas à la remettre ; je me suis dit que ça devait être la femme ou la sœur d'un de nos gars. Pâle et maigre, elle ne portait qu'un mince châle sur une robe droite; quand le vent a plaqué le tissu contre son corps, j'ai deviné des jambes squelettiques.

«*Buenas noches*», ai-je dit.

Il y a eu un temps de silence.

«Tu ne me reconnais pas?» Son anglais était parfait.

«Non, désolé.

— Je suis María Garcia.»

J'ai reculé d'un pas.

«La fille de Pedro Garcia.»

Chapitre 28

ELI / TIEHTETI

Automne 1851

Ça commença par une simple fièvre, puis les premiers boutons apparurent et ce fut la panique. Un quart des membres de la bande replièrent leur tipi, rassemblèrent leurs chevaux et quittèrent le village sur-le-champ. Quelques jours plus tard, les premiers malades étaient couverts de pustules : visage, cou, bras et jambes, paume des mains, plante des pieds.

Les hommes-médecine construisirent des loges à sudation au bord de la rivière : trempés une première fois dans l'eau froide, les malades y passaient plusieurs heures avant d'être replongés dans l'eau. Ils ne tardèrent pas à mourir ; peu après les hommes-médecine eux-mêmes tombèrent malades.

Ça faisait un siècle que les Blancs inoculaient leurs enfants contre la variole ; quand le Texas rejoignit les États-Unis, on trouvait déjà le vaccin dans presque chaque ville. Les Allemands avaient fait venir un médecin à Fredericksburg et ma mère nous y avait emmenés pour l'occasion.

Fleur-de-Prairie fut parmi les premières à tomber malade. Elle n'avait pas touché le chasseur de bisons, mais moi, si. J'espérais au début que ce ne serait qu'une fièvre, mais sa bouche devint bizarre ; il y avait autour de ses lèvres une sorte de rugosité que j'essayais d'adoucir.

Quelques semaines après le début de l'épidémie, deux jeunes Comanches parés de leurs plus belles peintures de guerre arrivèrent au camp pour annoncer que leur raid, auquel participaient Escuté et Nuukaru, avait été un grand succès : ils avaient pris quantité de scalps et de chevaux sans perdre un seul homme.

Les messagers s'arrêtèrent en bordure du village. Toshaway, dont le visage commençait à présenter des marques rouges, les y rejoignit en boitant avec son arc et son carquois.

« La maladie nous a frappés, dit-il. Vous devez aller ailleurs. »

Les deux jeunes braves protestèrent ; ils voulaient que leur victoire soit célébrée. Toshaway finit par dire qu'il tuerait quiconque entrerait dans le campement, y compris ses propres fils, car une telle mort serait plus clémente que la *tasìa*.

Plus tard, ce même jour, l'ensemble des guerriers partis en expédition apparurent. Ils s'arrêtèrent à quelques centaines de mètres du village et ceux qui en étaient encore capables sortirent leur dire adieu. Toshaway se tenait là, appuyé sur son arc. Deux cavaliers s'approchèrent et tout le monde plissa les yeux pour les reconnaître. C'étaient Nuukaru et Escuté. Quand ils furent à une cinquantaine de pas, Toshaway décocha une flèche qui se planta dans le sol juste devant eux.

« Nous vous attendrons en territoire yamparika, dit Escuté.

— Nous ne vous y rejoindrons pas, dit Toshaway. Mais je vous retrouverai sur les terres de chasse du Grand Esprit. »

Un autre jeune *tekunipawu* s'avança.

« J'ai été clair, dit Toshaway. Je tuerai quiconque entre dans le village.

— Où est Tendance-à-Grossir ? dit le jeune homme.

— Elle est malade », dit quelqu'un.

Le jeune guerrier s'approchait toujours.

Toshaway décocha une flèche qui lui frôla la tête.

« Tu peux me tuer si tu veux, Toshaway, mais d'une façon ou d'une autre je mourrai ici avec ma femme. »

Toshaway réfléchit. Puis il pointa son arc vers les autres guerriers.

« Vous, partez, maintenant », dit-il.

Ne sachant pas trop quoi faire et ne voulant pas passer pour des lâches, certains avancèrent, mais Escuté et Nuukaru les retinrent. Même les plus malades étaient sortis de leur tipi ; rassemblés à la lisière du village, ils crièrent d'abord aux jeunes gens de ne pas approcher, puis se mirent à leur dire tout ce qu'ils voulaient qu'ils sachent, des nouvelles de leur famille, de vieux secrets, des choses qui auraient dû être dites depuis longtemps, d'autres qui s'étaient produites depuis leur départ.

Finalement, une fois tous les messages criés de loin, les cavaliers talonnèrent leurs chevaux et se mirent à ululer. Pour la dernière fois, la bande tout entière lança ses cris de guerre jusqu'à ce que l'air en soit saturé. Alors les guerriers brandirent leurs arcs et leurs lances et firent demi-tour pour disparaître dans la prairie.

Dès la quatrième semaine, les pustules recouvraient tout le visage de Fleur-de-Prairie : il ne restait rien que je puisse reconnaître – elle était devenue la maladie. Chaque matin, nous retrouvions la peau de bête sur laquelle nous dormions imprégnée du liquide de ses abcès crevés. Mais les pustules finirent par dégonfler et s'assécher, elle prenait visiblement le chemin de la guérison.

« Je ne serai plus belle, dit-elle en pleurant.

— Mais si, dis-je. Tu seras toujours belle.

— Je ne veux pas vivre si je suis défigurée.

— Ça va cicatriser, ne gratte pas. »

Cette nuit-là, sa fièvre tomba et elle commença à respirer. Je la regardai longuement. Quand le soleil me réveilla, je ne sentais plus mon bras ; c'est qu'elle reposait dessus de tout son poids. Je voulus la réveiller, mais elle ne bougea pas.

C'était une belle journée, dégagée ; pourtant seules quelques personnes allaient et venaient. Toshaway sommeillait dans son hamac, les yeux fermés, le visage au soleil. Ses boutons commençaient tout juste à devenir purulents.

« J'ai une sale tête ? demanda-t-il.

— J'ai vu pire.

— Oui. Et c'est à ça que je ressemblerai bientôt. »
Il cracha. « Ah, Tiehteti. Quelle mort absurde.

— Les forts survivent toujours.

— C'est bien connu chez les Blancs ?

— Oui.

— Tu mens.

— Peut-être pas.

— Maintenant ce n'est plus que "peut-être". »
Il ferma les yeux. « Ça manque de dignité. »

Je ne savais pas s'il parlait de mon mensonge ou de la maladie.

« Quand j'étais jeune, le fils de notre *paraibo* est tombé très malade ; il dépérissait. Il n'avait jamais été bien costaud, mais voilà qu'il maigrissait à vue d'œil et tous les remèdes restaient impuissants à le guérir. Le *paraibo* finit par me demander un service. Après un rituel de purification, il lava et habilla son fils comme pour la guerre et lui donna son propre bouclier, le bouclier du chef, puis nous emmena sur une montagne, où le jeune homme nous affronta, un ami et moi, dans une bataille à trois. Il tomba sous nos coups. D'une mort absurde, nous avions fait une mort courageuse.

— Je ne te tuerai pas.

— Tu n'y arriverais pas de toute façon, dit-il en souriant. Pas encore, du moins.

— Mais un jour. » Je n'en pensais pas un mot mais je savais que c'était ce qu'il voulait entendre.

« Approche, si ça ne t'embête pas de me toucher. »
Je m'assis par terre.

« Tu sens, dit-il.

— Fleur-de-Prairie vient de mourir.

— Oh, Tiehteti. » Il me prit la main. «Je suis désolé. Et tout ce temps tu m'as laissé parler. » Il se mit à pleurer. «Je suis désolé, mon pauvre fils. Je suis désolé, Tiehteti. »

Après avoir enterré Fleur-de-Prairie, je visitai les autres tipis. Des morts, des morts et encore des morts. Pizon mourut cet après-midi-là et j'aidai son fils à le mettre en terre. Une semaine plus tard, c'est sa femme que j'enterrai, et deux semaines plus tard, leur fils. Des familles entières décédaient la même nuit ; je passais de tipi en tipi, scellant l'entrée pour de bon quand j'avais enterré toute la famille. J'enterrai Oiseau Rouge, Loup Gras, Déteste-Travailler – dont j'embrassai le visage, m'imaginant que les croûtes n'y étaient pas –, Pieds Paresseux et deux de ses esclaves, Dur- à-Trouver, Deux-Ours-qui-Marchent, Toujours-en-Visite, Hisou-ancho et ses trois enfants dont je n'ai jamais retenu les noms, Aigle-du-Soleil, Trébuche-dans-les-Grandes-Largeurs. Chien Noir, Petite Montagne et son mari. Encore-Perdue, qui mourut dans les bras de Gros Ours, qui n'était pas son mari. J'enterrai Hukiyani et Dans-les-Bois. Humaruu et Élan Roux. Piitsuboa, Orme Blanc, Ketumsas. Les noms des autres, je ne les connaissais pas, ou bien je les avais oubliés.

Je dormais dans mon tipi mais je passais mes journées avec Toshaway. Ses deux femmes et lui, tous trois malades, partageaient la même couche. Grâce à d'abondantes réserves de bois, il faisait chaud.

«Viens ici, Tiehteti» dit Situtsi.

Je m'exécutai et m'assis dos contre leur couche, les pieds près du feu. Tandis qu'elle me caressait les cheveux, je fermai les yeux. Watsiwannu dormait, plus près de la fin que les deux autres. Toshaway murmura quelque chose. Je n'étais pas certain qu'il sache que j'étais là. Mais un peu plus tard, il dit : « Tiehteti, s'il arrive la même chose à ta prochaine bande, je veux que tu ailles trouver les Blancs, que tu dises à l'armée où se trouve le village et qu'ils apportent leurs mitrailleuses de campagne. C'est compris ?

— Oui.

— C'est un ordre, dit-il. De ton chef de guerre. »

Je hochai la tête.

« Tu vas retourner chez les Blancs, maintenant ? demanda Situtsi.

— Bien sûr que non.

— Est-ce que les Blancs aussi, ils l'attrapent, cette maladie ?

— Oui, mais ils traitent les gens qui ne l'ont pas, et ça les empêche de l'attraper.

— Tu y as eu droit ? dit Toshaway.

— Quand j'étais petit.

— Alors qu'est-ce que tu penses de la médecine comanche ? » dit-il. Puis il se mit à rire. Et Situtsi aussi.

« Tu vas bien guider notre peuple, dit-elle.

— Ne va pas lui faire prendre la grosse tête, dit Toshaway. D'abord il doit creuser. » Il leva la tête pour me regarder. « C'est tout ce que tu dois faire. Creuser. »

Nombre de captifs s'étaient déjà enfuis, volant des chevaux et disparaissant dans la plaine. Personne n'avait la force de les arrêter.

Quant à moi, je creusais. Quand je fus venu à bout de toutes nos pelles en os, je creusai avec des hampes de lances, des perches de tipi, et tout ce que je trouvais. Je creusai des semaines durant, des mois peut-être ; il faisait de plus en plus froid. Les nuits étaient glaciales, mais le soleil ramollissait le sol. Aussi, de jour, je creusais. Certains Comanches qui s'étaient remis de la maladie se mirent à creuser avec moi, le visage dépigmenté par endroits. D'autres survivants chassaient pour que nous puissions continuer à creuser, d'autres encore ne faisaient rien, attendant toujours de mourir avec les leurs, jusqu'à ce que, ne mourant pas, ils finissent par se joindre à nous.

En creusant la tombe de Toshaway et Sitʉtsi, loin du campement, sur une hauteur que j'avais mis des semaines à trouver, je découvris une petite timbale noir et blanc. Elle était en terre cuite, et en creusant plus profond, je tombai sur une pierre plate, suivie d'une autre ; plus je creusais, plus je trouvais des pierres, jusqu'à ce que les pierres deviennent un mur, puis l'angle de deux murs. Alors je m'arrêtai.

Ni les Comanches ni les Apaches avant nous n'avaient construit de maisons de pierre, et aucun peuple voyageant à cheval n'aurait fabriqué d'objet en terre cuite. Les Caddos et les Osages n'avaient jamais vécu aussi à l'ouest, pas plus que les Blancs ni les Espagnols. J'étais donc tombé sur les restes de quelque antique tribu vivant en village ou en ville, une tribu disparue depuis si longtemps que personne ne se souvenait qu'elle eût un jour existé.

Je pris la tasse pour la montrer à Grand-père, mais il était mort. Puis je me dis que je demanderais à Toshaway, mais il était mort aussi. Alors je voulus la reposer mais ne pus m'y résoudre, la tournant et la retournant entre mes mains. Je compris soudain pourquoi : elle gisait là depuis plus de mille ans et, à côté d'elle, Toshaway, Grand-père et tous les autres faisaient figures de jeunots. Comme s'ils étaient jeunes et qu'il y avait encore de l'espoir.

Chapitre 29

JEANNIE McCULLOUGH

1945

L'homme que lui présenta Phineas ressemblait à un fermier, très bronzé, pommettes saillantes, un côté brut et urbain sous-alimenté ; sans la pointe centrale que formait la ligne d'implantation de ses cheveux, on aurait pu le prendre pour un métis indien. Il était adossé au meuble-classeur du bureau, à se donner des airs d'homme mûr, et quand elle entra, il se contenta d'un signe de tête, comme s'il n'y avait rien là d'intéressant, puis se retourna vers Phineas. Quelque chose dans ses manières suggéra à Jeannie que ce jeune homme entretenait peut-être avec son grand-oncle une relation d'ordre privé ; peut-être contribuait-il au fait qu'elle n'était jamais invitée à dormir chez lui. Elle décida qu'elle ne l'aimait pas.

« Hank est foreur, dit Phineas. Et il cherche du travail. »

Hank lui adressa un nouveau signe de tête mais ne lui tendit pas la main. Phineas et lui poursuivirent leur conversation sur les roches et la diagraphie, ou autre chose de tout aussi ennuyeux. Elle n'écoutait qu'à demi, déambulant dans la pièce et commençant à se demander pourquoi elle avait été invitée. Elle regarda les photos : Phineas et sa famille, Phineas et diverses célébrités. Le foreur portait une chemise blanche et un pantalon sombre, propres mais pas de la première fraîcheur, et de gros brodequins de cuir – sans doute, pensa-t-elle, parce qu'il n'avait pas de chaussures correctes. N'empêche qu'elle aurait voulu qu'il la remarque ; il n'était pas beau au sens strict du terme, mais il avait quelque chose. *Tu vis seule depuis trop longtemps*, se dit-elle.

D'un autre côté, rares étaient les hommes avec qui Phineas traitait d'égal à égal ; or ce foreur en était, encore qu'elle eût du mal à comprendre pourquoi. Quant au foreur lui-même (Hank, se dit-elle), il continuait à ne pas lui prêter la moindre attention. Une secrétaire entra – une beauté, comme toutes les filles qui travaillaient pour Phineas : cheveux noirs, peau laiteuse, avantages soulignés par une robe verte très ajustée – qui se donna beaucoup de mal pour toucher la main de Hank en lui resservant du café. Hank fit comme si elle n'existait pas. Jeannie pardonna à la fille son physique avenant et se convainquit qu'il y avait quelque chose entre ce jeune homme et son oncle. Quand enfin leur conversation cessa, Phineas fit pivoter son fauteuil.

« Nous embauchons Hank, dit-il. Il va rentrer avec toi au ranch aujourd'hui. »

Ils firent la route jusqu'à McCullough Springs dans le vieux pick-up de Hank. La chaleur et le bruit étaient pénibles ; elle espéra qu'il ne remarquerait pas à quel point elle transpirait. *Ce n'est rien qu'un foreur*, se rappela-t-elle. Et même pas si beau que ça ; elle était beaucoup trop bien pour lui. Il avait le nez aplati, peut-être d'avoir pris des coups, peut-être de naissance. Et des manières de mufle, aurait dit sa grand-mère. Mais il avait aussi une assurance doublée d'une présence qui ne pouvait être factice ; Jeannie l'avait vue chez les meilleurs vaqueros. Il dégageait une sorte de crânerie, comme si, malgré sa taille, quoi que vous fassiez, vous ou n'importe qui d'autre, c'est lui qui l'emporterait. Il lui rappelait Clint : le genre d'homme doué pour tout, qui n'avait qu'à essayer pour réussir.

Hank avait vingt-quatre ans. Il avait passé la guerre (et toutes les années qui l'avaient précédée, depuis sa petite enfance) à chercher du pétrole avec son père, aujourd'hui décédé. Ils s'étaient un temps retrouvés à la tête de plusieurs millions, mais leurs derniers investissements n'avaient pas été payants, puis le père avait péri dans une explosion, laissant son fils dans une situation financière délicate. Il possédait son propre appareil de forage à moteur Cummins et un camion-grue à six roues motrices, il connaissait des dizaines de bons ouvriers pétroliers qui cherchaient du travail, mais il se trouvait que pour l'heure, il avait à peine de quoi s'acheter de l'essence.

« Je pourrais louer mon derrick, dit-il, mais quel intérêt ? »

Il n'attendait pas de réponse.

« Vous avez des frères et sœurs ?

— Trois frères, dit-elle. Mais deux sont morts à la guerre.

— J'ai deux sœurs. »

Elle dut laisser voir quelque chose, car il ajouta : « Au cas où vous vous demanderiez, j'ai voulu m'engager en 42, mais on m'a refusé parce que j'étais daltonien. »

Elle hocha la tête et regarda broussailles et terre brûlée défiler par la fenêtre. Tous ceux qui n'avaient pas combattu se sentaient obligés de vous raconter leurs petits malheurs.

« N'empêche que je ne le savais pas, que j'étais daltonien, je vois comme tout le monde. Quelques mois plus tard, je suis allé à la caserne de Houston, mais je n'arrivais toujours pas à distinguer les chiffres du test, alors ils m'ont à nouveau recalé, sauf que cette fois j'y suis retourné et j'ai emprunté le livre pendant qu'ils avaient le dos tourné. » Il la regarda. « Je me suis dit que ça ne devait pas valoir bien cher.

— Sans doute pas, dit-elle.

— Enfin bon, j'ai mémorisé tous les chiffres et il a fallu que j'aille jusqu'au Nouveau-Mexique pour ne pas être reconnu. Cette fois, j'ai réussi le test, mais trop vite sans doute parce qu'ils me l'ont refait faire en changeant l'ordre des pages, et là, j'ai eu tout faux. Ils ont compris l'entourloupe et ils m'ont dit que si j'essayais encore, ils me feraient arrêter pour entrave à l'effort de guerre.

— Quelle histoire.

— "Entrave à l'effort de guerre"... non mais vous y croyez ?

— Je crois que tant mieux pour vous.

— Passez donc quatre ans à sentir que tout le monde vous prend pour un communiste ou un autre genre de tire-au-flanc. J'étais à deux doigts d'aller au

431

Canada et de m'enrôler là-bas, mais mon père a fini par me convaincre de renoncer.

— Beaucoup d'hommes qui travaillaient dans l'industrie pétrolière ont été exemptés. On n'aurait pas gagné la guerre, sinon.

— Eh bien, je n'avais pas l'intention d'en être. »

Elle allait ajouter quelque chose, mais il baissa sa vitre et le vent s'engouffra dans la voiture.

Ils étaient déjà au sud de San Antonio, dans la grande plaine plate. La luminosité l'obligeait à plisser les yeux ; elle avait du mal à réfléchir avec ce boucan. Hank gardait l'aiguille sur cent trente et elle se demanda ce qui se passerait s'ils perdaient un pneu. Elle observa la manière dont il conduisait, les muscles de son bras qui se contractaient et se relâchaient, les crispations de sa mâchoire ; on voyait qu'il ne cessait sans doute jamais de cogiter. Elle pensa à son père, qui se croyait bon conducteur, à tort. Hank maintenait une trajectoire rectiligne ; il allait trop vite, mais le véhicule filait sans secousse. Elle pensa à ses frères, se demandant ce qu'ils diraient s'ils pouvaient encore parler ; est-ce que leur avis sur la guerre aurait changé ? Sans doute pas. Une fois que les hommes avaient une idée en tête, peu importait que cette idée les tue.

« Eh bien moi, je suis contente que vous soyez là », dit-elle quand il eut remonté sa vitre. Il hocha la tête ; peut-être ne se souvenait-il pas de quoi ils étaient en train de parler. Ou peut-être qu'il n'était pas d'accord. Bien avant d'arriver à McCullough Springs, elle se demandait déjà ce que serait la vie avec lui dans la grande maison. Elle s'était sûrement trompée en imaginant une relation entre son grand-oncle et lui ; il avait l'air totalement viril. Rien de particulier, à part ça. Elle ne comprenait pas pourquoi il l'attirait tant. *Tu ne rencontres pas assez d'hommes*, se dit-elle à nouveau.

N'empêche qu'elle fit semblant de dormir pour pouvoir le regarder à son insu. Elle ne pouvait chasser l'impression qu'elle n'attendait que lui – pas quelqu'un comme lui : lui, précisément –, qu'elle l'avait attendu sans même savoir qu'il existait. Et puis, une minute plus tard, elle était décidée à prendre un appartement à Dallas ou à San Antonio pour ne plus être aussi seule. Elle se dit que cet homme lui rappelait son père et ses frères ; il avait la même assurance qu'eux, sans leur suffisance – il s'était présenté en brodequins de travail dans le bureau de l'homme le plus puissant du Texas. *Il est comme le Colonel*, se dit-elle. Le Colonel aussi était venu de rien.

Arrivés au ranch, ils patientèrent devant le portail jusqu'à ce qu'elle comprenne qu'il attendait d'elle, la passagère, qu'elle sorte de la voiture pour l'ouvrir, toute femme qu'elle était. Puis ils grimpèrent la côte. L'énorme maison blanche apparut ; elle se demanda s'il la trouverait excessive. Il n'eut pas l'air de remarquer ; ça aurait aussi bien pu être une vieille bicoque. Ils se garèrent à l'ombre et entrèrent dans la maison ; elle le vit tout de même s'essuyer les pieds.

« Je vais faire monter vos affaires et on vous montrera votre chambre. Puis nous pourrons souper.

— Je voudrais travailler sur les cartes que votre oncle m'a données, dit-il, pendant que j'ai encore la route en tête.

« — Il y a toutes les tables que vous voulez ici », dit-elle en désignant la grande salle.

Elle monta à l'étage et lut au soleil, dans le bruit et la fraîcheur du climatiseur. Son père avait été contre. Elle eut une sensation agréable, elle embrassait un vaquero ; quand elle ouvrit les yeux, elle avait encore dans l'oreille le son si particulier du baiser. Puis elle se réveilla tout à fait. Elle descendit et trouva Hank qui mangeait seul dans la cuisine ; Flores lui avait fait cuire un steak.

« Vous auriez pu m'appeler, dit-elle.

— Je me suis dit que vous préféreriez manger seule.

— Nous mangeons toujours avec nos invités.

— Je n'étais pas sûr de compter comme invité.

— Je vous le confirme.

— Très bien. Dans ce cas je suis navré d'avoir manqué l'occasion de dîner en votre compagnie, mademoiselle McCullough. »

Elle lui tourna le dos pour se servir un verre de lait dans la glacière.

« Je me ferai pardonner.

— J'y compte bien », dit-elle.

Elle ne voulait pas le regarder, mais elle savait qu'il souriait. « Et maintenant je vais vous montrer votre chambre », dit-elle.

Elle le conduisit à l'étage. Ils passèrent devant les énormes et sombres tableaux du Colonel et de ses enfants, devant les bustes romains, devant les dessins de Pompéi et les bibelots d'argent sur leur débauche de marbre, pour enfin arriver aux chambres des invités à l'autre bout de la maison. Jeannie le soupçonnait de dormir souvent dans son pick-up. «J'espère que votre chambre vous conviendra.»

Il haussa les épaules et elle sentit revenir son irritation.

«Bonne nuit, alors, dit-il. Vous êtes moins pire que ce que je croyais.» Il sourit. Elle se dit qu'elle n'aimait pas ça – trop direct – et redescendit le couloir d'un pas rapide.

Le lendemain matin, il étala les cartes dans la salle à manger. «D'après ce que m'a dit votre oncle, les failles les plus évidentes sont dans cette zone, à l'est de la propriété. C'est là qu'il faut commencer.

— Alors le plus simple, ce sera de faire ça à cheval. Sinon vous allez vous empêtrer dans les broussailles.»

Il ne marqua pas de réaction.

«Je vais vous trouver des bottes pour monter, ajouta-t-elle. Ça m'étonnerait que les vôtres rentrent dans les étriers.

— Je ne vais pas vous mentir, dit-il. Les chevaux ne m'aiment pas beaucoup, et je dois dire que je le leur rends bien.

— C'est bizarre.

— Pour vous, sans doute. Mais je préfère mon pick-up. Au volant je n'ai pas les yeux qui piquent et je suis sûr de ne pas me prendre un coup de sabot.

— Vous venez d'où, déjà ?

— De la lune.

— Je vais vous apprendre à aimer les chevaux.

— Vous pouvez toujours essayer, dit-il. Mais si je prends un coup de sabot, ça pourrait diminuer l'inclination que j'ai pour vous.»

Il détourna les yeux et s'éclaircit bruyamment la gorge.

Elle aussi détourna son regard. Elle n'avait jamais rencontré quelqu'un d'aussi direct. Une sorte de picotement l'envahit. Elle s'inquiéta de ce que Flores ait pu entendre, puis décida qu'elle s'en fichait. «Vous ne prendrez pas de coup de sabot, murmura-t-elle. Et votre inclination ne diminuera pas.» Son cou s'enflamma un peu plus.

«Vous avez sans doute raison, dit-il.

— Pour la première ou la seconde affirmation?

— C'est ce qu'on va voir.»

Mais une fois dans le pick-up, on aurait dit qu'elle ne l'intéressait plus. Il regardait droit devant, ou bien à droite et à gauche, mais jamais elle; c'était l'extérieur qu'il scrutait. Elle repensa à ce qu'elle avait dit: elle avait été trop loin. Trop directe. Elle se sentit au désespoir; oui, elle avait été trop audacieuse, à défaut de savoir quoi dire. Et maintenant il la prenait pour ce qu'elle n'était pas.

«Je n'ai jamais été avec un homme, dit-elle. Au cas où vous vous feriez des idées.»

Il se mit à rire, puis s'interrompit.

«Je ne voulais pas que vous vous fassiez des idées, insista-t-elle.

— Vous n'avez pas l'habitude de parler aux gens, hein?»

Elle regarda par la fenêtre. L'espace d'un instant, quelle bécasse, elle faillit pleurer.

«Il n'y a pas de mal», dit-il. Il se pencha vers elle et lui pressa la main, avant de la retirer aussitôt. «Je suis pareil.»

Ils passèrent toute la journée à parcourir les routes de terre du ranch. De temps en temps, il freinait dans un dérapage, sortait prestement et grimpait sur le toit.

«Qu'est-ce que vous cherchez ?

— L'escarpement, dit-il. Mais avec toutes ces foutues broussailles...

— Il y en a partout, des broussailles.

— C'est ce que je viens de dire.

— Pas seulement sur notre propriété.»

Il continua à scruter les alentours. «J'ai oublié mes jumelles», dit-il. Puis il ajouta : «Pour quelqu'un qui possède autant de terres, vous êtes drôlement susceptible.»

Elle ne répondit pas.

«Mais au moins vous avez de bonnes routes. La moitié du temps, quand je fore au Texas, je dois me frayer un chemin dans cinq kilomètres carrés de mesquite.

— Pourquoi ne pas forer près du gisement de Humble, tout simplement ?

— Très bonne idée, sauf que ça fait vingt-cinq ans qu'ils le pompent. Et puis si on trouve quelque chose, ça va les motiver pour relancer leurs puits : ils vont pomper encore plus, et votre oncle m'en voudra beaucoup.

— Alors on va forer au milieu de nulle part ?

— Vous voyez, votre rapport aux chevaux ?

— Oui.

— J'ai le même au pétrole.

— En tout cas vous avez convaincu mon oncle.»

Il sourit largement. «On va faire venir un camion vibrateur, ça réduira les possibilités.

— J'imagine que ça va coûter cher.

— Beaucoup moins qu'un puits sec.»

Elle dormit dans sa chambre et lui dans la sienne. Elle ne voulait pas qu'il se fasse des idées. Encore que d'un autre côté, elle aurait bien aimé. Elle laissa sa porte ouverte, à peine, au cas où. Ce qui, bien sûr, était grotesque. Il ne savait même pas où elle dormait, il n'allait pas partir à sa recherche dans le noir. «Tu es une catin», dit-elle tout haut. Même si ça faisait deux ans qu'aucun homme ne l'avait touchée. Et comparée à sa mère, qui avait déjà des enfants à son âge...

Elle ne dormit presque pas de la nuit. Elle se voyait l'épouser, elle le voyait profiter d'elle et l'abandonner. Elle décida qu'elle s'en moquait du moment qu'il n'était pas violent. Puis elle pensa à la vie glorieuse que menaient les hommes, eux qui partaient vivre toutes les expériences qu'ils voulaient, quand ils le voulaient, tandis qu'elle se retrouvait toujours vierge à vingt et un ans, son seul espoir endormi à l'autre bout de la maison. Il semblait ne pas être indifférent, mais supposons qu'il le fût. Trop affreux, mieux valait ne pas y penser. Elle regarda par la fenêtre et attendit que le soleil se lève.

Chapitre 30

Journal de Peter McCullough

22 juin 1917

Je suis resté là, devant la porte ouverte, m'attendant à ce qu'elle sorte un pistolet ou se jette sur moi avec un couteau, mais elle n'a pas bougé. Elle était plus petite que dans mon souvenir, vêtements déchirés, décolorés, usés au-delà de la corde, visage émacié à la peau tannée, couvert de croûtes témoignant de chutes ou de coups. Ses mains pendaient de part et d'autre de son corps comme si elle n'avait pas la force de les soulever.

J'ai tenté de me rappeler son âge, trente-trois ou trente-quatre ans, sauf qu'elle devait avoir plus maintenant... Je me souvenais d'elle comme d'une jolie fille, petite, aux yeux noirs ; aujourd'hui on lui aurait donné l'âge de sa mère. Elle s'était cassé le nez et il en était resté tordu.

« Je suis venue voir notre maison, a-t-elle dit. J'espérais trouver mon acte de naissance. » Elle a haussé les épaules. «Évidemment ils refusent de croire que je suis américaine quand je veux passer la frontière.»

J'ai détourné les yeux. Son accent – quatre ans d'université – était presque inquiétant, superposé à son apparence.

«Tu risques d'avoir du mal à le retrouver, ai-je dit doucement, en parlant de l'acte de naissance.

— Oui, j'ai vu ça.»

Je n'arrivais toujours pas à la regarder.

«J'ai très faim, dit-elle. Malheureusement...»

Toutes mes tentatives de lever les yeux vers elle échouaient. Il y a eu un silence et j'ai compris qu'elle attendait que je dise quelque chose.

«Je vais aller frapper chez les Reynolds, a-t-elle dit.

— Non. Entre.»

Voilà deux ans qu'elle vivait à Torréon chez un cousin. Mais le cousin en question soutenant Carranza, les partisans de Pancho Villa étaient venus chez lui le tuer, et ils avaient passé à tabac, sinon pire, sa femme et María. Elle avait dépensé depuis longtemps le peu d'argent dont elle disposait et se trouvait sur les routes depuis bientôt un mois. Elle avait fini par se résoudre à revenir ici. Elle m'a rappelé, à plusieurs reprise, qu'elle était citoyenne américaine. Je le sais, lui ai-je dit. Même si bien sûr elle faisait totalement mexicaine.

La politesse exigeait-elle que je lui présente mes condoléances pour sa famille ? Tout le contraire, sans doute. Je n'ai rien dit. Nous sommes allés à la cuisine, où j'ai fait réchauffer des haricots et de la viande grillée, et puis des tortillas préparées par Consuela. Mes mains tremblaient. Je sentais son regard sur mon dos. Les haricots ont commencé à brûler et elle a fini par me pousser de côté. Je lui ai souri – c'est que je n'ai pas l'habitude de faire ce genre de choses – mais elle ne m'a pas rendu mon sourire. Pendant que les haricots mijotaient, elle a coupé des tomates, des oignons et des poivrons, puis mélangé le tout.

« Si tu veux bien m'excuser, j'ai passablement faim.

— Bien sûr. J'ai des choses à faire en haut. »

Elle a hoché la tête, sans me quitter des yeux, sans toucher à la nourriture tant que j'étais encore là.

Je me suis retrouvé dans mon bureau, avec la sensation d'avoir été vidé de mon principe vital... toute l'énergie que j'ai pu avoir, mes années d'université, fracassées contre les rocs de cette terre. J'ai failli décrocher le téléphone pour demander au shérif de venir la chercher, encore que je me demande bien quel motif j'aurais pu invoquer. Nous avons tué sa famille, brûlé sa maison, volé sa terre... Ce serait plutôt à elle d'appeler le shérif... Elle aurait plutôt dû se présenter chez nous avec une centaine d'hommes, l'index sur la détente.

J'ai envisagé de passer par la fenêtre : du toit de la galerie, il n'y a que quatre mètres cinquante jusqu'au sol. Je pourrais me laisser tomber dans l'herbe et partir pour ne plus jamais revenir.

Ou je pourrais me contenter d'attendre que quelqu'un – mon père peut-être, ou plus certainement Niles Gilbert – l'entraîne quelque part dans les broussailles et règle le problème une fois pour toutes.

Je vois Pedro, je vois la larme qui coule sous l'œil de Lourdes, je vois Aná, tête en arrière, bouche grande ouverte comme pour crier jusque dans la mort.

J'ai décidé que j'allais lui dire. Lui dire que j'avais fait tout ce que je pouvais – peut-être l'avait-elle vu ? Je m'étais interposé entre les deux camps et ils s'étaient quand même mis à tirer. J'ai pris deux mille dollars dans le coffre et je les ai glissés dans ma poche. Je la conduirais à l'hôpital de Carrizo, ou bien là où sa naissance avait été déclarée, je l'aiderais à obtenir les papiers dont elle avait besoin, et je la pousserais à partir ; poliment, mais fermement. Il n'y avait rien ici pour elle.

Elle était en train de peler une mangue.

« Qu'est-ce que tu comptes faire ? ai-je dit, aussi gentiment que possible.

— Dans l'immédiat, je compte manger cette mangue. Avec ta permission, bien sûr. »

Je me suis tu.

« Tu te souviens des moments que nous avons passés ensemble sur le *portico*, chez moi ? » Elle a continué à retirer la peau du fruit. Le couteau a dérapé, mais elle a poursuivi, comme si de rien était.

« Tu veux un pansement ?

— Non, merci. » Elle a porté son pouce à sa bouche.

J'ai regardé la table, puis la pièce alentour, et jusqu'aux fausses moulures du plafond. Ses épaules tremblaient ; elle avait la tête baissée, ce qui me masquait son visage. Elle ne pouvait que mal prendre tout ce que j'aurais pu dire.

Nous sommes restés comme ça jusqu'à ce que je décide de mettre la vaisselle dans l'évier.

« Je ne devrais bien sûr pas être ici, a-t-elle dit.

— Ce n'est pas un problème.

— C'était un problème pour mon cousin.

— Il te reste des proches ?

— Mes beaux-frères. J'espère qu'ils sont morts mais ils sont du genre à survivre. »

Je savais parfaitement ce que ferait une personne normale. Nous avions offert le gîte à nombre de vieux amis de mon père, des vachers décrépis d'une autre époque, des hommes qui n'avaient pas de famille ou plus rien à dire à la leur ; ils avaient été des dizaines à passer leurs dernières années dans nos baraquements, à prendre leurs repas avec les vaqueros, ou avec nous, selon leur degré de proximité d'avec mon père. Mais là, c'était autre chose. Du moins c'est ce qui se dirait.

« Je vis seul ici, lui dis-je. Mon père a une petite maison à lui plus haut sur la colline. Ma femme m'a quitté ; les fils qui me restent sont au front.

— C'est ta façon de me menacer ?

— C'est tout le contraire.

— Je pensais me faire descendre. Je ne suis pas encore sûre d'y échapper. »

Mon empathie commençait à s'épuiser. J'ai continué à laver la vaisselle, bien qu'elle ait été propre. « Alors pourquoi es-tu venue ? »

Pas de réponse.

« Tu peux dormir ici cette nuit. Il y a des tas de chambres libres au deuxième étage : monte l'escalier, tourne à gauche et fais ton choix. »

Elle haussa les épaules. Le jus du noyau de mangue qu'elle suçait coulait le long de son menton écorché. Vision typique des porches de Nuevo Laredo, vieux mélange de rage et de désespoir. Plus que jamais j'ai espéré qu'elle refuserait, qu'un repas dans la maison de son ennemi lui suffirait.

«D'accord, a-t-elle dit. Je passe la nuit ici.»

23 juin 1917

Comme je ne me sentais pas en sécurité dans ma chambre, je suis allé coucher dans mon bureau, porte fermée à clef. J'ai chargé, déchargé, et rechargé mon pistolet, guettant ses pas dans le couloir, même si, vu l'épaisseur du tapis, je savais que j'avais peu de chances d'entendre quoi que ce soit.

Vers minuit j'ai de nouveau déchargé mon pistolet. Je ne suis évidemment pas différent des autres, j'ai les mêmes pulsions obscures. Ce n'était pas d'une agression physique que j'avais peur. C'était bien pire.

Aux premières lueurs du jour, je me suis assoupi. Puis voilà que le soleil éclairait la pièce ; je me suis détourné et rendormi. Du lointain m'est finalement parvenu un son que je n'avais pas entendu depuis longtemps ; quand je l'ai reconnu, je me suis aussitôt réveillé et habillé.

En bas, Consuela se tenait sur le seuil du petit salon, en observation. Elle s'est éloignée sitôt qu'elle m'a aperçu, comme prise en faute.

María, assise sur le banc, jouait du piano. Elle a dû entendre mes pas parce qu'elle s'est raidie, manquant quelques notes avant de se remettre à jouer. Ses cheveux étaient lâchés sur ses épaules, révélant sa nuque ; je distinguais sans mal ses vertèbres. Quant à ce qu'elle jouait, ça ne m'était pas familier. Un vieux morceau. Allemand ou russe. J'ai attendu à quelques pas d'elle ; elle a continué à jouer sans se retourner. J'ai fini par aller à la cuisine.

Regard de Consuela. « Est-ce que je lui prépare un petit-déjeuner ? »

J'ai fait oui de la tête. « Il y a du café ?

— Dans la cafetière. *Frío.* »

Je m'en suis quand même versé une tasse.

Consuela s'est activée, coupant des nopals et les jetant dans la poêle avec du beurre.

« Votre père est au courant ?

— Il le sera bien assez tôt.

— Je la traite en invitée ou... ?

— En invitée bien sûr. »

Je me suis demandé si Consuela avait été proche des Garcia. Sauf qu'évidemment les Garcia étaient riches alors que Consuela est une domestique. Le soleil, levé depuis deux heures, emplissait la maison, tout comme l'air chaud qui pénétrait par les fenêtres. Quatre heures que j'aurais dû être au travail. J'ai pris dans la glacière du chevreau rôti que j'ai roulé dans un linge avec des tortillas.

« Laissez-moi vous faire réchauffer ça.

— Il faut que j'y aille. À ce soir.

— Vous voulez que je la surveille ?

— Non. Donne-lui tout ce qu'elle voudra. »

Je ne suis volontairement rentré que bien après le coucher du soleil, certain que Consuela serait partie. On sentait que quelqu'un avait cuisiné, mais la vaisselle était faite et rangée. Assise à table, María lisait un livre. *Le Virginien, un cavalier des plaines*, de Owen Wister.

« Il t'a plu, celui-là ? a-t-elle dit.

— C'est pas mal.

— L'homme blanc, fort et courageux, arrivant dans une contrée sauvage encore inhabitée, donne toute sa mesure. Sauf que jamais, nulle part, ça ne s'est passé comme ça. »

Nous sommes restés assis là, sans rien à nous dire. J'ai finalement décidé d'aborder le sujet.

« Tout est allé très vite ce matin-là. »

Elle s'est replongée dans le livre.

« Je crois qu'on ferait mieux d'en parler.

— Évidemment, a-t-elle dit. Tu veux l'absolution. »

L'air de la nuit soufflait dans la maison. Un cri de chouette dehors, le bruit de l'éolienne, et puis, au loin, celui du derrick de mon père. Je suis resté là à écouter.

« Je partirai demain matin. Je regrette d'être venue. »

Je me suis détendu. « D'accord. »

Des heures d'insomnie. Je flirte avec la catastrophe, un cataclysme inimaginable. Je le sens comme le vieillard sent qu'il va pleuvoir. Je ne veux qu'une chose, c'est qu'elle disparaisse... rien que l'idée me calme. Toutes mes nobles pensées se sont évanouies

– quand la bonté s'avère le plus nécessaire, elle se fait aussi rare que le lait des reines. C'est comme si d'un instant à l'autre, un groupe de *sediciosos* allait défoncer la porte et me plaquer contre le premier mur de pisé venu...

Mais ma vraie peur est ailleurs. Je me revois assis avec Pedro sur son *portico*. Aná vient nous apporter du thé glacé, mais lorsque Pedro boit, le liquide coule sur sa chemise et jusque sur ses genoux ; il a sous le menton un trou que je n'avais pas remarqué. Puis me voici avec mon père et Phineas à la lisière d'un pâturage vert profond, dans le parfum des cassiers, les buissons alentour tout étoilés de jaune. Devant nous, un vieil orme... un homme à cheval, une corde lâche autour du cou, et moi censé agir, mais incapable de le faire, si simple que soit le geste à accomplir. Au final c'est Phineas qui frappe la cuisse du cheval. L'homme glisse de la monture, se contorsionne, bat des jambes, cherche un appui. Mais il n'y a là rien que de l'air.

Humiliation de l'échec, jalousie envers mon frère. Pourtant je savais que je n'aurais pas pu, quand bien même on m'aurait donné une autre chance, encore et encore. Ils tentaient de m'endurcir : vains efforts.

J'ai ouvert les yeux. J'avais froid. Le vent soufflait dans la maison, il devait être deux ou trois heures du matin. Craquements des éoliennes, glapissements des coyotes. J'ai imaginé la course en rond d'un faon paniqué. Je suis allé à la fenêtre ; le clair de lune éclairait nos pâturages jusqu'au lointain, sur quinze kilomètres au moins. À perte de vue, rien qui ne soit à nous.

J'ai fini par m'habiller. J'ai pris le couloir de l'aile ouest, furtivement, comme pour un rendez-vous galant, alors que ça n'avait aucune importance... nous étions seuls. Je savais que j'avais l'haleine fétide, la peau et les cheveux gras, une odeur de sueur rance ; j'ai pourtant continué. Rôdeur sous mon propre toit. Je suis passé devant les bustes sur leur piédestal, devant les dessins de ruines... devant un autre portrait de ma mère, devant les chambres de Glenn, de Pete Junior, de Charlie... jusqu'à finir par entendre un ventilateur derrière une porte. J'ai frappé doucement.

J'ai frappé de nouveau, attendu, frappé une troisième fois. Puis j'ai ouvert la porte. Le lit était vide mais les draps étaient froissés et il faisait sombre. J'ai été à la fenêtre ; elle se tenait sur le toit de la galerie, tout au bord.

« Reviens, ne reste pas là. »

Elle n'a pas bougé. Elle portait une chemise de nuit qu'avait dû lui donner Consuela ; j'ai commencé par croire qu'elle était somnambule.

« Reviens, ai-je répété.

— Si tu comptes me tuer..., a-t-elle dit. Ça m'est égal, mais je ne t'accompagnerai pas tranquillement dans la *brasada*.

— Tu ferais mieux de rester ici.

— *Imposible*.

— Reste jusqu'à ce que tu ailles mieux. »

Elle a secoué la tête.

« Je voulais te retenir, avant que tu ne partes. C'est tout.

— Histoire d'avoir fait une bonne action. » Elle m'a regardé, puis elle a de nouveau secoué la tête avant de se tourner vers l'extérieur. J'ai fini par comprendre qu'elle regardait en direction de son ancienne maison. Je craignais qu'elle ne saute. Elle a dit : « Aujourd'hui, dans la cuisine, quand tu avais le dos tourné, je me suis demandé comment je pourrais te trancher la gorge. Combien de pas il me faudrait pour arriver jusqu'à toi, ce que je ferais si tu te retournais.

— Reste. »

Elle a encore secoué la tête. « Tu ne te rends pas compte de ce que tu me proposes, Peter. »

24 juin 1917

Pour ce qui est des nouvelles hors Garcia, les vaqueros se plaignent que le bruit du forage nuit au bétail. Ils pensent que le vêlage sera très décevant cette année si les bêtes doivent supporter tout ce vacarme.

Je suis allé voir mon père pour lui demander jusqu'où il comptait forer. Réponse : jusqu'au centre de la terre. Je lui rappelle que notre aquifère est très peu profond et que nous avons l'une des meilleurs eaux du Texas ; si du pétrole filtre jusqu'à la nappe, nous sommes foutus. Il me répond que ces types sont des experts. Il parle des types tout droit sortis d'une porcherie.

Je viens de comprendre que nous sommes à l'aube d'une ère où l'oreille humaine cessera de distinguer les sons. Je n'entends déjà presque plus les foreuses. Est-ce qu'il y a autre chose que j'ai cessé d'entendre ?

Comme je rentrais dîner, le son du piano m'est parvenu avant même que j'atteigne le seuil de la maison. J'ai retiré mes bottes et je les ai laissées dehors pour ne pas faire de bruit ; j'ai ouvert et refermé la porte tout doucement, et puis je me suis allongé sur le divan pour l'écouter jouer. Lorsque j'ai ouvert les yeux, elle se tenait au-dessus de moi, et l'espace d'un instant, je l'ai imaginée telle qu'elle était il y a dix ans, visage rond et yeux noirs. Et puis j'ai regardé ses mains. Vides.

« Je vais manger.

— Toute seule ?

— Ça m'est égal. »

Elle a réchauffé ce que Consuela avait préparé. Une fois le repas terminé, je lui ai de nouveau demandé ce qui s'était passé ce jour-là.

Elle a fait comme si elle n'avait pas entendu. « Ça t'embête si je refais à manger ? Je ne pense qu'à ça.

— Il y a toujours de quoi dans la glacière. »

Elle s'est servi de poulet froid. Je voyais bien qu'elle s'efforçait de ne pas se jeter sur sa nourriture, mais que ça lui coûtait. J'étais repu tandis qu'elle mourait de faim.

« Raconte.

— Tu crois que d'en parler, ça va me permettre de te pardonner.

— Moi-même je ne me suis pas pardonné, ai-je dit tout bas.

— T'en parler ne changera rien. Soyons bien d'accord. »

J'ai hoché la tête.

« Très bien. Bon, quand ils sont entrés dans la maison, ils ont tiré sur tout le monde, ceux qui étaient déjà tombés comme ceux qui étaient encore debout. Ils ont tué ma nièce, ma nièce de six ans et, lâchement, je suis allée me cacher dans le placard de ma chambre. Après ça, je me revois assise sur mon lit ; un homme est en train de m'enlever mon chemisier et je me dis qu'il va me violer avant de me tuer. Là j'ai vu que l'homme, c'était toi. Tu allais me violer, et c'était encore pire.

« Ensuite tu m'as fait traverser la maison. Dans la chambre de mes parents, j'ai vu mon père et ma mère, morts, et ma sœur couchée près d'eux, et puis, dans la *sala*, Cesar, Romaldo, Gregorio, Martin et mon neveu, et leur famille. J'ai vu la porte d'entrée ouverte qui laissait passer le soleil, et avec lui l'espoir que peut-être j'allais survivre. Mais une fois sur le *portico*, j'ai vu que la ville entière était là. Alors j'ai regretté de m'être cachée dans le placard. J'ai même failli te prendre ton fusil.

« Après je me suis retrouvée chez les Reynolds. Ils croyaient me sauver, me rendre un grand service. Ils m'ont offert à manger, ils m'ont permis de me laver, ils m'ont donné des vêtements et une chambre aux draps propres. Alors que ma maison à moi, avec mon lit à moi et mes vêtements à moi, n'était qu'à quelques kilomètres. Sauf que ce n'était déjà plus ma maison.

— Personne n'a voulu ce qui s'est passé.

— Ces mensonges te viennent si facilement. Toi, je veux bien croire que tu avais des réserves, quelques autres aussi, peut-être... les Reynolds, bien sûr... mais c'est tout. »

Elle a regardé l'assiette devant elle. « Et pourtant j'ai encore faim. C'est ce que je n'arrive pas à comprendre. »

Après un silence, elle a fini par dire : « Est-ce qu'on peut aller dehors ? Je passe par des moments de chaud et froid, mais là tout de suite j'ai très chaud. »

Nous sommes sortis sur la galerie et nous avons regardé les terres. Il faisait plus frais que d'ordinaire, c'était une soirée agréable, le soleil commençait juste à se coucher. J'ai failli dire tout ça, et puis j'ai décidé de m'abstenir. On entendait le bruit du forage de l'autre côté de la colline.

Au bout d'un moment, elle a repris : « J'ai beaucoup réfléchi à ce qui s'était passé. Et, à force, j'ai fini par me dire que les choses avaient simplement très, très mal tourné : d'abord ton fils qui se fait tirer dessus... c'était Glenn ?

— Oui.

— Et comment va-t-il ?

— Il est vivant.

— Tant mieux. »

J'ai senti mon visage s'enflammer. Allez savoir, que Glenn soit en vie, voilà que j'en avais honte.

« Un des tiens blessé, onze des miens morts... » Elle a ouvert les mains, comme les plateaux d'une balance qui s'équilibrent. « Nous avons tous souffert, ce qui est fait est fait, il est temps de passer à autre chose. »

Je n'ai pas répondu.

« C'est ce que tu penses, n'est-ce pas ? Ton enfant blessé, ma famille exterminée, nous sommes quittes. Et encore, tu vaux mieux que les autres. Eux se disent :

bon, un Blanc s'est fait égratigner, il n'y aura jamais trop de sang mexicain pour laver ce péché. Cinq, dix, cent... c'est pareil. Dans les journaux, un Mexicain mort, ils appellent ça une carcasse – ses doigts se hérissèrent – comme un animal.

— Pas dans tous les journaux.

— Seulement ceux qui comptent. Mais, bien sûr, je ne vaux pas mieux. Pendant longtemps, j'ai rêvé que je brûlais et torturais chaque Blanc de cette ville. Je me souviens très bien de Terrell Snyder me regardant avec un grand sourire, et aussi des frères Slaughter...

— Je ne crois pas que les Slaughter étaient là.

— Ils étaient là, je les ai très bien vus, mais peu importe. J'ai décidé d'arrêter d'être en colère, d'essayer d'accepter que, peut-être, tout ça, tout ce qui s'était passé, n'était que pure malchance. Je m'en suis même convaincue. Nos deux familles se connaissaient depuis des dizaines d'années, c'était absurde. Toi, notamment, on te connaissait si bien ; je ne t'imaginais pas complotant contre nous. J'ai commencé à me dire que j'avais peut-être eu une réaction disproportionnée en m'enfuyant de chez les Reynolds.

« Alors, à la mort de mon cousin, j'ai décidé de revenir. Quand je suis arrivée sur nos terres, une fois le fleuve traversé, je me suis sentie plus vivante que je ne l'avais été depuis des mois. J'ai décidé de marcher toute la nuit. J'avais une petite histoire toute prête pour le cas où je tomberais sur vos gardes-clôtures, encore que j'espérais bien ne pas les croiser, sachant que, selon leur humeur, mon histoire ne servirait pas forcément à grand-chose. Mais... je n'ai croisé personne. Ça aussi, je l'ai pris pour un signe.

« Je savais parfaitement dans quel état serait la maison. Les fauteuils éventrés, les fientes d'oiseaux, la saleté partout, les papiers rongés par les souris. Évidemment, personne n'aurait nettoyé les vieilles flaques de sang – le sang de ma famille – et les murs seraient toujours criblés de balles. La maison serait telle que je l'avais laissée, avec deux ans de plus.

« En arrivant aux prés du bas, près de la vieille église, au moment où le soleil se levait, j'ai vu que la maison avait brûlé. Mais là encore je me suis dit : bon, les vieilles maisons se font souvent vandaliser, les amants y viennent, les pauvres s'y installent, et puis ce climat sec – une simple cigarette suffit à mettre le feu. Je suis entrée et je me suis frayé un chemin dans les décombres jusqu'au bureau de mon père, où je savais que se trouvaient tous nos papiers, rangés dans des classeurs en métal qui auraient résisté à tous les incendies. Les classeurs étaient enfouis sous des débris, comme le reste, mais j'ai fini par les dégager. Mon acte de naissance, de l'argent peut-être, des titres boursiers, ce genre de choses. Mais tu sais ce que j'ai trouvé ? »

J'ai détourné les yeux.

« Rien. Ils étaient vides. Aucun papier. Il ne restait pas le moindre document, la moindre lettre, le moindre registre. Alors j'ai su que ce qui s'était passé était intentionnel. L'extermination de ma famille ne suffisait pas, il fallait aussi faire disparaître toute trace de son existence.

— Personne ne voulait ça, ai-je dit.

— Encore un mensonge. Même toi, tu as déjà oublié que tu mens. Tes mensonges sont devenus la vérité. »

J'ai décidé de me concentrer sur un lézard vert qui traversait précipitamment la galerie. Un peu plus tard, un drôle de son a attiré mon attention ; elle respirait d'une respiration rauque, comme un râle d'agonie. J'ai craint le pire, mais je l'ai observée et elle a continué à respirer ; elle dormait. Je l'ai longuement veillée, et une fois certain qu'elle n'allait pas mourir, je suis rentré chercher une couverture pour l'en envelopper.

Chapitre 31

ELI / TIEHTETI

Fin de l'automne, début de l'hiver 1851

Les derniers morts enterrés, la cinquantaine de survivants rassembla les quelques chevaux restants et partit vers le sud-est, à pied pour la plupart, dans l'espoir de trouver les troupeaux de bisons ou du moins de croiser leur piste. Aucune trace fraîche ; de toute évidence le *numu kutsu* n'était pas venu dans la région depuis au moins un an.

Personne ne savait où se trouvaient les bons pâturages, ni où les bisons avaient bien pu aller. Plus tard on apprit qu'ils étaient restés dans le Nord, chez les Cheyennes et les Arapahos. En attendant, la neige avait commencé à tomber et il n'y avait pas grand-chose à manger.

À l'exception de Poils Jaunes et moi, plus quelques vieux Comanches que de précédentes épidémies avaient exposés à la maladie, la *tasía* avait frappé et épargné sans logique. Elle avait tué le faible comme le fort, le sage comme l'idiot, le lâche comme le courageux ; s'il fallait trouver un point commun aux survivants, c'était d'avoir été trop paresseux ou trop fatalistes pour décamper. Les meilleurs avaient fui ou étaient morts du fléau.

Personne ne parlait. On n'entendait que le vent, le grincement des paquetages et les hampes des travois qui raclaient contre les pierres. Si les chevreuils et les antilopes venaient à manquer, il faudrait tuer un cheval, ce qui ralentirait encore notre progression. Trouver les bisons était notre seule option ; nous ne savions pas ce que nous ferions si nous tombions plutôt sur les *Tuhano* ou sur l'armée. Nous étions moins de dix à pouvoir encore nous battre et nombre d'enfants étaient devenus aveugles.

Un jour, tandis qu'on regardait s'avancer un nouveau front froid – le ciel derrière nous couleur d'ecchymose –, un froid dont je savais qu'il transpercerait mon manteau en peau de bison, il me revint soudain qu'une bonne partie des enfants avaient été absents au petit-déjeuner. Je ne me rappelais pas non plus les avoir vus la veille au soir. Je me retournai et fis le compte de notre longue et lente colonne : je ne m'étais pas trompé, il manquait la moitié des enfants. Les mères avaient emmené tous les petits aveugles dans la prairie et les avaient tués pour que nous ayons assez à manger.

Ce soir-là, on tomba sur un groupe de *comancheros* qui avaient aperçu notre feu dans l'orage. Ils transportaient quantité de farine de maïs, de courges, de poudre, de plomb, de couteaux, de pointes de flèche en acier, et des couvertures de laine. Nous n'avions rien pour eux, mais les autres bandes devaient être décimées car ils décidèrent de nous tenir compagnie quelques jours. Au moment de repartir, ils nous donnèrent deux ou trois sacs de farine, mais nous n'avions pas de peaux à troquer et nous ne pouvions pas nous séparer des quelques chevaux qui nous restaient.

Tandis qu'ils rechargeaient leurs mules, un sentiment de désespoir envahit les membres de la bande ; certains s'assirent dans la neige, refusant toute consolation. Le ciel nocturne s'était dégagé et je m'éloignai du feu pour regarder les étoiles. Quel sens y avait-il à poursuivre ? Les rares qui, comme moi, étaient encore capables de chasser pouvaient simplement s'en aller ; mais c'était hors de question. J'étais perdu dans mes pensées quand notre seul chef survivant, Montagne Rocailleuse, vint me trouver.

« Je voudrais te dire un mot, Tiehteti.

— Je t'écoute.

— De toute évidence, on risque de ne pas passer l'hiver.

— C'est clair. »

Il parcourut du regard la prairie : elle était saupoudrée de neige, mais il y en aurait bientôt plus d'un mètre.

« Tu peux nous aider. »

Je savais où il voulait en venir. Le gouvernement offrait toujours de fortes récompenses pour les captifs qu'on leur ramenait.

« Toi, tu survivras peut-être à l'hiver ici. Contrairement à la plupart d'entre nous. Peut-être même que personne n'en réchappera. Mais si tu retournes chez les *taibos*... » Il haussa les épaules. « Tu peux revenir dès que les *comancheros* auront touché l'argent. »

Je regardais ailleurs.

« La décision t'appartient, bien sûr. Certains pensent que tu seras volontaire, surtout vu les sacrifices déjà consentis par bien des familles. » Il parlait des enfants. « Mais bon, tu es l'un des nôtres et j'aimerais autant que tu restes. »

Pour l'Allemande et moi, les *comancheros* laissèrent vingt sacs de farine, vingt kilos de *piloncillo*, dix boisseaux de courges, dix kilos de plombs, un tonneau de poudre, des vis pour fusils, une caisse de mille têtes de flèche en acier, et quelques couteaux non affûtés à manche de cuir. Ce fut considéré comme passablement généreux, même s'ils étaient certains de faire un bon profit : j'étais encore jeune, et de son côté l'Allemande était encore jolie et aucunement défigurée. Nombre de captifs, notamment les femmes, revenaient sans oreilles ou sans nez, ou bien le visage marqué au fer ; mais Poils Jaunes n'avait rien subi de tel et il était évident qu'elle serait très belle une fois décrassée. On me posa quelques questions en anglais pour voir si je le parlais toujours : c'était le cas – après trois ans ou presque dans une tribu sauvage, ça n'était pas commun non plus. Notre retour représenterait un grand succès à tout point de vue et les *comancheros* seraient bien payés.

Montagne Rocailleuse me demanda de lui laisser mon Colt Navy, un des deux revolvers pris au chasseur de scalps, mais c'était hors de question. J'avais enterré l'autre avec Toshaway et je ne faisais guère confiance à notre escorte. Ni à Montagne Rocailleuse, d'ailleurs.

La première nuit, Poils Jaunes resta près de moi, loin des *comancheros*.

«Ne les laisse pas me toucher, dit-elle.

— Promis.

— Fais-leur croire que je suis ta femme.

— Ils espèrent monnayer notre retour, je ne les vois pas essayer quoi que ce soit.

— S'il te plaît.»

Le soir suivant lui donna raison: l'un d'eux s'était rapproché peu à peu, jusqu'à passer son bras autour d'elle. C'était un grand bonhomme, très ventru – une sorte de saint Nicolas qui se négligerait. Je me levai en dégainant mon couteau; il éclata de rire, les mains en l'air.

«Tu m'as l'air un peu jeune, mais je ne me battrai pas.

— On n'est pas obligés de se battre pour elle, dis-je. On peut se battre tout court.»

Il rit de plus belle et secoua la tête. «Eh ben mon gars, je vois que tu tiens à elle comme la Camarde à un nègre qui va crever. Je viens de te dire que je ne me battrai pas. Je vais dormir.» Il se leva et regagna sa couche sous le chariot.

Cette nuit-là, Poils Jaunes dormit sous ma peau de bison. Je n'avais pas touché une femme – et je ne m'étais pas touché non plus – depuis presque deux mois, car je ne pensais qu'à Fleur-de-Prairie, au visage défiguré que j'avais recouvert de terre.

460

Mais voilà que, lové contre le dos de Poils Jaunes, mon corps en oubliait tout cela. Je respirais l'odeur doucereuse de ses cheveux sales. Pour finir, n'y tenant plus, je me mis à l'embrasser dans le cou. Je me demandais si elle dormait quand elle dit : « Je ne t'arrêterai pas, mais je n'ai pas envie. »

Je lui donnai alors un baiser derrière l'oreille, comme si mon comportement avait été tout fraternel. Elle déplaça mon membre pour ne plus le sentir dans son dos et on s'endormit.

La nuit suivante, elle dit : « On peut faire l'amour si tu veux, mais sache que j'ai été violée par une dizaine d'hommes de ta tribu. J'ai souvent essayé de t'en parler. »

J'avais tellement honte que je fis semblant de dormir.

« C'est bon, dit-elle en me tapotant la hanche. Ils ne t'auraient sans doute pas adopté si tu avais été gentil avec moi.

— Je suis désolé.

— Empêche ces hommes-là de me violer, c'est tout ce que je te demande. Je crois que je ne pourrais pas le supporter. »

Le troisième soir, je voulus savoir : « Tu t'imagines que tu ne m'attires pas parce que tu as couché avec tous ces hommes ou c'est seulement que tu n'as pas envie de coucher avec moi ?

— Je n'ai envie de coucher avec personne. Et surtout pas avec ces *comancheros*. Saint Nicolas m'a montré son bazar : sa bite est couverte de pustules. »

Le quatrième soir, je revins à la charge : « Mais, et moi ?

— Tu tuerais les *comancheros*, si je te le demandais ?

— Oui.

— Dans ce cas, je veux bien coucher avec toi. Mais il faut faire doucement, parce que s'ils nous entendent, tu risques vraiment de devoir les tuer.

— Je les tuerai », dis-je, même si, à dire vrai, je doutais d'avoir à le faire : nous représentions pour eux un an de revenus.

Elle me regarda. Elle était du genre soupe au lait. « Oublie. Je vais dormir seule. » Elle sortit de dessous la peau de bison. « Je préfère me faire violer que de coucher avec un menteur.

— Je te protégerai, dis-je. On n'est pas obligés de faire quoi que ce soit. Pardon d'avoir mis ça sur le tapis. »

La dernière fois que j'évoquai la question, ce fut pour demander : « Tu n'es jamais tombée enceinte ?

— Trois fois, mais à chaque fois je n'en ai eu que pour deux mois.

— Comment ça se fait ?

— Je me frappais le ventre avec des pierres. Et puis, même si je mourais de faim, je ne mangeais rien.

— Si tu avais eu un enfant, ils t'auraient peut-être adoptée.

— Formidable. Sauf que toutes les nuits je rêvais de rentrer chez moi.

— Où ça ?

— N'importe où pourvu qu'il y ait des Blancs. Pourvu qu'on ne me viole pas. »

Au lieu d'éprouver de la compassion, voilà que j'étais en colère. Toshaway me manquait plus que mes propres parents ; quant à Fleur-de-Prairie, rien que le fait d'y penser me donnait une telle sensation de vide que j'aurais pu me tirer une balle dans la tête. Je me détournai et m'endormis.

On chevaucha ensemble pendant trois semaines, partageant la même couverture pour que les *comancheros* nous croient mariés, et chaque nuit je m'attendais à ce qu'on fasse l'amour puisque nous dormions lovés l'un contre l'autre. Mais elle m'avait dit la vérité : ça ne l'intéressait pas du tout. Même la fois où on but du whisky avec les autres, quand elle laissa mes mains se balader plus qu'à l'ordinaire et que je crus que cette nuit-là je pourrais la pénétrer, je me rendis bientôt compte qu'elle respirait profondément : elle dormait. Mes mains se baladèrent encore un peu. Les *comancheros* connaissaient leurs acheteurs ; ils nous donnaient à manger quatre ou cinq fois par jour et Poils Jaunes se remplumait à vue d'œil, côtes moins saillantes, poitrine et hanches plus pleines. Mais nuit après nuit elle pleurait encore dans son sommeil.

« Mon seul fantasme, me dit-elle, ce serait peut-être de violer tous les hommes qui m'ont violée. Les ramener à la vie et les violer, tous, encore et encore. Avec un gros bâton bien rugueux, je veux dire. Je le leur fourrerais par grands allers-retours jusqu'à ce que j'en aie assez. »

Je ne dis rien. Je pensai à Toshaway, à Nuukaru, à Pizon, à Fleur-de-Prairie, à Loup Gras, à Grand-père, à Déteste-Travailler qui s'appelait en fait Oiseau-sans-Pareil, à Escuté, à Matin Clair, à Deux Ours et à Toujours-en-Visite. Je crois que j'aurais tué Poils Jaunes de bon cœur pour retrouver ne serait-ce qu'un seul d'entre eux.

Mais elle ne sembla pas le remarquer. « J'y ai beaucoup pensé, dit-elle. À les violer, je veux dire. Parfois c'est la seule chose qui me faisait tenir. »

Elle souriait.

« Mais je n'en ai plus besoin, maintenant. »

Je ne lui adressai pas la parole ce soir-là, ni le jour suivant.

La dernière semaine, ce n'étaient plus des pistes mais de vraies routes qu'on empruntait, passant devant des villages et des fermes : les premiers Blancs à ne pas me tirer dessus en trois ans. Poils Jaunes saluait tout le monde de la main. Mais les Blancs ne voyaient rien d'exceptionnel à voir d'autres Blancs. La région se colonisait.

Quand on arriva sur les rives du Colorado, près d'Austin, je fus totalement sidéré par les routes, deux fois plus larges et sans une ornière. Poils Jaunes était joyeuse et bien plus bavarde que d'habitude ; elle avait embrassé les *comancheros* sur les joues, elle les avait remerciés, et durant le dîner elle s'était pressée affectueusement contre moi. Je voyais des regards de jalousie, mais saint Nicolas veilla à ce que les autres se tiennent tranquilles. Il savait ce que nous valions. Il offrit de me donner un barillet de réserve pour mon revolver si je lui permettais de me laver les cheveux et de me les couper – ils m'arrivaient au milieu du dos. Après réflexion, j'acceptai.

Quand on se coucha ce soir-là, Poils Jaunes me laissa la pénétrer à demi, mais elle était très sèche, et j'eus beau remuer plusieurs minutes durant, rien n'y fit. J'avais tellement honte que je me retirai.

« Vas-y, finis, dit-elle.

— Je ne peux pas si toi tu ne veux pas. »

Elle haussa les épaules. « Ça ne me dérange pas. Tu as tenu ta promesse. »

Je réfléchis un moment, puis me glissai hors de la couverture. Debout, les yeux levés vers le ciel, je terminai à la main. L'herbe n'était même pas couverte de givre tant il faisait meilleur dans le « pays des collines », comme on l'appelait, que dans les plaines. Je me glissai de nouveau sous la peau de bison.

« Tu es un type bien, dit-elle. Je n'ai jamais rencontré quelqu'un comme toi. »

Le lendemain, nous étions à Austin. On nous emmena chez un marchand que connaissaient les *comancheros*, puis au Capitole. Un groupe de Blancs vint nous demander nos noms. Il fallut presque toute la journée, mais ils rassemblèrent finalement trois cents dollars pour nous ; les *comancheros* récupérèrent l'argent et repartirent sans m'adresser un mot, mais non sans essayer d'embrasser Poils Jaunes en guise d'adieu. Elle se détourna. Maintenant que nous étions en public, hors de question de les laisser s'approcher d'elle.

Elle s'appelait en fait Ingrid Goetz. L'information circula et plusieurs femmes riches l'adoptèrent. Quand je la revis le lendemain, elle portait une robe de soie bleue, et ses cheveux, propres, étaient tressés et ramenés en chignon. De mon côté, j'avais refusé qu'on me touche : je portais mon pagne et mes jambières en daim, sans chemise, et si j'avais dû abandonner mon revolver, j'avais tenu à garder mon couteau, glissé dans ma ceinture.

Du coup, je dormais sur une couchette libre dans la prison tandis que Poils Jaunes logeait dans une plantation à l'est de la ville, chez le représentant fédéral et sa femme. Quelques jours plus tard, un juge organisa une réception en notre honneur ; il habitait une grande demeure de style géorgien, près du Capitole, avec une belle vue sur le fleuve. Le juge était un gros rouquin qui aurait facilement pu porter un tonneau sous chaque bras, malgré des mains douces comme celles d'un enfant. Après des études à Harvard, il était devenu sénateur dans le Kentucky, puis s'était totalement détourné de la politique pour venir prospérer au Texas. Il lisait beaucoup de livres et parlait comme l'un d'eux, mais c'était une bonne nature et il me plut tout de suite.

Poils Jaunes et moi formions un sacré couple. On aurait dit qu'elle avait vécu en ville toute sa vie ; j'avais pris un bain et perdu mes longues nattes mais je ressemblais encore à un enfant sauvage. Plusieurs reporters s'approchèrent pour nous demander si nous étions mari et femme. Avec ses cheveux et son visage propre, je la trouvai plus belle que jamais et j'aurais voulu qu'elle dise oui.

C'est d'ailleurs ce que tout le monde voulait – ça ferait une histoire formidable. Mais Poils Jaunes était égoïste : non, nous n'avions aucun lien, j'avais seulement protégé son honneur – grâce à moi, c'est l'honneur sauf qu'elle était rentrée –, son honneur son honneur son honneur : elle l'avait toujours et c'est tout ce qu'il y avait à dire.

Je restai sans voix. Il n'y avait que les Yankees pour gober ça ; les Texans, eux, connaissaient trop l'appétit des Indiens pour leurs captives.

On nous servit des plats copieux accompagnés de pain frais ; il y avait du bœuf et de la dinde, à laquelle je ne touchai pas car les Comanches estimaient qu'en manger rendait lâche. En regardant la volaille, je pensai à Escuté et à sa blague préférée : *Manger de la dinde vous rend lâche, mais manger de la chatte vous rend ferme.* Il y avait aussi du rôti de porc, auquel je ne touchai pas non plus car les Comanches savaient bien que c'était un animal répugnant. J'engloutis à peu près trois kilos de bœuf et deux lapins, et on commenta mon bel appétit. Poils Jaunes mangea un tout petit peu de pain et de dinde et, me regardant droit dans les yeux, se servit plusieurs fois de porc.

Cette nuit-là, malgré la brise qui traversait la maison, l'air me sembla si chaud et si lourd, et le lit si mou, si étouffant, que je sortis dormir dehors. De son côté, Poils Jaunes racontait déjà partout qu'elle venait d'une famille d'aristocrates allemands, même si c'était invérifiable puisqu'ils avaient tous été tués. Connaissant l'endroit où elle avait vécu, j'étais certain qu'elle mentait. Les autres n'étaient pas convaincus non plus, mais ne diraient rien : ils n'avaient jamais vu de captive rentrer en si bon état – quand on vous fait cadeau d'un cheval, vous ne regardez pas ses dents.

Quelques jours plus tard, le juge invita plusieurs notables de la ville, ainsi que des journalistes de la côte Est, à un barbecue dans son jardin. On me demanda de revêtir mon attirail et de faire mon numéro. Comme il est bien sûr impossible de montrer dans un cirque le cœur des compétences indiennes – pister le gibier, déchiffrer l'humeur d'un homme dans les traces de ses pas –, je demandai un cheval et galopai à cru en décochant des flèches à une balle de foin. Le juge avait d'abord proposé que je tire sur une souche, mais c'était hors de question : ça aurait détruit mes flèches et comme c'était Grand-père qui les avait fabriquées, tout comme mon arc, je ne voulais pas les abîmer, sinon pour une cible vivante. J'attendis sur mon cheval tandis que chacun y allait de sa suggestion. Le juge désigna un écureuil haut perché sur un chêne : je l'emportai d'une flèche, puis tuai une colombe perchée sur une autre branche. Les spectateurs applaudirent. Non loin d'eux, j'aperçus dans l'herbe un œil noir dont je savais que c'était celui d'un lapin, et je le transperçai aussi. Plusieurs reporters eurent l'air un peu nauséeux quand l'animal, pris de soubresauts, se mit à pousser des cris, mais le juge dit en riant : *Il a l'œil, hein ?* Sa femme lui jeta alors un regard noir et il mit fin à la démonstration. Les nègres achevèrent le lapin à coups de pied et aplatirent les mottes de terre que j'avais soulevées dans le gazon.

On s'assit pour boire le thé et je fus littéralement assailli de questions sur Poils Jaunes, ou Ingrid Goetz, comme ils s'obstinaient à l'appeler. Pendant ma démonstration, elle s'était soi-disant sentie mal et on l'avait ramenée à la plantation. Bien entendu, je n'étais pas dupe.

Le juge, resté parmi nous, me demanda : «Tu la connaissais bien ?

— On a été capturés en même temps.

— Donc tu la connaissais.

— Un peu.

— C'est vrai qu'ils n'ont pas abusé d'elle ? »
demanda un reporter du *New York Daily Mail*.

L'idée de la compromettre me traversa l'esprit
puisque visiblement elle me battait froid, mais je ne
pus m'y résoudre. « Évidemment, dis-je. Ils ne l'ont
jamais touchée, elle faisait partie de la tribu.

— C'est peu probable », dit le juge. Il avait l'air
gêné, mais il poursuivit : « Si c'est vrai, ce serait bien
la première fois, à ma connaissance. D'habitude, la
tribu entière abuse des captives. Et les invités de
la tribu aussi, bien souvent. » Il toussa dans sa main,
puis regarda par terre.

« Dans son cas, ça ne s'est pas passé comme ça, dis-
je. Bien des braves la voulaient pour épouse, mais elle
a refusé. On l'a tenue à l'écart des hommes. »

Le juge me regardait bizarrement.

« Je crois qu'il y avait notamment un jeune chef qui
voulait l'épouser mais qui est mort dans une bataille
contre l'armée. Elle en a peut-être eu le cœur brisé.

— Étaient-ils liés, elle et lui, matrimonialement
ou autre ?

— Non, dis-je. Les Comanches sont très stricts
là-dessus.

— La pauvre, dit le reporter. Elle aurait pu être
reine.

— Certainement. »

Le juge me fixait, comme s'il essayait de comprendre
quel intérêt j'avais à mentir aussi éhontément.

« Je suppose que ça montre que les Peaux-Rouges
peuvent faire preuve de noblesse quand ils veulent »,
dit le reporter du *Daily Times*. Il se tourna vers le
juge : « Contrairement à ce qu'on dit. »

Le juge ne répondit pas.

« C'est clair comme de l'eau de roche, dit le reporter. Si on laissait les Indiens tranquilles... » Il haussa les épaules. « Ils ne poseraient aucun problème.

— Puis-je vous demander d'où vous venez ?

— De New York.

— Ça, je le sais, mais de quelle tribu ? Les Sénécas ? Les Cayugas ? »

Le reporter secoua la tête.

« Ou peut-être êtes-vous un Érié, un Mohawk, un Mohican, un Shinnecock, un Delaware, un Onneiout ou un Onondaga ? Ou bien un Poospatuck – ma tribu préférée ? Ce sont sans doute vos voisins. Assistez-vous à leurs danses du scalp ?

— Allez, arrêtez, dit le reporter.

— Il ne reste pas d'Indiens dans votre région parce que vous les avez tous tués. Il est donc tout à fait remarquable que vous teniez tant à ce que nous traitions bien les nôtres. Comme si, contrairement aux sauvages que vos grands-pères ont exterminés, les nôtres étaient aimables et doux.

— Et pourtant, regardez cette femme. Ils l'ont faite prisonnière mais ne l'ont pas maltraitée. »

Le juge allait répondre, mais se ravisa. Au bout d'un moment, il dit : « Apparemment. »

Deux semaines plus tard, Ingrid Goetz partait vers l'est avec ce même journaliste. Je n'entendis plus jamais parler d'elle.

À peu près au même moment, le juge Black vint me dire que mon père était mort : il s'était fait tuer près de la frontière, lors d'une expédition de Rangers.

Une femme qui se prétendait sa veuve avait vu l'annonce de mon retour dans le journal et avait écrit au juge en proposant de m'accueillir.

De ce qu'on savait, mon père s'était réengagé chez les Rangers après avoir trouvé sa ferme brûlée et sa famille morte ou disparue ; il avait survécu aux deux premières années, et succombé à la troisième. À cette époque, le taux de mortalité par mission chez les Rangers était de cinquante pour cent ; ils étaient enterrés un peu partout dans l'État, trois ou quatre par tombe. Mon père s'était fait tuer par des Mexicains : c'était tout ce qu'on savait.

Je pris mon arc et le pantalon que le juge m'avait acheté afin d'éviter qu'on ne me prenne pour un Indien et j'allai marcher le long du fleuve. Je pensais chialer, mais je restai les yeux secs. Est-ce que je trahissais Toshaway ? Je décidai de ne plus y penser. Cette nuit-là, je rêvai que j'étais avec mon père devant notre ancienne maison.

« Tu n'aurais pas pu nous rattraper, lui disais-je. C'était impossible. »

Mais il n'était plus là, et je ne savais plus trop si c'était à lui ou à moi-même que je parlais.

Le juge avait beau dire que j'étais le bienvenu, je me rendais compte que je perturbais son foyer : voilà que ses trois filles se peinturluraient le visage, poussaient des cris de guerre et s'entraînaient à ululer. L'épouse du juge se doutait que j'y étais pour quelque chose. Elle était de ces gens qui aiment sauver les autres, mais elle avait trop de règles pour que je puisse m'y conformer.

Je pris l'habitude de m'excuser après le petit-déjeuner pour aller passer la journée près du fleuve, à guetter des proies. Le juge me fit promettre de m'habiller normalement ; il craignait que je ne me fasse tuer par un de mes concitoyens.

Je prenais soin de chasser les volailles qu'appréciait sa femme ; un après-midi, je rentrai avec quatre canards et un faisan que je donnai à plumer aux domestiques.

« Une bonne journée de travail, à ce que je vois. » Le juge lisait un livre sur la galerie.

« Oui m'sieur !

— Ça va être difficile de te faire aller à l'école, hein ? »

Je hochai la tête.

« J'ai toujours trouvé intéressant que les enfants blancs adoptent si vite les mœurs indiennes alors que les petits Indiens élevés par des familles blanches ne s'y font jamais. Pas que tu sois un enfant, bien sûr.

— Non, m'sieur.

— Évidemment, les Indiens vivent plus près de la terre et des dieux de la nature. Ça ne fait pas l'ombre d'un doute. » Il referma son livre. « Malheureusement cette vie-là n'a plus sa place, Eli. Tes ancêtres et les miens lui ont tourné le dos le jour où ils ont planté une graine en terre et cessé de vagabonder comme les autres créatures. Un processus irrémédiable.

— L'école, je ne crois pas que ce soit pour moi.

— Soit, mais si tu restes ici, je crains qu'il ne faille t'y résoudre. Surtout dans la maison de mon honorable épouse. Ça ne se fait pas d'avoir des Indiens sauvages sous son toit. »

Je faillis faire remarquer que j'avais deux scalps à mon actif, que j'étais meilleur chasseur, pisteur et cavalier que tous les hommes du coin et que l'idée de m'envoyer à l'école avec les enfants était ridicule. Je dis plutôt : « Peut-être que je ferais mieux d'accepter l'hospitalité de la femme de mon père. » Elle vivait à Bastrop, qui ne s'était jamais totalement pacifié.

« Rien ne presse, dit-il. Je suis ravi de t'avoir ici. Mais si tu veux un avenir, même là-bas il te faudra de l'instruction, si pénible que cela te soit.

— Je pourrais m'enrôler tout de suite chez les Rangers.

— Certes. Mais je crois que tu as l'étoffe pour autre chose qu'une vie parmi les mercenaires et les hors-la-loi. »

J'en fus blessé, mais je ne dis rien. J'essayai de comprendre sur quels critères je manquais d'instruction. Les Blancs adoraient les règles, voilà tout. Et pourtant c'est eux qui dominaient. Et moi-même j'étais l'un des leurs.

Un nègre nous apporta du thé froid.

« Il y a quelque chose qui me tracasse depuis un moment, dit le juge. Ingrid Goetz n'a-t-elle vraiment pas été traitée comme les autres captives ?

— Elle a été traitée comme vous le pensiez.

— Tu as donc raconté des histoires pour la protéger ?

— Oui. »

Il hocha la tête. « Je suis heureux de voir que tes années chez les sauvages n'ont pas entamé ton humanité, jeune McCullough.

— Merci, m'sieur.

— Encore une chose. »

Je hochai la tête.

« Le chat persan de mon honorable épouse a disparu et elle se demande si tu n'y es pas pour quelque chose.

— Absolument pas.

— Qu'est-ce que les Indiens pensent des chats ?

— Jamais vu de chat chez eux. Des tas de chiens, par contre.

— Ils les mangent, n'est-ce pas ?

— Ça, c'est les Shoshones. Chez les Comanches, les chiens et les coyotes sont sacrés. Ce serait s'attirer le mauvais œil.

— Mais il leur arrive de manger des êtres humains.

— Ça, c'est les Tonkawas.

— Jamais les Comanches ?

— Un Comanche qui mangerait de la chair humaine serait aussitôt tué par la tribu, parce qu'il paraît que c'est addictif.

— Intéressant. » Il se grattait le menton. « Et cette danse du Soleil dont tout le monde parle ?

— C'est chez les Kiowas. On n'a jamais fait ça, nous. »

Peu après le départ d'Ingrid, des marchands ramenèrent deux autres captives, des sœurs de Fredericksburg. Cela fit grand bruit, jusqu'à ce qu'on les voie. La première n'avait plus de nez ; la seconde semblait normale mais elle avait perdu la raison. Malgré une annonce très solennelle dans le journal, on ne savait pas quoi faire d'elles : elles n'étaient guère loquaces et leur simple présence était éprouvante.

Aussi finirent-elles par s'installer dans une maison que le pasteur n'utilisait pas, derrière l'église. J'allai leur rendre visite, à la demande du juge, pour essayer d'établir une communication ; mais dès qu'elles m'entendirent parler comanche, elles se refusèrent à tout contact avec moi. Quelques semaines plus tard, elles préférèrent se noyer. Ce qui, naturellement, arrangea bien tout le monde. La bonne société les voyait en effet peu ou prou comme des prostituées, vu qu'elles s'étaient fait violer par un troupeau d'étalons indiens. Mais contrairement aux prostituées, qui pouvaient renoncer à leurs choix immoraux et se racheter, ces femmes n'étaient pour rien dans ce qui leur était arrivé ; elles n'avaient donc pas le pouvoir de le défaire non plus.

Déjà las de la maison du juge, je préférais dormir dehors. Je m'étais attiré quelques ennuis en empruntant le cheval d'un voisin et en criblant de flèches certains porcs des environs – sans compter qu'on imputait à ma présence toutes sortes de menus larcins avec lesquels je n'avais rien à voir.

Je concédai au juge que les Comanches détestaient les cochons, aversion dont j'avais sans doute hérité ; je m'ennuyais profondément, je ne savais pas comment s'occupaient les enfants blancs. Ils vont à l'école, me dit-il. Je lui répondis que le massacre des cochons ne serait rien à côté de ce qui se passerait si on m'envoyait à l'école. J'exagérais, bien sûr : je me contenterais de partir. En attendant, le juge dit aux voisins concernés que l'État du Texas les rembourserait, car je ne m'étais pas encore totalement réadapté à la vie civilisée.

Un après-midi, il me fit asseoir pour une discussion sérieuse : « Jeune homme, loin de moi l'idée de suggérer que tu ne sois pas le bienvenu sous mon toit, mais peut-être est-il temps que tu rendes visite à la nouvelle famille de ton père à Bastrop. Mon honorable épouse estime que ça te fera sans doute du bien, si tu vois ce que je veux dire.

— Elle ne m'aime pas.

— Elle a la plus grande estime pour ton courage. Mais un de nos nègres a découvert dans tes affaires ce qu'il a identifié comme des scalps humains, information aussitôt rapportée à mon honorable épouse.

— Vos nègres ont fouillé mon sac ?

— Ils sont d'un naturel curieux. Toutes mes excuses.

— Où est-il, maintenant ?

— Au-dessus de l'écurie, pour plus de sûreté. Mais n'aie crainte, je leur ai promis le fouet si quoi que ce soit venait à manquer.

— Je crois que je vais partir aujourd'hui, alors.

— Pas de précipitation. Bientôt suffira. »

Je rassemblai mes affaires et demandai aux nègres de me rendre les scalps qu'ils avaient volés, ainsi que mon bézoard.

Puis j'allai trouver le juge dans son bureau. Je le remerciai, et lui offris mon grand couteau et son fourreau brodé de perles. J'en avais « libéré » un meilleur, un beau couteau Bowie qu'un voisin du juge conservait dans une vitrine : il était censé avoir appartenu à James Bowie en personne. Je l'aurais bien donné au juge, mais je ne voulais pas lui attirer d'ennuis. Considérant mon couteau indien, le juge demanda : « Aurait-il fait se dresser les cheveux de quelques têtes ?

— Quelques-unes, oui. »

Il haussa les sourcils.

« Rien que des Mexicains et des Indiens », mentis-je.

Il contempla le couteau.

« Je vais le mettre dans une vitrine. Je connais la personne idéale pour me fabriquer ça.

— Comme vous voulez.

— C'est un honneur de t'avoir rencontré, jeune homme. Tu es destiné à de grandes choses si tu ne finis pas pendu avant. Tu risques de t'apercevoir que tous les représentants de l'ordre ne sont pas aussi ouverts d'esprit que ton serviteur. Le juge de Bastrop, par exemple, est un vrai connard. À dire vrai, c'est l'un de mes pires ennemis : j'éviterais autant que possible de mentionner notre amitié si j'étais toi. »

Je partis pour Bastrop le soir même, malgré les protestations du juge qui me conseillait de profiter d'un chariot le lendemain matin. Je voyais bien que son rôle dans mon départ faisait culpabiliser la maîtresse de maison, et les filles, quand elles apprirent que je m'en allais, fondirent en larmes et restèrent inconsolables ; l'aînée me sauta au cou et se mit à m'embrasser dans des sanglots hystériques.

Mais je me sentais de nouveau libre, car les seize hectares du juge avaient beau faire sa fierté, ils me faisaient l'effet d'un timbre-poste : j'avais l'habitude d'en avoir des millions à ma disposition. Et puis Austin était surpeuplé : cinq mille habitants, et ça n'arrêtait pas de grimper. Il était impossible de se promener le long du fleuve sans être dérangé par les clochettes des chevaux et les cris des bateliers. Il y avait trop de monde pour la taille du gâteau, c'était évident.

Chapitre 32

JEANNIE McCULLOUGH

Les premières lueurs du jour commençaient à poindre lorsqu'elle s'endormit. Un peu plus tard, elle l'entendit qui appelait. Elle ouvrit les yeux ; à en juger au son, il devait être juste devant sa porte. Alors qu'elle avait pensé à lui toute la nuit, voici qu'elle avait peur et ne savait pas quoi faire. Elle se tint donc coite tandis qu'il restait là, dans le couloir.

Elle finit par trouver le courage de crier : « J'arrive dans une minute ! Dites à Flores de vous faire du café ! »

Elle l'entendit descendre. Et fut prise de regrets. Elle se raconta qu'elle n'avait simplement pas voulu qu'il la voie comme ça, le visage bouffi, sans maquillage ; mais elle savait bien que ce n'était pas vrai. *Je suis lâche*, se dit-elle. Elle fit sa toilette, s'attacha les cheveux et mit un peu de fard avant de le rejoindre à la cuisine.

« Bien dormi ? demanda-t-elle.

— Pas mal du tout, oui. »

Si elle fut blessée de cette réponse, elle n'en montra rien.

Après le petit-déjeuner, il alla se plonger dans les cartes. Tandis qu'elle portait le panier du pique-nique dans le pick-up, le regard de Jeannie tomba sur le chariot à boissons, avec sa bouteille de bourbon et son shaker en argent. Elle les glissa dans le panier, non sans se le reprocher, se demandant ce qu'elle dirait si elle se faisait attraper ou s'il était contre, avant de se rappeler qu'il n'y avait personne pour l'attraper. Elle se sentit mieux et pire à la fois. Elle se dit alors que, du point de vue de Hank, les choses n'iraient sans doute jamais assez vite. Retournant à la cuisine, elle enveloppa un pain de glace dans des serviettes ; il lui fallait aussi du sucre. Elle pourrait toujours s'en débarrasser si elle changeait d'avis.

Ils avaient à peine démarré qu'elle dit : « Arrêtez-vous un instant près de la mare. »

Il s'exécuta. Elle sortit ramasser une pleine poignée de feuilles de menthe et l'ajouta au panier. « Pourquoi faire ? demanda-t-il.

— Des rafraîchissements.

— Si vous le dites. »

Quelques heures plus tard, lorsqu'il estima qu'il avait vu assez de la région pour faire une pause, ils déjeunèrent près de la source de l'ancienne maison des Garcia. Un peu plus bas, au bord de l'eau, se trouvaient des peupliers de Virginie ; elle lui demanda un instant et descendit précautionneusement la pente abrupte qui menait à la berge pour cueillir quelques bourgeons, avant de remonter vers lui en grattant leur sève de ses ongles.

«Là, dit-elle.

— Qu'est-ce que c'est ?

— Vous verrez, sentez.»

Comme il lui jetait un regard dubitatif, elle approcha sa main de son visage.

«Ouah !» Il lui saisit le bras et rapprocha sa main ; ils demeurèrent ainsi un moment. Elle sentait son souffle sur son poignet.

«Je voudrais passer le reste de ma vie à sentir ça.

— C'est la sève des bourgeons, dit-elle. Ça n'arrive qu'à quelques moments de l'année.

— Et ça a quel goût ?

— Goûtez donc.

— Sur vos doigts ?»

Elle haussa les épaules. Et le regarda... espérant... elle ne savait trop quoi. Mais il se contenta de mettre le bout de son doigt dans sa bouche pour l'en retirer aussitôt.

«Il vaut mieux s'en tenir au parfum», dit-il en riant.

Elle espérait qu'il allait l'embrasser, mais il ne bougeait pas ; il lâcha même son poignet.

«Quel endroit», dit-il en regardant la prairie alentour.

Elle se força à hocher la tête. Un nuage était venu tout assombrir.

«La compagnie n'est pas mal non plus.»

Elle hocha de nouveau la tête. On n'entendait que les criquets et le bruit de l'eau.

«Et si vous me dites aussi qu'on fait difficilement mieux que moi, je serai d'accord avec vous.

— Je n'ai rien dit, riposta-t-elle.

— C'est ce que je choisis d'entendre.

— Mais vous non plus, vous ne m'avez rien dit de tel. » *Quel idiot.* Elle n'était pas d'humeur pour ces joutes verbales. L'occasion était passée, c'était trop tard.

« Vous êtes très belle. » Il tendit la main vers sa joue, puis s'arrêta. « Mais...

— Je vais nous préparer ces fameux rafraîchissements, dit-elle, bien qu'elle ne fût plus sûre d'en avoir envie.

— On devrait se remettre en route. » Se redressant, il se mit à rassembler ses affaires. « Difficile de vous expliquer à quel point j'ai besoin de ce travail. »

Il allait se lever quand elle lui prit la main et la pressa contre ses lèvres.

« Vous ne savez pas grand-chose de votre oncle, hein ? »

Elle secoua la tête, gardant sa main dans la sienne.

« Il me fera pendre. Après m'avoir fait tirer dessus et poignarder.

— Mais non. Ne bougez pas de cette couverture. » Elle était paniquée ; elle espérait que ça ne se voyait pas.

« Je suis le dernier des imbéciles. » Mais il ne bougea pas.

Elle alla chercher les ingrédients du julep dans la voiture, mit la menthe, le sucre et une bonne dose de bourbon dans le shaker et broya le tout avant d'ajouter la glace. Elle avait oublié de prendre des verres. Sans doute ne se formaliserait-il pas. Elle se rassit et lui tendit le shaker.

« C'est généreux, comme rafraîchissement », dit-il. Elle nota qu'en son absence il avait bien étalé la couverture et l'avait déplacée à l'ombre. La panique revint.

«J'ai oublié les verres, dit-elle. On va devoir partager.

— Je n'ai pas d'objection.

— Le contraire m'aurait étonné. C'est la recette de mon arrière-grand-père.»

Il but une grande gorgée. «Il est délicieux, ce julep.» Il toussa. «Ouah. Attention à ce que ça ne vous fasse pas pousser des poils sur la poitrine.

— J'en bois depuis que je suis petite.» Elle prit une gorgée, puis une autre, et sentit aussitôt l'alcool lui monter à la tête.

«Houla.» Elle s'allongea.

«Ça va?»

Elle fit signe que oui.

«On dirait que vous avez besoin d'aide.»

Pourtant, il hésitait. Il n'était pas comme les autres. Elle sentit revenir l'irritation, puis décida que ça lui plaisait. Elle lui prit la main et l'attira à elle. Ils s'embrassèrent longuement, d'une façon qu'elle jugea très délicate; il restait de côté. Puis elle commença à s'impatienter; elle aurait voulu que ses mains soient plus entreprenantes. Elle commença à remuer les hanches, mais il cessa de l'embrasser et elle sentit revenir la gêne; visiblement, elle était une fois de plus allée trop loin.

«Qu'est-ce qui se passe? dit-elle.

— Je crois qu'on devrait se remettre à chercher du pétrole. Je crois aussi que votre grand-oncle va me tuer.»

Il dit tuer, pensa Jeannie, *mais c'est ruiner qu'il veut dire*. C'était déprimant d'entendre toujours parler d'argent ; elle se sentit refroidir intérieurement. Elle ne voulait pas le regarder. Elle décida que si elle ne devait jamais le revoir, elle s'en ficherait complètement. Enfin, peut-être pas complètement. Elle s'obligea à dire : « Il n'en saura rien.

— Troisièmement, bien que ce ne soit pas dans mon intérêt de le signaler, il me suffit de jeter un œil à votre maison pour comprendre que je ne suis pas pour vous. »

Elle savait ce qu'il voulait dire, mais fit mine de ne pas saisir. Elle se sentait fatiguée, très fatiguée, fatiguée de ces hommes si gentils avec elle ; elle aurait voulu qu'il soulève sa robe ou qu'il la plaque contre un mur, elle voulait qu'il arrête de demander la permission, qu'il arrête de parler. « Vous avez mauvaise réputation ? se força-t-elle à demander.

— Je n'ai pas de réputation du tout. J'ai passé ma vie à courir après le pétrole plutôt que de courir après les filles. » Il ajouta : « Malheureusement. Et mon père était plus du genre à me faire baptiser qu'à m'envoyer au bordel.

— Ça réduit les risques de maladie.

— Oui, mais ça augmente ceux de perdre un bras ou une jambe.

— C'est si dangereux que ça ? » Une question ridicule : évidemment que c'était dangereux, il venait de perdre son père. Mais là tout de suite, elle s'en fichait royalement ; elle ne voulait pas que la conversation prenne ce tour-là, elle se fichait de son père, comme du reste du monde.

« C'est de moins en moins dangereux.

— Vous pourriez faire tout ce que vous voulez, dit-elle, c'est évident, rien qu'à vous voir.

— Il se trouve que j'aime ça. »

Il y eut un silence.

« Juste pour que vous sachiez, je suis peut-être totalement à sec mais c'est temporaire. Tant mieux pour votre famille, cela dit. »

Elle l'attira à elle et l'embrassa de nouveau. Ça dura un moment, mais il n'était toujours pas entreprenant, ce qui devenait frustrant ; elle était prête à se donner à lui. Elle avait comme le pressentiment qu'elle ne le reverrait jamais et elle se demanda s'il y avait quelque chose chez elle, son corps, son visage, autre chose encore, qui repoussait les hommes.

Peut-être sentaient-ils son manque d'expérience, peut-être se disaient-ils qu'elle ne serait pas douée, ou que c'était sacré pour elle – *je m'en fiche*, eut-elle envie de lui dire, *c'est comme une malédiction et je veux la briser*. Ou bien c'est qu'ils ne la voyaient pas de ces yeux-là. Peut-être était-ce sa conversation seule qu'ils trouvaient agréable. Elle sentit sa flamme retomber.

« Je suppose qu'il faut se remettre au travail ?

— On devrait.

— D'accord, dit-elle. Formidable. Quelle bonne idée. » Elle se redressa, rassembla précipitamment ses affaires et se dirigea vers le pick-up. Elle sentit Hank la suivre du regard ; il ne voyait pas ce qu'il avait fait de mal, tant pis pour lui. Elle aurait voulu rentrer.

Ils passèrent le reste de la journée à rouler, s'arrêtant de temps à autre pour qu'il annote ses cartes.

«Comment est-ce que les gens s'y retrouvent, par ici ? dit-il. Tout se ressemble.

— Pas du tout.

— Peut-être que je m'y ferai.

— Vous allez rester combien de temps ?» Elle s'en fichait. Elle demandait comme ça.

«Si on trouve du pétrole ? Des années peut-être, sauf si on me pend au chêne devant chez vous.

— C'est un orme.

— On verra bien.

— Vous parlez toujours autant ?»

Il rougit et regarda par la fenêtre. Le silence et la gêne s'installèrent de nouveau. Elle faillit lui dire de la déposer à la maison, mais demanda plutôt : «Vous avez été à l'école ?

— Dans une certaine mesure.

— C'est-à-dire ?

— Je ne suis pas peu fier d'être diplômé du primaire.

— C'est mieux que rien, je suppose.

— Même si, malheureusement, c'est encore une exagération.

— Vous avez l'air de savoir lire et écrire.

— Comme on dit chez moi, il y a Cadien et Cadien. Je suis de la première catégorie.»

Ce soir-là, ils soupèrent avec les vaqueros et Hank leur parla espagnol. Elle vit bien qu'ils l'appréciaient, malgré une certaine méfiance, et aussi une jalousie évidente dont elle s'étonna. Ses sentiments pour lui reparurent. Mais une fois le repas fini, quand Flores, Hugo et les bonnes se mirent à débarrasser, il se leva et leur dit : «On se lève tôt, demain. Bonne nuit.» Pas un mot pour elle. Elle alla se coucher furieuse.

Le lendemain matin, ils étaient déjà en route lorsqu'elle lui ordonna de s'arrêter pour ramasser encore de la menthe.

« Vous êtes déterminée à ce qu'on ne travaille pas, alors ?

— Vous allez passer toute l'année ici.

— Si votre oncle ne me met pas dehors.

— Très bien. Comme vous voulez.

— N'ayez pas l'air déçue.

— Trop tard, dit-elle.

— Vous êtes déçue, vraiment ?

— Oui, vraiment.

— Je ne savais pas. »

Ça la mit en rage. « Ce que vous êtes bête. »

Il tendit la main vers la sienne. Elle commença par résister.

Cet après-midi-là, ils étendirent une couverture à l'ombre. Elle l'encouragea à laisser ses mains se promener, ce qu'elles firent, mais il y eut une pause inévitable et tout sembla s'arrêter. Elle sentit son intérêt plafonner, puis décliner ; c'était comme si elle refroidissait à vue d'œil, comme si elle anticipait une déception imminente. Elle décida d'envisager la situation sous un angle mécanique : un problème à résoudre. Elle se força à se redresser et à déboutonner la chemise de Hank, même si elle ne savait pas trop comment la lui ôter ; puis elle défit sa ceinture et les boutons de son pantalon. Sans l'arrêter, il lui jeta un regard interrogateur. Elle hocha la tête. Alors il prit le relais et quelques secondes plus tard, il était entièrement nu. Puis ce fut le tour de Jeannie. Il était suspendu au-dessus d'elle, à regarder ses seins et le reste de son corps ; sans doute appréciait-il ce qu'il voyait, mais peut-être aussi le jugeait-il. Dans un cas comme dans l'autre, elle en était gênée, aussi elle l'attira à elle.

Ils commencèrent par de petites allées et venues, puis de plus grandes, jusqu'à ce que ça devienne insoutenable et qu'elle se presse bien plus fort contre lui, ne sachant pas très bien comment obtenir ce qu'elle voulait, levant les hanches, une première fois, puis une autre. Et voilà que tout à coup il était en elle. Ça n'avait pas été douloureux. Tout le contraire, en fait. Elle le serra plus fort et là, oui, elle eut mal, mais bref instant seulement. La distance était infime qui séparait une sensation de pincement de celle qu'elle avait toujours espérée. Puis il prit les commandes et elle s'abandonna un moment, avant de refaire surface pour se demander si tout ce foin autour de la douleur n'était que le moyen de vous empêcher de ne faire que ça, tout le temps.

Elle voyait les arbres au-dessus d'elle, puis le lieu s'estompa : elle n'était plus nulle part en particulier. Elle se demanda si elle saignait, *il y aura du sang*, c'était ce qui se disait, *du sang du sang du sang*, comme s'il n'y avait rien de pire au monde. Elle avait envie de rire. Mais il ne fallait pas. Il le prendrait mal. Elle était à la fois dans et hors de son corps, éveillée et endormie, présente et absente, et puis de nouveau présente, là, sur une couverture, un homme au-dessus d'elle, un caillou ou une branche, en tout cas quelque chose de dur dans le dos. Elle serra Hank plus fort. Ça dura longtemps, jusqu'à ce qu'il se retire soudainement.

Elle savait bien pourquoi, n'empêche qu'elle était désolée.

« Désolé, dit-il alors aussi.

— De quoi ? » Elle l'embrassa dans le cou.

« Ce sera mieux la prochaine fois.

— Ça m'a plu.

— Ce sera mieux.

— Reviens.

— Donne-moi un instant. » Il roula de côté et resta couché contre elle, une jambe par-dessus les siennes.

Elle se mit à remuer les hanches. Elle avait l'impression d'enfreindre une règle ; elle était heureuse. « Et avec ta main ? » Peut-être qu'elle en demandait trop, mais il s'exécuta de bon cœur.

Elle sentit que ça montait, et c'était bien mieux que tout ce qu'elle avait pu essayer seule. Avant qu'elle ne jouisse, il la pénétra de nouveau.

« Va plus lentement, et plus loin », lui dit-elle.

Ce qu'il fit. Alors elle se sentit submergée par une vague de chaleur, comme si on l'avait plongée dans une bassine chaude (*de peinture rouge*, se dit-elle, *je vois ça rouge*), vague qui se propageait depuis sa taille.

Plus tard, ça redevint très agréable, et il se retira tout aussi précipitamment. Mais elle le retint pour qu'il restât contre elle. Il essaya de lever la tête pour lui embrasser le cou, mais elle vit bien qu'il n'en avait pas la force. Il était comme ivre, ou endormi. Il fit glisser sa bouche de son oreille à son épaule, sans véritablement l'embrasser. Son haleine était douce. Elle le serra plus fort encore.

« Tu as… ? » demanda-t-il un moment plus tard.

Est-ce que vraiment il ne savait pas ? Elle en fut blessée, et puis non. Elle était trop sensible. C'était sûrement normal.

Voilà qu'il parlait encore. « Tu crois que...

— Chhhhhh, dit-elle. Chhhhhh chhhhhhhh chhhhhhhh. » Elle avait toujours la sensation d'être sous l'eau, ou dans un bain chaud. Lorsqu'elle se réveilla un peu plus tard, son cœur battait bizarrement ; ce n'était pas son cœur à elle, c'était son cœur à lui. *Du sang* : à mourir de rire. Les gens étaient bêtes, c'était incroyable, *ridicule*, se dit-elle. Elle se mit à lui caresser le dos, puis embrassa ses cheveux. Il poussa un soupir, mais ne se réveilla pas. Il y avait un petit souffle d'air et elle entendait le chuchotis du ruisseau qui dévalait la pente, passant devant la vieille église, là où ses frères avaient trouvé la tombe, *tous partis*, se dit-elle, *tous morts*. Elle regarda le soleil qui jouait à cache-cache. *Si je mourais...*

Un peu plus tard, Hank était de nouveau en elle, sauf qu'elle avait la vessie pleine. Il continuait à remuer, mais elle avait envie de se lever. Elle ne savait pas trop comment lui dire et se demanda si elle lui avait donné quelque chose de précieux, ce qu'elle avait de plus précieux, sans rien demander en retour, pas même une promesse. Elle aurait voulu l'arrêter pour qu'il la rassure, mais ce n'était pas une bonne idée ; il pouvait bien dire n'importe quoi, maintenant.

Comme s'il avait lu dans ses pensées, il sembla se réveiller et son poids sur elle s'évanouit.

« Je t'écrasais ?

— Non. »

Il roula légèrement sur le côté et elle soupira lorsqu'il se retira. Ils restèrent couchés là, jambes emmêlées, longtemps, jusqu'à ce qu'elle n'ait plus le choix : si elle ne se levait pas, l'accident serait inévitable.

« Tu vas où ?

— J'ai besoin d'être seule une minute, dit-elle.

— Pour quoi faire ? » Puis il comprit.

Elle enfila sa robe et ses chaussures et s'éclipsa de l'autre côté de la maison.

Quand elle revint à la couverture, il était toujours nu et comme taché de soleil. Il faisait bon, à l'ombre. Elle lui caressa la poitrine. Une poitrine osseuse, mais musclée. Ses épaules aussi étaient minces, mais noueuses. Rien de trop sur ce corps, nulle part. Elle suivit du doigt la fine ligne noire qui descendait de son nombril vers son... (*pénis*, se dit-elle) – il y avait tout un tas de mots possibles, mais comment savoir lequel était de circonstance – qui reposait contre sa jambe, bien plus sombre que le reste de son corps, et couvert d'une pellicule, de la même substance que les petites gouttes sèches qu'elle avait sur le ventre. Elle le toucha et il sursauta.

« Ça fait mal ?

— Ça m'a surpris, c'est tout. »

Il semblait petit, à présent. Tout petit. Elle faillit faire un commentaire, puis préféra s'abstenir.

« Que dirait Phineas, à ton avis ? demanda-t-elle.

— Rien que d'y penser, je suis terrifié.

— Je crois qu'il sera content.

— Il n'y a bien que toi dans tout le Texas qui puisses penser ça. Mais... » Il haussa les épaules. « J'imagine qu'il savait que ça arriverait. Ça ou quelque chose dans le genre.

— Peut-être pas si vite, cela dit.

— Je ne vois pas comment il pourrait m'accepter comme un parti possible pour toi, mais ce n'est pas non plus un imbécile. Ça m'a surpris qu'il me demande de t'emmener avec moi dans le pick-up. Je ne comprenais pas pourquoi. Dès que je t'ai vue je me suis dit...

— Quoi ?

— Je me suis dit que tu ne daignerais jamais m'adresser la parole, c'est tout.

— Pourquoi est-ce qu'il nous aurait envoyés ici tous les deux ?

— Je crois que la raison principale, c'est que j'étais prêt à travailler pour pas cher.

— Il n'est pas idiot.

— Ah, ça, non. C'est le moins qu'on puisse dire.

— Je veux dire, tu lui plais. Il y a peu de gens qui lui plaisent.

— Mouais.

— Et puis peut-être parce qu'on est tous les deux orphelins.

— Je n'y avais pas pensé.

— Ah bon ?

— Non. »

Il y eut un silence.

« À toi de décider comment prendre tout ça, dit-il. Il y a bien pire.

— Je ne te plais pas vraiment.

— C'est ça. Je n'arrive pas à savoir si tu me plais ou pas. »

Elle le poussa gentiment.

«Tu es plutôt pas mal, au soleil.

— Je me sens plutôt pas mal», dit-elle. Elle avait retiré sa robe. Le soleil se résumait à des taches de l'autre côté de ses paupières. «Je pourrais rester couchée là pour toujours.»

Ils refirent l'amour ce soir-là, avant de regagner leur chambre, chacun à un bout de la maison. Elle ne voulait pas que Flores se doute de quoi que ce soit, encore qu'elle ne savait pas trop pourquoi c'était si important ; elle se sentait un peu coupable, se demandant de nouveau si elle avait eu raison.

Mais quand vint le matin, sa première pensée fut pour lui ; pourquoi donc n'était-il pas couché à ses côtés ? Elle tira à elle son oreiller et, lui grimpant à moitié dessus, l'embrassa, comme si c'était le cou de Hank. Puis elle fut prise d'un sentiment étrange. Peut-être devrait-elle rester à la maison, ce jour-là ? S'enfermer dans sa chambre et ne pas sortir... Cette aventure, c'était une extravagance, quelque chose qui risquait de s'épuiser, elle ferait bien d'en garder pour plus tard. Oui, c'était certain, mieux valait ne pas le voir. Ne pas s'habituer à lui.

Le temps passait, il devait déjà l'attendre en bas ; elle se sentit prise d'une excitation nerveuse, se maquilla en hâte et se dépêcha de le rejoindre.

Ils prirent leur petit-déjeuner sans précipitation, cherchant laborieusement des sujets de conversation, les yeux rivés au dos de Flores, priant pour qu'elle parte le plus vite possible. Jeannie finit par lui dire, d'une voix qu'elle espérait innocente (mais qui ne l'était certainement pas – comment aurait-elle pu l'être ?) que Hank et elle débarrasseraient.

Sitôt Flores partie, ils s'arrachèrent leurs vêtements dans l'office. Ils essayèrent d'abord debout, mais ça n'était pas satisfaisant, aussi se retrouva-t-elle couchée par terre parmi les sacs de farine et de haricots ; elle eut une suée froide, comme si son père pouvait la voir et la juger, puis elle décida qu'elle ferait bien ce qu'elle voudrait.

Six mois plus tard, le premier appareil de forage était en place. À l'issue des essais, Hank avait décidé qu'il fallait commencer par l'un des anciens pâturages Garcia. Il insistait (ce qu'elle trouva d'abord répugnant, puis attachant) pour goûter les éclats de roche qu'il récupérait sur le tamis triant les déblais. Lesquels commençaient à avoir un goût de pétrole, disait-il. Si elle voulait apprendre le métier, il faudrait qu'elle sache le reconnaître ; il lui tendit un morceau de calcaire friable qui provenait de plus d'un kilomètre sous terre. Le caillou ruisselait encore de la boue de forage et il en émanait une affreuse odeur de soufre. Elle ne l'avait pas plutôt mis au contact de sa langue qu'elle fut prise d'un haut-le-cœur. Il avait un goût de pétrole, certes, mais pas seulement : s'y mélangeait quelque chose d'amer ou de pourri – ça faisait quatre-vingts ou cent millions d'années qu'il baignait dans l'humidité.

Vers la fin de la journée, le gros moteur diesel Cummins s'emballa brusquement et le train de forage eut un petit sursaut avant de s'enfoncer d'un coup dans le trou ; le derrick, toute l'énorme structure métallique qui les recouvrait, gémit alors, comme sous le poids d'un fardeau soudain.

« Pas bon, ça », dit Hank.

Puis le moteur se mit à tourner moins péniblement, et moins bruyamment. Mais les ouvriers s'activaient. Il y eut du mouvement dans les hauteurs du derrick ; l'accrocheur descendait de sa passerelle, moitié sautant, moitié glissant le long de l'échelle. Il frôla Jeannie en dévalant l'escalier qui menait aux bacs à boue ; peu après, le bruit du moteur s'intensifia.

Il n'y avait pas de changement visible, mais tout le monde s'agitait, comme dans un cirque. C'était amusant. Elle s'adossa à la rambarde.

Les deux ouvriers de plancher éventraient des sacs de baryte jaune qu'ils versaient dans les bacs à boue ; l'accrocheur activait la pompe.

Il y avait maintenant un changement visible : les tuyaux de retour, qui avaient jusqu'ici déversé la boue de manière fluide et régulière sur le tamis, la crachaient à présent dans de gros hoquets. C'était la boue qui maintenait le train de forage dans le trou ; elle seule empêchait que le puits entre en éruption.

Jeannie commença à s'inquiéter. Quelques instants plus tard, il y eut un petit bruit sec et de la boue jaillit jusqu'au-dessus de la moufle mobile dans une odeur de soufre. Hank pointa Jeannie du doigt : « Descends.

— Pourquoi ?

— On est en plein à-coup de pression. »

Après quoi il ne fit plus attention à elle. Elle se demanda s'il ne la traitait pas en fille, décida qu'elle ne voulait pas de traitement de faveur et resta où elle était.

Elle n'apprendrait jamais le métier si elle s'enfuyait à chaque complication.

«Descends du derrick», répéta-t-il. Elle ne bougea pas. Il désolidarisa le train de tiges et activa l'obturateur. Un nouveau jet de boue dépassa la moufle et éclaboussa la robe et les chaussures de Jeannie.

«Jeannie, dégage, merde !» Il la poussa sans ménagement jusqu'à l'escalier. Elle se retourna vers lui, puis finit par descendre. Il ne s'occupait déjà plus d'elle. Elle s'assit sur un rocher à quelques mètres de là. Elle avait peur, même si elle ne savait pas trop de quoi. D'un autre côté, s'il arrivait quelque chose... peu importe. Elle serait avec lui.

Au bout d'une bonne dizaine de minutes, les hoquets cessèrent et la boue recommença à couler dans les bacs. Les hommes se mirent à rire ; à leur façon de se taper dans le dos, de parler vite et d'afficher de grands sourires, Jeannie sut qu'ils avaient tous eu peur. Des centaines de sacs Baroid vides voltigeaient dans le vent.

Hank fit signe au responsable du moteur de l'éteindre et tous les ouvriers se rassemblèrent autour de la cabine. L'un d'eux alluma une cigarette, mais Hank la lui ôta de la bouche et l'écrasa soigneusement par terre.

«On va lever le pied sur les réflexes de cow-boy, O.K. ?»

L'homme hocha la tête.

Puis Hank se tourna vers Jeannie. «La prochaine fois que je te dis de partir, tu pars.

— Comment veux-tu que j'apprenne si je pars dès que ça se passe mal ?

— Tu n'aurais rien appris. Ç'aurait été une explosion qui se serait vue de la ville. »

Les ouvriers étaient affalés sur un banc dans la cabine. L'accrocheur faisait les cent pas en maudissant les pompes à boue.

« Et les obturateurs ? dit-elle.

— Parfois le gaz remonte quand même. Tu as beau avoir fait tout ce qu'il fallait, tu ne peux pas l'empêcher. »

Après ça, elle refusa toute séparation. S'il devait être sur un puits qui sautait, eh bien elle sauterait aussi. Elle ne voulait plus jamais être seule.

Chapitre 33

JOURNAL DE PETER McCULLOUGH

25 juin 1917

Ce soir elle est venue me trouver dans mon bureau. Je lui avais prêté un véhicule pour qu'elle aille à Carrizo et je n'étais pas sûr qu'elle revienne.

« Je t'ai fait peur ?

— Un peu », ai-je dit. J'ai alors compris que je pensais qu'elle disparaîtrait, ce qui m'avait à la fois soulagé et déprimé.

Elle a regardé autour d'elle. « Tous ces livres. Et tu dors ici ? »

J'ai hoché la tête.

« À cause de moi ?

— J'ai commencé à dormir ici avant le départ de ma femme. » Je ne mentais pas complètement.

Elle s'est assise sur le canapé. « Regarde-moi ça, a-t-elle dit en tendant les mains devant elle. On dirait une morte. Je n'arrive même pas à me regarder dans une glace.

— Tu as besoin de manger et de te reposer, c'est tout.

— Je ne peux pas rester si longtemps.

— Je t'ai déjà dit que ça ne me dérangeait pas.

— Moi ça me dérange. »

Je n'ai rien dit et elle s'est remise à regarder autour d'elle.

« Quel âge as-tu ?

— Onze ans de moins que toi, a-t-elle dit. Même si je fais plus.

— Tu es toujours ravissante. » Ce n'était pas vrai, pas vraiment, et pourtant j'ai rougi. S'il est possible de changer en quatre jours, elle avait changé. Sa peau n'était plus sèche, ses lèvres étaient moins gercées, elle avait les cheveux propres et brillants. Mais on aurait dit qu'elle n'avait pas entendu mon compliment.

« Tu sais, ça fait si longtemps que je m'imagine te dire tout ça, mais quand je vois que ça te blesse, je me sens coupable. Et de me sentir coupable, ça me met en colère. Et pourtant ces deux dernières nuits, j'ai très bien dormi ici. Et pour ça aussi, je me sens coupable. C'est peut-être moi qui suis lâche après tout.

— C'est ridicule, ai-je dit.

— Tu n'es pas en position de juger. »

Elle a continué à balayer du regard la pièce et ses livres, du sol au plafond. Ses yeux se sont radoucis, mais je ne pouvais me défaire de l'impression qu'elle n'en avait plus pour longtemps. J'avais vu des cadavres avec plus de chair.

« Il y a beaucoup de fermiers ici, maintenant ?

— Oui.

« — Et les autres Mexicains ? Ceux qui étaient là avant ?

— Certains sont partis travailler dans le Michigan. D'autres ont disparu. D'autres encore sont morts. »

Elle a demandé lesquels. J'ai ouvert mon journal et je lui ai lu ce que j'avais écrit, même si je savais presque tout par cœur.

Ont été tués lors des événements : Llewellyn et Morena Pierce, Custodio et Adriana Morales, Fulgencio Ypina, Sandro Viejo, Eduardo Guzman, Adrian et Alba Quireno, Gonzalo Gomez, sa femme et leurs deux enfants, et les dix Soto, sauf les deux plus jeunes qui ont été adoptés par les Herrerras.

Ont fui après les événements : la famille d'Alberto Gomez, celle de Claudio Lopez, les Janero, les Sapinoso, les Urraca, les Ximenes, les Romeros, les Reyes, Domingo Lopez (sans lien de famille avec Claudio), Antonio Guzman (sans lien de famille avec Eduardo – tué), Vera Florez, les Vera Cruz, les Delgado, les Urrabaz.

« Il a pu y en avoir d'autres dont je n'ai pas eu vent.

— Tu as noté leurs noms, a-t-elle dit. C'est quelque chose.

— Il en manque. »

Sont partis travailler à Detroit : la famille d'Adora Ortiz, celle de Ricardo Gomez, les Vargas, Gilberto Guzman et les siens, les Mendez, les Herrerra (avec les deux filles de Rosario Soto), les Rivera, Freddy Ramirez et sa famille.

« Est-ce que toutes nos terres sont à vous, a-t-elle demandé, ou est-ce que vous avez partagé avec les Reynolds et les Midkiff ?

— À nous. Et à des fermiers du Nord. » Ce qui était la vérité, mais aussi un mensonge. Je regrettai d'avoir dit ça.

« Une histoire d'impôts, j'imagine ?

— Ils ont dit que ton père avait des arriérés.

— Faux. Bien sûr. »

J'ai regardé par la fenêtre.

« J'ai tellement de colère en moi, a-t-elle dit, que parfois je me demande comment j'arrive encore à respirer. »

1er juillet 1917

Ça fait dix jours que María Garcia est ici. Quand je ne suis pas là, d'après Consuela, elle déambule dans la maison, ou elle s'assoit sur la galerie pour regarder les terres qui jadis appartenaient à sa famille, ou bien elle joue du piano, qui a jadis appartenu à ma mère. Quand je rentre des pâturages, elle est généralement en train de jouer – on dirait qu'elle sait que c'est une sorte de cadeau qu'elle me fait.

Après le souper, je la retrouve dans la bibliothèque. Nous aimons les mêmes endroits dans la maison – la bibliothèque, le petit salon, le côté ouest de la galerie. Ces recoins protégés d'où l'on voit loin, et d'où l'on entend si quelqu'un vient.

Lorsque je lui demande ce qu'elle compte faire, elle dit qu'elle voudrait continuer à manger, et que quand elle en aura marre de manger, alors elle fera d'autres projets. Elle a bien meilleure mine ; elle se remplume et rajeunit à vue d'œil.

« Quand ma présence gênera, me dit-elle, je partirai. »

Je ne lui dis pas que c'est déjà le cas, que mon père a déjà exigé son départ. « Tu irais où ? »

Elle hausse les épaules.

Alors je demande : « Comment ça va, au Mexique, ces jours-ci ? », comme si je ne savais pas la réponse.

« On vous attrape dans la rue, ou à la sortie d'un cinéma ou d'une *cantina*, et on vous dit : voici un fusil, maintenant tu es zapatiste, ou carranciste, ou villiste, suivant qui vous attrape. Si tu protestes, ou s'ils s'aperçoivent que tu étais dans un autre camp, ils te tuent.

— Tu dois avoir des amis de tes années d'étudiante ?

— C'était il y a quinze ans. Et puis la plupart sont partis quand la situation a dégénéré.

— Le Michigan ? » J'ai aussitôt regretté.

« Nous ne sommes pas du même monde. » Mais à son haussement d'épaules, je vois bien qu'elle ne m'en veut pas.

Je regarde la lumière jouer dans ses cheveux, et la ligne de sa nuque où se devine à peine un voile de sueur. Je remarque le velouté de sa peau. Elle se recule pour profiter du ventilateur, agite son pied, observe le balancement de sa mule, qu'elle a dû trouver quelque part dans la maison.

« Ça va aller, dit-elle. Ne t'en fais pas pour moi. »

2 juillet 1917

J'ai été voir mon père pour en discuter plus avant. Les foreurs sont à court de charbon pour leur chaudière et le silence est un vrai soulagement. J'avais oublié ce que ça pouvait être, le silence.

J'ai trouvé le Colonel assis à l'ombre, sur la galerie de sa maison qui tient d'ailleurs plus du *jacal*. La vue est loin d'être aussi belle que de la maison principale, mais il y a des chênes tout autour, un petit ruisseau juste à côté, et il y fait bien cinq degrés de moins que dans le reste du ranch. La nuit, le Colonel dort toujours sous un dais de branchages (il a quand même tiré un fil électrique pour son ventilateur Crocker) et il refuse d'utiliser des toilettes, préférant aller s'accroupir dans les fourrés. Les abords de sa maison sont un vrai champ de mines.

«Cette chaleur, a-t-il dit. On aurait dû acheter sur le Llano.»

Il faisait quarante-trois dans la grande maison, et moins de trente-huit chez lui.

«On aurait été obligés de déneiger, ai-je dit.

— C'est le problème, quand on a une famille. Prends un type comme Goodnight, il fait ce qui lui chante ; il s'est installé tout là-haut, au Palo Duro, quand les Comanches sont partis.

— Charles Goodnight a une famille. Une femme, en tout cas.»

Il m'a regardé d'un air dubitatif.

«Molly.

— Eh ben il n'en parle jamais.» Puis il a changé de sujet. «J'attends un type dans les semaines qui viennent, un certain Snowball. Un nègre que j'ai connu dans le temps. Il restera peut-être un moment.»

Je me suis éclairci la gorge et j'ai dit : «Il y a aussi la fille Garcia dont il faut qu'on parle.

— Pas aussi belle que sa mère. Faut lui reconnaître ça.

— Elle est très jolie.

— Je veux qu'elle lève le camp le plus vite possible.

— Elle ne va pas bien.

— C'est dans l'intérêt général, Pete.

— L'intérêt général.

— Il y a trois événements liés à cette femme. D'abord son beau-frère a tiré sur ton fils. Ensuite, on a été chercher les coupables, avec une demi-douzaine de représentants des forces de l'ordre. Malheureusement ça ne s'est pas passé comme prévu.

— C'est au mieux un résumé très partiel. »

Il a agité les mains furieusement, comme si mes mots étaient nauséabonds. « Enfin les terres de son père ont été mises en vente par l'État du Texas pour arriérés fiscaux, ce qui serait arrivé tôt ou tard, qu'ils soient restés ou non sur les terres en question, vu qu'ils ne payaient pas leurs impôts. »

J'ai ricané.

« C'est dans les registres.

— Raison de plus que ce soit faux.

— Pete, il y a des tas de choses que j'ai voulu sauver : les Indiens, les bisons, une prairie où l'on puisse regarder à trente kilomètres à la ronde sans voir de clôture. Mais tout ça a vécu. »

Et ta femme ? ai-je pensé, mais je n'ai rien dit.

« Donne-lui de l'argent et débarrasse-toi d'elle. Avant la fin de la semaine.

— Il faudra me passer sur le corps. »

Il a ouvert la bouche, sans que rien ne sorte. Vu sa couleur, il devait avoir très chaud.

«Pas la peine de monter sur tes grands chevaux», je l'ai entendu commencer, mais déjà je m'éloignais, les mains enfouies dans mes poches pour qu'il ne les voie pas trembler. Elles ne se sont arrêtées que bien après mon retour à la maison.

J'ai téléphoné à Sally, dans l'espoir d'entendre quelqu'un de sensé. Un mois qu'on ne s'était pas parlé – elle communique via Consuela –, elle a été surprise que je l'appelle. Elle dit qu'elle n'a pas l'intention de revenir à McCullough Springs. La plus grosse erreur de sa vie. On a parlé de Charlie et de Glenn qui sont toujours en camp d'entraînement. On est d'accord qu'il est peu probable qu'ils soient envoyés en Europe. Je soupçonne que Charlie sera déçu, mais j'ai gardé ça pour moi.

Au bout d'un moment, elle a glissé dans la conversation qu'elle avait passé deux semaines dans les Berkshire Mountains du Massachusetts avec un «ami». Elle se demandait si ça m'était revenu aux oreilles, si peut-être c'était pour ça que j'appelais. C'est là que le ridicule de lui demander son opinion sur María Garcia m'a sauté aux yeux. Ça m'a contrarié de l'avoir appelée, d'en avoir été réduit à ça. Mais, croyant que c'était sa petite aventure qui me contrariait, elle est aussitôt devenue conciliante.

«Je suis triste que tu ne sois pas là. Ce serait tellement plus agréable si tu me rejoignais.

— Je travaille.»

Silence.

«Est-ce qu'on est séparés ?

— Je ne sais pas,

— Mais on prend nos distances quelque temps.

— Fais ce que tu veux, ça m'est égal, lui ai-je dit.

— Je demande, c'est tout. J'essaie de comprendre notre statut.

— Tu peux faire ce que tu veux.

— Je sais bien que tu t'en fiches, Pete. Tu ne penses qu'à toi et à ta tristesse. C'est la seule chose qui compte vraiment pour toi : veiller à être le plus malheureux possible.

— Ce que tu as pu faire par le passé ne m'a pas gêné, je ne vois pas pourquoi ça me gênerait maintenant.

— J'ai du mal à comprendre comment c'est possible, mais je t'aime encore. Je veux que tu le saches. Tu peux sauver notre couple, ça ne dépend que de toi.

— Formidable. »

Silence.

« Au fait, a-t-elle fini par dire, comment ça se passe, ce forage ? »

Je suis descendu voir où Consuela en était du dîner.

« Votre père dit que je ne dois pas cuisiner pour elle. »

J'ai haussé les épaules.

« Je vais vous en faire un peu plus », a-t-elle tranché.

Bien sûr, il n'y a personne à qui parler, pas même Consuela ; je sais très bien ce qu'elle dira. Ce que tout le monde dira. Le mieux, c'est de la faire partir. Pour son propre bien, peut-être.

Après l'avoir cherchée dix minutes, je la trouve dans la bibliothèque. C'est l'endroit le plus agréable de la maison : presque toutes les fenêtres donnent au nord, et puis de petites sources cachées dans les rochers entretiennent le vert de la vue.

«Qu'est-ce qui se passe?»

J'ai haussé les épaules.

«Je t'ai vu revenir de chez ton père.»

Nouveau haussement d'épaules.

«Je comprends. Consuela m'a donné quelques affaires, je vais les rassembler.

— Ta famille n'avait donc pas de compte en banque?

— Si, et ce que j'ai pu retirer, pas grand-chose d'ailleurs, je m'en suis servie pour vivre.

— Tu n'as vraiment nulle part où aller?

— Ne t'inquiète pas pour moi.

— Il a toujours fait ça.» Je parle du Colonel.

«La terre, ça rend les gens fous.

— Ce n'est pas la terre.

— Mon grand-oncle était pareil. Une personne, pour lui, c'était un obstacle, comme la sécheresse, ou comme une vache récalcitrante. Si tu le mettais en colère, tu risquais de te faire démolir avant qu'il ait eu le temps de se calmer. Si ses fils avaient vécu...» Haussement d'épaules. «Cet endroit n'était bien sûr pas fait pour nous; mon père finissait sa deuxième année d'université quand son oncle est mort. Mais...» Nouveau haussement d'épaules. «C'était un romantique.

— C'était quelqu'un de bien.

— Il était vaniteux. Il adorait l'idée d'être un hidalgo, il nous répétait toujours la chance que nous avions de posséder de la terre. Mais en fait, il n'y avait pas de nous. Il n'y avait que lui. Il ne voulait pas reconnaître qu'un jour peut-être ses voisins le tueraient, et à cause de lui nous sommes restés, mal-gré les risques que nous connaissions tous.»

Un silence.

«Cet endroit n'est pas non plus fait pour toi, dit-elle. Tu l'as certainement toujours su, et pourtant tu es là.»

Pas toujours, bien sûr, mais depuis la mort de ma mère, oui, peut-être. Mais ça, je ne peux pas le lui raconter; c'est dérisoire à côté de ce qu'elle a vécu. Alors je lui raconte autre chose.

«Je me souviens d'une fois, quand j'étais gosse. On avait attrapé un gamin que mon père soupçonnait de nous avoir volé du bétail. Il devait avoir dans les douze ans, mais il ne voulait rien dire. Alors mon père a lancé une corde par-dessus le portail, il lui a passé une extrémité autour du cou et il a attaché l'autre à un cheval. Quand on l'a lâché, le gosse s'est mis à parler. Il a dessiné une carte par terre et dit que les hommes qu'on cherchait étaient blancs, et qu'ils l'avaient fait venir parce qu'ils ne connaissaient pas la région.»

Elle hoche la tête. Je n'arrive pas à savoir si je dois continuer ou pas. Je continue quand même.

«J'étais en train de lui enlever la corde du cou quand mon père a donné une claque au cheval; le gamin est remonté.

— Et après?

— Il est mort.

— Et les autres, ils se sont fait prendre?

— Ceux qui avaient échappé aux balles ont fini pendus.

— Par le shérif?

— Par mon père.»

Ils étaient neuf en tout, mais les quatre derniers se sont rendus. Mon père leur a pris leurs selles, a trouvé un bon peuplier de Virginie et les a pendus avec leurs propres lassos. Moi je tenais la lampe à pétrole pendant que Phineas les leur passait au cou. Au début il était nerveux, mais arrivé au dernier, il lui a dit : *Ça sera fini en moins de deux, l'ami.*

Très aimable à vous, a répondu le type.

Alors mon père est intervenu : *De toute façon tu finiras pendu, Paco. Si c'est pas maintenant, alors dans quelques semaines à Laredo.*

J'aimerais autant dans quelques semaines. Claquement des bulles de salive dans sa bouche.

Estime-toi heureux qu'on ne t'écorche pas d'abord, a dit mon père.

María s'est assise près de moi. Le soleil se couche, nous sommes dans une demi-pénombre. Elle remet une mèche derrière son oreille et je retiens mon souffle. Son regard est doux. Je crois qu'elle pourrait me prendre la main. « Tu devrais arrêter d'y penser », dit-elle.

Je ne peux pas. Mais comme c'est difficile à expliquer, je ne dis rien.

Phineas était près d'un des chevaux. Il l'a frappé. Puis il est passé au suivant et l'a frappé aussi. Une fois tous les types en l'air, il y a eu un silence. On n'entendait que le crissement des cordes et les gargouillis des hommes qui pédalaient dans le vide et se vidaient les intestins. Ils remuaient encore quand mon père a dit : *Jolies selles*.

«Peter ?»

Elle a posé sa main sur la mienne. Je n'ose pas bouger.

«C'est en moi, quelque part», dis-je.

Nous restons assis comme ça et je me demande s'il va se passer quelque chose. Mais l'un comme l'autre nous savons que tout plaide contre.

Chapitre 34

Eli McCullough

Début 1852

Arrivé à Bastrop, je localisai mon nouveau foyer, une maison branlante à charpente de bois avec des tas de pièces rajoutées, construite avant que le Texas ne rejoigne les États-Unis, quand les matériaux étaient rares. Mais il y avait devant un grand parterre d'herbe fleurie et une barrière blanchie à la chaux.

Ma belle-mère avait une bonne quarantaine d'années et un visage dur sous son bonnet noué serré. On aurait dit qu'elle avait été nourrie au lait tourné – quand les Indiens pensaient aux Blancs, c'était elle qu'ils imaginaient – et son regard me dit que je n'étais pas non plus tout à fait sa tasse de thé. Ses fils, tous deux plus grands que moi, souriaient d'un air narquois. Je me promis de leur mettre une raclée.

« Tu dois être Eli.

— Oui.

« — Bon, on t'a trouvé des vêtements. Tu vas pouvoir enlever tout ça. Tu ferais bien de donner ton pistolet à Jacob. »

Le plus grand voulut prendre mon Colt. J'écartai sa main d'une claque.

« Ici on garde les armes sous clef », dit-elle.

J'écartai de nouveau sa main.

« Mère. »

Elle me regarda longuement avant de dire : « Laisse-le. »

Je devais dormir dans la même chambre que ses fils, or ils lorgnaient sur mon arc, mon couteau et mon revolver – tout ce que je possédais. Sitôt après le tour du propriétaire, j'allai me promener ; je semai les deux garçons, qui tentaient de me suivre, et j'enterrai le Colt et tout ce à quoi je tenais dans mon sac, ne gardant que mon arc, mes flèches et quelques objets dont j'estimais qu'ils n'intéresseraient personne.

Sur le chemin du retour, je vis les deux garçons qui marchaient en rond en cherchant ma trace. Je songeai à leur tendre une embuscade, puis renonçai et regagnai la maison.

Il y avait du petit salé pour le dîner ce soir-là, je n'y touchai pas. Par contre, je mangeai presque tout le pain de maïs et l'intégralité du beurre. La famille était originaire de l'est du Texas, il ne leur serait pas venu à l'esprit d'acheter du blé. Qu'ils aient du beurre tenait déjà du miracle.

Ma belle-mère, irréprochable, m'avait acheté une tenue complète, chaussures incluses. Le lendemain, j'étais vêtu comme ses fils et je trébuchai en marchant pour la première fois avec mes souliers neufs. Tout le monde trouva ça tordant, sauf moi.

C'était l'État qui payait ma scolarité, par décision du juge. L'école se composait d'une pièce unique où une très jeune institutrice essayait de faire la classe à une bonne vingtaine d'enfants de tous âges. Au bout de quelques minutes, je me levai pour ne pas m'endormir. J'avais pitié des autres élèves qui ne pouvaient pas envisager de dire non à la maîtresse, ou à qui que ce soit d'autre ; ils allaient s'ennuyer toute leur vie. J'avais tellement pitié d'eux que je faillis éclater en sanglots. L'institutrice, oubliant qu'elle était gentille, fonça sur moi avec sa règle ; je me laissai poursuivre un moment avant de sauter par la fenêtre.

Je passai le reste de la journée à préparer des pièges, à les poser et à visiter les granges du voisinage. Je volai une jument, la montai une heure durant, puis la ramenai à l'écurie. Je vis une jolie femme d'âge mûr lire sur la véranda derrière sa maison ; ses beaux cheveux bruns se mêlaient de gris, elle était en chemise de nuit à cause de la chaleur. Je la regardai ajuster un sein, puis l'autre, glisser sa main sous le tissu et l'y laisser. C'était trop : je m'enfuis et m'accordai un moment de solitude. Je me dis que je pourrais sans doute faire mon trou à Bastrop.

Quand je rentrai à la maison, ma belle-mère m'attendait.

« Il paraît que tu as quitté l'école, et il paraît aussi qu'on t'a vu sur le cheval de Mr Wilson et que tu es entré dans le jardin des Edmunds pour regarder chez eux. »

D'où elle sortait tout ça, je n'en savais rien. Je m'attendais presque à ce qu'elle demande à voir mes mains pour y chercher le signe d'Onan. C'est alors que je remarquai une drôle d'odeur. Quelque chose brûlait dans la cheminée, et en m'approchant, je vis qu'on avait jeté dans les flammes mes mocassins, mon arc, mes flèches et mon pagne.

« L'homme qui a fabriqué cet arc est mort, dis-je à ma belle-mère. Cet arc est irremplaçable.

— Il faut tourner la page, Eli. »

Si elle avait été un homme, je l'aurais tuée sans hésitation. Plus tard, en y repensant, je me dis que nous avions tous deux eu de la chance.

« Jacob et Stuart ont rapporté tes chaussures.

— Hors de question que je les mette, putain. »

J'allai à ma couche et pris la couverture. Puis j'allai à la cuisine prendre un couteau et diverses autres choses trouvées dans les tiroirs : une pelote de sisal, du fil, une aiguille, un demi-pain de maïs.

« Tu peux prendre ce que tu veux, Eli, dit ma belle-mère. C'est à toi. Tu es ici chez toi, désormais. »

Drôle de réaction. Soit ma belle-mère était débile, soit c'était une Quaker.

Comme j'étais sûr que ses fils me suivraient, je veillai à ce que ma piste mène à des sables mouvants. De là, mes traces conduisaient à un nid de serpent à sonnette. Puis j'allai à l'arbre au pied duquel j'avais enterré mes affaires et récupérai le sac contenant mon revolver et le reste ; tout était en parfait état.

Au bout d'une heure de marche, je trouvai un promontoire très boisé au-dessus d'un cours d'eau.

Je fis du feu et me couchai, roulé dans la couverture, en écoutant les loups hurler. Je hurlai en retour et on se répondit un moment. J'avais mon Colt sous les genoux, à l'indienne, mais je savais que je n'en aurais pas besoin ; la pacification de la région était bien trop avancée.

Le lendemain, je coupai quelques arbrisseaux avec le couteau Bowie que j'avais volé – un très bon couteau décidément, lourd mais bien équilibré ; même après plusieurs petits troncs, il n'était pas émoussé. Je me demandai s'il avait vraiment appartenu à Jim Bowie, mais vu tous les couteaux censés lui avoir appartenu, il aurait fallu qu'il ait vécu mille ans. Je fabriquai un portant pour faire sécher la viande, et le cadre d'un dais de branchages. Mais comme je n'avais pas de raison de travailler si dur, je finis par m'allonger au soleil pour contempler les collines verdoyantes ; j'avais oublié combien il faisait chaud dans les plaines. Je pensai à mes amis enterrés sous la neige du Llano, pleurai un moment, puis m'endormis.

Cet après-midi-là, je tuai deux biches que j'écorchai et dépeçai avant de mettre leur viande à sécher. Je dégageai soigneusement les tendons du long de la colonne vertébrale et vidai et nettoyai les estomacs. Ayant obtenu un grattoir passable d'un fémur que j'avais aiguisé, je raclai les deux peaux. Comme la nuit tombait, je fis du feu : ce fut un festin de gibier frotté de baies de genévriers, avec pour dessert de la moelle mélangée à des baies de micocoulier séchées. Je décidai de trouver du miel le lendemain.

Au bout d'une semaine, je m'étais fabriqué un nouvel arc et une dizaine de flèches, mais l'arc était si inférieur à celui de Grand-père que chaque tir me mettait dans une rage folle. Vêtu du nouveau pagne et des mocassins que je m'étais confectionnés, je retournai à Bastrop, droit chez ma belle-mère. Les cochons que ses fils avaient promis de me faire manger étaient dans un enclos derrière la maison. Je les criblai de flèches.

Je me mis facilement le chien dans la poche en lui offrant un porcelet sanguinolent, ce qui fit de nous des amis pour la vie. Il me suivit dans la campagne, où mes «frères» avaient peur d'aller puisqu'on leur avait dit qu'ils s'y feraient enlever par les Indiens. Bien évidemment, les Indiens ne les auraient jamais enlevés; ce genre de garçons, on préférait les assommer.

Je vécus là un mois. Toshaway, Fleur-de-Prairie et les autres me manquaient. Nuukaru et Escuté étaient sans doute quelque part dans la neige, mais je n'avais pas la moindre idée de comment les retrouver.

Je retournais souvent en ville, en général pour voler ce qui m'intéressait, des chevaux par exemple; je les montais un moment jusqu'à en avoir marre, puis je les laissais attachés quelque part. Je m'introduisais chez les gens et me régalais de tourtes encore chaudes, poulets grillés et autres largesses de la civilisation. Mais quand le soleil déclinait, je rentrais toujours là où je me sentais chez moi.

Je me rendis bien vite compte que la plus belle maison appartenait à un certain Wilbarger, le juge que mon ami d'Austin m'avait présenté comme son ennemi. Je m'installais dans les arbres qui donnaient sur le jardin derrière chez lui, à écouter le ruisseau qui coulait là. Sa femme sortait parfois lire sur la véranda. C'était elle que j'avais vue en chemise de nuit. Très jolie, une quarantaine d'années ou un peu plus, mais très mince et très triste. Elle n'était que pâleur. Ses cheveux, sa peau, ses yeux. J'avais du mal à comprendre qu'une telle créature puisse survivre dans un endroit si brûlé par le soleil. Les domestiques devaient penser la même chose car ils venaient sans cesse jeter un œil sur elle, comme si elle risquait de mourir ou de s'enfuir à tout moment.

Plusieurs fois par semaine, elle allait se promener seule dans les bois, ce qui était sans danger pour quelqu'un de raisonnable, mais sans doute pas pour elle, aussi je la suivais à bonne distance. Elle longeait une rivière jusqu'à se croire seule, puis se déshabillait intégralement et nageait dans quelque bassin qui s'y prêtait. Elle avait ses préférés, tous plus fréquentés qu'elle ne le supposait. La première fois que je la vis aller sous l'eau, elle retint sa respiration si longtemps que je faillis plonger pour la sauver. Le juge et elle étaient aussi assortis qu'un âne bigleux et un pur-sang.

Après sa baignade, elle s'allongeait au soleil sur les galets, et je plissais les yeux pour tout bien voir. Des fils gris se mêlaient à ses poils, chose à laquelle je n'avais jamais pensé. J'étais certain que le juge n'était pas passé par là depuis longtemps. Du tonnerre, ça oui, mais pas d'éclairs.

Aux abords de la ville, cet après-midi-là, je fus arrêté par un homme qui se présenta comme l'adjoint du shérif. Sans pointer son pistolet sur moi, il me dit qu'il avait quelques questions à me poser. J'aurais pu lui fausser compagnie, mais je m'ennuyais et j'étais curieux de ce que donnerait la prison.

L'expérience ne se révéla pas désagréable. La femme du juge vint quotidiennement me faire à manger, trois repas par jour, dessert compris. C'était bien elle, encore plus jolie de près que de loin. Grande, mince, yeux gris et traits délicats, manières affables ; on savait au premier coup d'œil qu'elle n'était pas d'ici. Elle devait être haïe des femmes du cru, dont la plupart avaient une carrure de sanglier. Son accent la rendait difficilement compréhensible, mais je savais que ça aurait plu à mon frère. Elle était anglaise, à ce qu'il paraissait.

Le juge Wilbarger, dont j'avais monté les pur-sang certains soirs, vint me faire un sermon.

« Je sais que tu as traversé des choses difficiles, mais il est inadmissible que tu voles des chevaux et que tu tues le bétail de nos concitoyens. »

Je hochai la tête.

« J'ai pendu des hommes pour vol de chevaux. »

Je hochai de nouveau la tête. Je n'avais pas volé de chevaux, je les avais seulement empruntés avant de les rendre, mieux dressés sans doute qu'avant mon intervention.

« Si on te reprend à enfreindre la loi, tu seras sévèrement puni. Premier et dernier avertissement. Dis-moi que tu comprends, mon garçon. Je sais que tu parles anglais, tu n'as passé que trois ans chez les Indiens.

— Le vent souffle doucement dans les fleurs, dis-je en comanche. Et puis vous sentez la chatte de bison.

— Parle anglais, dit Wilbarger.

— J'ai joué du poignet en pensant à votre femme au moins trente fois.

— En anglais, mon garçon. »

Je me tus.

Il finit par se lever. « Tu es plus intelligent que tu ne voudrais nous le faire croire. On peut te mater et c'est ce que je vais faire si tu m'y obliges. »

Ils me gardèrent trois jours de plus, mais après le départ de Wilbarger, le shérif me permit de sortir de la cellule.

« Le fais pas chier, dit-il. Paraît que t'es revenu avec des scalps. N'empêche que tu vas te foutre dans un beau merdier, tu pourras pas t'en dépêtrer. »

Je haussai les épaules.

« C'était des scalps indiens, rassure-moi ?

— Y avait un Blanc, dis-je en anglais. Mais il vivait au Mexique. »

Il me regarda, puis éclata de rire. Je me mis à rire aussi.

« C'est vrai que tu passais tes journées à monter à cheval et à tirer à l'arc, là-bas ?

— Il y avait aussi pas mal de baise.

— Des vieilles squaws obèses, j'imagine. »

Je secouai la tête. « Tu n'as le droit de coucher qu'avec les jeunes. Une fois mariées, c'est pas touche. »

Je voyais bien que l'idée ne lui déplaisait pas, mais qu'il ne me croyait pas.

« Celle qui m'a dépucelé avait vingt ans et les autres étaient encore plus jeunes.

— Eh ben, mon salaud. Peut-être qu'ils vont me kidnapper. »

Alors je me sentis minable de parler comme ça de Fleur-de-Prairie. Et de Déteste-Travailler, de Grande Cascade et de Toujours-en-Visite. Je me dis soudain qu'elles étaient les dernières personnes au monde à m'avoir vraiment aimé. Je me levai pour aller à la fenêtre. Le cafard me gagnait.

J'entendis le shérif retourner à son bureau et s'affairer avant de revenir près de moi. Il me tendit un verre de whisky.

« Alors qu'est-ce qui s'est passé, bordel ? Pourquoi tu es revenu, hein ?

— Ils sont tous morts. »

Penser aux Indiens m'avait remué, et quand on me relâcha, je retournai chez ma belle-mère dans l'idée de me réconcilier avec elle. Mais la maison était vide. J'étais déprimé, las d'être seul. Elle ne rentrait toujours pas et je commençais à m'ennuyer. Dans la chambre des garçons, je trouvai plusieurs hameçons en acier de très bonne facture, que j'empochais, et une belle collection de cartes postales pornographiques toutes fripées, que je laissai dans la cuisine, à l'attention de ma belle-mère. Après quoi je pris toute leur réserve de poudre et d'amorces, et je retournai dans les bois.

Je dormais sous un dais de branchages ou à la belle étoile, je posais des pièges, j'attrapais des ratons laveurs dont je tannais la peau, et je tannais aussi celle des chevreuils que je tuais. Je trouvai, près d'un ancien barrage de castors, une petite marre dont l'eau pleine de feuilles de chêne était devenue brune, et j'enfouis les peaux dans la boue, sous l'eau. Au bout de quelques semaines, les poils se détachèrent et je retrouvai les peaux parfaitement tannées, seulement un peu raides.

Auprès des Blancs de Bastrop, j'étais à peu près aussi populaire que le percepteur. Je savais qu'ils ne toléreraient plus guère que leurs chevaux soient volés et leur bétail tué, aussi je restais au maximum en pleine nature. Mais le moment arriva où chevreuils et loups cessèrent de passer par ma retraite, sans parler du fait que j'avais furieusement envie d'une femme. Je retournai donc voir ce que devenait celle du juge.

Elle finit par sortir sur sa véranda, où un nègre lui apporta du thé. Mon impérieux besoin de jouer du poignet assouvi, je m'endormis. À mon réveil, elle n'était plus sur la véranda et le soleil avait bien baissé. Le juge avait quelques porcelets et cochons de lait dans un enclos et, en les regardant, j'eus soudain très faim ; ça faisait presque une journée entière que j'oubliais de manger. Je transperçai une des bêtes et comme personne ne venait malgré ses couinements, je pris tout mon temps pour descendre dans le fumoir me servir largement en sel, avant de rentrer au campement avec le porcelet.

Quelques heures plus tard, j'étais couché, le ventre plein de viande croustillante, à contempler le coucher de soleil depuis mon perchoir. Je ne me souvenais plus pourquoi les Comanches détestaient tant le porc. Je n'avais jamais rien mangé d'aussi bon. Les loups hurlèrent, je hurlai en retour, ils me répondirent.

Le lendemain matin, quand la femme du juge partit pour sa baignade quotidienne, j'attendis au lieu de la suivre que ses deux nègres soient sortis, sans doute pour niquer quelque part, et je me glissai dans la cuisine. Je « libérai » une bouteille de vin doux et plusieurs cigares. J'en fumai un et faillis vomir ; j'allais être malade, c'était certain. Je dus rester couché sur le canapé tant la tête me tournait. C'était une belle maison, avec des boiseries, d'épais tapis et des tableaux partout. La fermeté du canapé laissait penser que personne ne s'y asseyait jamais.

Quand j'ouvris les yeux, quelqu'un se tenait au-dessus de moi, et avant même d'être réveillé, j'avais déjà pris mes jambes à mon cou. J'étais presque à la porte quand je m'arrêtai.

C'était la femme du juge.

« Tu n'as pas à t'enfuir, dit-elle. Tu avais l'air si paisible, je ne voulais pas te réveiller. »

Je ne dis rien.

« Je suis contente de te revoir, dit-elle. Ailleurs que derrière des barreaux, je veux dire. Encore que je t'aie aussi déjà vu dans le jardin. »

Je ne voulais pas témoigner à charge, mais je ne voulais pas mentir non plus. Je me tus.

« Alors. Comment se porte l'Indien sauvage ?

— Bien.

— Il paraît que tu es très dangereux.

— Seulement pour les cochons.

— C'est à toi qu'on doit la disparition d'un de nos porcelets ?

— Ça dépend qui pose la question.

— On allait bientôt le manger de toute façon. Ou était-ce une porcelette ? Je ne sais plus. » Elle haussa les épaules. « Tu peux t'asseoir, tu sais. Je ne dirai à personne que tu es venu.

— Je suis bien, là.

— Tu l'as mangé ? Il paraît que ce que tu aimes, c'est seulement les tuer.

— Celui-là, je l'ai mangé.

— Eh bien tant mieux. »

Je ne dis rien.

« Tu devrais vraiment t'asseoir. Je vois que tu as fumé un des cigares de Roy. Ils sont affreusement forts. »

En entendant prononcer le mot « cigare », je me sentis redevenir vert. Je décidai de rester quelques minutes. Si le juge rentrait, je le tuerais et retournerais chez les Indiens.

« Qu'est-ce que vous faites ici ? demandai-je.

— Je suis chez moi.

— À Bastrop, je veux dire.

— Le juge était l'associé de mon premier mari.

— Il a fait ses malles ?

— Il a attrapé la fièvre à Indianola. On ne s'attendait pas à la chaleur d'ici. Ni aux insectes.

— Ils sont pires à Indianola. Comme tout le reste.

— On peut toujours se couvrir de boue pour se protéger, j'imagine. »

Il y avait quelque chose dans sa façon de me regarder qui me décida à m'asseoir sur le canapé. Elle s'assit également.

« Vous allez appeler le shérif ?

— C'est une option. Tu ne vas pas me scalper, si ?

— C'est une option.

— Quel âge as-tu ?

— Dix-neuf ans. » Évidemment, je n'en avais que seize, mais grâce au soleil j'avais toujours échappé aux boutons.

« Est-ce qu'ils t'ont maltraité ?

— Le shérif et son adjoint ? »

Elle trouva ça drôle. « Les Comanches, bien sûr.

— Ils m'ont adopté.

— Mais tu étais d'une caste inférieure aux natifs de la tribu, non ?

— Pas vraiment, non. Je faisais partie de la bande.

— C'est très intéressant.

— Ma famille comanche est morte. C'est pour ça que je suis revenu. »

Son visage prit une expression toute maternelle. C'était vraiment une femme adorable. Mais avant qu'on ne s'aventure trop sur le chemin de la vertu, je dis : « Avant de voler un cheval au juge, je vais boire son porto. Vous en voulez ?

— Je veux bien boire un verre avec toi, oui. » Elle fronça le nez. « Mais serais-tu d'accord pour prendre un bain ?

— C'est vous qui me le donnez ? »

Elle feignit la surprise, mais je n'étais pas dupe.

Chapitre 35

JEANNIE MCCULLOUGH

Ils l'entendirent avant de le voir. Lorsqu'il finit par apparaître au-dessus des arbres, il avait quelque chose de lourd et de maladroit ; beaucoup regrettèrent d'avoir délaissé leur travail pour ça. Le shérif et ses hommes firent reculer tout le monde et dès que ce fut sans danger, l'hélicoptère se laissa doucement tomber jusqu'au sol pour se poser près du champ d'épinards de Hollis Frazier.

Un grand type avec un gros nez s'extirpa de l'appareil et attendit que la foule se soit rassemblée devant lui pour grimper sur une caisse et prendre la parole. Quelqu'un d'autre distribuait des pêches qui venaient tout droit de la « région des Collines ». L'homme répétait que Coke Stevenson sacrifiait l'État aux grands propriétaires de ranchs et aux industries pétrolières du nord du Texas, ne laissant rien pour les travailleurs. Jeannie se dit qu'elle aurait eu le trac si elle avait dû parler devant quatre cents inconnus, mais il était évident que l'homme, lui, aimait ça. Il tourna son mégaphone vers un groupe qui se tenait à l'écart de la foule, les incitant à se joindre aux autres pour l'écouter. Lyndon B. Johnson, le roi du boniment, comme on l'appelait.

À le voir serrer les mains de tous ces hommes plus petits qui se pressaient autour de lui, Jeannie sut que Phineas avait raison. Elle avait rencontré Coke Stevenson : c'était un type sympathique qui se souciait peu de l'opinion des gens – il avait son propre code moral. Une bonne âme, le genre de personne que vous vouliez voir vos enfants devenir. Mais l'homme qu'elle avait sous les yeux était si heureux de ce bain de foule, si heureux d'être le centre d'attention, qu'il ne pouvait y avoir chez lui de place pour rien d'autre. Tous ceux qui, au Texas, détenaient des intérêts pétroliers le soutenaient.

« J'ai quelque chose pour le futur sénateur », dit-elle à son assistant, en espérant qu'il prendrait acte de la flatterie.

Ne prenant acte de rien du tout, il la regarda de haut en bas : « Vous pouvez me remettre ça. » Il transpirait dans son costume noir : un type du Nord aux épaisses lunettes en plastique, le genre à n'avoir jamais été populaire mais dont la carrière décollait. Une allure qu'elle finirait par trouver naturelle chez tous ceux qui travaillaient à Washington.

L'homme prit l'enveloppe. Elle pensa à Johnson, et puis à Coke Stevenson, et enfin à ce que lui avait dit Phineas avant qu'elle ne fasse les chèques. *Le problème, souvent, c'est que les gens ne donnent pas assez. Ils veulent tous être ambassadeurs, mais quand il s'agit de mettre la main au portefeuille, ils pensent que cent dollars c'est le Pérou. Après ils s'étonnent de n'avoir aucun retour.* Dans son enveloppe à elle, il y avait quatre chèques de cinq mille dollars. Le premier venait d'elle, un autre de leur avocat Milton Bryce, un troisième de Sullivan, leur bras droit, et un dernier d'un vaquero du nom de Rodriguez. Sullivan et Rodriguez gagnaient moins de cinq mille dollars par an à eux deux, mais elle avait déposé l'argent sur leur compte la veille. Un seul de ces chèques aurait suffi à acheter une Cadillac neuve. L'assistant les lut soigneusement, un à un, s'assurant qu'ils étaient bien remplis, puis la guida jusqu'à Johnson à qui il murmura quelque chose.

Le visage du politicien s'éclaira. Il était décidément fait pour ça. Il joua un peu des coudes et la foule s'écarta. Grandes oreilles, gros nez, sourcils broussailleux, il dominait tout le monde.

« Vous devez être la nièce de Phineas. » Il n'avait pas cessé de sourire depuis qu'il avait atterri.

« Oui, dit-elle.

— Ah, il m'a souvent parlé de vous, ravi de vous rencontrer. Dites-lui que je regrette bien nos parties de pêche.

— Je n'y manquerai pas. »

Quelqu'un tirait sur la manche de son costume.

Il lui sourit plus largement encore. « Je dois retourner au charbon. Mais nous nous reverrons, jeune fille. »

Lorsque celui qui n'était encore que membre de la chambre basse du Congrès fut remonté dans l'hélicoptère, son assistant vint la trouver : « Puisque vous avez atteint la limite, donnez du liquide la prochaine fois.

La lutte va être rude et on a besoin du maximum de soutien. » Il lui tendit une pêche.

Elle observa le fruit en retournant à sa voiture. Rabougri, tanné, tout juste bon à donner aux cochons. Des dizaines d'autres du même acabit jonchaient le sol.

Ça remontait à quand, tout ça ? 1947 ? 48 ? Elle ne savait plus exactement. On ne pouvait pas dire qu'il avait été élu dans les règles de l'art, mais du moins la circonscription litigieuse se trouvait-elle dans le comté de Jim Wells, et non dans ceux de Webb ou Dimmit. Ces années-là se mélangeaient dans sa mémoire. Ils avaient creusé assez de puits sur le ranch pour que l'argent commence à rentrer, et puis décidé d'un commun accord d'arrêter de forer sur leurs terres. Hank et elle avaient acheté une maison à Houston. Loué de petits bureaux. Puis de plus grands. Acheté une plus grosse maison. Le contexte économique était tel qu'il n'y avait pas moyen de perdre de l'argent, quoi que vous fassiez.

En trois ans de vie commune, elle n'aurait pas été surprise qu'ils tombent dans une routine, ennuyeuse mais rassurante, et finissent par suivre un chemin tout tracé, comme des pneus dans une ornière. Mais ça n'avait pas été le cas. Leur vie changeait trop vite ; leur chiffre d'affaires se multipliait par cinq, sinon par dix, chaque année, et elle était aux manettes autant que Hank. Elle ne s'étonnait pas de ses propres capacités, qu'elle avait toujours tenues pour évidentes, mais celles de Hank lui semblaient illimitées et elle se demandait s'il ne finirait pas par la surpasser

– une perspective à la fois libératrice et perturbante. Elle n'avait jamais envisagé qu'on puisse s'occuper d'elle, qu'elle puisse mener une vie normale et cesser de toujours s'inquiéter.

La plupart des hommes qu'elle avait connus, notamment son père et ses frères, n'avaient aucun sens des réalités, leur existence entière façonnée par une ignorance volontaire qu'ils prenaient pour de la fierté. C'est cette ignorance qui guidait chacun de leurs pas et Jeannie n'avait jusqu'alors jamais douté de sa capacité à appréhender les choses avec plus de lucidité et d'honnêteté qu'eux. Seules exceptions : le Colonel, et peut-être Phineas. Et Hank, maintenant.

Encore qu'il n'était pas parfait. Il s'irritait vite de ce qu'il tenait pour dérisoire, même quand ça comptait pour les autres. Il y avait chez lui une froideur qui rappelait celle des Nordistes. Quand cette abominable écrivaine de New York était venue, Jeannie ne voulait pas se retrouver seule face à elle ; eh bien, Hank s'était arrangé pour être en déplacement. Sans compter que Jeannie avait été assez idiote pour accepter de la recevoir au ranch, à huit heures de route de Houston – ils n'avaient pas encore d'avion – au lieu d'insister pour qu'elle vienne au bureau. La femme en question était en train d'écrire un grand roman sur le Texas ; elle avait déjà rencontré les Kleberg et les Reynolds, et elle arrivait tout droit de l'inauguration de l'hôtel Shamrock. Et puis elle avait gagné le prix Pulitzer ; ça semblait judicieux de lui être agréable.

Elles se retrouvèrent de bonne heure pour souper ; les bonnes avaient, sur instructions, sorti la vaisselle d'apparat et l'argenterie. Jeannie vit son interlocutrice tout évaluer, attentive au moindre détail, comme une parente pauvre sur le point d'hériter. Elle avait l'allure dégingandée d'une grande adolescente, mais ses cheveux étaient gris, crépus, et évoquaient un nid d'oiseau ; comme souvent chez les gens du Nord, son assurance dépassait de loin ce qu'aurait justifié sa physionomie.

« Voici donc l'adolescente millionnaire.

— J'ai vingt-deux ans, dit Jeannie.

— Mais vous étiez adolescente quand vous avez hérité.

— C'est vrai. Mais ça ne m'a jamais semblé important.

— Et pourtant, dit l'écrivaine. C'est capital. » Puis elle ajouta : « Une vraie Texane, décidément. »

Jeannie n'aurait su dire si c'était un compliment.

« Vous êtes-vous sentie très seule, ici ?

— Je suis mariée, maintenant, et puis la plupart d'entre nous ne vivent plus sur les terres familiales. Aujourd'hui, nous sommes tous des citadins. » Elle regrettait vraiment que Hank ne soit pas là ; il aurait su comment s'y prendre avec cette femme. Elle avait peur de dire des choses qu'elle ne pensait pas.

« La décoration de votre maison est inhabituelle pour la région », dit l'écrivaine.

Jeannie haussa les épaules.

« De très bon goût, si vous voulez mon avis. On dirait que c'est là depuis toujours. »

Nouveau haussement d'épaules. Elle n'allait pas donner à cette femme matière à de nouveaux racontars. « Mon arrière-grand-père était un homme extraordinaire. »

L'autre hocha la tête. Jeannie ne voyait vraiment pas d'où elle tirait son importance. Même son chapeau était ridicule. Tout en elle criait qu'elle venait d'ailleurs. Elle était obsédée par la quantité d'argent et de terres que possédaient les grandes familles du coin, et par les saletés qu'on pourrait leur mettre sur le dos.

Le souper était servi. Jeannie avait soigneusement réfléchi au menu ; après avoir éliminé tout ce qui, trop raffiné, aurait pu suggérer qu'elle cherchait à impressionner son invitée, elle s'était décidée pour des fajitas.

Flores était bonne cuisinière. Le steak frotté de sel et de piment avait été grillé sur des braises de bois de mesquite et servi avec des montagnes de guacamole, de salsa et de tortillas encore chaudes.

Le repas touchait à sa fin quand les ouvriers rentrèrent des pâturages et prirent place à la grande table derrière la maison. Flores fit le service, discutant avec eux en espagnol. L'écrivaine regardait la scène par la fenêtre.

« Voulez-vous que je vous présente ? proposa Jeannie. Ce sont eux qui font le travail, de nos jours.

— Je ne parle pas leur langue, mon chou. Par contre je vais sortir fumer une cigarette.

— Je vous prie de m'excuser un instant. »

De retour des toilettes, Jeannie trouva l'écrivaine debout près de la fenêtre, une drôle d'expression sur le visage. « Jeannie, dit-elle en désignant les vaqueros d'un mouvement de menton, ils mangent la même chose que nous. »

Son livre avait fini par sortir, pour être ensuite adapté au cinéma, avec James Dean dans le rôle principal.

Une caricature, du début à la fin. Ils passaient tous pour des clowns, des imbéciles heureux ayant fait fortune par hasard, comme si le Texas n'était qu'un repaire de bouseux richissimes avec un pois chiche en guise de cervelle.

Et pourtant, dans l'ensemble, les intéressés l'avaient aimé. Ils se mirent à inventer des affectations délirantes, comme de jeter des pièces d'argent par les fenêtres de leurs limousines, ou de prendre des bains de champagne à vingt mille dollars. Peut-être qu'aucune époque n'y échappait. La Frontière était encore un front pionnier quand Buffalo Bill avait lancé ses spectacles, et le Colonel déplorait toujours le moment où ses vachers avaient commencé à lire des romans sur les cow-boys, jusqu'à ne plus savoir ce qui était le plus vrai, des livres ou de leur propre vie.

Johnson perdit de quelques centaines de voix, mais il devint tout de même sénateur et Jeannie attendit sa visite. Il allait chez les Murchison, chez les Cullen, les Brown et les Hunt. Rares étaient les exploitants pétroliers chez qui il n'allait pas. Sans lui et Sam Rayburn, alors président de la Chambre des représentants, les Yankees auraient supprimé la provision pour reconstitution des gisements. Les magnats du pétrole auraient plus tard besoin d'un Congrès républicain, mais pour le moment il fallait que Johnson et Rayburn restent aux manettes et que la Chambre reste démocrate, aussi donnaient-ils généreusement dans ce sens.

Ils avaient aujourd'hui tous disparu : Hank, Johnson, Rayburn, Coke Stevenson, Murchison, Cullen, Hunt...

et elle-même ne tarderait pas à les rejoindre. Sans doute aurait-elle dû s'en réjouir : presque tous les gens qu'elle avait connus avaient passé l'arme à gauche. Mais elle ne s'en réjouissait nullement. Elle s'enfonçait dans des ténèbres dont elle ne reviendrait pas. Que d'autres l'y aient précédée ne changeait rien.

Elle n'était pas bonne chrétienne, c'était ça, le problème. Les vrais croyants étaient motivés par leurs aspirations inassouvies dans cette vie-ci – l'argent, le bonheur, une deuxième chance. Mais tout cela, soit elle l'avait déjà, soit elle n'en voulait pas ; et puis elle avait toujours su que son plus grand talent consistait à voir les choses pour ce qu'elles étaient. À faire la part entre ses désirs et la réalité. Or la réalité, c'est que sa vie aurait une fin, tout comme celle de Hank en avait eu une. Elle ne le reverrait pas : ce qui faisait qu'il avait cessé d'exister à la seconde même de sa mort. Même le fameux tunnel de lumière, apparemment, n'était qu'un tour des neurones. Il n'y avait rien d'autre que le corps. Elle espérait se tromper, mais c'était peu probable.

Elle regarda autour d'elle les vieux meubles sculptés, les hauts plafonds froids, les bûches qui se consumaient sans chaleur. C'était peut-être une sorte de purgatoire. Dans ce cas, d'accord ; elle voulait bien rester là pour toujours, à revivre les bons moments. Elle ferma les yeux et se retrouva à Washington, lors d'une visite à Jonas. Il voulait lui présenter quelqu'un. Ils avaient passé l'après-midi sur son bateau dans la baie de Chesapeake.

Elle était assise dans le Chris-Craft acajou ; sa robe bain de soleil jaune et blanc laissait voir ses jambes bronzées, sans la moindre varice. Jonas pilotait pendant que l'homme, calvitie naissante et peau très pâle, déjà rose de soleil, flirtait avec elle. Sensation agréable. Elle ne se le serait jamais permis au Texas, mais ici, dans cette baie, sous ce ciel bleu mais pas brûlant, sur cette eau propre et fraîche, pourquoi pas.

C'était la première fois qu'elle était séparée des enfants en plus d'un an. Même s'il lui semblait bien qu'elle en portait un autre. Benjamin, sans doute. Mais ça ne se voyait pas – l'homme affable à côté d'elle ne s'en doutait pas. Il était petit et légèrement bedonnant, soit tout le contraire de Hank, mais il la faisait rire et elle le trouvait séduisant. Ou bien cela tenait-il à l'impression d'être mieux traitée ? Ici aussi les femmes étaient assignées à une certaine place, mais cette place n'était pas aussi limitée qu'au Texas. Un Yankee pouvait oublier de vous tenir la porte, mais il pouvait également oublier (ou faire semblant d'oublier) de vous être supérieur. Elle se mit à s'imaginer une autre vie.

Puis il y eut un échange entre Jonas et l'homme, et quand ce dernier se retourna vers elle, il ne souriait plus.

« Ce n'est pas de gaieté de cœur que je passe aux choses sérieuses, Jeannie, mais j'ai bien peur que notre ami le chauffeur – il désigna Jonas – ait des affaires pressantes en ville. »

Elle haussa les épaules, comme si ça lui était égal, même si elle aurait volontiers passé toute la journée sur l'eau, loin des enfants et du téléphone.

« Que savez-vous de Mohammad Mossadegh ?

— Je sais qu'on aurait dû s'en méfier davantage.

— Et si je vous disais que ses jours au pouvoir sont comptés ? »

Tandis qu'il la laissait mesurer les implications de ce qu'il venait de dire, elle pensa à toutes les réponses possibles. Et décida de n'en faire aucune. Heureusement que Hank était absent.

« L'Anglo-Iranian Oil Company va récupérer une partie de ce qu'elle a perdu, poursuivit-il, mais ça ne sera pas comme avant. Les temps ont changé. »

Jeannie but une gorgée.

« Les majors auront la part belle, mais en ce moment, on essaie de rassembler les bonnes volontés. On a besoin de gens sûrs avec des ressources immédiatement disponibles.

— Parce que ça ferait mauvaise impression que vous donniez tout aux majors.

— Exact, dit-il. Et puis nous sommes aux États-Unis. Il n'y en a pas que pour les gros poissons. » Son regard se perdit de nouveau sur l'eau. « Belle journée, n'est-ce pas ? »

Elle savait que Hank aurait insisté pour obtenir des chiffres, des pourcentages, mais ce n'était pas la bonne méthode ; elle n'avait qu'à dire oui, et faire confiance à cet homme et à Jonas.

« Nous prendrons tout ce que vous pourrez nous donner », dit-elle. Elle faillit lui demander un calendrier approximatif, mais ce serait encore pire que de demander sur combien ils pouvaient compter. Elle eut un nouveau frisson de soulagement que Hank ne soit pas là.

« Vous connaissez la SEDCO ?

— Je connais Bill Clements.

— Allez le voir en rentrant. Dites-lui que c'est moi qui vous envoie. »

Jonas fit faire demi-tour au bateau, direction Zannapolis ; Jeannie et l'homme parlèrent d'autre chose. Leurs genoux s'effleurèrent, plusieurs fois. Elle s'attendait à ce qu'il l'invite à boire un verre en arrivant au dock, et décida qu'elle refuserait, mais l'invitation ne vint pas et elle en fut blessée. C'était pour le mieux, bien entendu. Elle appela Hank de l'hôtel et lui dit de manière codée de réunir autant de liquide que possible. Ils avaient tous deux l'habitude de ce genre de coup de fil et se gardaient bien de demander des détails au téléphone.

Depuis déjà plusieurs dizaines d'années, il était évident que l'avenir était à l'étranger. Le premier puits creusé en Irak, en 1927, quand le pays s'appelait encore la Mésopotamie, avait donné quatre-vingt-quinze mille barils par jour. Au Texas, un grand puits, même à l'époque, en produisait cinq cents, mille peut-être, et tout le monde savait que ça ne durerait pas éternellement. C'était dans le golfe Persique que se trouvait la vraie manne pétrolière. Si ce puits, en Irak, avait été opérationnel dix ou douze ans plus tôt, l'Empire ottoman ne se serait pas écroulé et le monde aurait été bien différent.

Dans les années 1950 déjà, la prospection domestique était devenue compliquée. Les coûts étaient énormes, les puits produisaient moins, et quand vous trouviez du pétrole, rien ne vous garantissait d'avoir le droit de l'extraire du sol. Le gouvernement préparait une guerre contre l'Union soviétique et, le cas échéant, voulait avoir un maximum de réserves de carburant à demeure ; or quel meilleur moyen de stocker du pétrole que de le laisser là où vous l'aviez trouvé ? Réserves stratégiques, disait la terminologie officielle. Très intéressant pour le gouvernement, beaucoup moins pour les exploitants.

Il n'y avait pas de solution miracle. Finies depuis longtemps, les grandes heures des années 1930, quand les camions-citernes qu'on remplissait de nuit passaient aussitôt la frontière pour contourner les quotas de production. Aujourd'hui, il fallait aller à l'étranger. Dans tout l'ancien Empire ottoman, l'extraction pétrolière coûtait trois fois rien ; ça manquait encore d'infrastructures, mais ce n'était qu'une question de temps.

Chapitre 36

JOURNAL DE PETER McCULLOUGH

4 juillet 1917

Quand je suis dans mon bureau, je laisse la porte ouverte, à l'affût du moindre de ses pas dans la maison. Si j'entends quelqu'un dans les escaliers, je descends le couloir l'air de rien mais le cœur battant, pour voir qui ça peut être... En général, c'est Consuela ou sa fille.

Plusieurs jours que je n'ai pas été dans les pâturages. J'ai dit à Sullivan que je croulais sous la paperasse. Depuis, je m'invente des choses à faire pour ne pas quitter la maison.

Dès que j'entends des pas, je me précipite hors du bureau. Si elle n'est pas dans le couloir ouest (je suis au bout de l'aile est, de l'autre côté de la montée d'escalier), je vais sur le palier, dans l'espoir de la voir sur les marches ou dans le hall, en bas. Et je reste là, faisant mine d'examiner le vitrail que je connais depuis trente ans, car de cet endroit je peux voir qui entre ou passe d'une aile à l'autre de la maison.

Il est facile de distinguer les pas de María de ceux des vaqueros, mais je suis sans cesse trompé par le pied léger de Consuela et de sa fille, Flores. Par Miranda et Lupe Jimenez aussi. Quand elles m'aperçoivent, je détourne les yeux – elles sont maintenant toutes persuadées que j'ai des vues sur elles, alors que c'est une autre que je voudrais voir à leur place.

Quand je ne l'ai pas croisée depuis plusieurs heures (qui me font l'effet de plusieurs semaines), je ramasse deux ou trois papiers sans intérêt et je parcours la maison d'un air affairé; si la porte de la bibliothèque est ouverte, je fais semblant de chercher un livre ou une brochure, le *Registre des marques déposées (1867)* par exemple, ou autre chose de tout aussi inutile. Sauf que bien sûr María ne fait pas la différence. Elle me croit consciencieux. Nous parlons une demi-heure, et puis elle s'excuse de m'avoir dérangé dans mon travail et emporte ses affaires ailleurs, tandis que c'est comme si mon sang ou je ne sais quelle force vitale qui m'anime s'écoulait dans le sol.

Aujourd'hui, j'étais dans la cuisine, à manger une prune, quand elle est entrée en demandant ce que je faisais; en guise de réponse je lui ai tendu impulsivement la prune dans laquelle j'avais déjà mordu deux fois, et voilà que sans hésiter elle l'a prise pour la goûter délicatement en ne me quittant pas des yeux. Et puis brusquement elle est partie. J'ai mis la prune dans ma bouche où je l'ai laissée jusqu'à ce que le bon sens exige que je la finisse.

Je ne peux pas imaginer lui faire la cour. Il me semble que ce serait lui manquer de respect. Tous les soirs, elle joue du piano; j'ai déménagé le divan dans le petit salon (où il se trouve habituellement, ai-je menti) pour pouvoir fermer les yeux et la sentir tout proche. Elle estime visiblement que c'est un moment convenable pour être ensemble car elle ne tente jamais de se sauver. Je ne peux m'empêcher de revivre ce qui s'est passé dans la bibliothèque (sa main sur la mienne). Je me maudis de n'avoir pas réagi, de ne pas lui avoir rendu son geste, de ne pas m'être laissé aller contre elle – c'est sûrement pour ça qu'elle ne l'a pas refait. Ou peut-être n'était-ce que compassion de sa part, peut-être le monde que je nous ai inventé n'existe-t-il que dans mon imagination. Rien que de l'envisager, je me sens atrocement vide.

6 juillet 1917

L'ultimatum posé par mon père pour le départ de María a expiré depuis longtemps. Je commençais à respirer quand il est venu me trouver ce matin.

« Pete, je vais à Wichita Falls. Je rentre dans une semaine. Je veux qu'à mon retour cette femme ait mis les voiles. Je t'ai toujours laissé faire ce que tu voulais, mais ça... » Il parcourut mon bureau du regard, comme s'il allait trouver le mot juste parmi mes livres. «... ça ne concourt pas à l'avancement du projet global.

— Qu'est-ce que tu vas faire à Wichita Falls ?

— T'occupe.

— Elle ne peut rien contre nous.

— Ça ne peut plus durer. Il y a une seule personne sur terre dont la présence ici est impossible, et tu l'y as amenée.

— Tu ne me feras pas changer d'avis.

— Chaque fois que je te vois, tu es tiré à quatre épingles. Ça fait dix ans que tu ne te laves pas et maintenant tu mets des faux cols, tu crois peut-être que ça m'échappe ? »

Je n'ai rien dit.

« Ce n'est pas une de ces femmes délaissées, une de ces "veuves de la prairie" que tu peux t'envoyer gratis, mon gars. Elle, elle va nous coûter le ranch.

— Je pense que tu peux partir, maintenant. »

Et comme il ne bougeait pas :

« Sors de mon bureau. »

Plus tard je tombe sur María dans la bibliothèque. Je fais semblant de chercher un livre quand elle demande, comme ça : « Ton travail avance ?

— Je ne travaille pas vraiment. »

Un sourire et elle redevient sérieuse.

« Consuela m'a dit certaines choses.

— Je ne sais pas ce qu'elle t'a dit, mais ça n'arrivera pas, je ne le permettrai pas.

— Peter. » Elle hausse les épaules et regarde dehors, par-delà les arbres. Moi je regarde la peau de sa nuque, ses clavicules, l'orée de son épaule, ses bras toujours maigres. « ... Je n'ai rien à faire ici. C'est même le dernier endroit où je devrais être.

— Mon père, j'en fais mon affaire.

— Je ne parle pas de lui.

— Tu irais où ? »

Nouveau haussement d'épaules. Silence. Je regarde son visage changer. Au bout d'un moment, elle prend une décision. «Est-ce qu'on peut parler? Si tu ne travailles pas vraiment?»

Elle est assise face à la fenêtre. Je vais au canapé.

«Ne t'inquiète pas pour mon père», lui dis-je.

Elle se lève et vient s'asseoir près de moi, me touche le poignet.

«Tôt ou tard, je devrai partir. Quelques jours, quelques semaines, quelle importance.

— Moi ça m'importe.»

Elle m'effleure la joue. Nous sommes tout proches et quelque chose va forcément se passer. Sauf qu'il ne se passe rien. Quand j'ouvre les yeux, elle me regarde encore. Je me penche, puis m'arrête; elle me regarde toujours. Je l'embrasse, à peine. Puis me recule. Des points lumineux dansent devant mes yeux.

Elle passe sa main dans mes cheveux.

«Tu as de beaux cheveux, dit-elle. Alors que ton père est chauve. Il est petit, et tu es grand.»

Je sens son souffle.

«Tu m'oublieras, dit-elle.

— Non.»

Quelque chose va arriver. Nous sommes appuyés l'un contre l'autre. Je me redresse et me tourne pour l'embrasser, mais elle ne me donne que sa joue.

«Ce n'est pas l'envie qui me manque», dit-elle. Mais elle se lève et sort de la pièce.

Chapitre 37

ELI McCULLOUGH

1852

Quelques semaines plus tard, la femme du juge Wilbarger et moi étions étendus, nus, sur le canapé, moi pour emmerder le juge, elle parce qu'elle avait pris du laudanum et que c'étaient là une position et une tenue confortables. Elle avait envoyé les nègres en course à Austin. Son visage était de ceux qu'on voit dans les vieux livres, pâle, délicat, et je me dis qu'elle avait un jour dû être le genre de femme pour qui les hommes se seraient battus. Je me dis aussi qu'elle le savait, et qu'elle savait que ça n'était plus vrai.

« Tu as quel âge, en fait ?

— Dix-neuf ans.

— Ça m'est égal, tu sais. C'est juste pour te connaître un peu mieux.

— Dix-sept ans. »

Elle me regarda.

« Seize ans.

— Ça va continuer à baisser ?

— Non, j'ai seize ans.

— Ça me va. C'est l'âge idéal.

— Ah bon ?

— Pour toi, oui. »

Elle se tut. Je me demandai comment une femme comme elle avait bien pu se retrouver avec un type comme le juge. Est-ce qu'elle l'avait jamais aimé ? Mes pensées allèrent aux Comanches.

« Tu m'en veux ?

— Non. » Puis j'ajoutai : « Pourquoi tu ne retournes pas là-bas ?

— En Angleterre ? Je suis très respectable, ici. » Elle rit. « Non, bien sûr que non. Mais qu'est-ce que je ferais, là-bas ?

— Ce serait sans doute toujours mieux que Bastrop.

— Sans doute. »

En regardant son ventre lisse, je me demandai si elle avait eu des enfants, mais quelque chose me retint de lui poser la question. Je dis plutôt : « Je ne comprends pas pourquoi tu ne rentres pas chez toi. Même moi je n'aime pas, ici.

— C'est compliqué. Je ne peux pas t'expliquer. »

En attendant, à force de venir si souvent en ville, je repérai un gamin dont je finis par être certain qu'il me suivait. Je savais qu'il s'appelait Tom Whipple ; il avait treize ou quatorze ans mais il dépassait à peine un mètre cinquante, et puis bigleux avec ça. Je le surpris un jour à m'attendre près de la maison du juge, ce qui me sembla de mauvais augure. Je le suivis pour l'attaquer dans les bois derrière chez lui.

J'avais beau l'avoir plaqué au sol, il ne paraissait pas effrayé. « Tu es l'Indien sauvage, dit-il.

— Oui.

— Les Indiens, ils ont tué mon père. J'imagine que tu vas me tuer aussi, maintenant.

— Tu n'arrêtes pas de me suivre.

— Les gens disent que tu voles des chevaux.

— Je les emprunte.

— Ils disent que tu tues les poules et les cochons.

— Plus depuis des semaines.

— Ils disent que quelqu'un finira par te descendre. »

J'eus un petit rire méprisant. « Eh ben qu'ils essaient, pour voir. Je ne ferai qu'une bouchée de ces péquenots.

— Mon père, il était Ranger. »

J'étais dans le coin depuis assez longtemps pour savoir que ce n'était pas vrai ; son père était arpenteur et tout le groupe s'était fait tuer par les Comanches. Enfin, c'était ce qui se disait. La plupart des gens ne faisaient pas la différence entre un Apache, un Comanche et un Blanc avec une veste à franges.

Il y eut un silence.

« Montre-moi comment on vole un cheval », dit-il.

Le lendemain, je racontai à Ellen que Whipple rôdait autour de la maison. On sortit par-derrière pour couper à travers bois et, une fois hors de la ville, rejoindre un bassin que je connaissais. J'avais apporté des peaux de cerf pour qu'on s'y allonge.

« Elles sentent, dit Ellen. Elles sont très récentes ?

— Quelques semaines.

— Mon petit sauvage. » Elle était couchée, jambes écartées, bras le long du corps, offerte au soleil. Il y avait du vent mais les pierres étaient chaudes. Je voyais le vert des cyprès qui s'agitaient et les branches nues des chênes et puis un étroit ruban de ciel au-dessus de la rivière. C'était comme ça depuis un mois et ça le resterait tout l'été. Il y avait pire, comme vie.

« Tu as eu d'autres liaisons ?

— Tu es bien un homme, tiens.

— Faut croire.

— Les hommes veulent toujours savoir.

— Et alors ?

— Tu veux la vérité ou ce que tu as envie entendre ?

— La vérité.

— Tu es le premier. Personne ne m'a jamais fait autant d'effet que toi. »

Je me levai.

« Pardon, dit-elle. Je pensais qu'un demi-Comanche comme toi s'en ficherait.

— Ça m'est bien égal.

— Reviens. » Elle tapota le sol à côté d'elle et je m'exécutai. Au bout d'un moment, elle dit : « Tu sais, parfois je crois que je pourrais ouvrir mes jambes à n'importe qui, juste pour ne pas devenir folle. Parfois je pourrais ouvrir mes jambes à Henry.

— Lynchage garanti.

— Pour avoir couché avec un Noir, oui. Tu sais qu'il ne me regarde même pas ?

— C'est un nègre.

— N'empêche qu'il ne me regarde pas. Il sait qu'il se ferait tuer, alors il a peur de moi. Ça me rend malade. Il a plus peur de moi que de Roy. »

Il y eut un silence.

« Si un jour je devais retourner en Angleterre, ce serait pour ça. »

Je me glissai contre elle, puis en elle. Je me sentis alors mû par le besoin de m'arrêter pour simplement la tenir dans mes bras. Mais elle ne voulait pas que l'action cesse. Après quoi elle s'endormit. Je me redressai et regardai les alentours, la rivière courant sur les rochers. Un oiseau moqueur donnait tout son répertoire.

Lorsque j'ouvris les yeux, il était tard.

« Ils rentrent quand, Cecelia et Henry ?

— Je ne sais pas, marmonna-t-elle. Je les ai envoyés à Austin.

— On devrait s'habiller. »

Elle ne bougea pas, comme prise dans la nasse de ses longs cheveux, ni tout à fait gris, ni tout à fait bruns.

« Continue à leur faire faire ce type de courses et un jour ils s'enfuiront au Mexique.

— J'espère bien.

— Et tu sais qu'ils sont au courant, pour nous.

— J'espère bien que non.

— Je te garantis que si.

— Alors Roy va nous tuer tous les deux.

— Ils ne diront rien.

— Pourquoi ?

— Ils te préfèrent à lui, pour commencer. Et puis ce sont des nègres.

— C'est-à-dire ?

— Tu sais. » Je la regardai remettre ses sous-vêtements.

« Pas vraiment, non. »

J'avais raison, je le savais, n'empêche que j'étais sur la défensive.

«Si tu n'aimes pas le juge, pourquoi tu ne le quittes pas?»

Elle secoua la tête.

«Ce n'est pas si compliqué que ça.

— Bien sûr, dit-elle. Et j'imagine qu'on pourrait s'enfuir ensemble.

— On devrait.

— Tu ne sais pas ce que tu dis, mon cœur.»

Elle rassembla ses cheveux pour les attacher, puis récupéra son laudanum dans le sac.

«Tu te crois un peu supérieur à moi, hein?» Elle rapprocha son index de son pouce. «Un tout petit peu.»

Je haussai les épaules.

«Eh bien, tu as raison.»

Elle me tendit le laudanum. «Tu veux essayer?

— Pas vraiment.

— Tant mieux. Tant mieux pour toi.»

Elle prit le chemin du retour. J'attendis environ une heure avant de la suivre. Les traces de pas de quelqu'un d'autre se rajoutaient aux siennes entre les rochers.

Le pur-sang du juge me connaissait si bien que ce n'était pas franchement du vol. Tom Whipple, lui, ne connaissait rien aux chevaux. La première fois que je le fis entrer dans l'écurie, c'est tout juste si leurs coups de sabot ne l'envoyèrent pas dans le mur. Je l'aidai à grimper en selle, puis montai derrière lui.

À notre retour, l'excitation l'avait transformé en moulin à paroles. Tandis qu'on se faufilait à travers bois, j'eus l'intuition qu'il ferait une bêtise. Je me concentrai sur ses pieds devant moi.

Quelques jours plus tard, il essaya de prendre le cheval de son voisin, un brabant à dos creux. Il prit surtout une volée de petit plomb dont, par chance, la porte de la grange arrêta le plus gros. Ce qui ne l'empêcha pas de caqueter.

Je pensais qu'Ellen viendrait me voir en prison. Elle ne vint pas. Quand je mentionnai son nom, le shérif secoua la tête.

« Fiston, tu ne pouvais pas choisir pire pour tes frasques. »

Je ne dis rien.

« Tu avais bu ?

— Parfois.

— Ces sauvages ont dû te chambouler la cervelle. Et moi qui pensais que tu arriverais à quelque chose.

— Il va y avoir un vrai procès, vous croyez ?

— Si c'est le cas, ce sera le plus court de l'histoire du Texas. »

Chapitre 38

JEANNIE McCULLOUGH

Assise sur le canapé, elle surveillait Susan qui suçait son doudou et Thomas, si mignon avec son épi, sa salopette, ses petits bras potelés et son bandana rouge qu'elle aurait pu le croquer. Il essayait de construire une tour en cubes. Il était nimbé de soleil. Elle surveillait toujours. Après que la tour fut tombée pour la vingtième ou la cinquantième (ou la centième) fois, elle ferma les yeux. Quand elle émergea un peu plus tard, Thomas s'affairait avec ses cubes et Susan s'était endormie. C'était comme si le reste de sa vie, avant ses enfants, n'avait été qu'un rêve. Avait-elle jamais eu la moindre pensée intelligente ? Elle se sentait comme un ruminant.

Elle était bien réveillée, maintenant. Au-delà de l'ennui, il y avait autre chose, une agitation si intense qu'il lui était physiquement impossible de rester en place plus longtemps. Elle se leva, fit les cent pas dans la pièce. Un coup d'œil derrière elle – les enfants n'avaient pas bougé – puis elle sortit par la porte vitrée et contourna la haute palissade. L'herbe était épaisse, encore humide sous les arbres. Elle pourrait se servir un verre.

De retour sur le patio, elle regarda ses enfants à travers la baie vitrée. Bien sûr qu'elle les aimait, mais parfois – c'était difficilement avouable –, parfois elle se demandait ce qui se passerait s'ils cessaient tout simplement d'exister. *Tu es folle*, se dit-elle. *Complètement folle.* Elle avait essayé d'aborder le sujet avec Hank, sans succès ; il ne comprenait pas ce qu'elle voulait dire, aussi avait-elle abrégé la conversation avant de s'incriminer davantage. Hank ne passait que quinze ou vingt minutes par jour en tête à tête avec eux. Même s'il s'imaginait s'en occuper du moment où il rentrait du bureau jusqu'à ce qu'ils aillent au lit ; pour lui, s'en occuper, c'était tout bonnement être sous le même toit. Jeannie passait avec eux autant de temps en une journée que Hank en un mois. Elle ne pouvait pas s'empêcher de faire le compte.

Depuis la naissance de Thomas, leur aîné, elle déprimait un peu. Elle avait déprimé un peu plus quand, à six mois de grossesse, alors qu'elle attendait Susan, le médecin avait tenu à ce qu'elle sorte le moins possible. La question du sens s'était mise à la tarauder. Comme à la mort de son père. Il fallait vraiment qu'elle soit folle : sa famille était sur le point de s'agrandir, elle avait des enfants magnifiques et bien portants, et elle s'interrogeait sur le sens de la vie ?

C'était beau, c'était naturel, mais ça ne s'arrêtait bien sûr pas là, c'était aussi cette chose indicible sous peine d'être internée à jamais : la présence d'un corps étranger qui vous vampirisait. À l'hôpital, c'était comme si un esprit maléfique nichait en elle, quelque chose qui aurait enflé et pris le pouvoir ; un instant, elle était elle-même, le suivant, on l'aspirait vers le fond – elle ne pesait d'aucun poids, elle était dérisoire, bien plus qu'elle n'avait jamais cru. Impossible à expliquer, tout ça. Et puis elle avait survécu.

Toujours cette impression d'être dupée, trahie par ce corps qu'elle avait cru n'exister que pour son plaisir. Elle était jalouse de Hank, elle lui en voulait de n'avoir pas eu à payer de sa personne, Hank qui lui tenait la main à l'hôpital en la regardant d'un air enamouré, Hank qui répétait *respire, respire*, tandis qu'elle était dans un avion sans moteur qui plongeait vers la mer, droit vers l'annihilation. Alors respirer, c'était bien le cadet de ses soucis. Elle n'avait pas décoléré de ça non plus – ses conseils assurés sur des choses dont il ignorait tout.

Elle exagérait. Ça ne servait à rien d'y penser. Elle resta encore un peu sur le patio à regarder ses enfants, se demandant ce qu'elle dirait si un voisin la voyait, si la nounou descendait ou si Hank rentrait. Elle retourna à l'intérieur. Via l'interphone, elle demanda à la nounou de préparer le sac du bébé ; Thomas avait l'âge d'être gardé, mais elle emmenait Susan au bureau. Elle y allait plusieurs fois par semaine, rendre visite à son ancienne vie. *Tu es totalement puérile*, se dit-elle.

Elle posa Susan sur le siège avant de la Cadillac : soulagement immédiat, avant même d'avoir quitté l'allée. Susan se mit à pleurer, aussi Jeannie la prit-elle sur ses genoux pour le reste du trajet. Vingt minutes plus tard, elles étaient arrivées. Au terme d'une longue montée en ascenseur, Jeannie remit sa fille entre les mains des secrétaires, toutes disposées à la garder, contentes de tenir un bébé ou bien contentes d'échapper au travail – Jeannie n'en savait rien et s'en fichait, elle voulait juste être seule.

Elle alla dans son bureau et ferma la porte. Il faisait chaud, agréablement chaud – des vitres partout. La vue s'étendait, verte, sur la ville qui elle-même n'en finissait pas de s'étendre. L'est du Texas était humide et luxuriant, on était dans le Sud profond. Un enfer, l'été. Elle aimait ses enfants. Mais elle s'attendait à autre chose. À ce qu'ils soient comme ses frères – ou comme des poulains ou des veaux, sans défense d'abord, mais bien vite capables de se débrouiller seuls.

Qu'ils aient tant besoin d'elle, ça, elle ne s'y attendait pas. De l'amour, soi-disant. Sauf que si elle était honnête, ça n'était pas de l'amour du tout ; ils avaient pris bien plus qu'ils ne pourraient jamais donner. Tout, peut-être. « Non, dit-elle à voix haute. Je n'ai pas le droit de penser ça. » Elle resta là, osant à peine respirer, à regarder les gratte-ciel remplis de gens – elle les voyait s'activer, dans leurs bureaux. Personne ne vivait ce qu'elle vivait. *Tu es grotesque*, se dit-elle. *Pense à ta propre mère.*

Dans la pièce d'à côté, elle entendit Susan se mettre à pleurer ; au son des pleurs, pur automatisme, elle quitta son fauteuil et se dirigea vers la porte. Mais bien sûr les filles pouvaient s'en occuper. Elle retourna à son bureau – des piles et des piles de papiers ; c'était ridicule, elle ne savait rien du contexte. Elle se mit à lire au hasard. Le rapport d'un agent pétrolier, celui d'un géologue, une transaction avortée depuis longtemps. Il faisait chaud. Ses questions n'avaient pas de sens. À l'époque, elle savait où elle mettait les pieds (*sauf que non*, insista-t-elle, *elle ne savait pas, justement*). Sa vie était dictée par les besoins des autres ; le seul besoin qu'elle ne pouvait pas satisfaire, c'était celui qu'elle éprouvait presque quotidiennement de monter dans sa voiture, de démarrer et ne plus s'arrêter.

Elle se réveilla un peu plus tard, en nage. Le soleil était toujours là ; elle se demanda si la climatisation était allumée. Elle tria les papiers, jeta ce qui était obsolète, même si ça ne servait à rien : il lui faudrait des mois pour se remettre à flot. Elle alla sur le divan et se rendormit. Et voilà qu'il était cinq heures passées. Elle n'avait rien fait.

Elle se regarda dans son poudrier : visage bouffi, marques du tissu. Il y avait une jolie fille, là, quelque part, avec des pommettes saillantes, une peau impeccable et une belle bouche, mais on ne la voyait pas dans le miroir ; la seule véritable couleur venait de ses cernes. Elle avait les dents jaunasses, les cheveux comme de la paille.

Elle s'assoupit de nouveau. Il faisait nuit quand elle se réveilla. Elle retoucha son maquillage et sortit de son bureau.

Susan dormait sur les genoux de la seule secrétaire encore présente. Tout le monde était parti, sauf cette fille, immobile, désemparée.

«Je suis vraiment désolée, dit Jeannie.

— Oh non, je l'adore», dit la fille. Et c'était vrai. Elle était ravie d'être posée là, un bébé dans les bras. Et son air angélique, comme celui de l'enfant, rendait d'une certaine façon les choses pires encore.

«Merci de vous en être occupée. Vous n'avez pas idée à quel point ça m'a soulagée.»

La fille la regarda. Non, elle n'avait vraiment pas idée. Elle serait heureuse d'avoir un bébé pareil, et heureuse d'avoir le mari assorti.

Hank, par chance, était encore au Canada. Au moins Jeannie s'était-elle épargnée qu'il soit témoin de ça. Hank, comme Herman Jefferson, leur géologue, et Milton Bryce, leur avocat, lui disait toujours de ne pas s'embêter à venir au bureau. Tout allait bien en son absence, tout allait bien depuis deux ans. Ils n'avaient pas l'indélicatesse de le formuler, mais ce qu'ils entendaient par là, c'était : *On n'a pas besoin de toi. Notre monde a continué sans toi.*

Au contraire de celui de Jeannie. *Je pourrais aussi bien être morte*, pensa-t-elle.

Quand Hank rentra d'Alberta, elle lui dit qu'il était temps de prendre une seconde nounou, peut-être même une troisième, s'ils devaient avoir un autre enfant.

«Absurde», dit-il. Il s'affairait dans la cuisine, à se préparer un sandwich, chaque mouvement parfaitement efficace, chaque objet remis à sa stricte place.

«Quelle importance?» Elle pensait qu'il parlait argent.

«C'est très important. Je ne veux pas que nos enfants soient élevés par des gens qui auront disparu de leur vie quand ils seront grands.

— Eh bien, reste à la maison et occupe-toi d'eux, alors.»

Il la regarda pour voir si elle plaisantait.

«Tu n'es pas obligé de travailler, dit-elle. Nous ne manquerons jamais d'argent.»

Agacé, il mordit dans son sandwich et fit descendre le tout à grandes goulées de lait.

«Je n'y arrive plus toute seule. Je suis sérieuse.

— C'est ridicule.

— Eh bien, je suis ridicule, alors.

— Non, ce qui est ridicule, c'est de dire que tu es toute seule. Tu as Eva la journée et je rentre à six heures tous les jours.

— Je pourrais te dire qu'ils sont autant à toi qu'à moi. Et te suggérer de t'en occuper autant que moi.

— Je fais ma part», dit-il. Et à la drôle de brisure dans sa voix, elle se rendit bien compte qu'il y croyait.

«Oui, mais ce n'est pas du cinquante-cinquante. Tu ne fais même pas vingt-cinq pour cent. C'est plus proche de un pour cent. Tu laisses ta porte ouverte, très bien, mais ça n'est pas la même chose que d'être avec eux toute la journée, seul.»

Il ne dit rien.

«On va prendre une autre nounou et pour toi, rien ne changera.

— Hors de question, dit-il.

— Je refuse de laisser les affaires.

— C'est déjà fait. Tu ne sais quasi rien des choses en cours.»

Elle se dit soudain qu'il n'était guère différent de son père, ce qui était peut-être une exagération, ou peut-être pas – peut-être qu'il portait simplement un masque plus affable.

«Je n'ai plus l'impression d'être un être humain, dit-elle.

— Très agréable à entendre, venant de la mère de mes enfants. » Il n'arrivait plus à la regarder.

« J'ai l'impression que c'est eux ou moi.

— Je ne sais pas ce qui t'arrive. » Malgré le bronzage, elle voyait qu'il était rouge. Il posa son sandwich et sortit de la pièce, puis de la maison.

Elle entendit la voiture démarrer et quitter l'allée.

Bien sûr, elle se mit à pleurer. La vérité allait bien trop loin. Elle n'aurait pas dû tout dire. Elle sortit dans la cour et s'assit dans l'obscurité verte. Ce qu'il voulait, ce que tout le monde voulait, c'était qu'elle reste à la maison et oublie d'être intelligente pendant qu'eux faisaient ce qui leur chantait. Délirant. Hank, Jefferson, Milton Bryce – elle les détestait tous. Littéralement. Là tout de suite, oui, c'était de la haine. Et elle se contrefichait de ce qu'ils pensaient d'elle.

Sa décision était prise. Et irrévocable. On trouverait bien un accord ; elle valait cinquante millions de dollars et c'était délirant, parfaitement délirant, qu'elle soit bloquée ici, ou ailleurs, par ses enfants, son mari, cet état de choses – elle ne savait pas trop comment le décrire, c'était tout cela à la fois. Et c'était terminé.

Elle entendit la voiture se garer dans l'allée, mais resta dans l'obscurité de la cour. Elle regarda Hank à l'intérieur descendre les marches menant au séjour, passer devant les meubles neufs à deux cent mille dollars – son argent à elle –, aller jusqu'au bar et se servir un verre de bourbon dans lequel son regard se perdit. Il gagna ensuite la fenêtre et regarda dehors. La maison était trop éclairée pour qu'il puisse la voir ; c'était son reflet qu'il regardait. Ce visage dur de paysan, ces cheveux épais, ces rides, déjà, autour des yeux – oui, elle l'aimait, mais elle ne bougea pas. Il devrait choisir.

C'était un type bien. Mais au bout du compte, l'argent était à elle, et sans cela, qui sait s'il aurait cédé.

Il y avait quelque chose d'anormal à devoir négocier avec son mari, à devoir le manipuler. Mais peut-être que tout ce temps, il avait fait pareil, sans que ni l'un ni l'autre en ait conscience.

Ils embauchèrent deux nounous et Jeannie reprit le travail. Elle passait pour une mauvaise mère. Elle avait surpris des conversations entre secrétaires – bien sûr, aucune n'était mariée, bien sûr, elles étaient jalouses, bien sûr, elles auraient toutes couché avec Hank sans hésiter –, un homme riche et séduisant, pensez donc. Les femmes feignaient d'être solidaires tant qu'il n'y avait pas d'enjeu, faisant comme si les hommes dont elles étaient amoureuses ne comptaient pas. Naturellement, elle prenait soin d'embaucher des filles si laides qu'il aurait fallu que Hank soit saoul au dernier degré pour avoir envie d'elles. *Nous avons les secrétaires les plus moches de la planète*, disait-il toujours.

N'empêche. Elle passait pour une mauvaise mère. Ce qu'elle s'efforçait d'oublier.

Chapitre 39

Journal de Peter McCullough

7 juillet 1917

Dormi quelques heures seulement, n'ai fait que penser à elle, à l'autre bout de la maison. Elle ne s'est pas montrée au petit-déjeuner ; si des fois elle a quitté sa chambre, ça n'a pu être qu'à pas de loup. Quand je suis descendu déjeuner, j'ai trouvé de la vaisselle tout juste lavée dans l'égouttoir ; elle était venue et je l'avais ratée. Plus faim. Suis remonté dans mon bureau.

Ouvert et refermé une demi-douzaine de livres au moins. Envisagé d'appeler Sally, puis renoncé. Besoin désespéré d'en parler à quelqu'un. Si je pouvais monter sur le toit et le crier au mégaphone...

Mais je suis heureux rien que de la savoir dans la maison. Si certains se demandent s'il vaut mieux aimer ou être aimé... la réponse est claire. Savoir si mon père serait d'accord. Savoir s'il a jamais éprouvé ça. Comme tous les ambitieux, je soupçonne qu'il en est incapable. J'en pleurerais pour lui. Je pourrais tout donner, cette maison, tout ce que nous possédons, pour que ce sentiment dure toujours. Rien que d'y penser, voilà que je pleure vraiment, pour mon père, pour María, pour les Niles Gilbert et les Pedro de ce monde.

Heureusement, ou pas, j'ai été tiré de ce marécage d'émotions par des événements qui ont exigé mon intervention. Aux alentours de quatorze heures, j'ai entendu un énorme bruit. Quand je me suis levé pour voir ce qui se passait, le derrick, normalement visible au-dessus des arbres, n'était plus là.

Il se passait que le foreur avait percé une poche de gaz et perdu le contrôle de l'appareil de forage. Un des ouvriers était resté accroché à la tour tandis qu'elle tombait par terre ; il est miraculeusement en vie (il paraît que les ivrognes encaissent mieux les chutes). Autre miracle, le gaz n'a pas explosé. Troisième miracle (en tout cas du point de vue général), il y a maintenant un flot continu de pétrole qui se déverse dans nos prés, jusqu'à la rivière en bas de la pente.

Le soir venu, toute la ville était là pour contempler le derrick couché dans son bourbier noirâtre. De toute évidence c'est plus qu'un très beau coup, c'est faramineux ; les quelques soucis qu'on a pu avoir appartiennent désormais au passé et nous voici plus éloignés encore du quotidien de nos concitoyens. Mais visiblement les gens du coin n'ont pas compris. Ils ont même l'air de croire que c'est un énorme coup de chance pour eux. Il y en avait qui plongeaient des tasses dans la boue pour goûter le pétrole comme si c'était du café.

Mon père a raison. Les hommes sont faits pour être dirigés. Les pauvres préfèrent, moralement sinon physiquement, se rallier aux riches et aux puissants. Ils s'autorisent rarement à voir que leur pauvreté et la fortune de leurs voisins sont inextricablement liées car cela nécessiterait qu'ils passent à l'action, or il leur est plus facile de ne voir que ce qui les rend supérieurs à leurs autres voisins, simplement plus pauvres qu'eux.

Pendant que la foule se pressait autour du derrick à terre et que la mare de pétrole s'élargissait, le foreur, toujours bien imbibé, n'arrivait pas à décider s'il fallait torcher le puits. Le gaz peut se répandre sur des centaines de mètres en surface et exploser à la moindre provocation ; il n'est pas rare que des spectateurs soient immolés de la sorte, des heures, voire des jours après un premier jaillissement.

Il a repris du bourbon pour s'éclaircir les idées et puis il a décidé de ne pas torcher. Le pétrole coulait régulièrement, sans à-coups. Il ne devait pas y avoir beaucoup de gaz. En tout cas selon lui. Selon moi il était lui-même torché. J'ai dit à tout le monde de se tenir à distance, encore qu'en voyant Niles Gilbert et ses deux porcs de fils patauger dans la boue visqueuse après s'être tenus tout près de la bouche du bouillonnement noir, je me suis pris à espérer une étincelle divine. À regarder le pétrole couler, je me suis dit qu'il n'y aurait bientôt plus rien pour tempérer l'arrogance humaine. Rien que nous n'aurions maîtrisé. Sinon, bien sûr, nous-mêmes.

Les vaqueros tentent de construire une digue avec des racloirs tirés par des chevaux, mais ils sont en train de perdre la bataille. Un fermier yankee au menton en galoche a proposé de nous louer son tracteur Hart-Parr tout neuf. S'il était né ici, il l'aurait tout simplement mis à disposition, mais, mentalité du Nord, il ne pense qu'à gonfler son portefeuille. J'ai réfléchi, et puis j'ai décidé de payer. C'est une sacrée quantité de pétrole qui se déverse dans la rivière et les racloirs ne sont pas conçus pour ce genre d'urgence.

N'empêche, tout le monde était de bonne humeur et s'est empressé d'arroser ça, y compris l'accrocheur qui a chuté et l'ouvrier de plancher à demi écrasé. Des gens ont commencé à arriver de Carrizo, même si j'avais du mal à comprendre ce qu'ils pouvaient bien trouver de si intéressant : un trou noir, une odeur épouvantable, un flot d'argent supplémentaire dans la poche de la famille la plus riche du coin. Le Colonel a débarqué de Wichita Falls à minuit ; il a fait du quatre-vingt-dix kilomètres-heure tout du long, jusqu'à éclater un pneu.

Il est venu me trouver dans mon bureau. Une légère odeur de soufre entrait par les fenêtres, comme si le diable en personne fumait sur la galerie. Pure coïncidence, j'en suis sûr, c'est aussi l'odeur de l'argent.

« Mon fils », a dit le Colonel en me serrant dans ses bras. Il était déjà aussi ivre que les autres. « Maintenant tu vas pouvoir faire arracher tout le mesquite que tu veux. »

Il n'a pas été question de María. Dans un moment de panique, je me suis précipité à sa chambre : elle était dans son lit, endormie. Elle a eu un soupir. Je suis resté longtemps à la regarder, jusqu'à ce qu'elle remue.

Ce matin je l'ai trouvée qui m'attendait en bas.

« Excellentes nouvelles, non ? »

J'ai haussé les épaules. Je ne pense qu'à ce qu'elle a perdu ; heureusement que c'est sur nos terres et non sur les siennes qu'on a trouvé le pétrole.

« Tu vas avoir beaucoup de travail, aujourd'hui ?

— Je ne crois pas. Je dois aller à Carrizo, si tu veux m'accompagner. »

Elle accepte, ce qui me met dans une bonne humeur absolue, même quand je vois la file ininterrompue de voitures qui vont et viennent jusqu'au forage et le portail resté ouvert – cinquante génisses retrouvées sur la route ce matin.

À Carrizo, ni elle ni moi n'avons d'envie particulière. Nous décidons comme ça d'aller déjeuner à Piedras Negras (j'ai évoqué Nuevo Laredo, mais María ne veut pas y aller). C'est à trois heures de route, ça va nous faire rentrer tard, nous n'en parlons pas. Elle s'attache les cheveux pour qu'ils ne volent pas au vent ; je jette des regards à la dérobée, sa bouche sensuelle, ses cils noirs, le duvet de sa nuque.

Quand on arrive enfin, vers quatre heures de l'après-midi, je ne suis pas tranquille, je pense aux zapatistes, aux villistes, aux carrancistes, mais María n'a pas l'air de s'en faire. Nous ignorons les cireurs de chaussures et les vendeurs de billets de loterie et nous nous installons dans la cour d'une *cantina*, sous la tonnelle. Nous commandons de la bavette, des anguilles, du poisson grillé, des *tortillas sobaqueras*, une salade de tomates et d'avocats. Elle prend une margarita et moi une bière Carta Blanca. Il y a trop à manger ; María fixe ce qui reste de la nourriture. Nous hésitons à reprendre un verre. À la voiture, nouvelle hésitation.

Au lieu de rentrer, nous poussons plus loin, jusqu'à la vieille mission San Bernardo. C'est une petite ruine, un seul étage, rien à voir avec les cathédrales de Mexico, mais à l'époque, c'était le dernier bastion de l'influence espagnole. Toutes les expéditions vers le nord en partaient et y revenaient ; on imagine sans mal le soulagement des cavaliers quand le dôme et les portes voûtées apparaissaient à l'horizon. Et leur angoisse quand ils les quittaient. Cette région était bien plus dangereuse que le Nouveau-Mexique ne l'a jamais été. Je me dis que la mission n'est guère plus vieille – cinquante ou soixante ans – que la *casa mayor* des Garcia. Je me tais. María lit dans mes pensées ou bien elle attribue mon silence à autre chose, toujours est-il qu'elle me prend la main et pose sa tête sur mon épaule.

« C'est bon d'être loin de chez toi », dit-elle.

Nous marchons lentement, à petits pas, dans l'attente des paroles importantes qui devrait être dites. Elle ne lâche pas ma main, mais elle ne me regarde pas non plus.

« Et ta femme ? Quand va-t-elle rentrer ?

— Jamais, j'espère.

— Tu vas divorcer ?

— Si je peux.

— C'est une belle femme.

— Elle vient d'une bonne famille.

— Ça se voit.

« — Elle m'a épousé parce que sa famille était ruinée, tu sais. Elle croyait se marier avec mon père en plus jeune. Malheureusement, ça, c'est Phineas.

— Peut-être qu'elle te préférait parce que tu es beau.

— Oh que non.

— Oh que si. Ton frère a une tête de fouine.

— Ma femme voudrait que je sois quelqu'un d'autre. » Je hausse les épaules. « Je suis content qu'elle soit partie. »

Nous marchons toujours. Je m'attends à ce qu'elle lâche ma main, mais elle balance d'avant en arrière nos bras joints, comme si nous étions des enfants, et ne lâche rien.

En arrivant à la voiture, elle dit : « Ça va faire tard pour rentrer, non ? »

Quelque chose en moi, cette chose qui prend le dessus dès que c'est important, répond : « Je dois rentrer, on m'attend.

— Ah. » Elle détourne les yeux.

Elle s'assoit dans la voiture le temps que je mette le moteur en route, les bras croisés, en regardant la mission et plus loin vers le sud, la *brasada*.

Quand je la rejoins, j'avale ma salive et je dis : « C'est peut-être dangereux de faire la route de nuit.

— Peut-être. »

Nous trouvons un hôtel près de la gare.

« Ça te va ? »

Elle évite mon regard. Nous nous taisons, comme un vieux couple qui s'est disputé. Malgré la température qui s'est rafraîchie et les ventilateurs qui tournent au plafond, je sens la sueur me ruisseler dans le dos.

Chaque son est amplifié – le bruit de mes bottes par terre, le craquement du comptoir quand je m'appuie pour signer le registre. J'hésite, et puis j'écris : Mr et Mrs Garcia. Le réceptionniste me fait un clin d'œil. Notre chambre est au deuxième étage. Nous montons l'escalier, en silence, et entrons dans la chambre, en silence.

« Alors ? » dis-je.

Elle s'assoit sur le lit et regarde tout, sauf moi. Des meubles bon marché. Des initiales gravées dans la tête de lit.

« C'est mal, dit-elle. On devrait rentrer. »

Je bredouille : « *No quiero vivir sin ti.*

— Dis-le en anglais.

— Je refuse de vivre si tu me quittes. »

De nouveau elle fixe le sol, mais je crois bien qu'elle sourit.

« Je me demandais si tes hésitations tenaient à mon physique.

— Non.

— Normalement c'est là que tu me dis que je suis belle. »

Elle rit et tapote le lit à côté d'elle.

« Viens là.

— Je t'aime.

— Je te crois. »

9 juillet 1917

Nous sommes sur le lit, face à face, elle a passé une jambe sur moi mais nous ne bougeons pas ; elle somnole tout contre moi. Je regarde mon doigt courir le long de son bras, son épaule, sa gorge, et puis redescendre. La lumière de la voie ferrée entre par la fenêtre.

«Caresse-moi le dos», dit-elle.

Je passe un long moment à y dessiner des formes paresseuses, et puis je l'embrasse pour annoncer mes intentions. Elle me tire sur elle et soupire. Elle commence à remuer les hanches.

Après, nous nous endormons tels quels, et quand nous nous réveillons, nous recommençons.

«Je serais heureuse si je devais ne jamais quitter ce lit.

— Moi aussi.»

Elle m'embrasse, encore et encore et encore, et je ferme les yeux.

Au matin, quand les rideaux laissent passer le jour, je me demande si le charme sera rompu, mais elle me regarde dans la lumière du soleil et glisse sa tête dans le creux de mon cou. Je la sens respirer mon odeur.

Chapitre 40

Eli McCullough

Le juge Wilbarger ne tarda pas à tout faire pour que je danse la gigue au bout d'une corde. En effet, Whipple ne s'était pas plutôt mis à caqueter que les esclaves s'y mirent aussi et que la ville entière fut bientôt prise d'une fièvre de commérages. Tout le monde savait que je culbutais la femme du juge huit à dix fois par jour, buvais son bourbon, volais ses chevaux et jetais ses cigares aux cochons. On trouva miraculeux que son infidèle compagne n'ait pas fait les frais de sa carabine, s'accordant pour dire qu'il faudrait bien que quelqu'un d'autre aille à sa place manger les pissenlits par la racine.

J'avais espéré que ma popularité l'emporterait, mais c'était l'ignorance de la jeunesse : les Blancs n'avaient aucune tendresse pour les voleurs de chevaux et les tueurs de bétail, même virtuoses. Seule me sauva l'intervention du juge Black à Austin, qui en référa au siège de la magistrature du Texas, accusant Wilbarger de maltraitance psychologique à mon égard, moi, pauvre prisonnier indien tout juste libéré, fils d'un Ranger qui avait donné sa vie au pays. C'est ainsi que procès et pendaison furent différés jusqu'à ce que Wilbarger trouve le moyen de se débarrasser de moi en m'enrôlant dans une patrouille de Rangers. Ce qui, à l'époque, revenait à peu près à être pendu.

La perspective de devenir Ranger me réjouissait autant qu'aurait réjoui mon père celle de devenir comanche, mais on me fit bien comprendre la gravité de ma situation. C'est menotté qu'on me conduisit à Austin pour me remettre au juge Black, chez qui je ne devais rester que quelques heures. Il m'attendait avec un petit cheval bai, une bonne selle, un second Colt Navy et une carabine Springfield. Ses filles vinrent me saluer, mais sa femme refusa. Le juge était abattu, et rien de ce que j'aurais pu dire ne l'aurait réconforté.

Je rejoignis la troupe à Fredericksburg, près de notre ancienne concession, léguée par mon père à ma belle-mère. Être Ranger n'était pas tant une carrière qu'une façon de mourir jeune moyennant des clopinettes. La probabilité de survivre un an était la même que celle d'y passer. Les plus chanceux finissaient dans un trou sans croix ; les autres y laissaient leur scalp.

Le temps des unités d'élite de Coffee Hays et de Sam Walker était révolu. Walker était mort, tué au Mexique ; Hay avait quitté le Texas pour la Californie. Ne restait qu'un assortiment de soldats insolvables, d'aventuriers, de criminels et d'oubliés de Dieu.

À la fin de chaque mission, les survivants recevaient un kilomètre carré de terres disponibles quelque part au Texas. C'était un métayage de sang où nous tuions les Indiens et récupérions une partie de leurs terres en guise de paiement, mais comme toujours quand on n'apporte que son travail sans avoir de capital, on se fait avoir. Les terres des zones pacifiées étaient déjà intégralement attribuées et les seuls terrains qu'on pouvait obtenir n'auraient de valeur que dans des décennies. Les bons fonciers étaient donc toujours troqués contre de l'équipement, en général auprès de spéculateurs qui vivaient confortablement et nous donnaient des chevaux ou des revolvers neufs, récupérant la terre pour un dixième de sa valeur. Seule autre forme de rémunération : les munitions, qu'on obtenait à volonté. Tout le reste, depuis les pains de maïs jusqu'au lard, on était censé le trouver par nous-mêmes, ou le réquisitionner.

Après avoir harcelé les autorités pour obtenir de la poudre et du plomb, on eut droit à quelques semaines d'entraînement avant de partir en mission. On ne fit que s'exercer à tirer. Devant le piquet qu'on venait de planter, le capitaine déclara qu'on ne partirait que quand tout le monde le toucherait cinq fois sur cinq depuis son cheval, au pire au trot, au galop de préférence, d'une main comme de l'autre, ces appendices étant considérés comme accessoires.

Au bout de ces quelques semaines, il était clair que j'étais plus fait pour les armes à feu que pour les arcs. Ceux qui pouvaient se le permettre avaient deux Colts Navy, vu qu'à l'époque il fallait plusieurs minutes pour recharger. Certains avaient des Colts Walker, deux fois plus puissants mais deux fois plus lourds, trop pour être portés à la ceinture et donc rangés dans les étuis des selles, ce qui était risqué puisqu'on pouvait toujours être séparé de sa monture. Sans parler du levier de chargement qui retombait parfois et bloquait le barillet. Malgré tout ce qui a pu être écrit sur les Walker, ce n'est pas pour rien qu'on n'en a pas fabriqué beaucoup.

Lors de ma première mission, on ne vit pas de Comanches – des traces et des restes de leurs campements, oui, mais eux, on ne les rattrapait jamais. Maîtres dans l'art du raid, ils étaient aussi maîtres dans celui de leur échapper ; pisteurs exceptionnels, ils étaient exceptionnellement difficiles à pister. Dire que j'avais craint de voir un jour Nuukaru ou Escuté au bout du canon de ma Springfield... quelle blague.

À l'exception de quelques Apaches Lipans et de Mescaleros fatigués, on attrapait surtout des Mexicains et des nègres vagabonds, ou des Indiens vivant près des Blancs et qui avaient sacrifié leur agilité à cette proximité. En attendant, tous les groupes de hors-la-loi dignes de ce nom se baladaient avec un vieil arc ; leurs meurtres perpétrés, ils décochaient deux ou trois flèches à leurs victimes, de sorte qu'on mettait tout sur le dos des Indiens. Où qu'on aille, le Peau-Rouge ne valait pas cher.

Quand le gibier se faisait rare ou que les colons s'avéraient radins, on trouvait normal de se serrer la ceinture quelques jours. Du coup, quand on récupérait des lots importants, des chevaux ou du bétail par exemple, à moins d'en reconnaître la marque, on faisait un détour pour les vendre au Mexique, avec les selles et les armes récupérées. Aux colons, on vendait des scalps, des lances, des arcs et tout l'attirail indien dont ils aimaient décorer leurs murs en guise de trophées. Les oreilles étaient particulièrement appréciées.

Malgré ce chapardage, on rentrait généralement chez nous les poches vides ; le matériel se cassait sans cesse, les chevaux mouraient de même, et il fallait remplacer tout ça sur le terrain. Le législateur encourageait notre tendance au vol – *pillez les pillards* –, ce qui, naturellement, revenait à voler les nôtres, mais les élus ne s'intéressaient qu'au fait que ce qui n'était pas comptabilisé était autant d'impôt de moins, et c'est là tout ce qui comptait pour leurs maîtres, à savoir les grands propriétaires des plantations de coton.

Ces derniers admiraient et respectaient les agents de l'État, qui, contrairement à eux, travaillaient pour la gloire plutôt que pour l'argent. Ils transmirent cette philosophie aux éleveurs de bétail qui à leur tour la transmirent aux exploitants pétroliers. Un mécanisme bien huilé : tout serviteur assez bête pour réclamer d'être payé en dollars plutôt qu'en petites tapes dans le dos se voyait traité de brigand, de partisans du « sol libre » ou, pire, d'abolitionniste, et chassé du Texas.

Les Rangers comptaient un certain nombre d'anciens captifs : il y avait certes ceux qui voulaient se venger de leurs ravisseurs, mais la plupart s'étaient engagés pour les mêmes raisons que moi, à savoir que les us et coutumes des Blancs leur semblaient désormais absurdes. Ils se sentaient oppressés dans les villes, ou les avant-postes des colons ; la vie des plaines leur manquait, et le seul moyen de se rapprocher de cette vie d'avant et de ceux qui étaient alors leurs amis, c'était de pourchasser ces derniers, parfois même de les tuer.

L'année suivante, je me trouvai dans la même patrouille que Warren Lyons, qui avait vécu dix ans chez les Comanches. Un conflit avec certains chefs l'avait fait repasser chez les Blancs, mais de retour dans sa famille de sang, il s'était aperçu qu'il n'avait plus rien à leur dire et s'était alors enrôlé. Les gars ne savaient pas trop s'ils devaient le considérer comme un génie ou comme un boucher.

On était partis à treize au mois de mai. En juin un type de l'Ohio mourut de la fièvre, et en août le capitaine se fit descendre sur la partie sud de la route qui reliait San Antonio à El Paso. Lyons fut élu à sa place, et on continua à patrouiller la zone entre les monts Davis et la frontière. Un jour de septembre, alors qu'on pistait des Mexicains qui avaient volé des chevaux à Ed Hall, on s'arrêta pour déjeuner sur une jolie crête, à environ un jour de cheval à l'est de Presidio ; de la roche jaillissait une source comme on en trouvait alors, avant que toute l'eau ne disparaisse, et le paysage s'étalait devant nous jusqu'aux rives vertes et plates du fleuve, puis jusqu'au bleu lointain de la Sierra del Carmen. Une scène paisible. La dernière fois que j'étais passé là, avec Toshaway, Pizon et les autres, je n'avais pas eu le temps d'apprécier la vue.

On finissait de manger – venaison fraîchement tuée et fruits donnés par les colons –, plutôt contents de notre sort, quand Lyons repéra du côté mexicain huit cavaliers qui avançaient dans notre direction vers un gué de l'ancien sentier de guerre comanche. Il me passa les jumelles ; je distinguais mal leurs couleurs, mais quelque chose me dit qu'à coup sûr c'étaient des Comanches. Ils avaient avec eux une petite *caballada* d'une vingtaine de chevaux.

« Qu'est-ce que tu en dis ? demandai-je.

— J'en dis que ce sont des *Numunuu*.

— Le nombre ne joue pas vraiment en notre faveur. » Nous n'étions que onze. Or sauf à combattre à deux ou trois contre un Comanche, on était sûrs de laisser quelqu'un sur le carreau.

« Ils doivent être fatigués. Ils n'ont pas beaucoup de chevaux.

— Ça ne veut pas dire qu'ils sont fatigués.

— Ça veut dire qu'ils ont eu des pépins. »

Je retournai prévenir les autres. Ce ne furent que cris de joie et d'excitation : les Comanches étaient aussi rares que les éléphants, tout le monde voulait s'en payer un.

Lyons procéda à des préparatifs diligents. Moi j'étais nerveux comme jamais, ce qui était curieux compte tenu du fait qu'on s'était battus chaque semaine. On glissa de notre promontoire dans un ruisseau asséché bordé de peupliers, en veillant à rester sur le sable humide pour ne pas soulever de poussière.

Les Comanches n'avaient que deux mousquets. On décida donc de s'approcher du gué jusqu'à ce qu'ils soient à portée de tir, histoire d'en descendre un maximum avant qu'ils ne nous tombent dessus. Je me demandais si Lyons était aussi fébrile que moi. Les autres étaient impatients, n'ayant jamais eu à combattre que des Indiens domestiqués.

À l'approche du fleuve, je vérifiai mes Colts une troisième fois et réamorçai ma carabine. Les Comanches étaient toujours sur l'autre rive. On se faufilait entre les rochers et les saules et ils ne nous avaient pas encore repérés ; si on les attrapait au moment où ils passaient le fleuve, ce serait un massacre, je le savais. À nouveau je pensai à Toshaway.

Quand je me retournai vers Lyons, il était en train de mettre une paire de mocassins qu'il venait de tirer de sa sacoche. Il avait passé presque dix ans chez les Comanches et se parlait encore tout seul en comanche ; d'ailleurs il ne les désignait pas par le terme de Comanches mais de *Numunuu*. Je compris soudain pourquoi il ne craignait pas de les affronter bien qu'ils soient presque aussi nombreux que nous : il s'apprêtait à combattre du côté de ses vieux amis.

Je dégainai mon pistolet. Il se redressa et faillit se cogner au canon.

« Qu'est-ce que tu fous, bordel, McCullough ?

— Qu'est-ce que, toi, tu fous, bordel ? » Je gardai mon Colt pointé sur lui.

« J'préfère me battre en mocassins. » Il repoussa le canon de mon arme. « T'es vraiment pas bien, McCullough. T'as complètement perdu la boule. »

Je les entendais rire et parler. On attendait qu'ils soient tous sortis des fourrés pour leur envoyer une bonne salve dans les dents, mais voilà que Hinse Moody et les autres demeurés vidèrent leurs armes, lancèrent leurs cris de guerre et se précipitèrent comme un seul homme vers le fleuve en talonnant leurs chevaux. Le Comanche était le nec plus ultra des trophées ; personne ne voulait rater cette opportunité.

Les Indiens se réfugièrent dans les rochers et quand Moody et les autres furent à portée de tir, les flèches se mirent à voler.

Dix minutes plus tard, deux Comanches s'échappèrent vers le fleuve. Moody et ses copains étaient tombés à la première volée, et presque tous les autres avaient pris une baguette de cornouiller. Sauf Lyons. Il se battait comme un vrai *Numu*, accroché au flanc de son cheval souris, tirant par-dessous l'encolure de l'animal. Celui-ci ressemblait à un pique-épingles quand il abandonna finalement ; les Indiens avaient dû identifier Lyons comme un traître, car ils se concentraient sur lui. Quand son cheval s'effondra, je m'attendais à ce qu'il se cache derrière, mais il fonça plutôt sous les flèches, sans même se faire toucher ; elles rebondissaient sur les pierres alentour tandis qu'il se rapprochait seul des Indiens.

Il y avait dans les fourrés une ombre qui m'inquiétait ; je tirai, ajustai mon tir d'une quinzaine de centimètres, tirai de nouveau, continuant à viser et tirer ici et là jusqu'à ce que mon Colt soit vide. J'avais à peine rechargé mon premier barillet que je vis Lyons courir à ma gauche.

Le tapage et les flèches avaient cessé. Mes oreilles sonnaient et on n'entendait que les hennissements et le souffle des chevaux, et puis quelqu'un qui appelait sa femme en gémissant. À part Lyons et moi, seuls trois des nôtres étaient encore debout, mais loin derrière. Lyons, lui, était loin devant. Mon cheval étant tombé, j'étais bien content de pouvoir me cacher derrière, mais je tentai une sortie et m'avançai de six ou sept mètres. Puis ce fut le tour de Lyons. Je surveillais l'empilement rocheux où se trouvaient les Indiens, mais j'avais perdu mon chapeau et le soleil tapait. Je fis une nouvelle avancée. Rien. J'en tentai une plus longue, et une flèche sortie des saules vint se planter dans ma cuisse. Je vis Lyons charger et je l'entendis vider son pistolet, puis je me forçai à me lever. Je ne savais pas trop vers où aller quand il surgit des broussailles.

«Bon, je crois qu'on les a tous eus.

— Et en bas ?

— Eh ben, vas-y voir, si tu veux. Mais j'ai compté cinq morts, plus les deux qu'ont filé.

— Il y en a un autre près du fleuve.

— Huit, le compte est bon. »

Je n'en étais pas aussi sûr. « Il te reste de quoi ? »

Il rengaina son pistolet, sortit le second et vérifia. «Deux balles. Ça devrait suffire pour des Indiens morts. » Puis il se retourna : «Hé, bande de femmelettes ! »

Les trois autres étaient quatre-vingts mètres derrière nous.

«Passez par la droite. » Il désigna le fleuve.

Lyons et moi nous tenions tous deux debout à découvert, mais ils coururent en s'exposant le moins possible avant de replonger à l'abri.

« C'est qui ça, bordel ? dit Lyons.

— Je crois que c'est Murphy et Dunham. Et peut-être Washburn derrière eux.

— Quelle bande de tapettes. » Il me regarda. « Tu f'rais peut-être bien d'jeter un œil à ta jambe. »

Je m'exécutai. Par un miracle d'un quart de pouce, la pointe s'était enfoncée vers l'extérieur de la hanche plutôt que vers l'intérieur, où passait la grosse artère. Je contournai les rochers. Lyons les escalada. Je sentais le sang ruisseler dans ma botte. Mais il n'y avait plus d'Indiens, leurs chevaux broutaient au bord de l'eau.

« Vous voulez qu'on vienne ? » cria l'un des retar-dataires.

Je jetai un coup d'œil à Lyons. « Pas tout de suite ! » criai-je en retour.

On circula avec précaution parmi les cadavres des Comanches. Certains gisaient dans d'épaisses nappes de sang, d'autres avaient l'air de dormir, heureux récipiendaires d'une balle dans la nuque – une fin propre et nette. On soulevait les têtes pour scruter les visages et Lyons dut reconnaître quelqu'un car lorsque les trois autres nous rejoignirent, il ne partici-pa pas au dépouillement général et s'éloigna sans parler à personne.

Alors qu'on se mettait tout juste à rassembler nos morts, MacDowell, un de ceux dont on pensait qu'ils s'étaient couchés pour toujours, se releva. Il s'était pris un fragment de balle dans la tête et, une fois ses esprits retrouvés, il parvint à se remettre en selle. Je bandai ma hanche, saluant une nouvelle fois le miracle qui avait épargné mes entrailles, et chargeai les cinq cadavres pour les emmener à Fort Leaton ; c'est qu'il y avait des pelles, là-bas.

Le lendemain matin, trois des quatre Rangers restants, Murphy, Dunham et Washburn, rendirent leur insignes à Lyons. «On d'mande pas à garder les chevaux des Indiens, dit Washburn, juste les armes, les scalps et tout ça.

— D'accord, dit Lyons.

— La bibine commence à te manquer ? » Je regardai Washburn, un gars de l'est du Texas, qui louchait. Il était resté cent mètres derrière nous pendant la bataille.

«On n'est pas assez payés pour ça, dit-il. Même pour un bouseux comme moi, c'est évident.» Il désigna les autres. «Dunham et Hinse Moody se connaissaient depuis leurs huit ans. Tu savais, ça ?

— Non», dis-je tandis que Dunham s'éloignait déjà. Je ne voyais pas en quoi c'était ma faute.

Les trois déserteurs préparèrent leurs affaires, ce qui ne laissait que Lyons, moi, et le petit voleur de chevaux, MacDowell – un brave gars, j'étais content qu'il s'en soit sorti. Plus tard on les regarda s'éloigner vers les montagnes depuis la corniche, mais ils sentirent nos regards et donnèrent de l'éperon.

«Bon, dit Lyons. On dirait bien que notre prise a doublé. »

On passa le reste de la journée à nettoyer les armes et à réparer la sellerie. Deux des chevaux pris aux Comanches portaient la marque de l'armée ; on les remit à Ed Hall pour qu'il les vende au Mexique. J'obtins en échange un très beau cheval hongre, que je devais perdre par la suite lors d'une partie de cartes.

« Combien s'en sont tirés, à votre avis ? demanda Ed Hall.

— Deux.

— Vous êtes sûrs que vous ne voulez pas rester encore un peu, les gars ?

— Vous n'avez rien à craindre, dis-je. Si vous les voyez, invitez-les à dîner au bout de votre canon. »

Il gloussa : « Je ne crois pas qu'ils se laisseront avoir une deuxième fois. »

Le canon en question n'était bien sûr pas le sien, mais celui de Ben Leaton, mort quelques années plus tôt. Hall avait épousé sa veuve, mais le costume de son prédécesseur était un peu grand pour lui. Leaton avait été un chasseur de scalps hors pair et je l'avais toujours soupçonné d'avoir mené l'équipée qui avait failli avoir raison de Toshaway et moi. Il était surtout connu pour avoir invité un groupe d'Indiens à dîner, et s'être éclipsé au milieu du repas pour déclencher un canon chargé de mitraille, caché derrière un rideau. Le tir avait anéanti les Indiens qui n'avaient rien vu venir, et le reste de la salle à manger par la même occasion. Personne ne s'aventura à lui voler des chevaux après ça.

Au lever, on s'aperçut que MacDowell était mort pendant la nuit.

« Je suis maudit, dit Lyons.

— Pas autant que MacDowell si tu veux mon avis. »
Je n'étais pas d'humeur à supporter ses simagrées.

Ma jambe m'élançait, je n'avais pas dormi et j'étais trop fatigué pour creuser une tombe de plus.

«Non, dit-il. Je l'ai toujours su, tu vois, j'ai toujours su qu'autour de moi tout le monde mourrait alors que moi j'aurais pas une égratignure.

— Moi, c'est pareil. »

Il me regarda. «Six mois que je te connais et tu t'es déjà pris deux flèches.

— Mais rien de grave.

— N'empêche. Y a une sacrée différence, bordel. »

Impossible de lui faire comprendre qu'il n'y avait aucune différence. Il démissionna un an avant que les patrouilles soient dissoutes et les Rangers intégrés à l'armée des Confédérés, puis s'installa au Nouveau-Mexique où il mourut, malgré sa chance et sa bonne santé.

Une fois à Austin, les chevaux, les fusils et les selles vendus, on se partagea l'argent, Lyons et moi, puis il repartit vers la frontière mexicaine. Je m'offris une chemise, un pantalon et un chapeau neufs, je déposai mes Colts chez l'armurier pour qu'il rajuste l'alignement des chambres et du canon, et j'allai rembourser le juge Black du cheval et du pistolet qu'il m'avait donnés deux ans plus tôt. Il refusa mon argent, mais il était content, dit-il, de me voir ressembler à un Blanc et me comporter comme tel. Je dînai chez lui avec sa femme et ses trois filles, également contentes de me voir. Sa femme commençait visiblement à m'apprécier.

«Je savais que ça te ferait du bien, dit-elle. Je savais que ça te civiliserait un tant soit peu. »

Je m'abstins de lui dire que mes activités étaient exactement les mêmes qu'avec les Indiens. Les deux aînées me faisaient de l'œil, ce qui n'était pas désagréable, sauf que cela me mit dans une certaine disposition et que quelques jours suffirent à me vider les poches.

La ville était bien au-dessus de mes moyens. Il n'y avait là que des gamins des rues, des vagabonds, des maquereaux et autres souteneurs. Je vendis mon Derringer pour une dizaine de doses de calomel, administrées en haut comme en bas, car je croyais avoir attrapé la syphilis. Après quoi je mis en gage un de mes Colts et pris la chambre la moins chère que je trouvai, dans l'attente d'une autre patrouille financée par les élus.

Un homme vint me trouver à la pension. Il me tendit une besace en cuir brut, comme si j'en attendais la livraison. Je la pris sans l'ouvrir et plongeai la main dans ma poche arrière avant de me souvenir que j'avais vendu mon Derringer. L'homme avait le menton fuyant, une barbe de quatre jours et un chapeau en décomposition enfoncé jusqu'aux sourcils. On aurait dit un croque-mort.

« Chuis tombé sur Sher Washburn l'autre jour, fit-il. Il a mentionné que vous aviez été dans la même patrouille, toi et lui, et ton nom m'a dit quecque chose. Après j'ai vu que je l'avais par écrit. »

Je lui jetai un regard interrogateur.

« Ton paternel parlait pas mal de toi. On était tous au courant.

— Vous êtes qui ?

« — Chuis venu de Nacadoch. Me lance dans l'agriculture là-bas, mais ça fait un bail que j'garde ça pour toi. »

Dans la besace, il y avait un gilet en scalps. Des dizaines de scalps, certains ayant perdu leurs cheveux, cousus ensemble en un soigneux arrangement. Pas de Blancs, visiblement.

« Oh oui, que des Peaux-Rouges, dit-il. Ça tu peux en être sûr. Je dirais que j'ai donné un coup de main à ton paternel pour la moitié. » Je touchai le gilet ; il était doux, de belle facture, et je pensai à Toshaway. Lui aussi avait une chemise décorée de scalps. Je l'avais enterré avec.

« Est-ce que je peux vous dédommager ?

— Nan. » Il secoua la tête, s'apprêta à cracher puis s'arrêta.

« Allons prendre l'air », dis-je.

On marcha jusqu'aux confins de la ville.

« Tu le sais, qu'il est parti après vous, hein ? Y s'inquiétait toujours que tu sois pas sûr. L'a été jusqu'au Llano avant de perdre vos traces.

— Ah.

— Oh oui, ça, pour être parti après vous, il est parti après vous. »

Arrivés au bord du fleuve, on s'arrêta. Il n'y avait pas grand-chose à dire. Quelques bateliers chargeaient des marchandises pour les colons en amont. Je lui tendis ma chique ; il en coupa un morceau et se le cala dans la bouche.

« C'était quelqu'un, ton père, dit-il. Y reniflait les Indiens mieux qu'un loup.

— Qu'est-ce qui lui est arrivé ? »

Son regard ne quittait pas le fleuve. «J'me souviens du temps où, de Congress Avenue, on entendait les billards d'une oreille et les cris des sauvages de l'autre. Devait y avoir trente ou quarante maisons. Faisait de sacrées bonnes affaires, le passeur.

— Qu'est-ce qui lui est arrivé?» répétai-je. L'homme se tut. J'imaginai mon père revenir chez lui, trouver sa femme et sa fille, partir à notre recherche. Et tandis que je regardais l'eau, je sentis mes peurs s'éloigner, comme emportées par le courant.

L'homme resta là, comme ça, sans répondre.

Chapitre 41

J. A. McCullough

Elle n'était pas seule, elle le savait ; il y avait quelqu'un dans la pièce, quelqu'un à qui elle devait d'être dans cet état. *Je suis en train de vivre ma propre mort*, pensa-t-elle avant de se laisser partir. *Un endroit où il fait froid. Une vieille mare. Mais l'esprit*, se dit-elle, *l'esprit survivra* : c'était là sa grande découverte, tout était lié, tout se tenait par des racines souterraines. Il suffisait d'y aller. Une grande ruche.

Elle n'était pas sûre d'elle, comme une enfant. L'esprit n'était... l'âme, c'était l'âme, ils l'avaient toujours dit. Le corps rapetissait, encore et encore, quand l'âme n'en finissait pas de grandir jusqu'à ce que le corps ne puisse plus la contenir. Vous pouviez bien construire une pyramide ou un caveau, rien n'y faisait, le corps rapetissait, s'amenuisait – ils avaient raison, se dit-elle, ils avaient raison depuis toujours, c'était une erreur, la pire de sa vie. *Réveille-toi, bon sang.*

Elle ouvrit les yeux mais elle n'était pas dans la pièce : des couleurs, un paysage, le vert d'une plaine à perte de vue, et devant elle, un canyon immense qui flottait parmi les nuages dans un ciel éclatant. *Ce souvenir ne m'appartient pas*, se dit-elle, *il est à quelqu'un d'autre*. Un coyote avançait à pas de loup dans un fossé : odeurs, sons, il ne laissait rien passer. Elle vit une serrure, un portail, un homme tirant un coup de fusil.

Elle ouvrit les yeux et se raccrocha à la pièce, combien de chaises, de tables, de tableaux, les braises dans la cheminée. Elle était dans la maison de River Oaks. Hank se tenait près de la fenêtre. Il était en colère, il s'agissait des enfants. Ou d'autre chose : la télévision – le Président venait de se faire assassiner et sa femme escaladait le siège.

« Sale connard de Hunt, disait Hank, on a tué le Président. »

Une voix, qu'elle reconnut comme la sienne, répondit : « Il paraît qu'Oswald travaillait pour les Russes. »

Ça aussi, c'est n'importe quoi. Hank était mort avant l'assassinat de JFK. Elle mélangeait tout.

Mais Hank n'eut pas l'air de remarquer. « Hunt l'attend à l'aéroport avec mille personnes et des pancartes qui disent TRAÎTRE et RENTRE CHEZ TOI, YANKEE, et quelques heures plus tard, il se fait descendre.

— Grosse ficelle, non ? » dit-elle.

Il y avait du feu dans la cheminée. Hank regardait par la fenêtre, mais elle n'aurait su dire ce qu'il voyait. « Quand Dieu te met un tas d'argent entre les mains, tu t'imagines plus près de Lui que les autres. »

Puis voilà qu'il l'embrassait. Un long baiser. Il ne remarqua pas qu'elle était vieille, qu'elle n'avait plus de dents. Ils faisaient l'amour. Elle sombra, puis émergea.

Ils se tenaient près du bar.

«On est en affaires avec Hunt?

— Non, dit-elle.

— Tant mieux.» Il but une gorgée de bourbon. «Si ce n'était pas un péquenaud de première, il serait dangereux.

— Toi aussi tu es un péquenaud, mon chéri.

— Je suis un péquenaud qui collectionne de l'art. Dans cent ans, ce sera nous, les Rockefeller.»

Ce n'était bien sûr pas les Rockefeller qu'il voulait dire, mais les Astor. Ou les Whitney. Quant à leur collection de l'époque, la moitié de ce qu'ils avaient acheté était des faux qu'elle avait passé le reste de sa vie à remplacer par les originaux.

Pour revenir à l'assassinat de JFK, ça ne l'avait pas surprise. Il y avait alors des Texans encore vivants qui avaient vu leurs parents se faire scalper par les Indiens. La terre avait soif. Quelque chose de primitif y réclamait son dû. Au ranch, ils avaient trouvé des pointes de flèche préhistoriques, aussi bien des pointes de Clovis que de Folsom, et pendant que le Christ allait au Calvaire, les Indiens Mogollons se tapaient dessus avec des haches de pierre. À l'arrivée des Espagnols, il y avait les Sumas, les Jumanos, les Mansos, les Indiens de La Junta, les Conchos, les Chisos et les Tobosos, les Ocanas et les Cacaxtles, les Coahuiltecans, les Comecrudos... mais savoir s'ils avaient éliminé les Mogollons ou s'ils en descendaient, mystère. Tous furent éliminés par les Apaches, éliminés à leur tour – au Texas du moins – par les Comanches. Eux-mêmes éliminés par les Américains.

Un être humain, une vie – ça méritait à peine qu'on s'y arrête. Les Wisigoths avaient détruit les Romains avant d'être détruits par les musulmans, eux-mêmes détruits par les Espagnols et les Portugais. Pas besoin de Hitler pour comprendre qu'on n'était pas dans une jolie petite histoire. Et pourtant, elle était là. À respirer, à penser tout cela. Le sang qui coulait à travers les siècles pouvait bien remplir toutes les rivières et tous les océans, en dépit de l'immense boucherie, la vie demeurait.

Chapitre 42

JOURNAL DE PETER McCULLOUGH

13 juillet 1917

Quatre jours que nous sommes rentrés de Piedras Negras. Notre absence a forcément été remarquée – ma Chandler a disparu vingt-quatre heures – mais personne n'a rien dit. María croit que c'est passé inaperçu dans l'agitation générale.

Les agents des compagnies pétrolières ont envahi la ville ; des inconnus se présentent chez nous à toute heure du jour, et la lumière reste allumée toute la nuit chez mon père. Les Midkiff et les Reynolds ont accepté de vendre une partie de leurs droits pétroliers, mais mon père a refusé toutes les offres qu'on nous a faites. Quand je suis allé lui parler, je l'ai trouvé assis tout nu dans la source à côté de chez lui. Il avait les yeux fermés. Dans l'eau, on aurait dit un petit lutin pâle.

« C'est bizarre, je supportais très bien la chaleur avant, mais plus maintenant, dit-il.

— Tu vieillis.

— Toi aussi.

— On devrait vendre une partie de nos droits et oublier tout ça.

— La fille est toujours là ? »

Je n'ai pas répondu.

« Tu sais, si je n'avais pas gardé ta mère sous clef, je jurerais qu'on te doit à un Indien.

— Le cas échéant, tu n'aurais pas remarqué, vu que tu n'étais jamais là. »

Il a réfléchi à ce que je venais de dire avant de changer de sujet.

« Qu'ils trouvent encore du pétrole et là on réfléchira à vendre quelque chose. »

Je me suis assis sur les pierres.

« Pas grave, fils. Tu es un bon éleveur. Mais tu n'as pas la moindre idée de comment faire de l'argent. Et c'est là que j'interviens.

— Merci du rappel.

— Calcule ce que valent nos droits pétroliers à cent dollars l'arpent, prix auquel vendent les Reynolds et les Midkiff.

— Des dizaines de millions.

— Et maintenant calcule ce qu'ils vaudront à mille dollars l'arpent. Ou à cinq mille dollars.

— Qu'est-ce que ça peut te faire ?

— Je vais te dire comment ça va se passer. Une petite troupe de foreurs et affiliés va passer les deux années qui viennent à prouver nos réserves. Et c'est là qu'on vendra. »

J'aimerais croire qu'il a tort. Malheureusement, je sais qu'il a raison.

«Qu'est-ce qui se passe avec cette fille?» a-t-il demandé, mais je m'éloignais déjà.

Ce qui se passe avec María, c'est que ça fait des jours que nous avons mal à force de nous aimer. La première nuit après Piedras Negras, je suis sorti de sa chambre sur la pointe des pieds, mais en moins d'une heure j'y étais retourné et depuis nous n'avons pas été séparés plus de quelques minutes.

Ce matin je me suis réveillé juste après le lever du soleil. Je suis resté couché là, à l'écouter respirer, à absorber l'odeur de ses cheveux, de sa peau, m'assoupissant puis me réveillant pour la regarder encore, baigné de lumière et du plaisir d'être près d'elle.

Je me dis soudain que ça fait plusieurs jours que je n'ai pas vu l'ombre, que je n'ai pas pensé au visage défiguré de Pedro ni aux cris d'Aná. Par pure perversité, j'essaie de retrouver ces images, mais je ne peux pas.

Je ne suis pas du genre à susciter un engouement spontané, je l'ai toujours su. Les autres sont aveugles à ce que je vois en moi; ils décident a priori que mon avis n'est sans doute pas le bon. Tout ce que j'ai en ma faveur, d'après eux, c'est d'être né dans une grande famille; sans quoi je ne serais qu'un scribouillard anonyme dans un meublé sordide de quelque ville insalubre.

Je me dis que María va peut-être se réveiller un matin et me voir comme les autres me voient, que son amour peut se révéler éphémère, même si rien ne le laisse présager jusqu'ici. Je reconnais mon regard étoilé dans le sien, je la surprends qui m'observe quand j'ai le dos tourné, je me réveille et la trouve appuyée sur le coude, à me contempler. Nous sommes ivres l'un de l'autre. Quant à ma soi-disant défaillance – que j'avais prise pour un symptôme de l'âge et Sally pour une preuve supplémentaire d'un manque de virilité –, pas la moindre manifestation. Ce serait plutôt tout le contraire : mon corps est possédé d'un inextinguible besoin d'être relié au sien (rien que d'y penser...). Nous ne nous séparons jamais après avoir fait l'amour ; souvent elle roule sur moi et nous nous endormons comme ça, attachés l'un à l'autre.

Ce matin elle m'a lu un passage du Cantique des cantiques et moi je lui ai lu la deuxième lettre d'Abélard et Héloïse. Quand nous sommes ensemble, notre simple existence semble transcender tout ce qu'il y a de mauvais dans le monde. Mais maintenant que j'écris, je me demande s'il n'y a pas aussi là quelque chose de plus sombre, dans cette relation charnelle d'un homme avec une femme qui n'est pas son égale – elle l'est bien sûr, totalement, sauf que j'ai du pouvoir et elle pas. Ce qui fait que, non, elle n'est pas mon égale. Elle est libre de partir, et en même temps elle ne l'est pas puisque, sortie de notre chambre, elle n'est chez elle nulle part.

« Où étais-tu ? demande-t-elle quand je reviens.

— Dans mon bureau.

— Tu es resté parti longtemps.

— Je ne le ferai plus.

— Il t'arrive d'écrire sur moi ?

— Je n'écris presque que sur toi. De quoi voudrais-tu que je parle d'autre ?

— Depuis quand ?

— Depuis le premier jour.

— Mais tu étais malheureux, alors. Peut-être que tu devrais détruire ces pages ?

— J'étais perdu.

— J'ai beaucoup repensé à l'histoire de ton père et de ces hommes dont il s'est débarrassé... »

J'hésite un instant. Ça pourrait être n'importe laquelle des histoires de mon père. Puis je vois celle dont elle parle.

« ... et il y a une histoire que j'aimerais te raconter. Peut-être que tu pourrais aller chercher ton journal ?

— J'ai une très bonne mémoire.

— Mais un corps paresseux.

— Non, c'est vrai. Ma mémoire est une vraie malédiction. »

Elle passe sa main dans mes cheveux. Je me lève et vais chercher mon journal, rien que pour elle. En chemin, je passe devant ma chambre où Consuela est en train de faire le ménage, cette chambre où je n'ai pas dormi depuis cinq jours. Elle ne lève pas la tête.

« C'était un Coahuiltecan, le dernier Coahuiltecan. Son peuple datait d'avant les Grecs et les Romains et vivait là depuis cinq mille ans quand furent construites les pyramides ; pour lui, tous les autres peuples de la Terre étaient comme les fourmis affairées qui apparaissent aux beaux jours et meurent au premier gel.

« Puis vint son propre hiver, en la personne des Espagnols, puis des Apaches qui poursuivirent l'œuvre des Espagnols, puis des Comanches qui poursuivirent l'œuvre des Apaches, jusqu'à ce qu'en ce jour de printemps 1936 cet homme soit le seul survivant.

« Ce jour-là, mon grand-oncle Arturo Garcia vit le Coahuiltecan à genoux dans ses pâturages, qui cherchait quelque chose. Comme l'Indien était presque aveugle, Arturo alla l'aider. Il passa des heures dans les boutelous et les nopals pour retrouver l'objet perdu : une bille d'obsidienne noire qu'Arturo supposa investie de propriétés mystiques. Étant né sur cette terre, comme son père avant lui, Arturo savait qu'on n'y trouvait pas de roche de cette nature.

« Arturo était un jeune homme riche. Il avait un troupeau de pur-sang, une jolie femme, et une concession de soixante lieues par soixante lieues que lui avait accordée le roi d'Espagne en personne. Sa maison était pleine d'argenterie, de beaux objets et d'armes de famille – il descendait de chevaliers. Chaque matin, il se levait avant l'aube pour voir le jour se lever sur sa terre et ses œuvres et tout ce qu'il laisserait à ses fils.

« Arturo avait le sang vif et la réputation d'être intraitable avec ses ennemis, mais malgré les cent âmes qui travaillaient pour lui et la petite ville dont il avait la charge, malgré sa jolie femme et ses quatre enfants, il était aussi homme à aider un vieil Indien à chercher une bille dans les prés.

« Naturellement, il ne croyait ni aux devins ni aux oracles, comme ces brutes de paysans. Son frère et lui avaient été à l'université pontificale, ses ancêtres avaient fondé celle de Séville, il parlait couramment le français, l'anglais et l'espagnol depuis l'enfance. Mais ce jour-là, ce savoir ne l'avançait guère. Contre toute attente, les Anglos avaient vaincu les siens à San Jacinto et il craignait pour sa famille.

« Une défaite absurde : d'un côté, l'armée de métier d'un empire ancien et puissant sur lequel le soleil ne se couchait jamais, de l'autre, une horde de barbares ignares, de repris de justice et de spéculateurs terriens. Bien que le Texas, après une brève ouverture, ait fermé ses frontières aux Anglos en 1830, ces derniers continuaient à s'infiltrer clandestinement pour profiter des terres disponibles, des services gratuits et des lois laxistes. Ça n'était pas sans rappeler ce qui s'était passé aux confins de l'Empire romain, quand les Wisigoths avaient battu l'armée romaine. Peut-être que Dieu punit ainsi les arrogants.

« Arturo demanda au devin s'il pouvait lui poser une question et le devin dit que bien sûr, mais qu'il ne garantissait pas d'y répondre.

« Alors Arturo demanda : "Est-ce que je vais perdre ma terre ?"

« Et le devin répondit : "Va-t'en et ne m'importune pas avec des questions d'ordre matériel. Ce lieu est consacré à l'esprit, à la philosophie, à la nature de l'univers lui-même."

— L'Indien n'a pas vraiment dit ça, ai-je interrompu.

— Qu'il soit indien ne présume en rien de son intelligence. »

Elle a posé un doigt sur mes lèvres.

« Cette nuit-là, Arturo ne trouva pas le sommeil, obsédé qu'il était par tout ce qu'il risquait de perdre. Le lendemain matin, il retourna voir le devin : "Devin, est-ce que je vais perdre ma terre ?"

«Et le devin répondit : "Tu possèdes la plus grosse maison et les meilleurs chevaux à huit cents kilomètres à la ronde, tu viens d'une lignée prestigieuse, tu as la plus jolie des femmes et quatre fils en pleine santé. Je ne suis qu'un pauvre Indien aveugle. C'est toi qui devrais m'apporter des réponses.

— Mais tu es sage.

— Je suis vieux. Si vieux que je me souviens avoir joué dans ta maison avant même qu'elle soit construite.

— Tu dois faire erreur, dit Arturo. Cette maison existe depuis presque cent ans.

— Il n'empêche, je m'en souviens. Il y avait un énorme rocher sur lequel je dormais avec ma femme et tous mes enfants, car la roche était chaude, même en hiver, comme si elle plongeait dans les entrailles de la Terre. Sans doute le rocher a-t-il été détruit, car il poussait, un peu plus chaque année."

«Arturo savait qu'il y avait eu un tel rocher. On avait fait sauter le sommet pour construire la maison sur ce qui en restait. Mais au fil des années, le rocher s'était remis à pousser, fissurant le plâtre et bombant les planchers, de sorte qu'une bille placée au centre de la pièce roulait vers l'un des murs. Pour finir, on enleva les planchers et on brisa et tailla la roche. Mais l'Indien ne pouvait en aucune façon savoir tout ça. Arturo dit : "Vieil homme, je t'ai rendu un service et tu vas m'en rendre un en retour. Est-ce que, oui ou non, je vais garder ma terre ?"

«Le vieux Coahuiltecan retint son souffle dix minutes durant, puis il dit : "Tu ne vas pas aimer ma réponse.

— C'est donc ce que je crains."

595

«L'homme hocha la tête.

"J'ai besoin de l'entendre.

— Je suis désolé, mais tu ne vas pas garder ta terre. Toi, ta femme et tes fils serez tués par les Anglos."

«Ce soir-là, depuis son *portico*, Arturo regarda ses fils qui jouaient dans l'herbe, sa jolie femme qui se tenait non loin, ses vastes pâturages où ses vaqueros et leur famille gardaient les troupeaux.

«Il ne comprenait pas qu'un homme comme lui, un homme de bien, soit condamné à une fin si tragique. De nuit, il prit la plus vieille des armes de sa famille, une *albarda* qui avait combattu les Français, les Hollandais et les Maures, et il en affûta la lame de sorte qu'elle aurait coupé un cheveu en deux. Le lendemain matin, il retourna au campement du vieux Coahuiltecan et lui trancha la tête du premier coup. Mais la tête, toute détachée qu'elle fût, le fixa et le maudit.

— Mais les poumons, dis-je. Sans les poumons, pas d'air...»

Elle pose à nouveau son doigt sur mes lèvres.

«Quelques mois plus tard, prenant le parti de la plus extrême prudence, Arturo envoya sa famille à Mexico pour la mettre à l'abri. Mais avant même qu'ils aient pu traverser le fleuve, ils se firent attaquer par des miliciens blancs, qui firent subir les pires outrages à sa femme agonisante et assassinèrent ses quatre fils.

«Arturo résolut de ne jamais se remarier. En 1850, après la guerre américano-mexicaine, il se rendit à Austin et paya tous ses impôts fonciers. Ce n'est qu'en vertu de sa maîtrise de l'anglais écrit et parlé, bien supérieure à celle des avocats anglos de la capitale, qu'il fut autorisé à garder une partie de ses terres. La moitié fut confisquée sur-le-champ au motif fallacieux que le titre de propriété était vicié, bien qu'aucun Anglo ne pût dire où était le vice, ni en quoi il consistait.

« Vingt ans plus tard, il périt assassiné avec tous ses vaqueros. C'est mon père, son neveu, qui hérita de la propriété. Ma mère n'en voulait pas ; elle voulait qu'il vende tout aux Américains.

"Mais ce sont des assassins, dit mon père.

— Je préfère vendre à des assassins que de vivre parmi eux."

« Mais mon père devenait fou, obsédé qu'il était par les vastes terres qu'il pourrait posséder : six mois après le meurtre d'Arturo, ma mère et lui s'installèrent sur place, accompagnés d'une dizaine de vaqueros embauchés à Chihuahua.

« La maison était telle quelle, le trésor familial intact. Après avoir lu le journal de mon oncle, mon père alla déterrer un squelette au lieu indiqué – la tête était effectivement séparée du corps. Il l'enterra une seconde fois à l'endroit le plus paisible qu'il trouva, sous un plaqueminier, près d'une source, avec un bon couteau et un sac de haricots pour que le mort puisse traverser vers l'autre monde. Il était convaincu que cela lèverait la malédiction et nous protégerait. »

Elle me regarde. « Comme tu vois, ça n'a servi à rien. »

Chapitre 43

ELI McCULLOUGH

1854-1855

Cet hiver-là, au lieu de nous faire surveiller la frontière mexicaine, on nous envoya patrouiller au nord, dans toutes les vallées entre les rivières Concho et Washita. C'était normalement la période où les Indiens restaient tranquilles, mais l'année précédente, le gouvernement avait tant bien que mal obligé cinq cents Comanches à s'installer au bord de la Clear Fork, une branche du Brazos, et parqué deux mille Caddos et Wacos sur une grande réserve plus à l'est.

Comme de bien entendu, les réserves manquaient de nourriture et les tentatives d'enseigner aux Indiens la supériorité de nos us et coutumes ne faisaient que les persuader du contraire. La sécheresse ou les sauterelles rendaient toute culture vaine et ils se retrouvaient entassés sur une superficie où ils n'auraient jamais imaginé que tant d'êtres humains puissent vivre. Les habitants du coin se plaignaient qu'ils leur volaient du bétail tandis qu'eux-mêmes se plaignaient que les colons volaient leurs chevaux et faisaient paître leurs troupeaux sur leurs terres. Mais on n'attrapait jamais d'Indiens. Quant aux Blancs qu'on attrapait, on n'avait d'autre choix que d'en rester là.

En attendant, des maisons se construisaient à portée de tir du Caprock, cette falaise qui borde le Llano Estacado du côté des plaines. Les colons avaient poussé bien après Belknap, Chadbourne et Phantom Hill, plus de cent cinquante kilomètres au-delà des territoires protégés par l'armée. Peu leur importait qu'il n'y ait qu'une seule troupe de Rangers pour patrouiller toute la zone est du Llano. Comme ces pouilleux de paysans ne votaient pas et ne contribuaient pas non plus aux campagnes électorales, le législateur ne se souciait guère de leurs problèmes, considérant à part soi qu'ils les avaient bien cherchés, tout indispensables au développement du Texas qu'ils fussent. Pas d'impôts nouveaux. Or les Rangers coûtaient de l'argent.

C'était un soir d'avril. On bivouaquait sur une mesa. Contrairement aux autres Rangers, on cantonnait nos feux de camp aux arroyos et aux dépressions, loin des arbres qui en refléteraient la lumière, à la façon des Indiens. La vue s'étendait sur cinquante ou soixante kilomètres. Des zones de ravines de tous les côtés, et une rivière qui serpentait entre des mesas de toutes tailles, des cheminées de fées, d'innombrables petits canyons et collines ondoyantes, des bosquets de genévriers et de petits chênes locaux. Le paysage commençait à verdir, avec ses micocouliers et ses peupliers le long des cours d'eau, ses boutelous et ses petites graminées sur les berges planes. Le rouge des mesas, le vert des vallées, le bleu sombre du ciel, agréable tableau. La Grande Ourse était haute. Six mois que nous n'avions pas aperçu le moindre Indien, mais le temps se réchauffait et on ne perdrait plus d'orteils. On s'apprêtait à se coucher quand on aperçut une lueur à l'est, dans une petite vallée, une lueur dont l'intensité augmentait à vue d'œil. Cinq minutes plus tard, les chevaux étaient sellés et on quittait la mesa en direction du feu.

La maison brûlait encore à notre arrivée. Dans l'entrée gisait un cadavre carbonisé et scalpé, celui d'une femme. Les fourrés alentour révélèrent un homme criblé de flèches. Celles-ci comportaient deux entailles, et les traces de mocassins marquaient un rétrécissement à l'avant du pied : c'étaient des Comanches. La ferme était récente, témoins les poteaux du corral dont suintait encore la sève et la charpente inachevée d'un fumoir ou d'une écurie. Yoakum Nash trouva un pendentif en argent et Rufus Choate un canif. Après avoir bu tout notre soûl à la source et vérifié en vitesse qu'il n'y avait pas d'autres objets de valeur à récupérer, on mit les bouts pour tenter de rattraper les Indiens.

La piste qu'ils avaient suivie était assez visible. Un kilomètre et demi plus loin, on tomba sur un jeune garçon à la tête baissée qui commençait tout juste à se rigidifier. Une fois à la rivière, les traces partaient dans tous les sens et le capitaine m'appela devant. Les traces étaient trop évidentes. Je fis passer la troupe par le cours d'eau lui-même, jusqu'à une grande zone rocailleuse sur la berge. J'étais certain qu'ils étaient passés par là ; de fait, quand les cailloux cessèrent, les traces de sabots reprirent.

Dans les herbes hautes, des traces claires mais pas suffisamment nombreuses allaient vers un promontoire. Les autres pensèrent que les Indiens y étaient montés pour surveiller leurs arrières, mais c'était trop tôt. Je nous ramenai donc à la rivière, ce qui nous coûta une autre demi-heure. On trouva alors une robe bleu pâle dans les rochers. C'était un vêtement d'adolescente, trop petit pour la femme dont nous avions vu le cadavre, qui était grande et costaude.

« On dirait bien qu'il y en a une encore vivante, dit le capitaine.

— Peut-être, dit McClellan, le lieutenant. À moins qu'ils l'aient jetée dans les fourrés, comme l'autre. »

Moi, je savais qu'elle était en vie. Ils les avaient pris, elle et son frère, mais le garçon était trop jeune, ou bien il avait pleuré ou fait du bruit ; elle avait eu l'intelligence de comprendre la leçon, quoi qu'elle ait subi avant d'être attachée à son cheval.

On resta un instant sur la berge, à rassembler nos esprits, balayant du regard les cheminées de fées, les canyons, les herbes hautes et les genévriers ; les Indiens pouvaient être n'importe où. Pas besoin d'un Napoléon pour réussir une embuscade dans ce type de relief. On était tous d'accord pour rester dans la plaine dégagée, le long de la rivière.

Au bout de quelques kilomètres, celle-ci faisait un coude qui débordait de peupliers ; quelque chose dans la lumière avait changé. C'est que le soleil se levait derrière nous. Je m'avançai avec mes jumelles tandis que le capitaine regardait dans les siennes ; de petits points se détachaient sur le grès rouge, à sept ou huit kilomètres de là.

« Tu vois des chevaux ?

— Affirmatif.

— Ils savent qu'on les suit ?

— Je ne crois pas, non. »

Ils auraient bientôt le soleil dans les yeux, mais mieux valait rebrousser chemin et faire le tour par les fourrés, histoire de maintenir un écran d'arbres et de mesas entre eux et nous. On eut beau talonner sec nos chevaux, quand on les aperçut de nouveau depuis une hauteur, ils avaient encore creusé l'écart.

À la mi-journée, nos chevaux étaient épuisés alors que les Comanches avaient déjà dû changer deux fois de montures. Imprudemment, le capitaine nous menait à toute allure dans des défilés et des fourrés particulièrement denses. « Ils ne cherchent pas à se battre, dit-il. Ils veulent juste s'échapper. »

Voilà qu'on se rapprochait du Llano. Les ravines ne formaient plus qu'un seul canyon de quelques kilomètres de large. Des blocs de pierre de la taille d'une église s'étaient détachés des parois ; il y avait des forêts entières de souches et de troncs pétrifiés, et des troupeaux d'antilopes qui nous observaient depuis les rebords du plateau. Les Indiens devraient bien finir par en sortir.

On se rapprochait de la bouche du canyon. En émergeant d'une zone de peupliers, on les aperçut soudain, à seulement huit cents mètres de nous, mais deux cents mètres plus haut. L'un d'eux se retourna et agita le bras. Je plissai les yeux derrière mes jumelles. C'était Escuté.

Je ne distinguais pas son visage, mais c'étaient bien son dos droit, son bras tordu et sa coiffure si atypique. Je me demandai si Nuukaru était là aussi. Mais Nuukaru était-il seulement encore en vie ?

Une détonation sèche roula dans la vallée.

Un des nôtres avait un fusil Sharps avec un organe de visée dépliable, mais il avait dû manquer les Indiens d'une bonne mesure car ils continuèrent à nous faire au revoir de la main tout en disparaissant sur le plateau.

On passa trois heures à explorer des canyons qui ne menaient nulle part et autres fausses pistes avant de retrouver leur trace. Des herbes-à-ours et des genévriers pendaient au-dessus de nos têtes ; de l'eau ruisselait sur des marches de pierre presque trop hautes pour nos chevaux. Il aurait suffi de quelques hommes tirant des flèches depuis le rebord pour tous nous avoir. On progressait donc lentement, les bras tremblants à force de garder nos pistolets en l'air. Le ravin finissait en cul-de-sac. Il y avait là un mur couvert de dessins et de pétroglyphes : des serpents, des hommes en train de danser, des chevaux, des bisons, un chaman avec une coiffe, et le genre de formes tourbillonnantes qu'on peut voir en s'endormant.

L'atmosphère était celle d'un lieu sacré et ça ne nous aurait pas surpris que les Indiens apparaissent au-dessus de nous et fassent pleuvoir leurs flèches. Il y eut alors comme un bourdonnement ou un bruissement alentour. Elmer Pease se mit à tirer et le reste de la troupe plongea derrière le rocher le plus proche.

Pas de flèches. Mais une sorte de derviche suspendu dans les airs. Une petite tornade, malgré l'absence de vent. Quelque esprit indien qui flotta longuement au-dessus de nous avant de s'enfoncer dans le canyon pour finalement disparaître.

Le capitaine sortit de derrière son rocher. «McCullough et Pease, grimpez voir si le sentier mène quelque part.»

Une heure plus tard, nous étions sur le Llano. La piste des Comanches était ténue, mais claire. Je déduisis de leurs traces que trois cavaliers étaient partis vers l'ouest avec une dizaine de chevaux non sellés, créant une piste évidente dans les herbes foulées : une diversion. Le gros de la troupe avait continué vers le nord, en file indienne, leurs traces presque impossibles à distinguer parmi les pierres et les empreintes de bisons. Je pensai à la fille qu'ils avaient enlevée. Puis je pensai à Escuté.

«Par là», dis-je en désignant la diversion.

Au bout de huit ou neuf kilomètres, la piste disparaissait. Ils avaient peut-être traîné des broussailles qu'ils avaient lâchées là. Ou bien ils s'étaient mis en file indienne. Ou alors ils avaient eu recours à une technique que je ne connaissais pas. On fit demi-tour. Ils avaient six heures d'avance sur nous et des montures fraîches. Je mis pied à terre et inspectai le sol, ignorant volontairement les traces qu'ils avaient laissées dans les cailloux, invisibles pour les autres mais parfaitement claires à mes yeux, des marques infimes, trois fois rien, ici et là dans la poussière.

« Je sèche. »

Le capitaine me jeta un regard.

« On peut se séparer et voir ce qu'on trouve.

— On ne se sépare pas, dit-il.

— Ils ne sont pas allés vers l'ouest, ça, on le sait, et sans doute pas vers le sud non plus.

— Tu ne vois rien ? Vraiment rien ?

— Pas la moindre trace. »

Il n'était pas dupe, mais il ne pouvait rien faire. On longea le Caprock vers le nord, éperonnant nos chevaux à tout-va dans l'espoir d'apercevoir les Indiens à l'horizon avant que le soleil ne se couche. Je regardais nos pas diverger de ceux d'Escuté à mesure que nous avancions, jusqu'à ce que nos chemins n'aient finalement plus rien à voir.

Le capitaine ne me fit plus confiance après ça, mais je m'en fichais. Deux mois plus tard, alors qu'on passait à Austin à l'improviste pour reprendre des munitions, il trouva sa femme dans une position compromettante avec un cantinier de l'armée. Son pistolet s'enraya et le cantinier le tua d'un coup de couteau.

Après l'enterrement, on alla à la prison demander la garde de l'assassin ; le shérif nous remit les clefs.

« Quoi, vous n'allez rien faire ? lui dit l'homme tandis qu'on l'entraînait. Vous allez les laisser me pendre, c'est ça ? »

On le conduisit dehors, malgré ses protestations qu'il comptait parmi les survivants de la bataille de Mier. On lui fit remarquer que c'était il y a très longtemps, quand le Texas était indépendant, autant dire dans un autre pays, et qu'il était temps de capituler.

À quelques rues du Capitole, on le déshabilla ; après avoir coupé tout ce qui lui pendait entre les jambes et l'avoir ligoté, on le traîna sur Congress Avenue. Quand enfin on le pendit, il avait cessé de se débattre depuis un moment. Je voulais le scalper, mais les autres trouvaient qu'il faisait déjà un assez joli fruit comme ça et que ça ne servait à rien d'en rajouter. À la taverne, les gars m'élurent capitaine devant McClellan. J'attendis qu'ils soient faits comme des barriques pour retourner scalper le cantinier. J'avais toujours bien aimé le capitaine.

Abstraction faite d'Escuté et de Nuukaru, je savais très bien à quel camp j'appartenais. J'estimais devoir fidélité, dans l'ordre, à tous les autres Rangers, puis à moi-même. Toshaway avait raison, il fallait aimer les autres plus que soi, sinon c'était la destruction assurée, qu'elle vienne de l'intérieur ou de l'extérieur. On pouvait bien massacrer et piller : du moment que c'était pour ceux qu'on aimait, c'était sans importance. Pas de psychose traumatique et de regard vide, chez les Comanches – tout ce qu'ils faisaient visaient à protéger leurs amis, leur famille, leur bande. La « fatigue de combat » était une maladie de Blancs, eux qui combattaient dans des armées lointaines pour des hommes qu'ils ne connaissaient pas. La légende d'un Ouest construit et dominé par des héros solitaires n'est qu'un mythe : dans la réalité, ce fut tout le contraire. Un tempérament solitaire est signe de fragilité mentale ; c'est bien ainsi qu'étaient perçus les cavaliers seuls et c'est bien pour ça qu'on s'en méfiait. Personne ne survivait longtemps sans l'aide d'autrui, et ils étaient bien rares, Blancs ou Indiens confondus, ceux qui auraient laissé un inconnu passer dans la nuit sans l'inviter à s'asseoir autour du feu.

Ça allait et venait, chez les Rangers. Si je n'étais pas toujours élu capitaine, j'avais du moins toujours du travail. On me confiait les nouveaux, jeunes ou vieux, et je commençais à voir ma vie toute tracée, année après année, à l'identique. Les visages de mes compagnons changeaient, je creusais leur tombe ou je leur mettais une claque dans le dos quand ils quittaient la troupe, et puis j'allais m'occuper de mon matériel, déposer mes revolvers chez l'armurier, ma sellerie chez le sellier, m'acheter une nouvelle chemise et un nouveau pantalon, et échanger mes bons fonciers contre un cheval, du whisky ou quelque chose d'utile.

Puis je rasais ma barbe de six mois, je me renseignais sur les troupes prêtes à partir et je rempilais.

Chapitre 44

J. A. McCULLOUGH

Il faisait noir, c'était bruyant, elle ne comprenait pas où elle était. Il y avait un bruit d'eau, comme les flots d'une marée. Une dispute : *c'est une fille*, disait une voix, *cette fois-ci ce sera une fille*, et puis une autre voix, qu'elle reconnut comme étant celle de son père, qui disait, *d'accord, chérie*. Les battements d'un cœur, la vague d'un souffle. Elle ne pouvait pas bouger. Il y avait des voix d'enfants. *Mes frères*, se dit-elle.

Ensuite elle ne savait plus trop. Ça parlait espagnol et une langue qu'elle ne connaissait pas, bien qu'elle la comprît plus ou moins. Sensation de brûlure. L'herbe était haute, elle avait le soleil dans les yeux. Un homme à barbe sombre et casque luisant se tenait là, indécis. Il avança et lui enfonça de nouveau quelque chose dans le corps. Ça coinçait. Il tira et recommença. Cette fois-ci, ça s'enfonça complètement. Puis l'homme et le soleil ne furent plus que des points noirs.

Elle ouvrit les yeux. Elle était de retour dans l'immense pièce. *Il y a eu d'autres fois avant celle-ci*, pensa-t-elle. Quel soulagement. C'était le début de quelque chose, pas la fin, elle s'était trompée tout du long, toute sa vie.

Puis ça se dissipa. Elle avait tout inventé. C'était son cerveau qui fabriquait des histoires. N'importe quoi du moment que le scénario n'impliquait pas sa disparition. La maison s'évanouit, plus que de la poussière dans le vent, des étoiles... Elle se força à reprendre le fil de ses pensées.

Le pick-up allait trop vite et dérapait dans les virages, comme si le chauffeur se croyait sur du goudron plutôt que de la terre battue. Il était arrivé quelque chose, elle le sut tout de suite, alors même que le véhicule n'était encore qu'une petite tache au loin, poursuivie par un énorme nuage. Quelqu'un était blessé, c'était clair. *Pas Hank, par pitié*. Une intuition plus qu'une pensée. Elle resta debout dans la grande salle à regarder le nuage approcher. *Si ce n'est pas Hank, je ne manquerai plus un dimanche à l'église*. Mélodramatique, pensa-t-elle aussitôt, une promesse ridicule. Peut-être qu'ils étaient simplement à court de bières. N'empêche, elle avait un mauvais pressentiment.

Elle décrocha le téléphone et appela le médecin avant même que la voiture n'arrive, avant même d'être sûre. « Ici Jeannie McCullough. Je crois qu'on a un blessé. Un accident de chasse, je crois. »

Elle sortit sur la galerie. Un ouvrier qui avait vu ce qui se passait galopait vers le portail. Il sauta de cheval et ouvrit les battants juste à temps pour laisser passer le véhicule. Quelque chose en elle bascula, il y avait eu erreur, l'homme n'aurait pas dû les laisser entrer ; elle avait soudain très froid, elle voulait monter dans sa chambre.

Quand le pick-up s'arrêta devant la galerie, elle courut à sa rencontre. Hank était là, dans la cabine, avec un des types de la compagnie d'assurances. Toute son inquiétude se dissipa, elle se sentit bête, *Dieu merci Dieu merci* : c'était ça la sensation – elle souriait – quelle bécasse elle faisait. Mais quand les deux hommes sortirent précipitamment sans même la regarder, elle vit qu'elle s'était trompée.

Elle était maintenant à l'arrière du véhicule. Hank gisait là, visage livide, chemise sombre et empesée. Des traces de main écarlates sur les parois du pick-up et partout sur les vitres. Le troisième homme le tenait dans ses bras, en larmes. *C'est bon*, se dit-elle. *Il a plus de sang que ça dans ce corps-là.* Elle grimpa sur le plateau jonché de cailles. L'homme ne voulait pas lâcher prise, agrippé à Hank. *Chéri*, dit-elle, *chéri, tu m'entends ?* Il ouvrit alors brièvement les yeux et elle approcha son visage tout près du sien. Quelqu'un répétait qu'il était désolé désolé désolé. *Hank, c'est moi. Ouvre les yeux.* Il obéit, la vit. Il essayait de sourire, en vain. Et puis son regard changea.

Quelques instants plus tard, son chien arriva ; il avait couru tout du long depuis le pâturage où les hommes chassaient la caille. Il sauta sur le plateau et se mit à lécher le visage de son maître entre deux aboiements, tentant de le réveiller, tirant sur sa chemise, aboyant de nouveau ; impossible de le déloger.

«Virez-moi ce chien» – c'était elle qui parlait – «est-ce que quelqu'un peut virer ce chien, bordel?» Le pointer anglais mordit une main, puis se remit à lécher Hank, aboyant encore et encore. Finalement les types de la compagnie d'assurances parvinrent à l'attraper et à le faire descendre. «Chhhh, disait quelqu'un. Chhh chhh chhh», mais elle ne savait pas si ça s'adressait à elle ou au chien.

Non, se dit-elle alors, *non non non*. Elle refusait d'y penser. Elle aurait voulu avoir été frappée par la foudre avant d'avoir regardé par cette fenêtre. Après ça, le chien refusa de la quitter d'une semelle et elle l'emmena partout avec elle. Huit ans plus tard, quand il finit par mourir, elle fut anéantie de chagrin, incapable d'aller travailler, comme si elle s'était retrouvée veuve une seconde fois.

Un être d'exception. Il y avait des hommes comme ça chez qui la main de Dieu était partout reconnaissable, Hank avait été l'un d'eux. Le perdre... elle s'étouffait. Quand les gens lui parlaient, elle avait l'impression d'être sous l'eau. Elle entendait sans entendre. Pensait à autre chose. Elle souffrait, ça voulait dire qu'elle était encore en vie. Est-ce que c'était vrai, ce qu'on disait, qu'on sortait du deuil comme un papillon de sa chrysalide: prisonnier un jour, libre le suivant? Elle n'en savait rien. Elle ne voulait pas oublier. Je veux me souvenir, se dit-elle. Je n'oublierai pas je n'oublierai pas je n'oublierai pas.

Chapitre 45

JOURNAL DE PETER McCULLOUGH

22 juillet 1917

La prospection a commencé chez les Reynolds et les Midkiff. Plus une seule chambre de libre en ville. Les rues grouillent d'hommes, de camions, de charrettes, de piles de matériel; certains dorment sous la tente ou au bord des routes. Niles Gilbert loue sa porcherie pour quatre-vingts dollars la semaine. Je crois que l'explosion de notre fortune va susciter de la colère et comme d'habitude c'est tout le contraire qui arrive. Les gens voient notre prospérité comme étant quasi la leur, comme si le loyer d'une porcherie équivalait à des millions de dollars de pétrole.

Et de fait – pour le moment du moins – tout le monde gagne de l'argent. Il y a ceux qui vendent des vêtements, de vieux outils, de la nourriture, de l'eau, ceux qui louent leur voiture, leur pick-up, leur mule et leur charrette, leur attelage de chevaux ou leur jardin. Grover Deshields ne s'occupe plus de ses champs et passe son temps dans son tracteur:

il se fait payer dix dollars (le salaire d'une semaine) pour treuiller les camions qui s'embourbent dans les champs de forage. On raconte qu'il va de nuit arroser les ornières. Un jour la manne s'épuisera. Mais pas pour nous.

De la colline derrière chez nous, on voit maintenant quatre tours de forage à des stades divers de construction. Ça n'impressionne guère le foreur de mon père qui pense qu'il y en aura bientôt une centaine. Et ce malgré le fait qu'on n'ait pas trouvé de pétrole ailleurs dans la région, si ce n'est à Piedras Pintas. Il y a bien les gisements de Rieser et de Jennings, mais ils ne donnent que du gaz.

Quant à María, j'ai arrêté de faire semblant d'aller travailler. Sullivan vient chaque soir me faire un rapport sur les événements de la journée. Il a failli nous surprendre plusieurs fois... Je m'attends toujours à ce que l'effet de la nouveauté se dissipe, mais il s'intensifie, au contraire. Si je ne passe ne serait-ce qu'une heure loin d'elle, je ne peux plus penser qu'à ça, j'en oublie le nom des gens, ce que je suis censé faire, pourquoi même j'existe.

Je veux tout savoir. Comme un enfant découvre le monde, en le goûtant... je veux porter à ma bouche la moindre parcelle d'elle. Je me surprends à penser à ses anciens amants, à me demander comment elle était avec ses sœurs, son père, sa mère, qui elle était à l'université, d'où vient tout ce qui la constitue.

Je me réveille avant l'aube. Elle dort encore, détendue, les mains derrière la tête, visage de côté, genoux en dedans, comme si elle s'était assoupie à la plage... Je regarde la lumière du jour s'intensifier en l'effleurant, la peau douce de son cou (la marque rouge que j'y ai maladroitement laissée), une oreille, le creux de sa joue, son menton (légèrement pointu), ses lèvres (légèrement gercées), tandis qu'un rêve agite ses yeux noirs pailletés d'or derrière ses paupières. Sans pour autant se réveiller, elle sent mon absence et tend le bras pour me ramener à elle.

L'ombre n'a toujours pas reparu. Je me suis mis à fouiller toutes les zones obscures du coin de l'œil, mais... rien. Quant à Pedro, je n'arrive à le revoir que plus jeune, et Lourdes aussi, plus jeune, plus belle, comme si, dans ma tête, le temps s'écoulait à l'envers.

23 juillet 1917

Une bouffée d'air du nord, pas plus de vingt-six degrés. Nous nous réveillons toniques et l'esprit clair : sortir, impérativement. Il y a entre nous un accord tacite qui nous éloigne des terres des Garcia ; nous chargeons donc le panier de pique-nique dans la Chandler et prenons le chemin de Nuevo Laredo. Tandis que je conduis, elle m'encourage à laisser ma main se balader. Nous nous arrêtons un moment. Je médite sur le fait que c'est la première fois – la première fois que je fais l'amour à une femme hors des confins d'une chambre. Et elle ? Je suis pris d'un bref accès de jalousie, malgré ce que m'ont inspiré jusqu'ici ses précédentes aventures. Mais ça passe et je suis de nouveau serein.

Arrivés à Nuevo Laredo, nous trouvons la ville d'une laideur accablante.

«Ça ne va pas être possible, dis-je.

— À nous d'y mettre de la beauté pour tout le monde», dit-elle en posant sa tête sur mon épaule.

Nous cherchons une *cantina* (ou un hôtel, me souffle-t-elle) mais en approchant de la *plaza de toros*, nous tombons sur un petit groupe d'Américains ivres, bien habillés, qui interpellent de jeunes Mexicaines; l'un d'eux nous regarde et lâche un commentaire sur María à ses amis. Je veux m'arrêter pour lui faire savoir ce que j'en pense, mais elle me dit de continuer à rouler. On refait lentement le tour de la ville – devant l'Alma Latina, un trio de *mariachis* désœuvrés attend quelqu'un pour qui jouer – mais notre regard achoppe sur tous les *congales*, les bordels. Nous décidons de poursuivre plutôt le long du fleuve.

Une fois à bonne distance de la ville, nous nous arrêtons près d'une petite colline qui offre une jolie vue. Il y a là un vieux chêne à longues branches et de l'herbe douce.

Nous sommes allongés sur une couverture, à regarder l'infini du paysage, quand María dit: «J'aime imaginer tout ça il y a des milliers d'années, les herbes hautes et les chevaux sauvages.

— Il n'y a des chevaux ici que depuis quelques siècles.

— Je préfère l'oublier.

— Ce sont des bisons que tu verrais.

— Sauf que c'est difficile de s'enthousiasmer pour des bisons, dit-elle. À quoi bon des bisons ?»

Je hausse les épaules.

«Mais toi tu préfères. D'accord, je vais imaginer des bisons à la place, même s'ils sont pleins de poils, qu'ils sentent mauvais, qu'ils manquent totalement de grâce et qu'ils ont des cornes.

— Ils sont chez eux, ici.

— Les chevaux aussi, pour moi. Sinon, alors moi non plus je ne suis pas chez moi. Et si je ne suis pas chez moi, alors toi non plus. Dans ton monde, il n'y a que des bisons et des Indiens à triste mine.

— Mais c'est là qu'un noble hidalgo apparaît sur son cheval. Et les tue.

— C'est vrai. Je suis hypocrite.»

Je l'embrasse dans le cou.

«Mon père croyait qu'il y avait encore des mustangs, ici. Il disait qu'il voyait souvent des traces de sabots non ferrés.

— C'est possible, dis-je.

— Je rêvais d'eux, avant.»

Je pense à tous les mustangs que nous avons tués. Mais Pedro aussi en a tué. Tout le monde en a tué.

Je regarde autour de nous. Au pied de la colline passe une rivière qui va se jeter dans le rio Bravo. Sur ses rives, des plaqueminiers, des micocouliers, des pacaniers, des ormes qu'on ne trouve que chez nous. J'entends des geais verts s'appeler.

Nous restons couchés là à faire l'amour au soleil, malgré les ouvriers agricoles au loin qui travaillent dans les champs le long de la rivière. María les trouve pittoresques ; je ne peux pas m'empêcher d'avoir pitié d'eux.

«Tu es sûr que tu veux être avec moi ? dit-elle. Tu ne préférerais pas une révolutionnaire ?»

Je l'embrasse encore.

«Moi je suis vieille et nostalgique.

— Tu es plus jeune que moi.

— Les femmes vieillissent plus vite.»

Je la regarde.

«Même moi.» Elle hausse à nouveau les épaules. «Mais pour l'heure, je crois que notre vin a pris un coup de chaud.»

Elle se lève et va mettre les bouteilles dans la rivière. J'ai peur qu'elle ne marche sur des épines, mais elle a la plante des pieds plus dure que la mienne. Je regarde sa silhouette disparaître dans la pente, le chaloupé de ses hanches étroites, les cicatrices de son dos, ses cheveux ramenés sur le haut de sa tête.

Quand je ne la vois pas revenir tout de suite, je me dis qu'elle en profite pour faire pipi, mais comme elle ne revient toujours pas, je décide d'aller la chercher. Je me demande si je devrais mettre mes bottes, renonce, et me voilà parti dans les hautes herbes brunes, où je crains les serpents, les bardanes et les épines. Je la trouve allongée dans la rivière. Ses cheveux détachés flottent autour d'elle dans le courant, au-dessus des galets blancs. Je fais trois ou quatre grandes enjambées et elle lève les yeux.

«J'ai toujours aimé être dehors», dit-elle.

Elle tapote l'eau à côté d'elle comme si c'était notre lit. Je m'y installe. Je remarque la pâleur de ma peau et ses taches de rousseur, seuls mes bras sont bronzés, et puis ces poils frisés partout... Mais ça passe.

Nous restons là comme si nous étions le premier homme et la première femme sur terre, ou les derniers peut-être, étendus sous les rayons du soleil, dans la fraîcheur de l'eau, conscients de l'extrême importance du moindre de nos mouvements, persuadés, comme le sont les enfants, que personne d'autre n'existe vraiment.

Nous finissons par remonter sécher au soleil sur notre couverture. Elle se blottit contre moi et s'endort. Il ne manque rien. Je me demande si j'ai déjà été aussi heureux. Et puis je pense de nouveau à mon père, je me demande s'il a jamais ressenti cela. Même jeune, j'ai du mal à l'imaginer. Il est comme mon frère, un revolver qui tient le monde en joue.

Chapitre 46

ELI McCULLOUGH

Notre mission prit fin en 1860. Le Texas était divisé sur la question de la sécession : les propriétaires des grandes plantations de coton et ceux qui lisaient leurs journaux étaient pour, tous les autres étaient contre. Mais les rebelles sudistes avaient besoin de nous : sans notre coton, notre bœuf et nos ports, la Confédération ne tiendrait pas.

Cet été-là, Dallas brûla. Conspiration de prophètes oblige, les incendies n'allèrent pas sans une série de miracles. Premier miracle : tous les bâtiments étaient vides – pas un seul blessé, bien qu'un quartier entier ait brûlé. Deuxième miracle : pas un témoin. Troisième et dernier miracle : alors que les abolitionnistes n'aimaient rien tant que s'écouter parler – pas un chariot ou une cagette ne s'embrasait au Texas sans qu'une dizaine de partisans du sol libre se rendent aux autorités dans l'espoir d'être pendus pour leur crime –, pas une âme éclairée ne revendiqua les incendies de Dallas. Les planteurs avaient mis le feu à leurs propres biens pour nous pousser à la guerre. Le soleil n'était pas levé que leurs journaux accusaient déjà les Yankees et les esclaves en fuite qui n'allaient pas tarder à incendier le reste du Texas, du moins dès qu'ils auraient violé toutes les femmes blanches.

À la fin de l'été, la plupart des Texans étaient persuadés que si l'esclavage était aboli, le Sud tout entier s'africaniserait, que les honnêtes femmes seraient toutes en danger et que le mot d'ordre serait au grand mélange. Et puis, dans le même souffle, ils vous disaient que la guerre n'avait rien à voir avec l'esclavage, que ce qui était en jeu, c'était la dignité humaine, la souveraineté, la liberté elle-même, les droits des États : c'était une guerre de légitime défense contre les ingérences de Washington. Peu importait que Washington ait protégé le Texas des visées mexicaines. Peu importait qu'il le protège encore de la menace indienne.

À noter que personne, même à l'époque, ne croyait que l'esclavage durerait toujours. L'opinion publique y était majoritairement hostile, pas seulement aux États-Unis mais partout dans le monde. Mais les planteurs se disaient que s'ils pouvaient encore en profiter vingt ans, ça valait le coup de convaincre tout le monde de se battre. C'est là que se réveilla mon instinct de possession. À quoi bon ne rester que du menu fretin.

Une fois la sécession votée, l'État se vida. La moitié des Rangers que je connaissais filèrent en Californie – ils n'allaient pas mourir pour que les riches gardent leurs nègres–, suivis de près par tous ceux qui avaient un jour dit quoi que ce soit contre l'esclavagisme ou les planteurs, ou qu'on soupçonnait de voter pour

Lincoln. Des tas de sécessionnistes partirent aussi. Sur les nombreux trains qui s'en allaient vers l'ouest, loin des combats, on voyait souvent flotter haut et fier le drapeau de la Confédération. Ces gens-là étaient bien favorables à la guerre, tant qu'ils n'avaient pas à la faire. J'ai toujours pensé que ça expliquait ce que la Californie est devenue.

Sans être la panacée, l'esclavage me semblait dans l'ordre des choses : nous avions des esclaves, les Indiens avaient des esclaves – « tu jouiras des biens de ton ennemi, que le Seigneur ton Dieu a mis entre tes mains ». Les visages du Christ et de sa mère avaient orné plus d'une épée et tous les héros du Texas tenaient leurs titres de gloire des luttes contre le Mexique. La guerre avait été pour eux du pain bénit et je ne voyais pas en quoi celle-ci serait différente.

À moins de faire partie d'une unité de cavalerie, on était incorporé comme fantassin et envoyé se battre à l'est : tous les hommes sains d'esprit ne possédant pas de cheval se dépêchèrent donc de s'en procurer un, quitte à supplier, emprunter ou voler. Je m'enrôlai chez les « Mounted Rifles », le premier régiment des troupes confédérées, sous le commandement de McCullough (aucun lien de parenté), et on rallia les troupes de Sibley pour prendre le Nouveau-Mexique aux Fédérés.

Les choses tournèrent vite au vinaigre. S'ennuyant fort de la longue route, le colonel Sibley se retira bientôt au fond de son chariot en compagnie de deux prostituées et d'un tonneau de chauffe-tripes. Les plus exaltés d'entre nous s'en émurent, eux qui croyaient se battre pour la dignité humaine contre le joug de l'élite yankee, mais d'autres bordels ambulants furent réquisitionnés et les protestations cessèrent. Le reste d'entre nous s'était déjà rebaptisé RMN, *Rich Man's Niggers*, en hommage à ces grandes âmes qui avaient inspiré notre combat pour la liberté. Quant à Sibley, du moment qu'il partageait son bourbon, on n'avait rien contre lui.

Les journaux disaient qu'on ne ferait qu'une bouchée des paysans du Nord, mais on mesura bien vite l'erreur d'appréciation. Il n'y avait pas beaucoup de fermiers dans les troupes du Nouveau-Mexique et leurs hommes avaient de toute évidence grandi comme nous, entre la chasse et la lutte contre les Indiens. Quelques mois plus tard, ils nous contournèrent et brûlèrent tout notre approvisionnement. Tandis que Sibley, accablé, se retirait à nouveau dans le lupanar qui lui servait d'ambulance, les troupes votèrent le retour au Texas. Les journaux expliquèrent que le Nouveau-Mexique grouillait de sauvages et que nous n'en voulions pas de toute façon ; c'est ainsi que notre retraite fut considérée, plus convenablement, comme une grande victoire.

Richmond était à bien deux mille kilomètres. Le plus souvent, le gouvernement confédéré oubliait notre existence. On se serrait la ceinture – le nouveau gouverneur fut investi dans ses fonctions sans soie ni dentelles – mais on ne mourait pas de faim non plus. Seules l'absence de jeunes gens dans les rues et la nouvelle occasionnelle que des navires nordistes avaient été coulés dans un de nos ports rappelaient que l'on était en guerre. En tant que lieutenant, j'étais libre de mes mouvements, mais je ne voyais guère où j'aurais pu aller. Les Comanches avaient repris une bonne part de leurs anciens territoires ; plus de Frontière qui tienne sur plusieurs centaines de kilomètres. Et quand ce n'étaient pas les Indiens qui rôdaient, au moindre détour de route déserte vous aviez droit aux miliciens de la Home Guard ; les déserteurs confédérés rapportant cinquante dollars à qui les attrapait, ces Judas risquaient fort, à moins de vous connaître personnellement, de déchirer votre permission et de vous passer une corde autour du cou avant d'aller troquer votre carcasse contre des pièces d'argent.

Le juge Black avait le bras long ; quand j'étais las des baraquements, j'allais chez lui boire son bordeaux, dormir dans son bureau et me faire livrer des sandwiches par le monte-plats. Je lisais bien quelques livres, mais je passais le plus clair de mon temps à boire du bourbon, fumer des cigares et réfléchir à mon avenir. J'étais maintenant convaincu que la vie des gens riches et célèbres n'était pas très différente de celle des Comanches : ils faisaient ce qu'ils voulaient sans comptes à rendre à personne. Je me voyais finir la guerre capitaine ou major, et puis me lancer dans l'élevage ou le transport maritime. Une chose était sûre, je ne trimerais plus pour autrui.

Quant aux filles du juge, l'une avait succombé à la fièvre et les deux autres étaient toujours célibataires. L'aînée avait vingt-deux ans et, comme son père, le teint de lait et la crinière de feu d'un cheval à robe crème ; douce de peau aussi bien que d'humeur, elle avait le même penchant que mon frère pour les livres et les pensées profondes. Il y avait eu quelque scandale à son sujet, mais personne n'en parlait. La cadette, plus proche de la jeune fille modèle, était l'exacte réplique de sa mère, une beauté brune aux goûts raffinés et au comportement parfaitement irréprochable en société.

Je m'asticotais en pensant à elles, mais le juge espérait pour ses filles qu'elles épouseraient quelque diplômé de Harvard ou, sinon un fils de Sam Houston, du moins celui d'un banquier. Je n'étais qu'un lieutenant peu recommandable qui ne resterait sans doute pas longtemps de ce monde ; il ne fallait fonder sur moi aucun espoir. Aussi quand la porte de ma chambre s'ouvrit et se ferma en silence une nuit, je pariai sur Millie, la quarteronne qui venait de rejoindre la maisonnée du juge.

Elle vint s'asseoir sur mon lit et je la regardai à la lumière de la lune. C'était Madeline, la fille aînée.

«J'ai pensé que tu ne serais pas contre», dit-elle.

De fait, j'étais même plutôt pour. Elle avait le teint pâle, les cheveux roux, le visage couvert de taches de rousseur, et puis aussi de grands yeux verts et une bouche tendre. Tout en elle était délicat. Je savais d'expérience qu'embrasser des filles aussi jolies revenait souvent à mordre dans un kaki encore vert, mais je tapotai le matelas et elle vint s'allonger près de moi.

Son haleine était sucrée – le sherry de sa mère, supposai-je. Quand elle vit que je ne prendrais pas l'initiative, elle grimpa sur moi et il ne me fallut pas longtemps pour avoir la certitude qu'elle avait depuis longtemps perdu sa virginité.

Je me sentais malheureusement le courage d'une limace. Le juge ne me pardonnerait jamais ; au mieux il voudrait que je l'épouse. Sans compter qu'elle était ivre, et un peu folle à mon avis ; comment savoir la tournure que tout ça prendrait au petit matin ? Ma lâcheté étant palpable, elle resta couchée sur moi. Contrairement à la plupart des femmes qui voulaient bien de moi ces temps-ci, elle était attachante et saine. Je passai ma main dans ses cheveux : ils étaient plus fins encore que des soies de maïs. Comme je n'étais pas sûr qu'elle goûte la comparaison, je la gardai pour moi.

« Je ne suis pas assez jolie ?

— Trop, au contraire.

— Et pourtant... » Sa main me rappela ma défaillance.

« Je suis préoccupé, dis-je.

— Parce que tu repars faire cette horrible guerre du côté des esclavagistes ?

— On se bat pour le Texas.

— Le Texas, ce n'est pas Jefferson Davis.

— Tu ne devrais pas parler comme ça.

— Qui va m'entendre ?

— Moi, je t'entends.

— Arrête. Le Texas mérite qu'on se batte pour lui, oui, mais pas les esclavagistes. Or, aujourd'hui, je ne suis pas sûre qu'il y ait une différence.

— Tu as du culot de parler comme ça dans cette maison !

— J'ai dit à mon père qu'il était lâche et que si l'esclavage existe encore, c'est à cause de types comme lui qui ne disent rien. Et de types comme toi qui vont se battre pour ça. Encore que toi, contrairement à lui, tu n'as pas le choix. » Puis elle ajouta : « Tu as la syphilis ?

— Non.

— Il me met en garde contre toi depuis que j'ai douze ans.

— Il t'a dit que j'avais la vérole ?

— Il a dit que si je cherchais le mot dans un dictionnaire médical, je trouverais ton portrait. »

Je ne dis rien.

« Je te taquine. Je me demandais, c'est tout. Vu tes antécédents.

— Eh ben, je ne l'ai pas.

— Je passerai la nuit avec toi malgré ta vérole. Je t'aime, et tu pars te faire tuer. »

Je ne savais pas quoi penser d'elle.

« Eh bien, dit-elle, est-ce que tu ne m'aimes pas aussi ?

— Bon Dieu...

— Je plaisante. » Elle soupira. « Bon, d'accord, je te laisse.

— Je mourrai de vieillesse.

— Ne sois pas vexé.

— Je ne suis pas vexé.

— Tu ne devrais pas avoir peur de lui.

— Je n'ai pas peur de lui. J'ai peur de ce qui va se passer si tu restes trop longtemps ici.

— Ah, je suis certaine que tu aimerais avoir cet honneur, mais tu arrives cinq ans trop tard. Comme tu le sais sans doute. » Elle se mit à remuer les hanches. Je glissai mes mains sous sa chemise. Je savais bien que rien que cela, je n'aurais pas dû. Ce n'est pas pour me dédouaner, mais je me dis alors qu'elle était jeune et que, quels que soient ses sentiments, ils s'évaporeraient plus vite que la rosée du matin.

Notre enthousiasme dura toute la nuit et, à l'aube, elle retourna dans sa chambre sur la pointe des pieds. Je m'attendais à une tirade sur le thème « nous voici mariés aux yeux du Seigneur », vu que c'était alors le prix du plaisir, mais elle se contenta de dire : « Mes parents vont à San Antonio. »

Cette nuit-là on remit plusieurs fois le couvert, et chaque fois, je pris mes précautions.

« Tu as peur de devoir m'épouser, dit-elle.

— Ça ne me dérangerait pas. » Je n'y avais pas pensé jusque-là, mais je savais que c'était vrai et je ne regrettai pas mes paroles.

« Comme c'est joliment formulé. »

Je ne relevai pas. « Il ne va rien m'arriver, dis-je. Ne t'inquiète pas.

— Tu ne devrais pas parler comme ça. »

Je faillis lui dire que Dieu et moi avions un accord sur certaines choses, même si c'était peut-être plutôt avec Satan que j'avais fumé le calumet. Mais je préférai me taire.

Quelques semaines plus tard, je reçus mon ordre de mission pour le Kansas. Le juge me convoqua dans son bureau : pas rasé, les cheveux en bataille, je voyais bien qu'il avait dormi tout habillé. C'était une espèce de colosse, et à part ses cheveux et sa peau de rouquin, je ne lui avais jamais trouvé la moindre ressemblance avec sa fille, mais je voyais maintenant que Madeline avait ses yeux et sa grande bouche, et cela me réjouit.

«Tu es à deux doigts du trépas, me dit-il avant de sortir un pistolet d'un tiroir et de l'abattre sur la table. J'ai essayé de lui faire cracher que tu as abusé d'elle, mais elle soutient que non. C'est vrai ?

— Oui, mentis-je.

— Je lui ai dit que tu avais la syphilis et qu'elle aurait le visage criblé de marques.

— C'est faux, autant que je sache.

— Je lui ai dit que tu allais avec des prostituées.

— Je pars, alors ne vous inquiétez pas pour moi.

— Oh, je ne m'inquiète pas pour toi. C'est pour ma fille que je m'inquiète. Et beaucoup avec ça. En fait je suis terrifié. Je suis contre. Pas contre toi, mais contre toi et Madeline. Malheureusement elle arrive toujours à ses fins. Tu vas l'épouser.

— J'en ai bien l'intention.

— Bien, mon garçon, dit-il. Bien.»

Tout ce temps, il ne m'avait pas regardé. Il fixait quelque chose par la fenêtre, et je savais ce qu'il cherchait : le moment exact de sa première erreur. Quand il m'avait recueilli à mon retour de chez les Indiens, quand il m'avait sauvé de la potence à Bastrop il y avait maintenant des années de cela, ou bien chaque fois que, depuis, il m'ouvrait sa porte tout en sachant pertinemment qu'il ne devrait pas ? Son regard s'était embué.

«Dis quelque chose d'affreux, Eli.» Il se mit à ranger les papiers sur son bureau, les agençant en piles bien nettes. Puis il se leva pour ramasser un tas de livres que j'avais toujours vus par terre et les porta jusqu'à la bibliothèque.

«Ne fais pas de ma fille une veuve.» Il regarda un titre, rangea le livre, regarda le titre suivant, fit quelque pas et poussa d'autre ouvrages.

J'étais presque à la porte quand il me rappela : «Comprends que je voulais autre chose pour elle, Eli. Tu es quelqu'un de bien et je t'aime comme un fils, mais je sais la vie qui l'attend avec toi.»

Il continua son rangement.

«Je voulais qu'elle épouse un citadin, un banquier, un fonctionnaire ou un Yankee. Pas qu'elle vive dans une cabane en rondins, qu'elle meure en couches ou empoisonnée par de l'eau croupie, ou d'un coup de sabot ou de carabine, ou encore scalpée.» Il secoua la tête. «Ma fille...

— Je vous promets.

— Tu ne peux pas, dit-il. Tu ne peux pas promettre ce que d'autres lui feront ou pas.»

Chapitre 47

J. A. McCullough

Elle était de retour dans son bureau de Houston. Milton Bryce, grosses lunettes d'avocat et crâne dégarni sous sa raie de côté, lui disait de faire une offre pour Brown & Root. Mais il n'y avait guère de pétrole nulle part, elle ne voyait donc pas l'intérêt d'acheter un fabricant de pipelines.

« Ils font aussi des barrages, des bases militaires, des choses comme ça, disait Bryce. Ils travaillent beaucoup pour le corps des ingénieurs de l'armée. Tu sais que Herman Brown est mort...

— J'ai entendu dire, oui.

— Du coup, George essaie de se retirer. Là, maintenant. Cette semaine. »

Quelque chose dans son insistance tuait toute envie ; elle cessa d'écouter.

« La boîte est nickel et tu pourrais sûrement avoir l'ensemble pour quarante millions. Si j'avais l'argent... »

Elle se dit qu'elle y réfléchirait, mais Ed Halliburton, qui faisait de la cimentation de puits, se débrouilla pour se porter acquéreur quelques jours plus tard, même si, comme tout le secteur pétrolier, sa société n'allait pas bien du tout. George Brown vendit pour trente-six millions de dollars ; dix ans plus tard, la boîte faisait sept cents millions de chiffre d'affaires par an et construisait des bases militaires au Vietnam.

C'était loin d'avoir été sa seule erreur. Pendant des années après la mort de Hank, elle avait éprouvé le besoin de peser et surpeser le moindre risque, comme si tout ce qu'elle faisait devait être soumis à jugement extérieur et ses plus intimes pensées rendues publiques. Elle devint circonspecte à l'extrême, instruisant un dossier complet avant chaque décision, toujours en train de lire, toujours à réfléchir. Rares étaient les conversations qu'elle n'avait pas déjà répétées dans sa tête ; elle se persuadait parfois que même Hank n'aurait pas pu suivre. Mais dans ses moments de lucidité, elle sentait bien qu'il manquait quelque chose. Les hommes de son entourage étaient toujours certains d'avoir raison, même quand il n'y avait pas de quoi. C'était tout ce qui comptait. Ne pas avoir de doute. Si on avait tort, on défendait sa position avec plus de véhémence encore.

En attendant, tout le monde la volait. T. J. Block, leur partenaire sur plusieurs opérations de forage, avait, « pour des raisons pratiques », emménagé dans le bureau de Hank. Dans son brouillard, elle avait signé de nouveaux contrats sans avoir eu l'énergie de les étudier en personne. C'était la faute de Hank, aussi : il était impliqué dans tellement de projets, il avait passé tant d'accords verbaux et fait tant de promesses... elle était perdue. Comment savoir quand on lui mentait ?

Quand on la facturait deux fois pour les mêmes livraisons de tubes et de boue de forage, elle ne savait pas si c'étaient ses foreurs ou ses fournisseurs qui l'escroquaient, ou bien les deux. Tout le monde voyait là une occasion de se faire de l'argent ; elle reçut des propositions de rachat, les sœurs de Hank lui firent un procès pour la moitié de la société, ses propres salariés la prenaient pour une cruche, s'exécutant mollement, estimant visiblement qu'elle n'était pas capable de faire la différence entre un travail bien fait et du laisser-aller, s'engageant à reculons sur les gros projets, certains qu'elle ne les mènerait pas au bout. Il y avait des problèmes de cuvelage, des problèmes de cimentation, des problèmes d'écoulement, l'équipement était sans cesse endommagé... À Hank, ils avaient donné le meilleur d'eux-mêmes. À elle, ils ne donnaient rien.

Mais ils l'assuraient bien sûr du contraire. Peut-être qu'elle était paranoïaque, ou sur le point de devenir folle, ou simplement dépassée, peut-être qu'elle devrait vendre la société à T. J. Block qui faisait déjà comme si c'était lui le patron. Tout le monde avait l'air de savoir des choses qu'elle ignorait ; elle se demanda si elle était sur écoute.

Dans leur tête, c'était Hank leur employeur. Elle n'était qu'un appendice, une jolie blonde, une femme au foyer qui, au lieu d'ouvrir une boutique de vêtements, une écurie, ou autre chose de raisonnable, avait décidé de faire joujou avec les affaires de son mari.

Elle voyait venir le moment où elle craquerait, où il lui faudrait prendre les enfants, quitter Houston et retourner au ranch. Milton Bryce et elle étaient censés aller déjeuner. Mais voilà qu'au lieu de se garer elle continua tout droit. Jusqu'au bout de la rue, et puis hors de la ville.

«De toute façon, je n'avais pas faim», dit-il.

Elle roulait toujours. Il n'y avait maintenant plus que des chênes et de grands pins tout droits, desquels filtrait une lumière verte. Elle lui demanda : «Qui ne me vole pas? Qui?»

Sur le coup, il ne dit rien. Ensuite non plus. Est-ce que lui aussi était contre elle, comme les autres?

«Bud Lanning est plutôt honnête, dit-il enfin.

— Bud Lanning a commandé deux kilomètres de tubes pour finir un puits d'un kilomètre.

— Gordon Lytle?»

Elle avait fait une erreur.

Il ramena ses cheveux sur son crâne chauve.

«Qu'est-ce que tu penses de Block?

— J'en pense du bien, dit Bryce. Mis à part que c'est un escroc.»

Elle se sentit sourire. Vint un soulagement qui ne dura pas; voilà qu'elle était furieuse. Ils poursuivirent leur route en silence.

«Tu ne m'as rien demandé, dit-il. Et ce n'est pas vraiment à moi de porter ces jugements.

— Et si je virais tout le monde, tout de suite?

— Il faudra d'abord que tu changes les serrures. Et puis tu seras obligée de garder au moins une secrétaire. Peut-être deux.»

Elle fit demi-tour sur un chemin d'exploitation forestière et reprit la direction de la ville.

Ils passèrent l'après-midi au musée des Arts décoratifs jusqu'à ce qu'elle se sente enfin capable d'avaler un sandwich. Ce qui s'avéra trop ambitieux. N'empêche qu'elle fit changer les serrures pendant la nuit et renvoya tout le monde dès le lendemain matin, au fil des arrivées, ne gardant qu'Edna Hinnant, la secrétaire.

Les nouveaux employés étaient plus diligents, mais... Pour qu'ils la respectent, elle devait connaître leur métier en plus du sien : si elle ne comprenait rien au flux de fracture, à la perforation par jet de fluide sous pression comparée à la perforation par balle, aux diverses méthodes de consolidation de la roche-réservoir, à l'acidification, aux agents de soutènement... Elle n'avait qu'une envie, c'était dormir, mais il y avait tant de choses à superviser, bien plus que ce qu'on avait jamais attendu de Hank. Elle se sentait à nouveau tout près d'abandonner. À quoi bon travailler si dur à une chose que personne ne voulait la voir faire ?

Elle comprendrait plus tard qu'elle n'avait tout simplement rien d'autre. Ses enfants ne lui suffisaient pas et elle avait toujours su qu'elle n'avait rien de commun avec sa grand-mère ou ses voisines, engluées dans leurs problématiques vestimentaires et leurs soirées de bienfaisance, capables de passer une semaine entière à réfléchir à un plan de table. Elle avait toujours eu une certaine idée d'elle-même. Le fait que les autres s'autorisent une opinion sur le sujet – qui elle devait être – n'aurait pas dû la surprendre. Et pourtant. Quand d'autres femmes se faisaient prescrire du Valium, elle prenait de la Benzédrine, et chaque fois qu'elle se sentait vaciller, chaque fois qu'elle aurait voulu rester au lit ou prolonger son déjeuner, elle pensait au Colonel, qui avait travaillé jusqu'à quatre-vingt-dix ans.

Des rapports à n'en plus finir, de la gymnastique cérébrale pour garder l'esprit vif. Chaque fois qu'elle voyait un nombre – plaque d'immatriculation, numéro de maison, numéro de rue –, elle le multipliait, le divisait, le manipulait d'une façon ou d'une autre : 7916 Oak Drive, soixante-dix-neuf fois seize, soit quatre-vingts fois seize moins seize. Mille deux cent quatre-vingts. Moins seize. Mille deux cent soixante-quatre.

Les hommes de son entourage restaient polis mais résistaient systématiquement. Quand elle persuada Aubrey Stokes de faire affaire avec elle plutôt qu'avec une des majors, il dit, juste au moment où elle allait raccrocher :

« Je t'enverrai un contrat cet après-midi. Histoire d'être sûr qu'on est bien d'accord. »

Elle fut trop surprise pour répondre.

« Rien de personnel, Jeannie. »

Mais ça l'était. Il n'y avait pas un seul opérateur pétrolier au Texas qui ne considérât que sa parole valait signature, qui ne méprisât ces scribouillards de la côte Est qui ne pouvaient rien faire sans leurs juristes et leur paperasse. Mais ces hommes à qui la parole de Hank avait suffi ne se contentaient pas de la sienne. Ils se comportaient comme si elle tombait de la lune, ou bien ils ignoraient gentiment ses tentatives de parler affaires pour ramener la conversation à sa famille et sa santé (c'est qu'elle portait beaucoup sur ses frêles épaules) ; ils ne voyaient pas comment elle pourrait être implacable ou concentrée quand la nature exigeait qu'elle restât chez elle auprès de ses enfants.

Elle retira leurs photos de son bureau. Elle ne pouvait pas se permettre de laisser quiconque imaginer qu'elle pensait à sa famille quand elle devait penser au travail, et puis – même si elle avait mis plus longtemps à l'admettre – elle ne voulait pas non plus gêner le fantasme qu'avaient ces messieurs de coucher avec elle. Elle ne l'aurait jamais fait, elle ne le faisait pas, mais c'était aussi bien qu'ils croient la porte ouverte. Pas de photo des enfants, donc.

À partir du renvoi en masse, elle passa sept jours sur sept au bureau. Sachant qu'elle attendrait la même chose de Milton Bryce, elle tripla son salaire et ouvrit pour sa femme un compte au grand magasin Neiman Marcus. Quant aux enfants, Tom et Ben sentirent intuitivement qu'ils devraient s'y faire. Mais c'est là qu'elle perdit Susan pour de bon. Les garçons avaient toujours été sages et autonomes. Susan, elle, avait été un bébé grincheux ; toute petite, elle était toujours fourrée dans le lit de ses parents sous prétexte de cauchemar. À quatre ou cinq ans, si on ne s'occupait pas assez d'elle, elle attrapait ce qui lui tombait sous la main, disons un vase ou un verre d'eau, et, faisant mine de l'examiner, le lâchait.

Hank savait comme s'y prendre avec elle. Outre sa patience, il avait une capacité à compartimenter les choses qui manquait cruellement à Jeannie. Son espace mental était parfaitement organisé, et si Susan faisait un caprice, il savait lui donner toute son attention puis l'oublier dès la porte passée. *La nounou s'occupe d'elle, plus besoin de s'inquiéter* – voilà comment il fonctionnait, un tableau de commandes électriques avec interrupteurs. Jeannie, elle, même une fois au bureau, continuait à en vouloir à sa fille pendant des heures. Elle prenait les caprices comme une injure, prenait la faiblesse de sa fille comme une injure ; toutes les familles avaient leur canard boiteux, mais il y avait ceux qui se vautraient dans leurs problèmes et ceux qui se prenaient en main. À l'âge de sa fille, Jeannie avait appris toute seule à monter à cheval et à attraper un veau au lasso ; toute seule, elle avait appris à affronter les hommes sur leur propre terrain. Sa fille les affrontait en faisant des drames. Une petite princesse insupportable. Même avant la mort de son père, elle le considérait comme un saint, et sa mère comme Dieu sait quoi ; quoi que fasse Jeannie, ça n'était jamais assez.

Bien entendu, Susan était en tout point conforme à ce qu'on attendait d'une fille au Texas. C'était Jeannie qui n'était pas normale.

Chapitre 48

JOURNAL DE PETER McCULLOUGH

1er août 1917

La plupart des foreurs du coin vont deux fois plus vite que le Colonel et ses poivrots d'acolytes. On voit au moins quarante derricks de la route. Finies les nuits calmes.

La ville est prise d'assaut, pas seulement par les foreurs, les agents pétroliers et les spéculateurs, mais aussi par ceux qui construisent des cuves de stockage et creusent des tranchées, ceux qui transportent des tuyaux, du bois, de l'essence, et ceux qui réparent outils et équipements en tout genre. Les salaires ont doublé par rapport à l'an dernier.

Du côté des morts, on a trouvé le cadavre d'un homme derrière l'«auberge» de Wallace Cabot (c'est comme ça qu'il appelle maintenant sa maison). Une distillerie clandestine a explosé dans le quartier des tentes. Et un débardeur qui dormait sous un camion s'est fait écraser.

Notre foreur dit que ce n'est rien : attendez donc que tous ces derricks tournent à plein, une rivière de sang et de cadavres, ce sera.

Je demande à María ce qu'elle pense de tout ça. Elle répond qu'elle essaie justement de ne pas y penser.

3 août 1917

Mon père a vendu à Magnolia Oil les droits pétroliers sur vingt-huit mille arpents des anciennes terres des Garcia. Presque mille dollars l'arpent. Chez les Midkiff et les Reynolds, on a trouvé un peu de pétrole à cent ou deux cents mètres de profondeur, et la tête de forage de mon père (maintenant opérée par des professionnels) est tombée sur un énorme gisement à un peu moins de trois cents mètres. À moins que mon père n'ait trafiqué le carottage. N'empêche, on dirait que nous voici à l'abri de tout problème d'argent pour dix générations. Ça me déprime profondément.

Magnolia Oil veut bien sûr forer près de la maison, où se trouve le puits de découverte de mon père (le seul qui marche à plein), mais je m'y suis totalement opposé.

Cette zone n'est maintenant plus qu'un énorme trou plein d'une boue noire pestilentielle. Sullivan et moi sommes passés tout près aujourd'hui. Cette histoire de pétrole le rend amer, et il a peur pour son travail.

« Vous savez que je suis content, pour le pétrole, a-t-il dit, mais on peut plus demander un verre d'eau en ville sans qu'on vous le fasse payer.

— Au moins, ça va nous donner les moyens de faire arracher toutes ces broussailles et de clôturer les autres pâturages...

— À quoi ça sert d'arracher les broussailles si on doit avoir ce bordel sous les yeux toute la journée et entendre ces putain de foreurs toute la nuit. Sans parler qu'ils laissent toutes les barrières ouvertes. »

Nous regardions toujours la mare de pétrole.

« Vous croyez qu'il va vendre le bétail ?

— Je ne le laisserai pas faire.

— C'est ce que j'ai dit aux gars. Il a toujours voulu faire autre chose, mais vous... vous êtes pas du genre à laisser faire ça. »

Un silence. Depuis trente ans que je le connais, Sullivan n'a jamais, jamais critiqué mon père.

« On a deux fois plus de têtes qu'il y a deux ans, dis-je. Et deux fois plus de boulot. » Soudain je me souviens pourquoi, et je me crispe. Je commence à me demander où est María.

« Mais le bétail, ça rapportera jamais autant d'argent que ce truc-là. C'est ça qui inquiète tout le monde.

— Eh bien, il n'y a pas de raison. »

Puis j'ai ajouté : « Tu as entendu parler de la fille Garcia ? »

Il n'a pas répondu. Je ne savais pas trop s'il ruminait sa réponse ou s'il ne m'avait pas entendu. Quand nous sommes repartis, il a dit : « Je dirais que tout le monde en a entendu parler, patron. Dans ces trois comtés-ci en tout cas.

— C'est une situation délicate.

— Le moins qu'on puisse dire.

— Et ma femme, à ton avis ? »

— Peut-être qu'elle se prendra un coup de sabot.
Ou qu'elle tombera dans une rivière.

— Je ne suis pas assez chanceux pour ça.

— C'est vrai, dit Sullivan. Si quelqu'un tombe dans
une rivière, ce sera plutôt vous. »

4 août 1917

Aujourd'hui, nous allons ensemble à McCullough
Springs pour la première fois. Elle commence par rester à bonne distance, comme une employée, mais je lui
prends la main. Nous déjeunons à l'Amalcitas, nous
buvons une Carta Blanca, nous traînons dans les rues,
main dans la main. Je ne crois pas m'être jamais senti
aussi bien. Encore que, quelque part, je me demande si
ce n'est pas une forme de barrage contre la déferlante
qui se prépare. Comme si l'amour pouvait suffire à
l'empêcher. Ridicule, bien sûr.

Ce soir, dans la bibliothèque, ma tête sur ses genoux,
je lui demande : « Pourquoi ne t'es-tu jamais mariée ? »

Elle hausse les épaules.

« Allez, dis-moi.

— J'ai eu des amants, si c'est ça ta question. »

Ce n'est pas ma question, et je n'ai pas spécialement
envie d'y penser, mais j'insiste.

« Je ne veux pas me donner à un homme qui ne me
respecterait pas. Plutôt mourir.

— Ils n'ont pas pu tous être si abominables.

— J'aurais dû être un homme », dit-elle.

Je lui pince la cuisse.

« Ils veulent que tu les regardes avec adoration, quoi qu'ils aient fait, et s'ils ne comptent pas sur toi pour faire leur lessive, ils comptent sur toi pour houspiller celle qui la fait. » Elle hausse les épaules. « Et les Mexicains sont les pires. Quand un Mexicain t'emmène quelque part, disons dans un hôtel chic ou devant une belle vue, il te montre ça comme si c'était son œuvre. Et quelque part, il y croit.

— C'est par bravade.

— N'empêche. Il y croit. C'est pour ça que je ne me suis jamais mariée. Et que je ne me marierai sans doute jamais. »

Je lui jette un regard blessé.

Elle se penche et m'embrasse. « Sauf si c'est avec toi, bien sûr. »

Je me blottis sur ses genoux et passe mes bras autour de sa taille. Mais quand je relève les yeux, elle a le regard perdu dans l'obscurité de la fenêtre, et ne semble pas me voir. « Il y a une autre histoire », dit-elle.

« Il y a bien longtemps, ici même dans cette région qu'on appelle le "désert du Cheval sauvage", un jeune vaquero, très beau mais très pauvre, était amoureux de la fille d'un propriétaire de ranch *tejano*.

« Cette fille, dont la beauté était presque insoutenable, était désirée et courtisée par tous les riches héritiers, d'un côté du fleuve comme de l'autre. Mais elle était pure de cœur et plus intéressée par les chevaux que par les hommes. Elle ne rêvait que d'un certain étalon qui galopait librement parmi les mustangs. C'était un cheval exceptionnel, tant par sa robe blanche immaculée que par sa taille, de seize mains. Outre son élégance, il avait la résistance d'un pinto et la rapidité d'un pur-sang. Tous les hommes qui le connaissaient de vue ou de réputation le convoitaient, comme la jeune fille, mais nul ne parvenait à l'attraper.

« Quand le jeune vaquero sut à quel point la belle aimait ce cheval, il décida de lui faire un cadeau. Des mois durant, il observa les traces de l'animal pour découvrir ses secrets, puis embusqué près d'un point d'eau reculé, il attendit qu'apparaisse l'étalon pour l'attraper au lasso et lui donner des prunes, des kakis et des morceaux de *piloncillo*. Il réitéra l'opération pendant de nombreuses semaines, jusqu'à ce que le cheval se laisse caresser et toucher, puis mener à la longe, puis seller. Mais, même alors, il ne se tenait que sur un étrier, attendant pour le monter vraiment d'être certain que l'animal serait d'accord. Et c'est ainsi qu'il brisa ses résistances sans rien briser de sa fougue.

« Quand il l'eut totalement apprivoisé, il pansa et brossa l'étalon blanc et le monta jusqu'au ranch du *Tejano*, où il appela doucement la jeune fille. Ouvrant la fenêtre, elle reconnut aussitôt le vaquero, comme elle reconnut sa monture, et elle sut que c'était là l'homme qu'elle épouserait. Ils se donnèrent un chaste baiser, ne souhaitant ni l'un ni l'autre aller plus loin avant d'avoir été trouver un prêtre.

« Ils n'étaient malheureusement pas seuls. L'héritier obèse d'un ranch appartenant à un Anglo avait tout vu : quand il n'abusait pas des domestiques, il se cachait dans les buissons face à la fenêtre de cette belle *Tejana* pour la regarder se déshabiller et s'adonner à des choses innommables.

— C'était dans la version que te racontait ta mère, ça ? » demandé-je.

Elle ignore ma question.

« Il alla trouver son père pour lui dire que la plus belle fille qu'on ait jamais vue s'apprêtait à épouser un simple vaquero. Alors le père et le fils tendirent une embuscade.

« Armés de carabines spéciales, ils attendirent que le vaquero leur tourne le dos pour l'assassiner. Le restant de leurs jours, ils parleraient du tir impeccable grâce auquel ils avaient eu, de très loin, un Mexicain.

« Mais quand ils rejoignirent le cadavre du jeune homme, l'étalon blanc était là, qui le protégeait. Le cheval mordit et rua tant et si bien que l'Anglo et son fils finirent par le tuer aussi. Puis ils décapitèrent le vaquero.

« La jeune fille, ne voyant pas revenir son fiancé, prit le pistolet de son père et mit fin à ses jours. Mais Dieu ne permet pas que les âmes nobles soient séparées. C'est pourquoi, les nuits de pleine lune, on peut voir le vaquero sur son étalon blanc, sa tête accrochée à la selle, galoper avec les autres mustangs pour retrouver l'esprit de sa promise.

— Je crois que tu te trompes, lui dis-je.

— Comment ça ?

— C'est une vieille légende qu'on raconte aussi chez nous. Longtemps, il y eut un étalon noir, pas blanc, qui galopait parmi les mustangs, monté par un cavalier fantomatique. La vue du cavalier faisait paniquer les chevaux ; on savait donc toujours quand l'étalon noir approchait, au son de tornade de ces milliers de sabots qui s'abattaient sur le caliche.

« Rares étaient ceux qui avaient vu de près le cheval et son cavalier, mais tous disaient que ce dernier montait normalement, si ce n'est que sa tête était détachée de son corps. Il la portait, couverte d'un sombrero, devant lui sur sa selle. Des années durant les cow-boys tirèrent sur le cavalier, mais les balles traversaient son corps comme une cible de papier sans interrompre sa course.

« Ils finirent par décider d'élucider le mystère une fois pour toutes. Une nuit, ils attendirent près d'un point d'eau et quand apparurent l'étalon noir et son cavalier sans tête, ils abattirent le cheval.

« Sur le dos de ce magnifique mustang se trouvait un vieux cadavre momifié retenu par des lanières de cuir, sa tête bien accrochée dans son giron. Après des mois d'enquête, on apprit qu'un jeune Mexicain du nom de Vidal, célèbre séducteur et voleur de chevaux, avait trouvé la mort.

« Ceux qui l'avaient tué n'étaient autres que Creed Taylor et "Big Foot" Wallace, Texans légendaires sur qui bien des livres ont été écrits. Comme ils étaient farceurs, et pour faire de Vidal un exemple, ils lui avaient coupé la tête, puis avaient attaché la tête et le corps à un étalon noir pris dans un piège avec d'autres mustangs. C'était cet étalon et son cavalier sans tête qui médusaient et terrorisaient la population depuis plus de dix ans.

— C'est ta version la bonne, dit-elle.

— C'est une vieille histoire, bien connue.

— Bien sûr. Il y a des tas de détails très convaincants. D'abord, il y a un Mexicain mort qui était un voleur de chevaux, comme tous les Mexicains morts.

Ensuite, il y a deux célèbres Texans qui décident, après avoir tué un homme, de le décapiter pour s'amuser. Et puis, comme une simple décapitation n'est pas assez rigolote, ils trouvent tordant, au lieu de l'enterrer, d'attacher son cadavre à un cheval.

— Hmmm, fais-je.

— Et ce qui achève de me convaincre, c'est que pour capturer un étalon noir légendaire, un groupe d'Anglos décident, plutôt que de l'attraper au lasso ou de lui tendre un simple piège, de lui tirer dessus, parce que c'est moins fatigant.

— C'est pour ça que je ne raconte pas d'histoires.

— Non, non, c'était très instructif.

— C'est ta version qu'on racontera à nos enfants.

— Non, dit-elle. Il faudra leur dire la vérité. » Puis elle m'embrasse le front et me caresse les cheveux, comme si j'étais moi-même un enfant.

Chapitre 49

ELI McCULLOUGH

1864

Au début de l'année, il y eut une réorganisation et le gros des RMN fut envoyé à l'est. On essaya de m'expédier chez les Rangers du « Régiment de la Frontière », mais je n'avais pas particulièrement envie de me battre contre les Comanches, et puis je n'aimais pas McCord non plus. En guise de punition, on m'envoya donc dans les Territoires indiens. En général, les Blancs ne voulaient pas travailler avec les Indiens – considérés comme à peine supérieurs aux nègres – mais pour ma part, je pensais que ce serait sans doute la belle vie et j'avais raison.

Des cinq tribus civilisées, deux – les Creeks et les Séminoles – avaient pris parti pour l'Union. Les trois autres – les Cherokees, les Chickasaws et les Choctaws – se battaient du côté de la Confédération. Il y avait une brigade de Cherokees dirigée par un général à eux, Stand Watie, et une brigade de Choctaws menée par Tandy Walker. On me donna le rang provisoire

de colonel et on me confia un bataillon de Cherokees
déguenillés. Ils s'étaient enrôlés en bonne et due forme,
comme les Blancs, mais ils ne voyaient pas l'intérêt de
porter des bottes ou un uniforme, pas plus que d'appliquer les ordres ou de se battre si l'ennemi était en
surnombre. Ils voyaient en revanche tout l'intérêt de
bien manger et de rester entier. Autant dire que, pour
l'armée, ils ne valaient rien.

À ce stade-là, l'essentiel de notre équipement provenait des trains de ravitaillement de l'Union. On
voulait leurs pistolets, en acier plutôt qu'en cuivre, et
leurs fusils à répétition, surtout les Henry et Spencer,
même si on se contentait parfaitement des Enfield.
On voulait leurs pantalons et leurs couvertures de
laine, leurs jumelles, leurs selles et leur sellerie, leurs
chevaux, leurs munitions, leur bœuf en conserve,
leur café, leur sel, leur quinine, leurs chemises
industrielles, leur papier à écrire et leurs aiguilles de
couture.

Nos seuls ordres étaient de semer le désordre dans
leurs arrières, ce qui signifiait aller au Kansas ou au
Missouri brûler des granges et des ponts, ou simplement voler des poules. De temps à autre, quand on
avait le ventre aussi creux que le cœur d'un banquier
et qu'il n'y avait plus rien à piller chez les gens du coin,
on repartait dans le Sud se répprovisionner.

Dormir dehors, bourlinguer où ça me chantait,
c'était un mode de vie familier et qui me convenait
très bien, tout comme me convenait la compagnie des
Indiens, qui, civilisés ou pas, vivaient en meilleure harmonie avec la nature que la plupart des Blancs. Mais,

en été, j'eus quelques jours de permission et je décidai de rentrer à Austin.

Je fis chauffer les essieux tout le long du trajet, mais en apercevant la maison du juge du sommet de la colline, je tirai sur les rênes. Je ne savais plus trop pourquoi j'étais rentré. Je me revoyais à cheval, avec ma panoplie de Comanche, à tirer des flèches pour les journalistes, dans ce jardin où les micocouliers atteignaient aujourd'hui dix mètres de haut alors que je me souvenais d'eux tout juste plantés. Je me sentis vieux tout à coup et je faillis faire demi-tour vers le nord. Mais Madeline se tenait sur le pas de la porte de la petite maison. Je mis pied à terre, j'accrochai mon cheval et j'allai la retrouver.

Elle tenait Everett dans ses bras. Il avait neuf mois. Ou peut-être huit, ou onze.

«Papa est de retour», dit-elle.

On aurait dit qu'il allait se mettre à pleurer. Quant à elle, on aurait dit quelqu'un d'autre – elle avait pris dix ans depuis le début de la guerre. Elle avait facilement retrouvé sa silhouette de jeune fille, mais à voir les cernes noirs sous ses yeux et sa peau qu'un rien marquait d'un bleu, je sus que j'avais fait une erreur monumentale.

À l'intérieur, elle posa mes mains sur sa poitrine et je fus aussitôt très excité. Mais une fois sur le lit, je vis bien qu'elle ne l'était pas.

Elle voulait quand même, mais avant qu'on ne commence elle dit : «Mets-la plutôt là», et elle leva les jambes un peu plus haut. «Je ne veux pas que mon lait s'épaississe.»

Puis : «Est-ce que c'est bon ?»

Je hochai la tête.

«Aussi bon que...

— Oui, marmonnai-je.

— Pour moi aussi. Mais ça fait mal.»

Je me retirai. Elle roula de côté et examina mon sexe.

«Je pensais qu'il serait dégoûtant.» Elle s'approcha. «Il sent, quand même.

— Je ferais sans doute bien de me laver.

— Je pensais que ça te plairait. Ça t'a plu?

— Oui.»

Les nègres avaient gardé de l'eau au chaud, j'allai donc dans la grande maison prendre un bain. Quand je revins, elle s'était rhabillée.

«C'est à cause du bébé? dis-je.

— Certainement.»

Je regardai la maisonnette autour de moi. Petite et sombre. Je me dis que j'aimais ma femme et mon fils.

«C'est peut-être que je me sens un peu loin de toi.

— Mais je suis là, dis-je.

— Tu pars et puis au bout de quelques mois tu reviens, on couche ensemble et puis tu repars. Je me sens comme une vache.

— Tu es belle.

— Je ne parle pas de mon apparence. Je parle du fait que tu viens et tu repars et voilà.»

J'allais répondre, mais elle m'interrompit: «Mon père pourrait te trouver quelque chose ici. Je sais qu'il te l'a dit. Je vois tout le temps des officiers en ville et je suis sûre que sur la côte aussi il doit y avoir des hommes qui voient souvent leur famille.

— Ce ne serait pas juste.

— Pour l'armée ou pour moi ? Pour des types que tu ne connais que depuis un an, ou pour moi ? Tu aimes faire semblant de ne pas avoir le choix, mais tu l'as, Eli.

— Pourquoi tu es en colère, comme ça ? J'arrive à peine.

— J'essaie de ne pas l'être. »

Everett me jetait un regard noir. « C'est moi qui t'ai fait, lui dis-je.

— C'est son air habituel. »

Cet après-midi-là, après avoir rendu visite au juge et à sa femme, on se remit au lit. Madeline avait volé une bouteille d'huile de tournesol à la cuisine.

« Tu ne veux pas un autre Everett ? lui dis-je. Ou une petite sœur pour lui ?

— Si, dit-elle. Un jour, oui, vraiment, mais pas toute seule. »

Elle me regarda, prit ma main entre les siennes et l'embrassa. C'était une très belle femme. Et forte, me dis-je, forte.

« Est-ce qu'il t'arrive de penser à ce qu'est ma vie ici ?

— J'imagine que c'est dur, dis-je, même si je ne le pensais pas.

— Oui, dur. Je suis coincée dans cette maison avec un petit animal qui ne sait même pas parler. Parfois je me réveille et je me dis que je ne vais peut-être plus savoir parler non plus.

— Mais ça te plaît, d'avoir un bébé, non ?

— Bien sûr. Mais pas plus qu'à toi. Parfois, quand il pleure, j'ai envie de le laisser dans son berceau et de courir le plus loin possible. »

Je ne dis rien.

« Pardon. J'en ai marre de jouer les martyres. Je pensais que j'aimais ça, mais je n'aime plus. Je vais me taper tout le boulot, je vais élever ton fils, mais si tu crois qu'en plus je vais me taire, alors tu te fiches le doigt dans l'œil.

— Est-ce que les bonnes ne peuvent pas s'en occuper ?

— Elles ont assez de travail avec ce que leur donne ma mère.

— Tu sais, quand je ne suis pas là, je dors sous la pluie et je me nourris de biscuits moisis. Et on me crie dessus.

— J'ai l'impression d'être ta maîtresse. Alors ne fais pas comme si c'était affreux, là-bas, parce que je te connais, Eli, je sais que tu n'irais pas si c'était si terrible. »

Il y eut un silence. On aurait dit qu'elle allait pleurer. « Je ne veux pas que ce soit ton dernier souvenir de moi.

— Il ne va rien m'arriver.

— Et arrête de dire ça, s'il te plaît.

— D'accord.

— Au début, j'ai cru qu'il y avait une autre femme, là-bas. Maintenant je regrette que ce ne soit pas le cas. »

Chapitre 50

J. A. McCullough

Dès le départ, quelque chose avait cloché. Quand elle était montée à bord de son avion, son pilote habituel n'était pas là et le remplaçant – une remplaçante – avait un drôle d'air. Pour la première fois en quatre-vingt-six ans, dont plusieurs dizaines à prendre dix à vingt vols par semaine, elle aurait voulu redescendre. Évidemment, ça s'était très bien passé. La pilote était excellente ; elle avait exécuté un arrondi si parfait que Jeannie s'était à peine aperçue qu'ils avaient touché le sol. Mais le mauvais pressentiment avait demeuré.

Plus tard, assise sur la galerie à regarder le soleil se coucher dans le calme du soir, elle s'était mise à pleurer : le ciel tout entier n'était plus que rouge, mauve et orange vif, et dire qu'un jour, bientôt, ce soir peut-être, elle allait mourir – tant de beauté –, l'idée de tout quitter était insoutenable. C'est alors que Frank Mabry manifesta sa présence. Retirant son chapeau, il attendit qu'elle s'adresse à lui. Elle se demanda s'il était aveugle, ou sourd. Mais non, il était idiot. Elle avait beau l'ignorer, il ne partait pas, restant debout, là, à attendre, comme un chien qui se serait fait gronder.

« Madame », dit-il au bout d'une minute.

Elle hocha la tête. Se tamponna les yeux.

« Je me demandais si vous aviez réfléchi à notre discussion de la dernière fois.

— Non », dit-elle. Elle ne savait pas à quoi il faisait allusion. Il pilotait le petit hélicoptère qu'ils utilisaient lors des rassemblements de chevaux. Elle se tamponna de nouveau les yeux en souhaitant qu'il aille au diable, mais, loin de battre en retraite, il semblait persuadé de pouvoir encore s'insinuer dans ses bonnes grâces.

« Vous me connaissez depuis combien de temps, Frank ?

— Trente-quatre ans. Et voilà, c'est justement ça. Je me demandais, au cas où... il arriverait quelque chose, si des dispositions avaient été prises, une gratification, pour les personnes à votre service depuis aussi longtemps que moi. »

Mais de quoi parlait-il donc ? Puis elle comprit. « Partez s'il vous plaît », dit-elle.

Il s'éloigna d'un pas lourd. Qu'il se prenne donc un coup de sabot, ou que sa voiture se renverse, ou que le rotor tombe de son hélicoptère ridicule. Elle regarda le véhicule s'éloigner et, sentant bien que sa soirée avait été gâchée, monta se coucher sans manger.

Le lendemain matin, elle se réveilla plus tôt qu'elle ne le souhaitait. Normalement, elle allumait son ordinateur et vérifiait les cours du pétrole et de la Bourse, à combien les marchés asiatiques avaient clôturé et où en étaient les marchés européens, mais ce matin-là, elle n'en avait pas envie. Elle s'habilla et descendit à petits pas le long couloir dont les boiseries sombres et les bustes romains commençaient tout juste à s'éclairer. Au lieu de prendre l'escalier, elle resta sur le palier à regarder le soleil se lever dans le vitrail. Il y avait quelque chose de particulier. Elle l'avait vu des milliers de fois, mais là, c'était différent. *Tu verses dans le sentimentalisme*, décida-t-elle avant de finalement descendre.

Elle prit son petit-déjeuner dans la cuisine, mais au moment de mettre son assiette dans la machine, elle la trouva pleine de vaisselle propre. Pas la sienne ; elle n'était là que depuis la veille. Quelqu'un – un employé – avait dû organiser une fête. Elle ne se souvenait pas qu'on lui ait demandé l'autorisation. *Non*, se dit-elle, *on ne m'a pas demandé*. Ça ne pouvait être que Dolores, qui tenait la maison ; personne d'autre n'aurait osé.

Dolores était à son service depuis trente ans et elles avaient toujours entretenu une amitié toute diplomatique, à base d'embrassades un peu formelles et d'apparitions occasionnelles de J. A. chez sa gouvernante lors de réunions familiales – anniversaires, cérémonies de remise des diplômes –, présence bienveillante. Assurément, elle les avait aidés à vivre bien au-dessus de la moyenne des gens du comté. Et, contrairement à Frank Mabry, Dolores n'avait pas été oubliée dans le testament de Jeannie, même si l'intéressée l'ignorait encore.

Elle se sentit bouillir. Elle ne devrait plus avoir ce genre de réaction, ce n'était pas sain à son âge.

Elle se retira tout entière dans ses pensées et sa colère se dissipa. Un grand soleil entrait par les fenêtres ; dehors, tout près, des hannetons et un parfum de vanille – les *agaritos* étaient en fleur. Mais quelle importance puisque tout le monde était contre elle ; ils voyaient tous la fin venir. Elle se demanda si elle aurait dû se remarier. Ce qui était ridicule. Ted était mort depuis des années – un autre mari à enterrer. N'empêche, elle avait mené une drôle de vie.

Tes médicaments, se dit-elle, *et à boire*. Mais la petite boîte requérait encore trop d'efforts. Elle se demanda quand Dolores arriverait. Elle ferait mention de l'incident mais lui ferait comprendre qu'il était pardonné ; Dolores pouvait parfaitement organiser des fêtes, il suffisait de demander la permission. La lumière pénétrait plus avant dans la maison, éclairant les vieux tapis et les sombres planchers, les portraits de son père, de son grand-père et de son arrière-grand-père, le long de l'escalier central. Bien sûr, il en manquait un, celui de la personne qui avait fait tourner le ranch plus longtemps que son père et son grand-père réunis. Mais ça ne se faisait pas de mettre soi-même son propre portrait. Et il n'y avait personne après elle pour le faire. Son petit-fils : peut-être serait-il heureux. C'est tout ce qu'elle pouvait espérer.

La porte d'entrée s'ouvrit puis se ferma et Dolores apparut à l'autre bout de la salle à manger, silhouette minuscule dans ce décor immense. Il lui fallut une longue minute pour se rapprocher ; elle portait un nouveau sac à main blanc et quand elle eut traversé toute la pièce, elle sourit et dit : « Bonjour, Mrs McCullough.

« — Bonjour, dit Jeannie. Comment s'est passée votre petite fête ? »

Dolores détourna les yeux et Jeannie la vit réfléchir. « Une fête ? Oh, ce n'était pas vraiment une fête, juste quelques personnes, à l'improviste. »

Elle avait visiblement préparé son excuse, et la colère de Jeannie revint : « Prévenez-moi la prochaine fois. C'est encore chez moi, ici. »

Dolores évitait toujours son regard et Jeannie se sentit coupable : quel effet cela lui ferait-il de se faire encore gronder à un âge aussi avancé ? Elle fit le tour du comptoir pour prendre Dolores dans ses bras et lui montrer que ça n'était pas grave – de vieilles amies comme elles. Mais si Dolores comprit son intention, elle n'en montra rien. « Je vais m'occuper de votre chambre », dit-elle avant de faire demi-tour, et Jeannie resta avec l'impression que c'était elle, et non Dolores, qui aurait dû présenter des excuses.

Et cette autre impression, aussi : que Dolores n'estimait plus nécessaire de cacher ce qu'elles savaient toutes les deux, à savoir qu'à plus d'un titre, et non des moindres, l'employée n'avait plus besoin de l'employeuse. Dans son cercle à elle, Dolores était considérée comme riche, c'était une matriarche à qui l'on venait demander des faveurs ; les jours fériés, sa rue était encombrée de voitures, garées des deux côtés jusque chez elle.

Dans l'ancien temps, la situation aurait été inverse. C'est Jeannie dont la maison aurait grouillé d'enfants, Jeannie qui aurait eu des tas de mariages, d'anniversaires et de fêtes de remise de diplôme à organiser, alors que Dolores, elle, aurait perdu la plupart des siens

– tous, peut-être –, emportés par la dysenterie et la malnutrition, l'excès de travail, l'insuffisance des soins médicaux, le *coraje* et les maris jaloux (ils se massacraient les uns les autres – il y avait toujours dans le journal quelque histoire de *péon* s'apercevant au matin qu'il avait égorgé sa femme). Mais maintenant... maintenant...

Le soleil était vif. Bientôt ce serait l'été et la lumière éteindrait tout, toutes les couleurs, mais pour l'heure, ce n'était que verdure et fraîcheur. Elle eut l'intuition, qui se mua en certitude, qu'elle ne vivrait pas jusquelà. Elle regarda ses mains. Quelque chose bougeait dans le coin. Elle eut froid.

Après la mort de Hank, il y avait eu des moments où le visage que lui renvoyait le miroir ne voulait strictement rien dire pour elle ; si les circonstances s'y étaient prêtées, elle l'aurait oblitéré comme on écrase une mouche. Mais on ne l'avait pas laissée seule. Une chose était sûre, c'est que les opérateurs pétroliers s'y connaissaient en chagrin et en deuil ; la plupart n'étaient sortis de la misère que depuis une génération ou deux, et pendant des semaines après la mort de Hank, ils ne l'avaient pas laissée seule. Si désespérément qu'elle aspirât au silence, il y avait eu des gens dans la cuisine, dans le salon, dans les chambres d'amis, des buffets de victuailles, des domestiques qu'elle ne connaissait pas, des inconnus qui allaient et venaient, et ses enfants qui se rendaient à l'école, qui en revenaient – comment, elle n'en savait rien.

Les Texans n'avaient rien lâché. Ils n'aimaient peut-être pas les Noirs et les Mexicains, ils avaient peut-être haï le Président au point de l'assassiner, mais ils ne l'avaient jamais laissée seule, ils s'étaient occupés d'elle comme de leur mère ou de leur fille – des hommes qu'elle connaissait à peine, des hommes à qui leur absence du bureau coûtait des milliers de dollars de l'heure, et qu'elle trouvait endormis sur son canapé quand elle descendait de sa chambre – elle appelait alors leur chauffeur pour qu'il vienne les chercher.

Naturellement, c'étaient ces mêmes hommes qui refuseraient presque de traiter avec elle par la suite. Mieux valait ne pas y penser. Tout était aujourd'hui pardonné. Ils étaient retournés à la poussière, n'ayant vécu que pour mourir.

Ted était entré dans sa vie quelques années après que Hank en était sorti. Il était plus âgé qu'elle et venait d'une famille plus ancienne encore ; il passait le plus clair de son temps à jouer au polo – quand il n'était pas en train de courir ou de nager – bien qu'il eût cette aura particulière que dégagent ceux qui ont consommé toutes sortes de drogues, la patine de ceux qui se laissent aller.

Pas physiquement, bien sûr : à cinquante ans, il faisait un mètre quatre-vingts et quatre-vingt-un centimètres de tour de taille. Il tenait ses traits rudes de ses ancêtres, mais c'est aux maillets de polo et aux haltères qu'il devait les cals de ses mains. Il ne s'était rien cassé de sa vie, surtout consacrée à courir après les femmes. Mais comme un interrupteur qu'on presse, voilà qu'il avait décidé de se ranger. Un homme intelligent, bien qu'elle eût mis longtemps à s'en apercevoir.

Il avait une manière de faire attention à elle qu'elle n'avait jamais connue avec Hank, et elle finit par voir que ce dernier, malgré toutes ses qualités, avait surtout vécu pour lui-même, bien que ni lui ni elle n'en aient eu conscience à l'époque.

C'est ainsi que Ted, par ce simple fait, lui avait redonné espoir, l'espoir de n'avoir pas tout compris à la vie et aux gens, l'espoir que les choses pourraient être autrement ; c'était agréable. Ted aimait qu'elle soit belle, remarquait chaque fois qu'elle s'était fait couper les cheveux ou qu'elle portait une nouvelle robe, et faisait la différence entre une humeur dont il pouvait la tirer et une autre où il fallait la laisser. Il ne se répandait pas constamment en compliments, mais rien ne lui échappait. Pour autant c'était quelqu'un de léger. Un play-boy vieillissant qui voulait de la compagnie sans plus avoir, se disait Jeannie, à sortir le grand jeu pour chaque serveuse ou chaque hôtesse de l'air qui lui tapait dans l'œil. Il avait décidé qu'il était vieux et que le temps était venu de faire son nid.

Les garçons l'aimaient plutôt bien. Ils ne le prenaient pas vraiment au sérieux malgré le temps qu'il leur consacrait, faisant avec eux ce qu'elle-même n'aurait pas pu faire, balades à cheval et parties de chasse – il était trop paresseux pour les chevreuils, mais il aimait chasser la caille. Il ne leur apprenait visiblement jamais rien, car les garçons ne devinrent pas meilleurs cavaliers ni meilleurs chasseurs en sa compagnie, mais il n'exigeait rien d'eux non plus, et il arrivait souvent qu'elle rentrât le soir pour les trouver tous les trois sur le canapé devant *Chapeau melon et bottes de cuir* ou *Bonanza*, Ted avec une bouteille de vin, les garçons avec un soda, pas bavards pour un sou, mais heureux comme tout.

Quant à Susan, elle passait maintenant ses grandes vacances dans le Maine, avec les enfants de Jonas – trois mois de silence et de tranquillité. La deuxième fois, elle était revenue en disant qu'elle voulait quitter Kincaid pour aller à Garrison Forest, comme ses cousines. Jeannie n'avait guère envie de voir sa fille disparaître de sa vie huit mois par an, mais c'était peut-être mieux – un tout petit peu mieux – que d'avoir à la supporter. Avec Susan, on était au-delà de la perpétuelle quête d'attention, c'était du sabotage pur : elle fouillait dans les affaires de sa mère, entrait dans sa chambre quand elle savait que Ted y était, et débarquait dans la cuisine, soi-disant pour se chercher quelque chose à grignoter, en culotte et tee-shirt.

« C'est un cas, cette gamine, disait Ted.

— Elle aura de la chance si elle ne tombe pas enceinte avant son prochain anniversaire.

— C'est surtout toi qui auras de la chance. »

Il avait raison, bien sûr. Mais d'une certaine façon, Jeannie ne le vivait pas comme ça, même à l'époque.

Ted n'avait pas d'enfants ; elle aurait pu lui en donner un, mais ni lui ni elle n'avait eu envie de s'embarquer là-dedans tant que c'était encore possible. Ted voulait une famille, mais toute faite ; il voulait une femme indépendante financièrement qui l'acceptât dans son clan sans rien lui demander d'autre. À sa grande surprise, elle s'était sentie avec lui plus heureuse, plus tranquille qu'elle ne l'avait jamais été. Bien sûr, elle resterait fatalement attirée par les gens comme Hank qui avaient le feu sacré, mais ces gens-là avaient beau être persuadés de vous aimer, ou d'aimer leur famille ou leur pays, ils avaient beau marquer leur allégeance de mille façons, leur feu ne brûlait que pour eux.

Chapitre 51

JOURNAL DE PETER McCULLOUGH

6 août 1917

Sally a appelé pour dire qu'elle allait venir. «Ne t'inquiète pas pour ton petit *pelado*, a-t-elle dit. Je ne vais pas faire de scandale.»

L'espace d'un instant, j'ai vu mon monde s'écrouler. Je suis d'abord resté silencieux, avant de finir par lui dire : «Tu n'as rien à faire ici.

— Sauf que c'est chez moi. J'aimerais venir dans ma propre maison. Il paraît qu'il s'y passe toutes sortes de choses captivantes.

— Tu n'es pas la bienvenue, lui ai-je dit tout en sachant que ça ne servirait à rien.

— Eh bien, sors-toi ça de la tête, parce que j'arrive.»

Mon père était sur la galerie avec le foreur et quelques autres.

«Je viens d'avoir Sally au téléphone.»

Il m'a regardé.

«S'il arrive quoi que ce soit, il y a certaines choses que je rendrai publiques.

— À ce soir, les gars», a dit mon père au petit groupe. Ils se sont levés comme un seul homme.

«Oublie ce que tu vas me dire, Peter. Oublie même que tu le penses.

— Empêche-la de venir.

— Ça ne me regarde pas.»

J'ai secoué la tête.

«Qui tu veux, mais pas cette fille, Pete. D'ailleurs je t'encourage à engrosser toutes les moricaudes du coin, parce qu'à moins d'être asticoté dans les règles de l'art, j'en ai fini du ramonage, or j'aimerais bien encore quelques héritiers.

— Nous n'avons rien à craindre de María.

— Je sais.

— Alors dis à Sally de ne pas mettre les pieds ici.

— Tu sais que si tu étais comanche, tu n'aurais qu'à lui couper le nez, la mettre dehors et épouser l'autre.

— Elle s'appelle María.

— Malheureusement, tu n'es pas comanche. Tu es soumis aux lois des États-Unis. Ce qui veut dire que tu aurais dû te débarrasser de Sally avant de prendre l'autre.

— J'ai honte pour toi.

— C'est réciproque.»

«Il paraît que ta femme rentre?»

Je la regarde, ça ne sert à rien de nier. «Ne t'inquiète pas.»

Elle hausse les épaules. Je vois qu'elle a pleuré. «Je savais bien que ça n'aurait qu'un temps.

— Non. »

Elle se détourne.

J'essaie de la prendre dans mes bras, mais elle me repousse. « Ça va, dit-elle.

— Non, ça ne va pas.

— Ça va aller. »

Je comprends que ce n'est pas à moi qu'elle parle.

J'ai attendu qu'elle s'endorme et puis j'ai pris une bouteille de bourbon et je suis parti dans le *chaparral* jusqu'à Dog Mountain – c'est une grande colline plutôt qu'une montagne, mais c'est ce qu'on a de plus haut. Au sommet se trouve un gros rocher avec une espèce de siège creusé ou taillé dans la pierre ; j'y ai grimpé et je m'y suis installé. La maison était à un peu plus d'un kilomètre derrière moi ; hormis quelques lueurs au loin, tout était plongé dans l'obscurité.

Au bout d'un moment, j'ai été pris d'un sentiment étrange. Il a toujours fait bon à cet endroit et ça doit faire des dizaines de milliers d'années que les hommes viennent s'asseoir sur ce rocher puisque c'est d'ici qu'on a la meilleure vue sur les environs. Combien de familles ont vécu et sont mortes ici ? Avant les hommes, il y avait là un immense océan, et je savais que, loin en dessous de moi, des créatures vivantes étaient en train de se muer en pierre.

J'ai pensé à mon frère, qui a toujours eu mon caractère en pitié, mon frère qui passe ses journées enfermé, obsédé par ses papiers et ses comptes en banque. Quand les *agaritos* mûrissent, il n'en sent pas le parfum, et quand fleurissent les premières anémones des bois, il ne les voit pas. Mon père, lui, voit toutes ces choses. Mais ça ne lui sert qu'à les détruire.

7 août 1917

Sally est arrivée ce matin. Elle m'a poliment embrassé sur la joue avant de saluer María. « Contente de te revoir, voisine. » Puis elle a éclaté de rire : « Par cette chaleur, on ne sait décidément plus où dormir ! »

Elle a dit qu'elle prendrait une chambre à l'autre bout de la maison et y a fait porter ses affaires.

En attendant, j'étais censé passer la journée avec Sullivan : on a embauché des gars pour poursuivre la clôture des pâturages.

Je comptais lui dire de faire sans moi, mais María m'a assuré qu'il n'y avait pas de problème.

« Il va bien falloir qu'à un moment ou un autre je me retrouve seule avec ta femme. Autant que ce soit le plus tôt possible. »

Nous avons retrouvé les gars à l'entrée du ranch et nous sommes allés au milieu de la propriété leur expliquer ce que nous voulions. Des portails là, là, là et là... Au bout de quelques heures, j'étais tellement fébrile que j'en avais les mains qui tremblaient. J'ai dit à Sullivan qu'il fallait que je rentre.

En voyant la Pierce Arrow de Phineas garée dans l'allée, j'ai eu un horrible pressentiment. Dans le petit salon se trouvaient Phineas, Sally et mon père, qui attendaient.

Je suis passé de pièce en pièce, en l'appelant partout – la cuisine, la grande salle, la bibliothèque – et puis j'ai ouvert tous les placards. Dans ma chambre, Consuela changeait les draps ; elle n'a rien voulu dire. Je suis redescendu et je les ai trouvés tous les trois, qui attendaient toujours.

Sally a dit : « María a décidé de retourner auprès des siens.

— C'est moi, les siens.

— Visiblement elle était d'un autre avis.

— Si vous lui avez fait quoi que ce soit, ai-je dit en regardant Sally et mon père, je vous tue. »

Tandis qu'ils échangeaient un regard, une ombre est passée sur leur visage. Quelque manifestation d'humeur. J'aurais eu un pistolet, ils seraient morts tous les deux. Dans une sorte de brume rouge, j'ai sorti mon canif de son étui, je l'ai ouvert, et j'ai fait un pas vers ma femme.

« Je vais te faire la peau. » Elle a souri. Je me suis rapproché et là, elle est devenue blême.

« Et toi, ai-je dit en pointant l'arme vers mon frère, tu étais au courant ?

— Pete, on lui a proposé dix mille dollars pour qu'elle retourne vivre avec son cousin à Torreón. Elle a accepté.

— Son cousin est mort.

— Elle connaît d'autres gens, là-bas.

— Elle est où ?

— En route.

— Fils, a dit mon père, c'est pour le mieux. »

Je suis monté dans mon bureau pour charger mon pistolet et je m'apprêtais à redescendre quand j'ai vu, appuyée contre la rampe, la silhouette noire qui m'attendait, en pleine lumière. Je suis resté là longtemps à regarder son visage : celui de mon père, d'abord, et puis le mien. Puis c'est autre chose que j'ai vu.

Je suis retourné dans mon bureau.

J'attends que la voiture soit prête. Départ pour Torreón dans une heure.

Chapitre 52

ELI McCULLOUGH

Juin 1865

Les Nordistes nous talonnèrent tout l'hiver ; à Noël on avait déjà perdu la moitié de nos troupes. Il était clair qu'à moins de quitter le Kansas, on finirait tous avec une balle dans le corps ou une corde au cou. Veste-au-Vent et le reste des Cherokees décidèrent de mettre les voiles vers les Rocheuses. On était cinq RMN – Busque, Showalter, Fisk, Shaw et moi. On décida de les accompagner. Aux dernières nouvelles, Sherman avait pris la Géorgie. S'il restait d'autres bandes de Confédérés, on ne croisait plus leur route.

Les Cherokees ramassèrent quelques scalps utes, mais on évita complètement les troupes de l'Union, campant à la limite des arbres et menant globalement une vie de brigands jusqu'à ce qu'un après-midi, dans le Bayou Salado, on tombe sur un petit régiment. Normalement on se serait dépêchés de passer la crête, mais il y avait plus de vingt chariots pour quelques centaines d'hommes seulement, avec chacun un attelage de huit mules, ce qui n'échappa pas non plus à Veste-au-Vent. On se tapit dans les rochers pour les observer.

« Ils tirent quelque chose de lourd », dit-il.

Je me tus. Je savais exactement ce qu'ils transportaient, mais si Veste-au-Vent n'était pas d'accord avec moi, c'était peine perdue. Il approchait la cinquantaine et il avait tenu à se faire appeler « colonel », raison pour laquelle j'avais aussi reçu ce titre. Il ne quittait jamais sa veste avec l'insigne en feuille de chêne qui indiquait son grade, même par trente-huit degrés.

« Ils vont au laboratoire d'essai de l'hôtel des monnaies de Denver », dis-je. La guerre ne s'était pas du tout passée comme je l'avais prévu – même le juge était presque ruiné – mais plus je regardais les chariots, plus je me disais qu'il y avait peut-être quelque chose à sauver de ce naufrage. Je pensai à Toshaway et à notre raid au Mexique ; je ne voyais pas en quoi c'était différent.

« À moins qu'ils transportent des peaux, disait Veste-au-Vent. Ou du bois. Ou alors, va savoir, ils sont peut-être devenus tellement forts que c'est pour s'amuser qu'ils voyagent comme ça.

— Eh bien à ce rythme, ils ne passeront pas le col. Ils vont devoir bivouaquer sur ce replat, là-bas. »

On poursuivit notre observation. Les hommes qui conduisaient les chariots mirent pied à terre quand la côte se fit plus raide. C'était le pays de l'or et ils tiraient quelque chose de lourd. Évidemment, ça pouvait être n'importe quoi. Mais Veste-au-Vent commençait à accepter l'idée.

«J'espère qu'on ne va pas y aller et se trouver devant un tas de pierres.

— Si c'est le cas, dit Veste-au-Vent, ce sera dans la continuité de ma vie jusqu'ici.»

Il appela quelques Cherokees pour en parler avec eux, puis revint vers moi.

«C'est quoi, ce canon, qu'ils traînent?

— Sans doute un *howitzer*.

— Avec des boîtes à mitraille, s'ils ont peur de se faire dévaliser.

— Oui, mais ils n'en ont qu'un, et ils tireront aussi sur des hommes à eux.

— Quand même, c'est bizarre.»

Ils bivouaquèrent à l'endroit prévu: des papillons dans l'herbe, cent cinquante kilomètres de vue sur les montagnes et un ruisseau juste à côté. Nous étions quant à nous à la limite des bois, dans les cailloux et la poussière. Les Fédéraux, détendus, prenaient leur temps pour monter leurs tentes. Ils visaient par jeu les mouflons, petits points blancs sur les falaises au-dessus d'eux; certains avaient des fusils Sharps et, de temps à autre, un de ces points blancs dégringolait à flanc de montagne, comme un bonhomme de neige faisant la culbute.

Tous les gars étaient contre. À part Showalter, qui était au-dessous avec les Indiens, nous étions couchés sur le ventre dans les rochers, à nous passer et repasser les jumelles.

«On n'est pas exactement de taille, si? dit Fisk.

— C'est ce que veulent les Indiens, dis-je, c'est ce que veut notre président Jefferson Davis, et c'est ce que nous allons faire.

— Écoutez-moi le fanatique. La légende vivante. »

Shaw dit : « Puis-je humblement suggérer au chef que son attitude est dépassée ? D'environ quatre ans. »

Je tendis les jumelles à Fisk, le plus âgé d'entre nous, père d'une famille nombreuse à Refugio.

« C'est une très mauvaise idée, dit-il avant de se mettre à ramper vers l'arrière dans la rocaille.

— Où tu vas ?

— J'ai une lettre à écrire.

— Pareil, dit Shaw. Dites-moi si vous changez d'avis, sinon vous nous trouverez, mon cheval et moi, en train de descendre le sentier par lequel on est montés. »

Je lui jetai un regard.

« Je rentre au campement », dit-il. Mais il ne souriait pas.

Il ne restait que Busque et moi.

« Tu en penses quoi, toi ? dis-je.

— J'en pense que c'est débile.

— Ce sera la belle vie si ça marche.

— Ils trouveront le moyen de tout nous prendre, tu le sais très bien.

— C'est lamentable, comme attitude.

— Il est temps de pisser sur le feu et de rappeler les chiens, Eli. Autant qu'on sache, Jeff Davis est peut-être déjà un bourgeon de peuplier. »

Je ne dis rien.

On continua à observer les Yankees couchés dans l'herbe, en sous-vêtements, qui profitaient du soleil, jouaient aux cartes sur des couvertures de selle ou écrivaient leur journal. D'autres écorchaient les mouflons et préparaient le feu.

« J'ai de la peine pour nos Indiens », dit Busque.

On regarda les Nordistes dîner, puis on les regarda regarder le soleil se coucher. Quand apparurent les premières étoiles, on les voyait encore en train de se passer une bouteille, contents de leur sort, faisant comme si la guerre n'existait pas.

La plupart des tentes se trouvaient dans une petite dépression, avec les chevaux et les chariots tout autour. Vers minuit, nos flèches se chargèrent des sentinelles, puis on lâcha les chevaux en panique sur le campement et ce fut un véritable massacre. Les Fédéraux étaient faciles à repérer : ils se tortillaient sous les toiles de tente effondrées, ou regardaient autour d'eux d'un air ahuri dans leurs caleçons longs d'un blanc éclatant. On attaqua la cuvette par tous les côtés avec nos pistolets à répétition, tandis que les Cherokees galopaient tout autour dans des ululements, fracassant les crânes de leurs haches en silex. La plupart des Yankees moururent avant même de savoir qui leur tombait dessus ; je commençais à avoir pitié d'eux – le combat n'était pas équitable – quand je m'aperçus que Veste-au-Vent me faisait signe.

Une douzaine de Nordistes, tous en sous-vêtements, s'étaient échappés vers la hauteur où stationnait le canon. Ils récupéraient des choses dans un chariot sans le moins du monde tenter de se sauver et je me dis qu'ils avaient perdu la tête. Puis ils déclenchèrent la mitrailleuse et je compris.

Un des hommes s'occupait de viser tandis que les autres alimentaient la pièce ou surveillaient les côtés ; le feu était si fourni qu'on aurait dit que vingt hommes tiraient en même temps.

Des Cherokees chargèrent. Puis d'autres. Le tir ne s'était pas arrêté depuis qu'il avait commencé. Je me réfugiai avec Shaw et Fisk dans un bosquet rabougri de l'autre côté du pré. Les Fédéraux étaient sur une hauteur juste en face. Entre eux et nous, des dizaines de tentes piétinées, des morts, des mourants, des cadavres de chevaux, d'autres à l'agonie, le tout dans une cacophonie de gémissements digne d'une foire aux bestiaux.

À court de cibles, les Yankees revinrent aux blessés. La lumière de la lune était vive. Quand Fisk tua un homme près de la mitrailleuse, les branches au-dessus de nos têtes s'agitèrent et se brisèrent aussitôt. Shaw dit : « Leon est touché », puis se tut.

Au moindre tir de notre côté, les Fédéraux repéraient la lueur et lâchaient vingt ou trente volées jusqu'au jackpot. Le visage de Shaw était tout sombre. Je touchai Fisk : poisseux. Un Cherokee tenta une sortie mais il fut fauché, puis je redevins la cible principale. Je me pressai contre un rocher qui n'était pas plus gros qu'un arçon et où pleuvaient les balles. Je sentis un coup dans le bras. Le visage me piquait. Puis voilà qu'ils visaient les broussailles un peu plus haut. Autour de moi le terrain était plat et totalement découvert et je me dis que cette fois-ci, la fête était finie. Je tentai de me souvenir du chant de mort des Comanches. Oublié.

Puis le feu s'arrêta de nouveau. Veste-au-Vent criait quelque chose. Je cherchai du regard un trou, un rocher, un cheval mort ; il y avait bien un chariot renversé, mais il était trop loin. Derrière le chariot, un Indien tirait presque à la verticale, et puis voilà que d'autres l'imitèrent et l'air au-dessus du canon se mit à trembloter, comme dans la chaleur d'un grand feu. Les chargeurs hurlaient et appelaient à l'aide, puis tous les Indiens se mirent à tirer, et pour finir il n'y eut plus que l'artilleur qui visait à l'aveugle dans la nuit.

Les Cherokees parcouraient maintenant les restes du campement pour achever les blessés à coups de casse-tête. On entendait parfois un tir isolé plus bas dans la vallée.

Je bandai mon bras, puis rejoignis Busque et Showalter avec qui j'allai jusqu'à la mitrailleuse. Le sol était hérissé de centaines de flèches – les Indiens les avaient tirées quasi à la verticale pour qu'elle retombent sur les Nordistes. Les cadavres gisaient ici et là, des flèches plantées dans le sommet du crâne ou des épaules, avec des angles bizarres.

Un des corps remua et un homme s'extirpa d'en dessous, visiblement sain et sauf.

« Je me rends », dit-il. Il leva les mains. « Vous êtes des bandits ?

— Nous sommes des soldats de l'armée confédérée américaine. »

Il nous regarda bizarrement avant de dire : « Je suis un civil. Je suis représentant de commerce. »

Busque intervint : « Ça veut dire quoi, ça ?

— Je représente la société Gatling. Nous n'avons pas passé contrat avec l'armée, mais nous leur avons proposé d'essayer quelques prototypes, puisque... je crois savoir qu'il ne nous a pas été possible d'entrer en contact avec votre gouvernement. »

Les Cherokees survivants commençaient à se rassembler.

« Comment ça marche ? demanda Busque.

— C'est très simple, en fait. Vous prenez une cartouche en papier normale, vous l'introduisez là-dedans... » Il ramassa par terre un petit cylindre métallique parmi les centaines, voire les milliers, qui gisaient là. « L'élément ainsi formé se place alors dans la trémie au sommet, comme ceci. »

Veste-au-Vent nous avait rejoints.

« Qui est-ce ? demanda-t-il. Un déserteur ?

— Il travaille pour la société qui a fabriqué la mitrailleuse. Il dit qu'il est commis voyageur. »

Veste-au-Vent pencha la tête, comme pour réfléchir. Il adressa quelques mots à ses guerriers. Six ou huit d'entre eux se précipitèrent sur l'homme et le poignardèrent.

Les Indiens tentèrent ensuite de démonter l'arme pour qu'elle ne puisse plus servir. Mais dans le noir, le mécanisme en restait hermétique, aussi finirent-ils par la fracasser à coups de pierres.

Veste-au-Vent me prit à part et me conduisit aux autres chariots, où une caisse avait été ouverte.

« C'est lourd mais ça ne ressemble pas à de l'or. On dirait du blé.

« — C'est de la poudre d'or, dis-je. Mais c'est de l'or, c'est sûr.

— Il y en a beaucoup.

— Combien ?

— Des centaines de sacs comme celui-ci. Au moins. »

Le sac devait peser un bon kilo.

« Il va falloir qu'on en enterre une partie et qu'on revienne plus tard.

— Pourquoi ?

— Ça va être compliqué de tout emporter. »

Il me regarda.

« Quoi ?

— Eli, ça ne t'a pas fait réfléchir de voir ce machin à l'œuvre ?

— Non.

— Je crois que tu ne dis pas la vérité. Connaissais-tu l'existence de ce type d'arme ?

— Pas exactement.

— Donc tu savais.

— Je ne savais pas qu'ils en étaient à les fabriquer.

— Mais tu savais qu'en face ils finiraient par en avoir. Une arme avec laquelle un homme peut en tuer quarante autres. »

Mon regard se perdit dans le noir de la vallée et dans les montagnes au-delà. Est-ce qu'on allait s'en sortir ?

« Ah, Eli. Notre bande compte presque mille femmes, enfants et vieillards. Quand nous avons commencé ce voyage, il y avait quasiment deux cents guerriers pour subvenir à leurs besoins, et déjà ça ne suffisait pas. Maintenant on doit être quarante.

677

— C'est tragique, dis-je. Je suis profondément désolé.

— Ce qui est encore plus tragique, c'est que nous sommes dans le camp des perdants. La terre que nous a donnée le gouvernement fédéral, qui n'était pas très bonne, et que nous espérions voir remplacer par une terre meilleure en nous engageant avec vous, nous risquons de la perdre entièrement. Il suffit de voir ce drôle de canon pour le savoir. »

Je haussai les épaules.

« Et ces hommes que l'on vient de tuer ! Regarde comme ils sont gras, regarde leurs montures, alors que nous et nos chevaux sommes faméliques. Et leurs munitions...

— Ça a toujours été comme ça, dis-je. On n'a jamais été les favoris.

— Nous ne nous battrons plus. Désolé.

— C'est une mauvaise décision.

— D'ici un an, ton gouvernement n'existera plus, Eli. Vous êtes cinq Blancs...

— Trois, maintenant.

— Trois. Tu as perdu deux hommes, désolé, mais quand cette guerre finira, vous trois pourrez faire ce que vous voudrez. Alors que moi, je serai coincé sur ma réserve, avec ma famille, à payer le fait d'avoir été du mauvais côté. Pareil pour mes hommes. Lesquels, quand ils auront fini d'enterrer leurs frères, vont sans doute se dire que le mieux est de vous tuer tous les trois. À la fois parce que tu nous as jetés devant ce canon sans prendre la peine de nous prévenir et parce que quand des Blancs volent quelque chose, ce n'est pas grave – les Blancs peuvent se voler les uns les autres –, mais si ce sont des Indiens qui volent, alors là, c'est une autre histoire. Tu comprends ? Des Indiens qui volent de l'or, on ne le leur pardonnera pas. » Il haussa les épaules. « Et pourtant, nous en avons besoin, de cet or. »

Je restai silencieux.

« Ça a été une grande bataille, Eli. La dernière que nous aurons gagnée. Après ça, il n'y aura plus que des défaites. Et je crois que si j'étais toi, je déguerpirais au plus vite.

— Tu es leur chef.

— Contrairement à ton peuple, nous sommes démocrates. Chaque homme est libre. Je conseille, mais mes paroles ne font pas loi. » Il me tapota l'épaule. « Je te dis ça parce que tu es le meilleur Blanc que j'aie jamais connu. Que tu sois en vie me réjouit.

— Moi aussi, dis-je, mais il m'ignora.

— Je te conseille de chevaucher jour et nuit, au moins les premiers jours. »

Je me détournai pour partir. Il avait rempli un parflèche en cuir de sacs d'or. « Le mauvais sort n'a pas de prise sur toi, Eli. Je l'ai su dès que je t'ai vu. Mais c'est aussi une malédiction. » Il me tendit le sac.

« Qu'est-ce que tu en dis ? » demanda Busque. En farfouillant au clair de lune, Showalter et lui s'étaient déniché des uniformes nordistes propres, ce qui n'était pas un exploit vu que la plupart des Yankees étaient morts en sous-vêtements. Ils les rangèrent dans leurs sacoches.

« On va en Californie, dit Showalter.

— Je dirai que vous êtes tombés au combat.

— Arrête tes conneries, dit Busque, le combat est terminé. Ces Tuniques Bleues de mes deux avaient tous des Henry et des Spencer, et cette putain de mitrailleuse. Sans parler de leurs bottes. Je les aurais tués rien que pour avoir leurs bottes.

— Et tout cet or, bordel, dit Showalter. Nos gars sont payés en titres provisoires qui vaudront plus rien d'ici que les pêches soient mûres.

— Je suis colonel, dis-je.

— Eli, bientôt on aura perdu la plus grande guerre de tous les temps. D'ailleurs, si ça se trouve, on l'a déjà perdue et on le sait même pas. J'ai pas l'intention de finir dans un camp de prisonniers, ni de me faire descendre par la Home Guard d'ici là, ni, encore pire, de mourir dans la dernière bataille de cette connerie de guerre. »

Je ne dis rien.

« Si tu retournes à Austin, tu te feras descendre comme déserteur. Et la guerre se terminera quand même, que tu sois vivant ou mort. Viens avec nous dans l'Ouest et fais venir ta famille.

— Je ne peux pas.

— Tu crois qu'on a survécu jusqu'ici parce qu'on est de grands soldats ? C'est ça, que tu crois ? »

Je ne dis rien.

« Tu es un fils de pute, dit-il. J'ai toujours eu des doutes à ton sujet.

— Eh les filles, dit Showalter, au lieu de vous crêper le chignon, dites-moi : vous pensez que ces putains de Peaux-Rouges vont nous laisser toucher à l'or ? »

Plus de deux cents Nordistes gisaient là, en caleçon pour la plupart. D'habitude, après une bataille, je me sentais comme après une chasse au chevreuil, mais cette fois-ci j'avais un terrible pressentiment.

Vingt-huit Cherokees étaient morts au combat et quatorze blessés graves seraient abattus par leurs amis au lever du soleil. On enterra Shaw et Fisk. Leurs visages étaient défoncés. Je pensai aux enfants de Fisk, aux enfants de tous les autres, tous ces hommes que, quelque part, quelqu'un aimait.

Dans les chariots d'approvisionnement, je pris tout ce que je pouvais de porc salé et de cartouches pour mon Henry. Veste-au-Vent accorda à Busque et Showalter un sac de poudre d'or chacun. Ils étaient contents. Je préférai ne pas leur dire ce que j'avais reçu un peu plus tôt.

Les Indiens refusaient de nous regarder, persuadés que nous savions, pour la mitrailleuse. On partit au trot vers la vallée, laissant presque tout l'or aux Cherokees, ainsi que les armes des Nordistes, leurs munitions et leurs chevaux. Sur le bas-côté du sentier, il y avait un cadavre en caleçon long. Et puis un autre un peu plus loin, au bord d'un ruisseau.

Je n'arrivais pas à me défaire du sentiment d'avoir passé le point de non-retour. Mais peut-être l'avais-je passé depuis des années, ou peut-être n'existait-il pas. On ne pouvait rien prendre qui n'appartînt déjà à quelqu'un. Plus rien ne me retenait, désormais.

« Arrête de te biler, dit Showalter. Dès que le soleil se lèvera et qu'ils verront leur butin, ils n'auront qu'une envie, c'est de tout ramasser et de filer. Ils oublieront même qu'on existe ! » Il m'adressa un grand sourire.

« Tu as sans doute raison », dis-je.

Busque restait loin devant. Il ne m'avait pas adressé un regard depuis l'enterrement.

Au pied des montagnes, devant une grande étendue caillouteuse, je partis de mon côté, promettant de les retrouver en Californie après la guerre. C'était la fin des RMN. Je dis quelques mots pour faire oublier ce qu'exprimait mon visage.

On entendit les tirs des Cherokees qui achevaient leurs blessés. Je regardai Busque et Showalter disparaître à l'ouest, puis j'arrachai les fers de mon cheval et j'entrepris de contourner la montagne, restant à couvert et changeant de direction chaque fois que je tombais sur un cours d'eau ou une zone rocailleuse. Sans doute Busque et Showalter ne feraient-ils pas attention à leurs traces. J'espérais que les Indiens ne les trouveraient pas, mais je ne me faisais guère d'illusions ; autour de moi les gens ne vivaient pas longtemps. Les Cherokees attraperaient les deux autres, mais moi, ils ne m'attraperaient pas, j'en avais l'absolue certitude.

Un mois plus tard, j'arrivai à Austin. La guerre était finie depuis le printemps.

Chapitre 53

J. A. McCULLOUGH

Une pute, une gouine ou une salope, voilà ce qu'elle était. Un homme prisonnier d'un corps de femme ; regardez sous sa jupe et vous verrez une bite. Une menteuse, une intrigante. Elle avait le cœur sec et le con à l'avenant, toujours en selle et les éperons bien profonds, mais il ne fallait surtout pas qu'elle le prenne mal. Personne ne disait ça en le pensant vraiment.

Être un homme signifiait n'être tenu par aucune règle. Vous pouviez dire une chose à l'église, son contraire au bar, et d'une certaine façon dire vrai dans les deux cas. Vous pouviez être un bon mari, un bon père, un bon chrétien, et coucher avec toutes les secrétaires, les serveuses, les prostituées qui vous chantaient. Ils avaient tous des petits clins d'œil et hochements de tête codés – traduction : *j'ai baisé cette pom-pom girl, cette nounou, cette hôtesse Pan Am, cette femme de chambre ou cette prof d'équitation.* Et en même temps, au premier indice qu'elle-même n'était pas vierge (ses trois enfants exceptés), elle serait ostracisée, marquée du sceau de l'infamie.

Pas qu'elle s'en plaignît, mais elle avait toujours trouvé étrange que ce qu'on valorisait chez les hommes – ce besoin d'exceller en tout, d'être quelqu'un d'important – fût considéré chez elle comme un défaut. Pas du vivant de Hank, pourtant. Peut-être qu'ils pensaient qu'elle tenait son ambition de lui, peut-être qu'une femme les dérangeait moins quand elle était sous la coupe d'un homme.

Et puis après ? La plupart des hommes l'ennuyaient de toute façon. Les gens en général l'ennuyaient. Elle avait passé quinze ans à regarder l'intelligence de Hank se déployer et se transformer, quinze ans à s'émerveiller. Elle n'allait pas renoncer à sa liberté pour moins que ça. Les premières années de son veuvage, elle n'avait couché qu'avec quelques rares types et le seul dont elle tomba vraiment amoureuse était marié. Ses sentiments pour les autres s'étaient étiolés, ou taris d'un coup ; ils n'étaient pas Hank, ne pouvaient pas être Hank. Le soir, le plus souvent, du moins quand elle en avait l'énergie, elle utilisait son vibromasseur et s'endormait.

Oui, elle était jalouse : il y avait deux poids deux mesures – un homme pouvait s'offrir des maîtresses et des avortements, coucher avec toutes les pompom girls des Dallas Cowboys... Ah, jouir d'une telle liberté, faire ce que bon vous semblait – sauf qu'en plus d'être libre il fallait susciter le désir : un homme pouvait bien être vieux, gros et moche, on le désirait quand même. Rien que d'y penser elle se sentait nulle, comme condamnée à une vie en cage, assignée à une voie étroite tandis qu'autour d'elle les autres fonçaient partout comme une bande de gamins ou de chiens, enfreignant les règles, courant en rond, furetant ici et là.

Elle n'était pas prude. Elle avait eu des aventures strictement sexuelles, ou du moins elle avait essayé. Mais c'était toujours insatisfaisant, comme s'il manquait quelque chose. Et puis même les hommes n'aimaient pas qu'on les traite comme ça, quoi qu'ils racontent à leurs amis – *je me suis senti comme une espèce de godemiché*, s'était plaint l'un d'entre eux. C'étaient des créatures sensibles. Des monstres et des créatures sensibles. Ils avaient le choix.

Voilà quand même qu'ils avaient commencé à admettre qu'elle ait sa place. Peut-être qu'ils vieillissaient, peut-être que leur fortune était faite, qui sait. Toujours est-il qu'ils s'étaient mis à la traiter comme la femme qui avait fait la couverture de *Time Magazine*, la femme qu'il fallait avoir connue dans le temps, quand c'était une beauté et une croqueuse d'hommes. Bien entendu, elle n'avait jamais été une croqueuse d'hommes et, même à cinquante ans, elle était toujours très belle. Mais ça ne faisait pas partie du deal. Le deal, c'est qu'elle était vieille et grosse, comme eux. Même si l'âge et le surpoids ne changeaient rien pour eux.

Lucho Haynes l'avait invitée à une partie de chasse – plusieurs jours, dans une de ses propriétés, aménagée pour ça – et elle avait aussitôt refusé. C'était Lucho, et non Clayton Williams, qui avait eu l'idée de la « chasse au trésor » : des dizaines de prostituées éparpillées dans les bois avec une couverture et une glacière, comme des faisans lâchés avant une partie de chasse, et Lucho et ses amis sur leur piste.

Elle parla de l'invitation à Ted.

«Je doute qu'ils te violeraient ou quoi que ce soit, dit-il. Ils doivent avoir des filles plus jeunes pour ça.

— Une activité sexuelle, ça me changerait.»

Il feignit d'être blessé et retourna à son magazine. «Je pourrais être tenté, tout à l'heure.

— Tu parles.

— Bon, si tu veux vraiment mon avis, je trouve que c'est une très mauvaise idée. Ils s'arrangeront pour t'humilier, ou bien ça se fera tout seul, sans même qu'ils aient besoin de se fatiguer, parce qu'ils ont beau être cons, ils ne le sont pas au point de ne pas comprendre ce que tu veux.

— À savoir ?

— Être comme eux. Faire partie de leur petit club.

— Il n'y a pas de club. Et s'il y en a un, j'en fais partie.

— Oui, sûrement.

— C'est ridicule.

— Non, tu as raison, je raconte vraiment n'importe quoi.»

Le lendemain elle rappela Lucho pour lui dire qu'elle viendrait.

La propriété était à trois heures de route au nord-est de Houston, au cœur de la zone forestière de Pineywoods. Des familles vivant dans des cabanons, des champs entiers de carcasses de tracteurs : aussi pauvre que le Mexique, d'une pauvreté d'un autre siècle. Elle avait pris des vêtements pour trois jours et deux carabines : une calibre 28 pour le gibier à plume et une calibre 20 au cas où elle aurait besoin de quelque chose de plus costaud. Elle avait aussi son revolver habituel sous le siège conducteur.

Elle descendait tant bien que mal la route sablonneuse sur laquelle la voiture n'arrêtait pas de déraper. La végétation était dense. Des grappes de raisin sauvage, une odeur de fleurs qu'elle ne connaissait pas. Elle pensa à des draps blancs, à son père. De vieux pins des marais, des chênes blancs, des magnolias de trente mètres de haut. C'était comme de remonter le temps. Les moustiques, les libellules, l'air saturé de senteurs et d'humidité – ça ne pouvait pas être le Texas.

Le soleil se couchait quand Lucho la conduisit à son chalet ; les hommes étaient presque tous rentrés de la chasse ou de la pêche. Elle était en talons, jupe et chemisier, et se maudissait d'avoir oublié sa bombe d'insecticide. Visiblement, aucun des gars ne s'était douché ou rasé depuis plusieurs jours. Le ranch de l'exploitant pétrolier moyen comportait toujours une maison en pierre, avec d'épais planchers et des fauteuils en cuir, mais le bâtiment où ils se trouvaient était une grossière construction de bois, avec des moustiquaires agrafées en guise de fenêtres et des murs bruts. Ça aurait pu être le domaine du maire de quelque trou paumé, avec ses câbles électriques rafistolés et son bric-à-brac de vieux frigos et de vieilles télés. Elle connaissait tout le monde : Rich Estes, Calvin McCall, Aubrey Stokes, T. J. Garnet, et une demi-douzaine d'autres, tous dans leurs plus vieux vêtements, jambes pâles dépassant des bermudas et gros ventres débordant par-dessus. Elle avait apporté un jean mais décida de ne pas se changer – ne surtout pas leur donner l'impression qu'elle voulait désespérément s'intégrer, ni qu'elle était flattée. Des types bien, tous, mais avides de soumission.

Au menu, haricots et tortilla, bœuf, chevreau, montagnes de poissons-chats frits pêchés du matin et fricassée d'écureuils pleine de petit plomb ; en comptant ce que ces hommes auraient gagné au lieu d'aller pêcher et chasser, c'était peut-être le dîner le plus cher jamais servi. Sa chemise maculée de sauce, Travis Giddings récupérait toutes les têtes d'écureuil et les suçait méthodiquement. Ça buvait du Big Red, du thé glacé, des bières Pearl, et surtout du bourbon dans des verres en papier. Puis on sortit des plateaux entiers de gâteaux aux pêches et d'énormes pots de crème glacée. Mais la conversation restait tenue, sans grossièretés ; une ambiance de vestiaire où le prof vient de rentrer. Elle glissa qu'elle ne resterait qu'une nuit ou deux et le soulagement fut immédiat. Lucho fit circuler une flasque de bourbon ; elle la porta à sa bouche et leva le coude un bon moment, comme si elle comptait tout boire. Bien sûr, elle avait gardé sa langue contre le goulot et ne laissait presque rien passer, mais il y eut des rires et des bravos, et quelques minutes plus tard, on n'entendait plus que des *putain*, *merde* et *bordel*, comme si une digue avait cédé. *Une fille bourrée, c'est toujours populaire*, se dit-elle. Peut-être qu'elle était injuste.

Elle faisait semblant d'être choquée par le désordre ambiant, riait aux blagues graveleuses, et quand quatre femmes débarquèrent (des strip-teaseuses ? des prostituées ?), elle ne manifesta aucune réaction. Lucho lui jeta un regard, ce n'était pas une idée à lui ; elle lui fit un clin d'œil pour qu'il ne s'en fasse pas. Elle était tranquille – n'importe lequel de ces hommes se serait jeté sous un train pour elle. Mais ils étaient aussi parfaitement capables de chercher à la mettre mal à l'aise. Elle se demanda qui avait fait venir les filles – Marvin Sanders peut-être, il ne l'avait jamais vraiment aimée, ou peut-être Pat Cullen, ou bien encore Lucho lui-même, après tout. Peut-être qu'elles avaient été invitées pour la mettre à l'épreuve. Peut-être qu'ils s'étaient dit qu'elle ne s'en formaliserait pas. Peut-être qu'ils n'avaient tout simplement pas pensé à elle.

Assise dans un fauteuil crasseux, ivre malgré ses efforts, elle sirotait son bourbon soda en regardant les jeunes femmes déambuler dans la pénombre. Les fenêtres étaient ouvertes, on avait mis un disque de Merle Haggard. Tout le monde était dans un état pitoyable, l'heure était à la franchise. Agréable sensation de camaraderie. Vingt, trente ans qu'elle connaissait ces types. Beaucoup s'étaient occupés d'elle à la mort de Hank, et malgré leur comportement depuis, elle était là, parmi eux, en sécurité, sous leur protection. Elle commença à se détendre. C'est là que Marvin Sanders la regarda en disant quelque chose qui fit que les filles la regardèrent aussi. Il y avait trois bouteilles de bourbon en circulation. Elle se demanda si certains d'entre eux prenaient autre chose, même si ce n'était pas l'endroit pour ça et que, pour la plupart, ça n'était pas leur genre.

Boire au point de mettre sa voiture dans le fossé ou de s'endormir aux commandes de son Cessna : oui. Fumer un joint : non. Une des filles était maintenant à côté d'elle, une brune aux yeux charbonneux, en slip et soutien-gorge. Elle s'assit sur les genoux de Jeannie et se mit à remuer, leurs sexes séparés de quelques centimètres. C'était à la fois doux et parfaitement impossible. Jeannie regrettait de n'avoir pas mis un pantalon ou du moins quelque chose de plus épais. Elle s'apprêtait à repousser la fille, mais se retint : tout le monde regardait. La fille elle-même la regardait. Est-ce qu'elle se souciait de ce que voulait Jeannie ? Non. L'homme qui la payait lui avait dit de faire ça et elle veillerait à ce que ce soit fait. Ça dura trente secondes, une minute. Elle portait un parfum vanillé bon marché et son regard brillait d'une drôle d'intensité. *Ça lui plaît*, se dit Jeannie. Puis la fille l'embrassa, à pleine bouche, un baiser profond tout de passion artificielle, fait pour être vu. Jeannie détourna la tête. Elle se demanda combien la fille gagnait à l'année. Et ce qu'elle ferait si elle savait combien Jeannie, elle, gagnait. Puis, la chanson finie, la fille se leva. Jeannie lui adressa un clin d'œil solidaire que l'autre ignora, balayant déjà la pièce du regard. *À quarante ans j'étais toujours plus jolie que toi*, se dit-elle, pensée qu'elle chassa aussitôt : le problème n'était pas la fille, mais Marvin Sanders et son gros visage rouge, la mèche censée cacher son crâne dégarni retombée de l'autre côté, son pantalon couvert de soda à la cerise – grotesque. Mais quelle importance, il était riche, il pouvait se payer ce qu'il voulait.

Il ne s'était pas écoulé très longtemps quand elle se leva, bâilla et dit qu'il se faisait tard pour une vieille dame comme elle. Tous s'interrompirent pour lever leur verre et lui souhaiter bonne nuit. Il était encore tôt mais personne ne protesta. Quant aux filles, elles l'ignorèrent.

Elle regagna son chalet dans le noir, sous les énormes pins, comme si la nuit se refermait sur elle. Elle se demanda si Hank avait fait ce genre de choses. Bien sûr, c'était inévitable ; il avait dû en tripoter, des strip-teaseuses. Il avait passé des semaines entières avec les autres opérateurs pétroliers dans leurs résidences de chasse et sur leurs îles privées, et si ça se trouve, il était quelqu'un d'autre, là-bas. Certainement qu'il n'allait pas se coucher de bonne heure – ça aurait joué contre lui. Elle eut soudain la certitude qu'il avait couché avec d'autres femmes, une certitude absolue : il en avait eu l'occasion, sans que cela comportât le moindre risque ou prêtât à conséquences, des centaines, peut-être des milliers de fois. Personne n'aurait enfreint la loi du silence. Elle s'étonna que ça lui ait échappé jusqu'ici. Un sentiment de solitude l'envahit.

Pourquoi est-ce que ça l'affectait autant ? Il était mort depuis vingt ans, c'était absurde. Elle écouta la stridulation des cigales, les rires et la musique qui venaient du bâtiment principal. Qui était-elle pour dire ce qu'avait été son mari ? Assise en sous-vêtements sur le petit lit dur, elle se demanda si elle ne ferait pas mieux de se rhabiller et de rentrer chez elle, d'aller retrouver Ted, Ted qui lui avait déjà demandé sa main à deux reprises. Elle verrait s'il était toujours partant. Elle en avait assez d'être seule.

Elle s'étendit. Elle avait trop bu, il y avait trop de route. Elle s'endormit. Le lendemain, elle se débarbouilla dans le ruisseau, se maquilla face au miroir terne et craquelé, évacua l'idée d'épouser Ted et passa la matinée à chasser la grouse avec Chuck McCabe. Après quoi elle remonta dans sa Cadillac et rentra à Houston. Personne ne lui demanda ce qui la rappelait si vite. Ils firent semblant d'être contents qu'elle soit venue.

Il faisait chaud dans la voiture et lui revint soudain le souvenir du marquage des veaux, comment elle avait défié son père et les autres ; et voilà que quarante ans plus tard, elle était là, cherchant désespérément à se faire accepter. Ils l'avaient domptée. Elle avait baissé les bras. Elle aurait dû faire un enfant à Ted, qu'est-ce qu'elle avait été égoïste, il n'y en avait eu que pour son père et pour Hank. Les morts étaient des concurrents déloyaux, figés dans leur perfection quand la chair des vivants n'en finissait pas de faiblir.

Son père lui-même avait été faible, et Hank aussi, elle le voyait maintenant. L'idée qu'elle se faisait de lui avait survécu à la personne physique, mais ce n'était plus qu'une idée, il avait disparu. Elle-même ne s'en était pas mal tirée ; unique en son genre. Ça devait bien compter pour quelque chose. Elle n'était pas comme les autres femmes. Dix vies passées à jouer au tennis ou au polo n'auraient pas suffi à la satisfaire, et pour ce qui était de l'enfant, si Ted le lui avait demandé, elle le lui aurait fait. Sauf que Ted voulait un enfant comme il voulait tout le reste : une vieille mélodie dans sa tête, à peine audible, un murmure. Mais il avait eu raison pour ce week-end. Elle n'aurait pas dû y aller. C'était une erreur, une erreur de taille ; elle en tirerait la leçon.

Chapitre 54

8 août 1917

Grosse chaleur. Deux pneus crevés à force de rouler à toute allure sur les cailloux. Une demi-journée de perdue. On sera à Torreón demain sans doute. Sullivan et Jorge Ramirez m'accompagnent. Jorge connaît un peu la région. Il est très nerveux – si on se fait arrêter par les carrancistes, notre vie se jouera à pile ou face.

Personnellement ça m'est égal. C'est comme si on pouvait me traverser en me touchant du doigt. Je suis totalement vide.

9 août 1917

Jorge a acheté à des ouvriers croisés en chemin des sombreros et des tenues adéquates. On enfile leurs vêtements et on leur donne les nôtres. Forts sentiments anti-américains en ce moment, surtout depuis la récente expédition de Pershing (*la invasión*, ils l'appellent). On dépasse des ânes tirant du bois, des mules chargées de poteries, des hommes aux pieds lourds qui se traînent dans la chaleur, tout en blanc à l'exception des châles sur leurs épaules. Il y a des enfants qui ne portent que des chapeaux et des ponchos en lambeaux ne leur arrivant même pas à la taille. On s'arrête souvent à cause des troupeaux de moutons, de chèvres et de vaches faméliques qui ne voient décidément pas pourquoi ils dégageraient la route.

J'ai demandé à Sullivan et Jorge s'ils pensaient que Phineas avait pu ordonner qu'on fasse du mal à María, sinon pire. Sullivan a vigoureusement réfuté l'hypothèse. Silence de Jorge. Il a fallu que j'insiste pour qu'il dise que non, il ne pensait pas.

Sullivan a fait remarquer que Phineas prépare sa candidature au poste de gouverneur et que le père de Sally est un juge influent et que c'était sans doute pour ça que la présence de María les gênait. J'ai fait remarquer qu'il n'y avait sans doute pas que pour ça.

À Torreón, une ville plus grande que je ne croyais, on a tourné jusqu'à trouver une *cantina* jugée sûre par Jorge (ses critères m'échappent). Sullivan et moi avons attendu plusieurs heures assis au fond dans un coin (après cent cinquante dollars de pot-de-vin au propriétaire) pendant qu'il partait en éclaireur. Dans nos tenues sales d'ouvriers, on empestait tous les deux la sueur d'autres hommes. Sullivan avait son Colt Peacemaker posé sur une chaise à côté de lui et sa carabine de l'autre côté. J'avais mon pistolet sous ma chemise mais je ne crois pas que j'aurais eu l'énergie de m'en servir. Sullivan le sentait et ça l'énervait.

Au bout de plusieurs heures, comme Jorge ne revenait pas, Sullivan a dit qu'il s'était juré de ne pas faire de commentaires, mais que, tout de même, dix mille dollars, c'était beaucoup d'argent. Assez pour complètement refaire sa vie. *Je ne suis pas tranquille, patron, pour tout vous dire. Plus on reste ici, moins on a de chances de passer entre les gouttes.*

Je ne sais pas ce que je suis censé ressentir. Jorge a fini par revenir et on a commandé à manger. Il nous avait trouvé un bon hôtel.

Est-ce que María savait que ça se passerait comme ça ? Est-ce que c'est ce qu'elle attendait ? Je ne crois pas – elle s'attendait plutôt à se prendre une balle dans la tête quelque part dans la *brasada*.

Mais c'est la question qui se pose toute la journée sans être formulée. Jorge n'a pas trouvé la moindre trace d'elle – elle est peut-être passée par ici la nuit dernière, ou peut-être pas.

Je regarde Sullivan et Jorge se demander ce qu'ils feraient avec dix mille dollars. Cinq ans de salaire. Ils me quitteraient, c'est sûr. Je lis sur leur visage la conclusion qu'ils en tirent par rapport à María. Je ne peux pas leur expliquer. À vrai dire, je ne suis plus sûr de rien.

Elle était dans une situation désespérée, mais on n'en parle pas. Elle avait tout à gagner et rien à perdre, mais on n'en parle pas non plus. Elle a dix ans de moins que moi et c'est une très belle femme, mais ça non plus, personne ne le dit.

10 août 1917

On s'est fait voler la voiture. Nous voici barricadés dans la chambre d'hôtel à attendre que Phineas envoie l'argent pour en racheter une. Le visage de Jorge est maintenant connu ; une simple sortie le mettrait en danger. Curieusement, on voit un photographe européen se promener dans les rues et personne ne semble l'inquiéter, lui.

11 août 1917

Il faut croire que Phineas et mon père ont passé quelques coups de fil : ce matin, le commissaire en personne nous a apporté une valise pleine de pesos et une Ford 1911 qu'il est disposé à nous vendre. Je lui fais remarquer que le prix qu'il en demande est celui d'une Ford neuve chez un concessionnaire, mais d'un regard, Sullivan et Jorge me font comprendre que je ferais bien de la fermer.

Jorge manque de se faire arracher le bras par la manivelle de démarrage, mais on a droit à une escorte policière jusqu'à la sortie de la ville. Ils nous encouragent à faire le plus de route possible aujourd'hui vu que c'est dimanche et que tout le monde se repose. Quant à María, personne ne sait rien.

13 août 1917

J'ai été à l'agence Pinkerton de San Antonio.

«Vous voulez qu'on cherche dans toutes les villes du Mexique?

— Oui.

— C'est impossible. À la fois d'un point de vue financier et d'un point de vue logistique. C'est la guerre, là-bas.

— Dites votre prix.»

Il a levé les mains. «Cent mille dollars.»

Je n'ai rien dit.

«Je vous prends au mot quand vous dites que vous voulez qu'on regarde partout. Il y a moyen de le faire pour dix fois moins.

— Est-ce que ça me garantit le même résultat?

— Dans tous les cas, le résultat risque d'être le même.

— Très bien, allez-y.»

Il a regardé son bureau. «Tout le monde connaît votre famille, mais...

— Je ne veux surtout pas que ma famille soit au courant.

— Ce que je voulais dire, c'est qu'il va falloir nous payer d'avance, Mr McCullough.»

J'ai sorti mon carnet de chèques. Tout l'argent que j'ai laborieusement mis de côté pour moi, toutes mes économies. J'ai pensé: si j'écris ce chèque, je ne serai jamais libre.

«Je peux vous donner quatre-vingt mille tout de suite. Je vous apporterai le reste la semaine prochaine.

— Je tiens quand même à vous dire que vous jetez votre argent par les fenêtres. Villa est toujours à s'agiter dans le Nord, Carranza et Obregón tiennent le Centre et Zapata le Sud. Même si elle est encore... en bonne santé, il sera extrêmement difficile de la retrouver.

— J'en suis bien conscient. »

J'ai écrit le chèque. Une goutte de sueur est venue brouiller le montant.

« Vous êtes sûr de vous ? »

18 août 1917

Sally a demandé quand j'allais accepter la réalité de notre situation. Je lui ai répondu que je priais tous les jours pour qu'elle et sa Packard finissent dans le fossé. Elle a ri. Je lui ai dit que je ne plaisantais pas.

Elle a accusé le coup avant de dire qu'elle voulait bien ne passer que la moitié du temps ici, et l'autre à San Antonio, pour sauver les apparences. Je n'ai rien répondu.

Cet après-midi, elle est revenue dans mon bureau avec une bouteille de vin frais et deux verres. Elle a admis qu'elle n'avait pas été parfaite, mais que bon, je n'avais pas été parfait non plus. Elle voulait tout recommencer. Une sorte de second mariage.

Je lui ai dit que je ne voulais pas d'elle ici, ni maintenant ni jamais. Que je préférerais encore coucher avec une charogne.

« Tu es resté avec cette fille un mois. Grandis un peu, tu veux.

— C'est le seul mois de ma vie où j'ai été heureux.

— Et les garçons ?

— Les garçons n'ont aucun respect pour moi. Tu leur as appris ça. Toi, et mon père. »

Elle a jeté les verres par terre puis elle s'est appuyée au chambranle de la porte, comme le faisait María. Après son départ j'ai regardé les éclats de verre et je me suis demandé ce que ça ferait de lui trancher la gorge. J'ai failli vomir. Retrace tes pas : tes empreintes finiront fatalement par être celles d'une bête.

Je pense à María. Je me dis que son amour était un luxe, comme un fruit hors saison, un cadeau, éphémère.

19 août 1917

Ils m'ont enterré vivant.

Chapitre 55

ELI McCULLOUGH

1865-1867

Tandis que les meilleurs Texans étaient morts ou partis, ceux qui tenaient les rênes avant la guerre revinrent. Les propriétaires des plantations de coton pleurèrent d'avoir à payer leurs esclaves, mais conservèrent leurs terres, leurs pur-sang et leurs grandes demeures. Il est plus romanesque d'attraper des vaches au lasso que de cueillir du coton, certes, mais la réputation du Texas comme royaume du bétail est totalement surfaite. L'élevage a toujours été le parent pauvre de l'industrie cotonnière et ce n'est que trente ans après Spindletop que le pétrole lui-même a détrôné sa Majesté la Ouate.

Je rentrai vivre chez le juge mais je ne supportais pas la ville, ses familles aisées qui allaient partout en calèche, son lot de Nordistes et d'anciens esclaves vagabonds qu'on retrouvait pendus chaque matin. Plus ça allait, plus on se serait cru dans le Vieux Sud, les voisins toujours leur nez dans vos affaires, à chercher pour qui vous votiez et quelle église vous fréquentiez. J'envisageai d'acheter une parcelle le long du Caprock où la Frontière restait ouverte, mais le juge y était farouchement opposé. Je lui fis remarquer que les Comanches étaient sur le départ, que ce n'était qu'une question de temps ; et puis on n'était pas obligés d'aller y vivre, je pouvais juste l'acheter. Mais le juge estimait que la tentation serait trop grande, et il avait raison : j'étais souvent sur sa galerie à fumer en pensant à Nuukaru et Escuté, à me demander si je ne devrais pas aller les rejoindre. À coup sûr, ils avaient déjà disparu dans les brumes de l'au-delà. Et pourtant si je n'avais pas eu Everett, j'aurais laissé tout mon argent à Madeline et je serais parti pour en avoir le cœur net.

L'heure était à l'oisiveté. Je m'épanouis tant que mon pantalon me serrait désormais la taille et je développai un penchant pour le chauffe-tripes qui ne devait plus me quitter. Le juge me poussait à trouver du travail mais j'avais de l'argent à la banque et j'étais bien décidé à ce qu'il travaille pour moi, comme il travaillait pour les riches. Je voulus racheter la concession de mon père, la zone étant maintenant pacifiée, mais elle avait été partagée en quatre parcelles et les nouveaux propriétaires ne voulaient pas vendre. Tous mes autres projets tombèrent aussi à l'eau. De toute évidence, mes grandes heures étaient derrière moi.

Le juge, lui, pensait que le meilleur restait à venir. Il était venu au Texas assister à la construction de l'État et, ce vœu exaucé, comptait se présenter comme sénateur. C'était risqué car si les troupes de Custer occupaient pour le moment la capitale, personne ne savait ce qui se passerait à leur départ. Le juge joua à pile ou face et se décida pour l'étiquette républicaine, contre l'avis de ses amis qu'il refusa d'écouter. Il pensait que les temps changeaient. Quelques semaines plus tard, on retrouva son cadavre près du fleuve.

Ce qui me restait d'humanité après la mort de Toshaway fut enterré avec ce vieux bouc. Je refusai de me reconnaître quoi que ce soit de commun avec les autres hommes. Si certains connaissaient le coupable, personne ne lâcha rien, et je me mis à fomenter une vague de meurtres dans les clans Robert, Runnel et Waul – la vieille flamme se ranimait –, mais Madeline devina mes intentions et me persuada d'y renoncer. On vendit la grande maison pour aller s'installer dans la ferme de Georgetown. Les esclaves s'appelaient maintenant des domestiques et ils avaient un statut de métayer.

La mère et la sœur de Madeline s'accommodaient très bien de passer leurs journées à ne rien faire sinon pleurer le juge, trouvant normal que je passe les miennes sur un canasson ballonné à regarder les nègres aller et venir dans les champs de coton. C'en était fini du grand style ; on survivait par l'opération du Saint-Esprit grâce au gibier et au lard. Mais moi je ne m'accommodais pas de cette déchéance. Et je n'étais pas fait pour être une espèce de contremaître. Et puis le Comanche en moi préférait encore vider les eaux sales que farfouiller la terre. Et puis je voulais que mon argent me rapporte.

J'achetai des terres pour vingt-huit cents l'arpent dans les comtés de LaSalle et Dimmit. J'aurais bien acheté quelques parcelles sur la côte mais les King et les Kenedy avaient déjà fait grimper les prix. Peu importe, la zone entre la Nueces et le rio Grande était riche, bien irriguée, et tellement bon marché que je pouvais m'offrir un vrai domaine. Certes, les bandits et les renégats n'y manquaient pas, mais j'étais tout disposé à jouer du fusil, et puis dans cette région, il suffisait encore d'un lasso pour se constituer un troupeau quand les bêtes se vendaient quarante dollars par tête dans le Nord. Ce n'était pas une mine d'or mais presque. Je partis donc restaurer l'honneur de la famille.

Il n'y avait que quarante-huit âmes en tout et pour tout dans le comté. Mon plus proche voisin étant un vieux Mexicain du nom d'Arturo Garcia ; il possédait jadis presque toutes les terres alentour, mais n'avait plus que cinquante-deux mille hectares, et le jour même où je le rencontrai, il tenta de me faire passer sous le nez une parcelle de mille hectares qui reliait toutes mes autres terres entre elles. Sans cette parcelle-là, mon ranch ne valait rien. J'allai au bureau d'attribution des terres et proposai quarante cents l'arpent, une somme parfaitement excessive, aussitôt acceptée.

« Content de vous voir arriver, dit l'agent.

— Content d'être là.

— On essaie de se débarrasser des gens comme ce Garcia, si vous voyez ce que je veux dire. »

Je le regardai, me disant que j'aurais pu avoir la parcelle pour moins, mais il interpréta mal mon regard.

«Pas parce qu'il est mexicain. Il se trouve que ma femme est mexicaine. Mais c'est qu'il s'acoquine avec des voleurs notoires.

— Bon à savoir.

— Vous avez un fusil, j'imagine?

— Bien sûr.

— Eh bien, gardez-le à portée de main.»

Triste à dire, mais ça finit de me convaincre que j'étais au bon endroit.

Chapitre 56

J. A. McCULLOUGH

Une fois de plus, de l'avis général – même de celui de Milton Bryce –, elle était à côté de la plaque. Forer sur le sol américain menait à l'impasse : chaque baril extrait l'était à perte. Mais elle avait comme une intuition. C'est d'ailleurs ce qu'elle leur avait dit. Avant de penser à autre chose. Elle avait beau jouer plus gros que jamais, elle se sentait en paix.

Elle était heureuse avec Ted, heureuse avec ses enfants, lesquels allaient bien, même Susan et Thomas. Ben avait fini premier de sa classe et il était entré dans une des grandes universités texanes ; il n'était pas fanatique de sport, mais c'était un garçon brillant et tourné vers les autres, qui se confiaient facilement à lui – tout le contraire de son frère et de sa sœur qui semblaient convaincus, pour l'une, d'avoir un accord préférentiel avec le destin, et pour l'autre, d'être le centre du monde. Susan n'avait tenu qu'un seul semestre à Oberlin, après quoi elle était partie en Californie ; elle restait injoignable des mois durant et puis le téléphone sonnait à trois heures du matin et c'était elle, qui réclamait une somme d'argent délirante. Mais elle avait l'air heureuse. Alors Jeannie acceptait d'envoyer l'argent et Susan lui racontait ses dernières aventures. Quant à Thomas, l'aîné, il vivait encore à la maison. Ce qui arrangeait plus Jeannie qu'elle ne voulait bien l'admettre. Elle savait qu'elle était censée le pousser à partir, mais... son « excentricité »... c'était sans doute mieux qu'il reste à proximité. Certes, il y avait l'exemple de Phineas, mais Thomas n'était pas Phineas.

Ça convenait à Thomas de vivre chez sa mère et ça convenait à Jeannie qu'il vive chez elle. Il avait sa voiture, sa grosse allocation mensuelle, ses virées entre amis. Enfant, il était irrésistible, voilà ce qui l'avait perdu ; aujourd'hui encore il voulait que tout tourne autour de lui. Amoureux de son reflet dans la glace, disait Ted. Mais comment lui en vouloir ? On aurait vraiment dit Peter O'Toole jeune, ce dont il était immensément fier – au point qu'elle était souvent tentée de lui dire que Peter O'Toole, lui, ne vivait pas chez sa mère.

Quant à son « excentricité », il la cachait si bien que Jeannie se demandait parfois si elle ne se trompait pas ; à d'autres moments elle en était sûre, et s'inquiétait, craignant qu'il ne se fasse prendre en public. La vérité, c'est qu'elle n'avait guère de souci à se faire. Tout le monde connaissait Tom McCullough, et les Texans savaient parfaitement ignorer ce qu'ils ne voulaient pas voir – un héritage de la Frontière, de l'époque où on ne choisissait pas ses voisins.

Oui, ses enfants étaient heureux. Ils formaient un petit clan à eux, même Susan. Ces années-là avaient été de bonnes années. C'est peut-être pour cela qu'elle avait continué à se défaire de son patrimoine, le contraire d'une diversification : elle avait vendu l'aciérie et la compagnie d'assurances achetées avec Hank ainsi que la quasi-totalité de leurs placements immobiliers pour tout réinvestir dans le pétrole, sur le sol américain, rachetant à des gens bien trop contents de vendre. Ça s'était fait si facilement qu'elle se demandait parfois si elle n'allait pas droit au suicide – financièrement parlant – ou en tout cas à un sabotage de la fortune familiale.

N'était-ce pas ce même sentiment de libération en vertu duquel son père s'était cru autorisé à jeter son héritage dans le gouffre sans fond du ranch ? Sauf que son père était parfaitement inconscient. Sa situation à elle était tout autre. Elle avait fait le tour du Moyen-Orient avec Cass Rutherford et si lui n'avait rien vu de suspect – au contraire, il trouvait que ça s'améliorait : les infrastructures, la compétence des foreurs et des géologues –, elle était rentrée perturbée. Là où vingt ans plus tôt on ne voyait que des hommes à dos de chameau, il y avait aujourd'hui des immeubles, des tas d'ordures partout, et des gens qui vous regardaient d'un œil noir à chaque coin de rue. C'était le problème, avec la télévision : tout le monde voyait ce que vous preniez. Ce que voyaient les Arabes, c'étaient de riches étrangers acheter leur pétrole à dix cents le baril et le revendre dix fois le prix. À la fin du voyage, elle se sentait tellement corrompue et déprimée qu'elle avait envisagé de raccrocher.

Quelques semaines plus tard, elle avait recouvré ses esprits, mais le sentiment de malaise demeurait. Il allait se passer quelque chose et le miracle du renversement de Mossadegh avait peu de chances de se reproduire. C'est là qu'elle avait commencé à réinvestir aux États-Unis. Pour le moment elle était à côté de la plaque ; plus tard on parlerait d'intuition féminine. Mais ce n'était pas de l'intuition féminine, c'était la capacité à voir ce qu'elle avait sous les yeux plutôt que ce qu'elle aurait voulu voir.

Le cours du pétrole stagnait. Bunker Hunt avait alors tout misé sur la Libye et s'était fait massacrer. Et puis les Égyptiens avaient attaqué Israël et il y avait eu l'embargo. Dix ans de boom. Et malgré ça, insatisfaite. Elle avait gagné son pari, mais ils refusaient de la reconnaître. *Ils*, à savoir... elle n'en savait trop rien. Le monde ? Son père, ses frères, son mari, qui tous étaient morts ? *C'est une médaille, que tu voudrais*, se dit-elle. Eh bien oui. Et ce n'était pas si déraisonnable d'attendre un certain respect de la part de ses pairs, un peu de reconnaissance, que son nom soit mis sur le même plan que ceux des Richardson, Bass, Murchison et autres Hunt. Elle était certaine, rageusement certaine, que si c'était Hank qui avait accompli ce qu'elle avait accompli, tout ça serait acquis. Peut-être qu'elle était paranoïaque. C'est ce qu'ils voulaient lui faire croire.

Elle se concentra sur sa vie domestique, pour la première fois peut-être. Elle était là, sa médaille : une maisonnée heureuse, des enfants heureux. Ben, Thomas et leurs amis, tous exemptés de la conscription, qui traitaient sa maison comme la leur. Ça buvait et ça nageait à toute heure, et elle était une sorte de grande sœur pour ces jeunes gens qu'elle découvrait ivres dans la cuisine, ivres dans le jardin, et qui lui racontaient leurs petits problèmes.

Et puis, du jour au lendemain, comme si tout ça n'avait reposé que sur une brindille, c'en avait été fini. Ben était alors au ranch. Son pick-up avait fini dans le fossé. Milton Bryce l'avait accompagnée quand elle était allée le voir – il ne se ressemblait pas, elle n'aurait trop su dire pourquoi –, il n'avait qu'un œil au beurre noir – et ils avaient fait sa raie du mauvais côté. Elle était ressortie, on lui avait tendu quelque chose de sucré – un Coca ? – et puis elle avait pensé à ses frères. Ensuite elle ne se souvenait pas de grand-chose.

On l'avait enterré, après quoi il n'y avait plus rien eu à faire ; elle s'était retrouvée chez elle, dans la vieille maison familiale, et tout était devenu vaporeux, comme hors d'atteinte. Si elle s'était déjà laissée aller à imaginer, dans quelque obscur recoin de sa tête, qu'un jour il pourrait arriver Dieu sait quoi d'horrible à Thomas ou à Susan – absence totale de bon sens, toujours à prendre des risques –, Ben, lui, était l'élément stable de la famille, le plus équilibré. Et si lui... Elle avait l'impression qu'elle allait tous les perdre. Elle avait failli, quelque part, failli à quelque chose d'essentiel. Ils avaient raison depuis toujours, elle ne valait rien.

Thomas semblait ressentir la même chose, sentir que la mort de son frère était de sa faute à elle, qu'il y avait quelque chose qu'elle aurait dû faire, une mesure qu'elle aurait dû prendre, contre la façon de conduire des jeunes gens, contre le virage en épingle, contre le fossé qui avait fait basculer la voiture. Un jour il était sorti et il n'était pas rentré. Susan avait appelé pour la prévenir qu'il était bien arrivé en Californie ; il avait roulé toute la nuit. Parti pour de bon. Jeannie avait vendu la maison de River Oaks et s'était installée chez Ted.

Elle reconnaissait que ce n'était pas comme quand elle avait perdu son mari. Elle savait qu'elle survivrait, qu'elle s'en remettrait, *ne prends pas ça comme une leçon*, lui avait dit Jonas, pourtant c'était ça, elle avait été trop gourmande, et si ça n'était pas une leçon, alors quel sens cela pouvait-il avoir ?

Quand bien même Dieu existerait, c'était grotesque de prétendre qu'il aimait l'humanité. Ça pouvait aussi bien être tout le contraire ; il pouvait aussi bien systématiquement nous tromper. Penser qu'un être tout-puissant créerait un monde pour d'autres que lui, qu'il passerait son temps à s'occuper de créatures inférieures, ça allait à l'encontre du sens commun. Les forts prenaient aux faibles ; il n'y avait que les faibles pour ne pas comprendre. Si Dieu existait, quelque part, il était exactement comme les Grecs et les Romains l'avaient imaginé : un arnaqueur, un grand frère toujours en train d'inventer quelque nouveau châtiment.

Elle était amère. Ben l'avait transformée, en bien d'abord, en mal ensuite. Elle était à la fois furieuse et défaite. Quand elle en avait la force, elle compilait en une thèse fleuve les compliments de diverses personnalités, l'approbation du Colonel, son succès dans les affaires, les couvertures de magazine, son mariage, ses amants qui en valaient la peine, comment elle avait sauvé le nom des McCullough : ça lui maintenait un temps la tête hors de l'eau, hors des ténèbres, mais toujours, toujours, elle y replongeait. Rien de tout ça ne comptait.

Le boom continuait. *Time Magazine* revint la chercher : cette fois-ci, elle était la femme qui avait prédit l'embargo. Au fait, est-ce qu'elle était féministe ? Non ? Elle refit donc la couverture, pas totalement abattue, certes, mais ça n'était plus pareil, non, plus pareil. Un éditeur la contacta, qui voulait publier ses Mémoires, quelque chose qui serve d'inspiration aux autres – aux femmes, voulait-il dire –, l'histoire de sa vie, comment elle abordait et résolvait les problèmes, de quoi édifier les jeunes générations – même si c'était sans doute les ménagères dont il voulait parler.

Mais que pourrait-elle dire ? Que le Colonel avait raison ? Qu'on ne pouvait compter que sur soi-même ? Ça ne faisait pas un livre. Elle essaya quand même, et pendant un temps lui revint ce rêve de jeunesse : elle, à son bureau, répondant aux lettres de ses sujets, les appareils photo suspendus au moindre de ses mots. Elle écrivit donc sur son père, ses deux frères, sur la mère qu'elle n'avait jamais connue, sur son mari, son fils – où fallait-il s'arrêter ? –, il y avait des enfants au cimetière et tous ces morts qui resurgissaient – elle repoussa la pile de feuilles. Elle savait pourquoi le Colonel détestait parler du passé : dès l'instant où vous vous retournez pour faire le bilan, vous êtes fini.

1983. Les spéculateurs faisaient faillite de tous les côtés, mais pour Ted et sa clique, le boom économique n'avait été qu'une période particulièrement faste, leurs dividendes atteignant des montants délirants au lieu de n'être qu'importants.

Jonas s'en sortait bien, fidèle à sa frugalité de toujours ; pas de ceinture à serrer. Il continuait à faire la route jusqu'à Boston quelques jours par semaine dans sa vieille Volvo, parfois depuis Martha's Vineyard, parfois depuis Newport, parfois depuis sa maison du bord d'un lac, dans le Maine. Encore que Jeannie se demandait s'il faisait quoi que ce soit dans son cabinet d'avocats. Pour l'essentiel il semblait se réveiller chaque jour à la même heure pour en passer plusieurs à dresser la liste de ce qu'il y avait à faire : *préparer le bateau pour l'hiver, peindre la balustrade de la galerie* (il se croyait manuel), *appeler le garage pour signaler le bruit de la Volvo, squash (raquettes) avec Bill, moustiquaires pour la galerie, Bohemian Club, réserver...* Rayer des choses sur sa liste lui procurait une grande satisfaction ; il lui arrivait d'en noter qu'il avait déjà faites (*petit-déjeuner avec Jeannie*) pour avoir le plaisir de les rayer aussitôt.

Elle envisagea de vendre le ranch ; elle garderait la maison mais vendrait les terres. Elle n'avait plus de famille au Texas. À Midland, on pouvait acheter une Rolls Royce, un immeuble de bureaux ou même un Boeing pour des clopinettes. Le pétrole ne rapporterait plus rien pour un moment, c'était clair. Il était temps de vendre. À quoi bon être aussi loin de ses enfants et du seul frère qui lui restait.

Ted et elle étaient justement au ranch, en pleine dispute à ce sujet (pour Ted, la terre ne se vendait pas), quand Consuela était venue lui dire qu'il y avait quelqu'un à la porte.

C'était une Mexicaine, son âge à peu près, très apprêtée. Jeannie, qui ne s'était même pas encore douchée ce jour-là, ramena ses cheveux vers l'arrière et tira sur son chemisier ; elle se sentait naine.

« Je suis Adelina Garcia. »

Ça ne disait rien à Jeannie.

« Je suis la fille de Peter McCullough. »

Ça ne lui disait rien non plus. Et puis voilà que si. Elle tendit la main vers la poignée.

« Peter McCullough n'a pas eu de fille, dit-elle. Vous devez faire erreur.

— C'est mon père », répéta la femme.

Comme Jeannie ne réagissait pas, la femme la prit de haut. « Vous êtes ma nièce, dit-elle. Malgré votre âge. »

C'était peut-être la barrière de la langue, mais elle n'aurait pas pu plus mal choisir ses mots. « Eh bien, vous m'avez rencontrée. Et il se trouve que je suis occupée. » Jeannie ferma la porte. La femme resta longtemps sur le perron avant de retourner à sa voiture à pas lents. Jeannie se demanda comment elle était entrée sur la propriété.

C'était une arnaque bien connue. Encore que d'habitude les gens passaient par un avocat. N'empêche, ça l'avait perturbée. Elle retourna à la bibliothèque et, comme vidée de toute force, s'effondra contre Ted. Lequel se pencha pour voir la télévision.

« C'était qui ? »

Elle avait la nausée. Quelque chose lui disait de courir après cette femme, mais impossible de se lever.

« Tu as envie de quoi, pour le dîner ? demanda-t-il.

— C'était une Mexicaine qui dit qu'elle est de ma famille.

— Première fois que ça t'arrive ? »

Elle hocha la tête.

« Bienvenue au club. »

Elle ne bougea pas.

« Appelle Milton Bryce », dit-il sans détacher les yeux de la télévision. C'était un épisode de *Dallas*. Tout le monde était accro. « Appelle-le tout de suite si ça t'inquiète tant que ça. »

Mais son inquiétude n'était pas forcément de cet ordre-là. Elle décida de se donner le temps de la réflexion. Elle attendit jusqu'au dîner et décida que ce n'était rien.

Qu'aurait-elle pu être d'autre ? Elle avait des tas d'amies issues de vieilles familles qui n'en finissaient pas de répéter qu'elles étaient totalement à la merci de leur mari – pas de permis de conduire, pas de sécurité sociale – comme s'il y avait de quoi se vanter. Elles étaient à la merci, totalement à la merci des autres, et elles en étaient fières.

Ce qui les rendait heureuses n'intéressait pas Jeannie. Peut-être appartenait-elle à une autre époque, comme son arrière-grand-père. Mais même ça, ça n'était pas vrai. Elle n'était pas du tout comme lui. Elle n'avait fait preuve d'aucune imagination, elle ne s'était attaquée qu'à ce qu'elle voyait, elle aurait pu faire mieux.

Elle avait le sentiment de devoir des excuses. Mais à qui, et pourquoi, elle n'en savait rien. Elle regarda autour d'elle, il faisait encore sombre. Quand ça finira par arriver, se dit-elle, je n'en saurai rien. Elle n'avait plus peur.

Chapitre 57

ULISES GARCIA

Il avait toujours entendu dire qu'il descendait de riches Américains : c'est ce qu'aimait raconter sa mère sur la famille de son père. Celui-ci était mort quand il avait deux ans, pendant la « guerre sale » : embarqué par la police, jamais revu.

Après ça, ils avaient beaucoup déménagé, pour finir par s'installer à Tamaupilas, chez ses grands-parents. Son grand-père travaillait dans un ranch où il entretenait les clôtures et réparait les éoliennes et les dépendances – plus souvent en pick-up qu'à cheval, mais c'était désormais la vie des vaqueros. Aux États-Unis, les cow-boys étaient carrément en hélicoptère. En tout cas c'est ce qui se disait.

Son grand-père avait travaillé pour les Arroyo toute sa vie et n'était pas plus riche que lorsqu'il avait commencé. Les Arroyo possédaient ces terres depuis le dix-septième siècle et payaient leurs employés comme si on était encore au dix-septième siècle. Assis autour du feu avec les vieux de la vieille, Ulises voyait sa vie toute tracée, de la naissance à la mort. Un bon métier. Il avait de la chance d'être né dans une famille de vaqueros ; ses amis finiraient dans les raffineries, ou bien vendeurs de souvenirs aux touristes, ou encore chez les *narcos*.

Pourtant il se réveillait parfois au milieu de la nuit, persuadé d'être aussi vieux que son grand-père ; alors il allumait pour vérifier son visage dans la glace. Sombre de peau – on le prenait souvent pour un métis –, nez épaté, sourcils épais.

L'hiver, les hommes rentraient progressivement du Nord avec des milliers de dollars en poche et il suffisait parfois d'une nuit ou deux pour que certains perdent tout au jeu – le travail d'une saison entière. Son grand-père haussait les épaules. Mercedes Arroyo dépensait bien trois mille dollars pour un foulard : quelle différence ?

Ulises, lui, regardait aller et venir les ravissantes petites-filles des Arroyo dans leurs BMW avec chauffeur ; il respirait sur leur passage le parfum qui s'échappait des voitures. La grande maison était pleine de jaguars et d'éléphants empaillés, de tapis exotiques, de salles de bains aux robinets en or. En tout cas c'est ce qu'il avait entendu dire ; lui-même n'était jamais entré.

Il vivait chez ses grands-parents pendant que sa mère travaillait à Matamoros. Un jour, il fouilla dans une valise qu'elle avait laissée. Un vrai bric-à-brac : vieilles photos, clefs, cartes d'anniversaire signées de gens qu'il ne connaissait pas, lettres, reçus décolorés, la carte d'étudiant de son père, et puis, tout seul dans un sac en papier... l'acte de naissance de sa grand-mère.

Le document était en espagnol, mais le nom du père n'avait rien d'espagnol : Peter McCullough. Et puis il y avait aussi des lettres en anglais.

Il savait que sa grand-mère avait essayé de rentrer en contact avec la branche américaine de la famille, mais elle avait été mal reçue, et puis son père à son tour avait essayé, sans plus de succès. Ulises ne comprenait pas que les McCullough (il connaissait leur nom maintenant) aient pu faire ça. Il essaya toutefois de se mettre à leur place : un inconnu qui frappe à la porte pour réclamer de l'argent... C'est que les détails étaient cruciaux, il fallait faire preuve de tact.

Il se mit à rêver qu'il allait les voir, qu'ils acceptaient de le recevoir, et puis qu'ils lui donnaient des terres et qu'il devenait riche. Bien sûr, ça ne se ferait pas comme ça. D'abord il montrerait qu'il s'y connaissait en bétail, que l'élevage n'avait pas de secret pour lui, qu'il n'était pas un simple profiteur, qu'il travaillait dur. Et puis une fois qu'il aurait totalement fait ses preuves, il se présenterait en bonne et due forme.

Ça faisait maintenant des années qu'il se faisait ce film. Plus une *telenovela* qu'un film, d'ailleurs, et il ne savait pas trop à quel moment c'était devenu un vrai projet. Toujours est-il qu'en septembre 2011 il traversa le rio Grande pour chevaucher jusqu'au ranch McCullough. Son grand-père connaissait quelqu'un dans une oliveraie, côté mexicain, à quelques kilomètres en amont du ranch. Le vieux bonhomme et lui profitèrent d'une nuit sombre pour passer le fleuve, après quoi tout roula. C'est qu'il n'était pas un clandestin de base, il était vaquero, et il était ici chez lui.

Il alla trouver le contremaître, un Blanc, et lui offrit sa selle en cuir repoussé si le moindre *bronco* de leur *remuda* arrivait à le désarçonner. Le contremaître éclata de rire, puis expliqua qu'ils n'avaient pas de chevaux sauvages dans le troupeau, que ça devait bien faire cinquante ans qu'ils n'en avaient plus ; les grands rassemblements de bétail se faisaient en hélicoptère et ils achetaient quasi tous leurs chevaux déjà dressés à d'autres ranchs.

Mais l'homme trouva visiblement qu'il présentait bien ; d'abord il ne l'avait pas mis dehors sur-le-champ, et puis il avait soigneusement inspecté sa sellerie et ses jambières. Ulises fit une démonstration de ce qu'il savait faire au lasso, attrapant un veau par le cou, un autre par une patte avant. *J'ai attrapé un aigle en plein vol, une fois*, dit-il. Ce n'était pas tout à fait vrai : c'était un dindon qu'il avait attrapé. Mais de toute évidence, sa tête revenait au bonhomme. *Je sais aussi me servir d'une soudeuse.*

Il passa le reste de la journée dans le pick-up du contremaître, à donner un coup de main ici et là, réparant une clôture, conduisant un tracteur avec un pique-bottes. Au retour, le type lui dit :

« Deux cent cinquante dollars la semaine. *La Migra* vient rarement au ranch, mais si tu mets le nez dehors et que tu te fais prendre, tu passeras des mois au trou. Normalement on ne prend pas de clandestins, mais on manque de gars et ça ne s'arrange pas. »

Ulises entendit, mais décida de ne pas poser de question.

« Si tu es encore là dans quelques mois, on verra à demander un permis de travail. Mais c'est pas sûr que le ranch tienne jusque-là. Rien que cette semaine, j'ai perdu deux gars. Alors si tu as d'autres pistes, je te conseille de les suivre. »

Sa paie n'était pas mirobolante pour un salaire *norteamericano*, mais il n'avait guère l'occasion de la dépenser.

Les agents de l'ICE, la police aux frontières, inspectaient quotidiennement les plus petits ranchs, mais les McCullough avaient leurs propres patrouilles et *La Migra* intervenait rarement. Il était en revanche dangereux de sortir de la propriété : les voitures blanc et vert étaient partout. C'était un peu comme une assignation à résidence.

Ulises avait une couchette et quelques clous où accrocher ses chemises. Quand il ne travaillait pas, il regardait la télé avec les autres vaqueros, et s'ils ne le laissaient pas regarder les émissions américaines – les autres se fichaient de progresser en anglais –, il empruntait une carabine et partait dans la *brasada* tirer un pécari ou un lapin, ou bien il pistait les cerfs à grands bois qu'on voyait partout. Ils étaient bien trop précieux pour qu'il en tue, un privilège pour lequel les Américains payaient des milliers de dollars.

Il allait discrètement en ville une fois par mois pour envoyer à ses grands-parents la moitié de son salaire et s'acheter une nouvelle chemise, même s'il devait demander à garder le cintre de présentation. À Noël, il hésita longuement sur des santiags Lucchese faites main, puis il se décida pour des Ariat, qui coûtaient quatre fois moins cher ; il prit aussi un couteau de poche Leatherman. Il se sentit riche. Puis un Blanc armé entra dans le magasin et le silence se fit. Un shérif adjoint, ou assimilé. Ulises attendit près de la caisse qu'on emballe ses articles tout en observant le reflet de l'homme dans la vitrine. En sortant, il avait envie de vomir. Il s'arrêta près d'une poubelle, tenté d'y jeter tout ce qu'il venait d'acheter. Devoir vivre ça pour posséder ces choses, c'était trop cher payer.

« Ce sera plus simple quand tu auras ton permis de travail, dit Romero dans la camionnette.

— *No me van a dar ningún permiso* », répondit Ulises.

Mais Romero fit mine de n'avoir pas entendu. Cinq ans qu'il travaillait pour les McCullough, et les gars de l'ICE continuaient à l'arrêter, comme s'ils ne le reconnaissaient pas. Ulises voyait comme il était fier du nouveau pick-up blanc, même s'il n'était pas plus à lui que le ranch, et il se dit soudain que Romero était un idiot et que lui-même ne valait pas mieux.

La vieille dame était en train de mourir et il n'y avait personne pour reprendre l'affaire. Sa fille était droguée et son fils, disait-on, n'était pas vraiment un homme. Il y avait eu un petit-fils que tout le monde aimait bien, mais il s'était noyé dans moins d'un mètre d'eau. Son frère venait parfois au ranch avec ses amis : tous en sandales, jamais rasés, fumant de la *mota* à longueur de journée. Ce n'était pas compliqué de comprendre pourquoi les vaqueros partaient. Le ranch mourrait avec la vieille dame.

Son plan était ridicule. La vieille dame n'était jamais là et le contremaître, qui cherchait sûrement déjà du boulot ailleurs, avait oublié sa promesse de lui obtenir un permis de travail. N'empêche, c'était toujours mieux que les Arroyo. Il décida donc de rester.

Chapitre 58

JOURNAL DE PETER MCCULLOUGH

1er septembre 1917

L'ombre me suit partout. Je la vois dans un coin de
la salle à manger, qui attend que vienne son heure ;
et quand je suis assis à mon bureau, elle regarde par-
dessus mon épaule. C'est comme si un grand feu
brûlait devant moi. Je m'imagine y entrer... et laisser
les flammes m'emporter.

Je vais à la *casa mayor* et je colle mon oreille à la
roche. J'entends la cloche de l'église, des cris d'enfants,
des pas de femmes.

Un souvenir du lendemain de la tuerie.

Et mon père qui lâche, comme ça, que d'une certaine façon, il est tragique que María ait survécu. Si elle
était morte, il ne resterait plus rien de la colère et de la
tristesse des Garcia. Ses mots sont comme les images
d'un film que je me repasse encore et encore. Je m'imagine poser mon revolver contre sa tempe pendant qu'il
dort. J'imagine le spécialiste des incendies pétroliers

se garer devant la maison, approcher une allumette des bouteilles de nitroglycérine.

Bien sûr, j'ai toujours eu ça en moi. Ça n'attendait que l'occasion de sortir. Mon père est parfaitement normal : ça lui vient naturellement. Le problème, ce sont les gens comme moi, qui ont cru pouvoir s'émanciper des diktats de l'instinct, échapper à leur nature.

4 septembre 1917

J'ai eu comme une révélation ce matin : elle est morte. J'ai fait les cent pas dans ma chambre, mais c'était une certitude – elle est morte – une certitude absolue.

Mon père est venu me trouver dans mon bureau.

«Tu sais que je suis désolé, a-t-il dit. Tu sais que ça me fait mal de te voir dans cet état.»

Je n'ai pas répondu. Je ne lui adresse plus la parole depuis ce fameux jour.

«On a des responsabilités, m'a-t-il dit. On ne peut pas faire comme le tout-venant.»

J'ai continué à l'ignorer. Il a fait le tour de mon bureau, regardé mes rayonnages.

«D'accord, d'accord. Je te laisse.»

Il s'est approché de moi et a voulu poser sa main sur mon épaule, mais quelque chose dans mon expression...

«Ça finira par aller mieux», a-t-il dit.

Il est resté là encore un moment, comme ça. Et puis j'ai entendu son pas traînant descendre le couloir.

En personne, non, bien sûr... l'idée de lui faire mal me révulse. Parce que, contrairement à lui, je suis faible. Ça ne l'a pas gêné de troquer femme et enfants contre ce qu'il voulait... À chacun le bûcher propre à ses péchés, à chacun son lit de douleur. À moi celui des peureux, des timorés... J'aurais pu emmener María loin d'ici... je n'y ai même pas pensé. Prisonnier que je suis des chaînes de mon propre esprit.

Mon soleil s'est couché ; il est sombre, le chemin. Le reste de ma vie pend au-dessus de moi, comme un poids. J'essaie de me souvenir que mon cœur a brièvement goûté à la plus farouche liberté... que mes espoirs les plus fous se sont faits réalité.

Peut-être qu'une autre ère glaciaire viendra, qui broiera tout. Détruisant les traces de nos existences d'une destruction plus totale encore que le feu.

6 septembre 1917

Sally poursuit ses ouvertures. Comme si j'allais oublier ce qu'elle a fait. C'est uniquement parce que je ne m'incline plus devant elle qu'elle souhaite ma compagnie. Aujourd'hui elle a demandé si j'allais continuer à chercher María. Et puis : *tu me chercherais, moi, si je disparaissais ?* Ça la dépasse. María n'était pour elle qu'un sous-être humain ; elle ne voit pas ce qu'elle pourrait avoir fait de mal. On ne mélange pas les torchons et les serviettes – son seul principe.

Je me raccroche à l'idée qu'un jour nous ne serons plus que des noms gravés sur la pierre. Des taches de sang ferrugineuses, le noir de notre carbone, une argile qui durcit.

7 septembre 1917

Cette famille ne doit pas continuer.

Chapitre 59

Eli McCullough

En 1521, une dizaine de Longhorns furent débarquées sur le rivage du Nouveau Monde. En 1865, il y en avait quatre millions à l'état sauvage dans le seul Texas. La domestication ne leur convenait pas ; elles préféraient vous passer une corne à travers le corps et retourner ruminer dans les prés. Les péquenauds de base les évitaient autant que les grizzlis.

Sauf que leur nature était grégaire et qu'on n'échappe pas à sa nature. Une fois que vous en aviez suffisamment, même les vieilles irréductibles y venaient. En partant de rien, il fallait environ un an pour se construire un troupeau : sept jours sur sept à attraper les bêtes au lasso, à les castrer, à les marquer et, si vous ne vous faisiez pas encorner ou piétiner, il y avait toujours un voisin pour préférer passer cette même année à se dorer la pilule au soleil : tout ce qu'il avait à faire, c'était de venir dans vos prés une nuit avec dix joyeux compères et là, en quelques heures, il pouvait s'approprier le labeur de toute une année.

Contre le gîte et le couvert, et une fraction des bénéfices à venir, j'embauchai deux anciens confédérés, John Sullivan et Milton Emory, et puis Todd Myrick et Eben Hunter, qui avaient passé la guerre à esquiver la Home Guard dans les comtés de Maverick et Kinney. Ils connaissaient la terre mieux que moi et n'étaient allergiques ni au sang ni à la sueur. Tous connaissaient Arturo Garcia et le détestaient, mais détester les Mexicains était la chose la mieux partagée à l'époque, aussi je n'y prêtai pas d'importance particulière.

La première transhumance, vous l'attaquiez avec un an d'arriérés de salaire et des dettes auprès de toutes vos connaissances. Il fallait mener les bêtes au pas en les laissant boire et brouter à volonté pour qu'elles ne perdent pas un gramme ; on les traitait comme des œufs en porcelaine. Sauf qu'un orage pouvait vous coûter la moitié du troupeau.

Les livres vous peignent la vie des cow-boys comme le summum de la liberté du Grand Ouest. En réalité c'était un enfer sans nom vingt-quatre heures sur vingt-quatre – cinq mois d'esclavage au service d'un troupeau de bestiaux. Si je n'avais pas travaillé pour mon compte, je n'aurais pas tenu une seule journée. Le fait de pouvoir sans danger traverser la région avec des biens de valeur en dit long ; l'époque des Jim Bridger, des Kit Carson et des Jed Smith était révolue depuis longtemps, la terre commençait déjà à se domestiquer.

On perdit deux des gars d'appoint, des gars à trente dollars, quand leurs chevaux glissèrent dans un ravin, une nuit; on laissa les autres au Kansas, bien contents de voir une grande ville et de changer de boulot, avec plus d'argent en poche qu'ils n'en avaient jamais vu. Les mille quatre cent trente-sept têtes de bétail vendues, j'avais gagné trente mille dollars et deux cents chevaux indiens dont personne ne voulait. On redescendit avec eux le long de la piste de Chisholm; je m'arrêtai à Georgetown voir les miens pendant que Sullivan, Myrick, Emory et Hunter ramenaient les mustangs vers la Nueces.

Madeline habitait toujours la ferme, avec Everett, Phineas et Pete. Sa mère, qui restait une beauté notoire, s'était remariée et avait à nouveau des domestiques pour servir à table.

On était dans la cuisine, au soleil. J'avais porté l'argent à la banque; j'étais heureux d'être chez moi, à contempler ma jolie femme. Je vis un fil blanc dans ses cheveux roux. Je me penchai et l'embrassai.

Elle porta aussitôt sa main à cet endroit. «Un cheveu gris, c'est ça?

— Blanc, plutôt.»

Elle soupira. «Je vais encore moins te manquer.»

Je l'embrassai de nouveau.

«Est-ce que je te manque?

— Bien sûr.

— Parfois je ne suis même pas sûre que tu aimes qui je suis.

— Tu dis n'importe quoi.» Je comprenais, pourtant.

«Je veux dire, tu aimes l'idée de moi, mais la chose elle-même, je ne sais pas.

— Je t'aime.

— Bien sûr. Mais c'est différent d'aimer qui je suis.»

Il y eut un silence.

«Il y a deux ans, quand on vivait tous ici... ça ne me quitte pas. Même si je ne veux plus jamais manger de gibier de ma vie, à bien y penser, je n'ai jamais été aussi heureuse.

— On était fauchés, dis-je. Ça ne nous menait nulle part.

— Un jour je serai morte. Ça non plus ça ne me mènera nulle part.»

Je la regardai, coudes sur la table dans la lumière du soleil. Je regardai ses cheveux qui tombaient doucement sur ses épaules, je regardai ses lèvres rouges, ses pommettes, sa poitrine pâle encore lourde sous sa robe. Je me dis que n'importe quel homme serait heureux de la posséder, d'une façon ou d'une autre.

«Allons dans la chambre», dis-je.

Elle eut un sourire fatigué. «D'accord.»

Plus tard je la regardai entre les draps blancs. Elle avait les yeux fermés.

«J'avais besoin de ça.

— Moi aussi», lui dis-je.

Elle secoua la tête. «Toi tu n'as besoin de rien.» Elle repoussa les draps et resta couchée là, au soleil. Je la caressai du bout des doigts.

«Si tu continues je vais à nouveau avoir envie de toi.»

Je continuai, tout en me demandant pourquoi je ne réagissais pas. Elle remarqua, rampa jusqu'à moi et prit mon sexe dans sa bouche. Je me demandai où, comment elle avait appris ça. Mais voilà que j'étais prêt. Tandis que nous faisions l'amour, je faillis lui dire que si elle avait besoin de le faire avec quelqu'un d'autre, je comprendrais, puis je changeai d'avis. Je tentai de me retirer, mais elle me retint.

«Dans dix ans, on aura la plus grande maison de tout Austin.

— Et tu reviendras du milieu de nulle part?

— Oui.» Je l'embrassai dans le cou.

«Moi je crois que tu aimes ça, le milieu de nulle part.

— J'aime les gens, mais je ne sais pas gagner d'argent là où ils vivent.

— Bientôt tu n'en auras plus besoin.

— Bientôt.

— Exactement.»

De retour au ranch, je trouvai le cadavre de Todd Myrick dans la cour et celui d'Eben Hunter sur la galerie. Ils étaient visiblement là depuis des jours. Je cherchai Sullivan et Emory. D'autres vautours étaient à l'œuvre dans les pâturages du bas; à son grand corps maigre, je reconnus Emory.

Sullivan était au poste militaire de Brackett, avec une balle dans le poumon, mais il avait survécu jusqu'ici et le pronostic était bon. Il était grand, avec une drôle de voix haut perchée dont son fils hérite-rait. Je lui demandai comment il se sentait, mais ce n'était pas ça dont il avait envie de parler.

« C'est marrant, hein, comme on est partis cinq mois et qu'il a fallu qu'on vienne de rentrer pour avoir de la visite, dit-il.

— Comme s'ils s'attendaient à des sacoches pleines de billets après une vente de bétail. »

Les voleurs avaient soulevé les lattes du plancher et arraché les placards des murs, sans trouver le moindre argent. Tout était à la banque.

« Avec deux sous de jugeote, on serait tenté de mettre ça sur le dos de ton voisin mexicain. » Il dut s'interrompre pour reprendre son souffle. « Nos amis galonnés, là, lui ont rendu une petite visite, mais autant pisser dans un violon.

— Et ceux d'en face, vous en avez eu ? »

Il regarda par la fenêtre. Je n'aurais pas dû demander.

« Tout ce qui m'intéresse, c'est que tu continues à respirer.

— Emory a tiré deux trois coups. Toujours été rapide, celui-là. »

Je lui tendis mon foulard, mais c'est ma main qu'il prit. Il la garda dans la sienne et ma gorge se serra. Je pensai aux autres. Il y eut un silence.

Il lâcha alors ma main et prit mon bandana. « Je partirai pas d'ici sans en avoir envoyé quelques-uns bouffer les pissenlits par la racine. J'me demandais si je pouvais compter sur toi d'ici là. »

Je passai le reste de la journée à enterrer Emory, Myrick et Hunter. Après quoi j'allai voir Arturo Garcia.

Il habitait une grosse bâtisse blanche qui ressemblait à une ancienne forteresse. Il y avait le long de la façade une grande galerie où il sortit m'accueillir. Par la porte ouverte, je voyais l'intérieur, plein de tableaux dans des cadres dorés, de vieilles armes, du genre de mobilier que possèdent les rois.

Il était désolé de ce qui m'était arrivé, c'était un miracle qu'on n'ait pas touché à son bétail et à ses chevaux. J'aurais bien fait le tour de ses terres pour chercher mes chevaux indiens, mais je savais qu'ils étaient déjà partis pour le Mexique.

« Ce qui me turlupine, dis-je, c'est que pour arriver à mes pâturages, ils ont dû passer vraiment pas loin de votre maison. Sauf à vouloir faire un détour de trente kilomètres. Et mes bêtes aussi, ils ont dû les faire passer par vos terres. C'est clair, on voit encore les traces.

— Ce pays est vaste, Eli. Je suis désolé.

— Et puis il ne leur a pas fallu vingt-quatre heures pour savoir qu'on était rentrés.

— Eli, je vais le dire une fois, parce que je sais que tu es encore sous le choc, mais ce n'est pas parce que je vis à la frontière et que je suis mexicain que je suis mêlé en quoi que ce soit au vol de tes chevaux ou au meurtre de tes hommes.

— Je n'ai pas dit ça. »

Un jeune type, un Blanc, sortit de la maison en pantalon jaune vif et chemise de soie bleue. Il portait des bottes vernies et un pistolet sur chaque hanche. On l'aurait dit droit sorti d'une pièce de théâtre : une imitation de méchant par un gars de la côte Est. « Jim Fisher, dit-il. Désolé de ce qui vous est arrivé. »

Puis voilà que d'autres hommes rentrèrent des pâturages. Je pris congé et dormis quelques nuits dans la nature, loin de la maison, à tourner tout ça dans ma tête.

Je n'avais pas d'autre voisin et il n'y avait pas d'autre chemin, ni pour arriver ni pour repartir.

Le fait que Garcia ait été mexicain n'a pas pesé dans la balance, je tiens à le dire. Plus un ranch était grand, plus il était probable que son propriétaire, blanc ou mexicain, cherche à évincer ses voisins. Ta part de gâteau est une part en moins pour moi : c'était ça, son raisonnement, et pour chaque orphelin qu'il aidait en public, il en faisait dix autres en privé.

Garcia avait perdu la moitié de ses terres. Que l'État du Texas l'ait volé, je ne le nie pas. Mais je n'y étais pour rien, et puis il n'était pas le premier à qui ça arrivait. Il s'était dit que je ne pourrais rien faire, que tôt ou tard je finirais par lâcher.

Sauf que je n'étais pas tout seul. Pour revenir des prés de derrière, Garcia et ses hommes empruntaient une *barranca* sinueuse aux parois escarpées où l'on ne passait qu'en file indienne, le genre d'endroit où il suffisait de deux hommes armés de Winchesters à dix coups et d'un peu de patience pour en arrêter beaucoup d'autres. En mourant, Garcia dit quelque chose dans une langue qui n'était ni de l'anglais, ni de l'espagnol, ni même du comanche. Ça ne ressemblait à rien de familier, et pourtant je compris. Il croyait me maudire. Mais qu'aurait-il pu dire que je ne savais déjà.

Une fois Sullivan suffisamment remis pour faire la route, on embaucha une demi-douzaine de sympathisants et on mena les chevaux et le bétail de Garcia au Nouveau-Mexique. Les veaux et les poulains non marqués passèrent dans mes prés. J'aurais dû brûler la maison, alors, et couvrir la terre de sel, parce qu'un an plus tard, son neveu arriva et prit la suite de son oncle.

Chapitre 60

J. A. McCULLOUGH

Rester couchée à réfléchir – la veille encore, elle aurait volontiers accepté de ne faire que ça pendant un an. Mais maintenant elle ne voulait qu'une seule chose, se lever. Il faisait de nouveau clair, le soleil entrait par les fenêtres. Quelque chose clochait pourtant : les tables et les chaises étaient renversées, les tableaux décrochés, les bustes et leurs piédestaux éparpillés. Aphrodite, dans un coin, gisait face contre terre. Le toit allait s'effondrer, les animaux prendraient possession des lieux.

Ce n'est pas vraiment ce que je vois, se dit-elle. Elle décida d'ignorer l'image et de se réjouir d'être dans cette pièce, la seule que son père n'ait pas eu la riche idée de refaire – il avait rempli le reste de tableaux de Remington, Russell et Bierstadt. Le Colonel aurait désapprouvé. Pour lui, le succès ne pouvait ressembler qu'à ça : du bois sombre, d'antiques sculptures, une opulence estampillée côte Est – qui elle-même se voulait européenne. Tout ça avait changé, bien sûr. Les Italiens s'étaient mis à faire des films sur les cow-boys.

Elle avait recommencé à se diversifier bien avant la fin du boom ; le pétrole s'emballait, pas une ménagère de Midland qui n'ait sa Bentley. Comme presque tous les gens qu'elle connaissait, elle avait investi dans les « Savings and loan ». Ces institutions financières qui collectaient l'épargne pour, au départ, financer des prêts immobiliers avaient été déréglementées : on pouvait maintenant aussi prêter dans le pétrole et le gaz, et les intérêts versés aux déposants étaient déplafonnés. Elle acheta une petite affaire, offrit des taux élevés pour attirer les capitaux, puis utilisa l'argent pour investir dans l'immobilier à Houston et à Dallas en prenant des commissions délirantes. Mais l'immobilier s'effondra avec le pétrole et Southsun dut être renfloué par les caisses fédérales, ce qui n'alla pas sans une certaine culpabilité de sa part. Pas au point toutefois de sortir de sa poche les cent millions de dollars. Elle pensa un moment qu'elle devrait sans doute aller témoigner à Washington, mais ce ne fut pas le cas.

Pendant ce temps, voilà que Thomas voulait faire son coming-out auprès de ses vieux amis, ses anciennes connaissances de Houston. Elle avait tenté de le décourager, inlassablement ; il n'y gagnerait strictement rien, il ne ferait que se compliquer la vie. Des gens qu'il ne voyait jamais, en plus.

« Pourquoi devrais-je cacher qui je suis ? »

Totalement prise au dépourvu, elle n'avait su que répondre. Il s'affirmait enfin, elle aurait dû le soutenir. N'empêche qu'elle n'était pas à l'aise avec la démarche, c'était encore une façon d'attirer l'attention – se définir publiquement par ses actes les plus privés. Ça ne se faisait pas, non, ça ne se faisait pas. Il aurait dû prendre modèle sur Phineas, qui avait tenu le monde dans le creux de sa main et l'avait écrasé.

Elle avait failli quelque part. Ses enfants n'avaient pas confiance en eux, aucun des deux n'avait la tête sur les épaules, ni Susan, accro aux gourous et aux psys, ni Thomas, avec ses idées libérales et cette détermination à sortir du placard. Ils ne comprenaient donc pas que ce qui comptait, c'était les actes. Pas les paroles ou les idées.

Le coming-out avait été un non-événement. Elle avait senti l'embarras de son fils et souffert pour lui ; il avait cru que ce serait un moment fort, un tournant, mais rien n'avait changé, il était toujours le même.

Elle était injuste. Elle n'avait sans doute pas idée de ce qu'il avait traversé. Voilà qu'à nouveau elle se demandait si c'était de sa faute ; aucun de ses deux enfants n'était heureux, sans doute parce que aucun ne s'était jamais investi dans quoi que ce soit d'important. Elle était allée les voir d'un saut d'avion pour leur faire une proposition officielle, quelques millions chacun, vingt s'il le fallait, ce dont ils avaient besoin pour faire ce qu'ils voulaient – une galerie d'art pour Thomas, un vignoble pour Susan –, pourquoi voir petit, hein ? Ils commencèrent par être un peu interloqués ; c'est qu'elle ne s'était jamais impliquée. Puis ils comprirent. Bien sûr. Elle les voyait comme des ratés, des gens insignifiants, elle essayait de les sauver d'eux-mêmes.

Susan avait deux fils que Jeannie ne voyait jamais, comme si sa fille, sans que ce soit dit, avait su intuitivement que c'était peut-être la seule guerre contre sa mère qu'elle gagnerait. Mais quand son compagnon, qui n'était le père d'aucun des petits, la quitta, Susan l'appela pour lui demander si elle pouvait revenir au Texas – sauf que la vraie question était celle-ci : est-ce que sa mère pourrait s'occuper de ses enfants pendant qu'elle se cherchait un autre homme ?

Jeannie était ravie, bien qu'elle s'efforçât de ne pas le montrer. Les garçons, six et huit ans, se souvenaient à peine d'elle. Ash était blond et pâle, et Dell avait tout du petit Espagnol ; ils avaient précisément l'air de ce qu'ils étaient, des enfants de pères différents. Jeannie les adorait. Comme ils n'avaient vu le ranch que tout petits, elle leur en fit faire le tour en hélicoptère : un grand royaume dont ils étaient les princes.

« Un jour, ça sera à vous deux, dit-elle.

— Maman, dit Susan.

— Un jour, tout ça sera à vous. »

Elle adorait ses petits-fils. Lesquels passaient beaucoup de temps devant la télévision. Elle acheta quelques poneys dociles qu'ils prirent plaisir à monter, mais, de manière générale, l'un comme l'autre exsudaient une forme de maladresse, de lassitude, comme si le monde physique leur en voulait. Jeannie ne pouvait s'empêcher de les comparer à ses frères, et même à Ben et Thomas. C'était sans doute une illusion, sans doute sa mémoire n'était-elle pas fiable. Qu'importe, elle les adorait. Assise sur le canapé devant leurs dessins animés bruyants, elle pardonnait à Susan tout ce qu'elle avait pu faire.

Mais quel laisser-aller. À cinq ans, ses frères et elle s'entraînaient au lasso. À dix ans, elle participait au marquage des bêtes. Ses petits-enfants, eux, ne savaient rien faire et ne s'intéressaient pas à grand-chose non plus. Elle se demanda si le Colonel les reconnaîtrait seulement comme sa descendance et se sentit prête à les défendre, l'espace d'un instant. Sauf que c'était vrai, bien sûr. L'humanité entière était en voie de dégénérescence.

C'est ce que pensent tous les vieux, finit-elle par se dire.

Elle les emmenait faire de grandes balades, aussi grandes que le permettait leur patience : *ça, c'est une trace de pécari, ça, c'est une trace de chevreuil et ça, c'est un geai vert. Ça, ce sont des vautours, un lapin s'est enfui par là et, ici, un faucon a mangé un pivert.*

Quand les premiers hommes sont arrivés, leur dit-elle, il y avait des mammouths, des ours et des bisons géants, et puis des tigres à dents de sabre. Et aussi des guépards d'Amérique, les seuls animaux sur terre à pouvoir rattraper une antilope pronghorn.

Ses petits-fils l'écoutaient poliment. Peut-être voyaient-ils déjà où l'histoire allait en venir, là où toutes ses histoires toujours en venaient : les guépards avaient disparu et les antilopes avaient ralenti, puisque même les traînardes avaient pu se reproduire. Et les gens eux aussi avaient ralenti.

Ils rentrèrent regarder la télévision, la laissant seule sur la galerie. Les terres des McCullough, à perte de vue. On manquait de références. Le Colonel, oui, bien sûr, mais quel genre d'hommes étaient-ils, ceux qui plantaient leurs lances dans des bêtes de dix tonnes ? Les ours d'alors faisaient deux fois la taille des grizzlis modernes. Ils avaient sans doute connu des morts atroces, et devaient avoir autant de mots pour désigner le courage que les Esquimaux en ont pour la neige. Et pour la souffrance, aussi. *Et c'est d'eux que nous descendons*, se dit-elle.

Il n'en restait que quelques ossements, quelques traces. Celles de ces pas, en Australie, figés dans le roc : trois personnes traversant une vasière. À plus de quarante kilomètres-heure. Tous les trois plus rapides que le recordman actuel. Ils étaient en pleine accélération là où les traces s'interrompaient.

Que dire à ses petits-enfants ? Les faits étaient trop nombreux, et on pouvait les mettre dans l'ordre qu'on voulait. Eli McCullough avait tué des Indiens. Eli McCullough avait tué des Blancs. Eli McCullough avait tué, point. Tout dépendait si on voyait par ses yeux ou par ceux de ses victimes tandis qu'il pressait la détente. Les morts n'avaient plus de voix, c'est pourquoi ils ne comptaient pas.

Qui sait. Peut-être qu'il avait semé les graines de sa destruction. Il avait fait en sorte qu'ils ne manquent de rien et du coup ils s'étaient affaiblis, devenant des gens que lui-même n'aurait jamais respectés.

Certes, on voulait toujours pour ses enfants une vie meilleure que la sienne. Mais à partir de quand le mieux devenait-il l'ennemi du bien ? Sans incertitude matérielle, les êtres humains s'autodétruisaient. Elle pensa à ses petits-enfants, à tous ceux qui suivraient.

Chapitre 61

ULISES GARCIA

C'est du pétrole et du gaz que vivait le ranch, et les types qui travaillaient pour ces compagnies-là allaient et venaient sans arrêt pour vérifier les puits, les pompes et les réservoirs. Ils étaient presque tous blancs et on retrouvait toujours leurs canettes de soda le long des routes. Les vaqueros ne les aimaient pas ; chaque fois qu'ils voyaient un morceau de ruban métrique dans un virage, ils s'arrêtaient pour le couper.

Quant au boulot lui-même, il n'y avait pas à se plaindre. La climatisation, quand on en voulait, avait ses bons côtés, et puis, comparée au Mexique, la paie était incroyable. Fin janvier, il avait participé à un rodéo avec les autres vaqueros, qui avaient tous leur permis de travail. Ils avaient hésité à l'emmener – cible de choix qu'un pick-up plein de Mexicains : s'ils se faisaient prendre, tous perdraient leur permis –, mais il avait fait mine de ne rien voir. Il s'aperçut bien vite que les trois quarts des concurrents ne vivaient pas dans des ranchs et n'y travaillaient pas non plus : c'était pour le plaisir qu'ils faisaient du rodéo.

Fernando et lui finirent troisièmes au lancer de lasso par équipe, mais alors qu'il allait récupérer ses dix dollars, il vit deux types de la police aux frontières parler à l'organisateur. Il fit demi-tour et se cacha dans les broussailles près du parking jusqu'à ce que Fernando et les autres reviennent.

Le trajet du retour fut totalement silencieux. Ce n'était pas rien, d'avoir son permis de travail. Rien que par sa présence, Ulises les mettait tous en danger.

Il commençait à se sentir comme une cocotte-minute. Il ne pouvait même pas quitter le ranch. Un dimanche, il alla jusqu'à l'ancienne maison des Garcia ; il n'y avait plus aujourd'hui que quelques murs croulants, mais ça avait été une grande maison, une forteresse, même. Il y avait une source, et puis des arbres et de l'ombre, et une belle vue. Une fois dans les ruines, il sut instantanément, au plus profond de lui-même, que ses ancêtres avaient vécu là. Même si, bien sûr, le nom de Garcia était tout sauf rare.

Mais une voiture approchait. Il sortit discrètement et songea à se cacher, comme s'il risquait d'être pris en flagrant délit. Sauf qu'il ne faisait évidemment rien de mal, il pouvait très bien être à la recherche d'une vache égarée.

Un petit homme dépenaillé sortit de la voiture : vieux pantalon, chemise passée, grosses lunettes – le genre de type qui ne devait pas fréquenter grand monde. Les gars lui avaient dit que Mrs McCullough payait quelqu'un pour écrire l'histoire du ranch. Ulises n'avait jamais rencontré d'écrivain mais il trouva que cet homme avait bien l'air d'en être un, avec ses cheveux gras et ses lunettes sales. Il se présenta.

« J'aime bien venir déjeuner ici », dit l'homme. On aurait dit qu'il s'excusait de respirer. « C'est la plus belle vue sur la propriété, et puis... – il désigna la source – c'est agréable la présence de l'eau. »

Ils discutaient depuis un moment quand Ulises demanda : « Les gens qui vivaient là, qu'est-ce qui leur est arrivé ?

— On les a tués.

— Qui les a tués ?

— Les McCullough bien sûr. »

Chapitre 62

JOURNAL DE PETER McCULLOUGH

15 septembre 1917

Je sens mon cœur se calmer. Châtiment pire encore.
Des regrets pour remplir les années qui me restent.

Je pense à mon fils blessé, presque mort, prétexte à
d'autres morts. Dans leur baraquement, son frère et lui
attendent d'être envoyés en Europe. Et cette maison
qui n'est plus qu'un mausolée. Rien que de mémoire
d'homme, l'étoile Polaire a changé quatre fois... mais
l'humanité, elle, s'imagine qu'elle durera toujours.

18 septembre 1917

Donné un coup de main aux vaqueros pour inspecter les clôtures après les pluies d'hier. Dans un arroyo,
j'ai trouvé, qui dépassait de la berge, un os si vieux
qu'il s'était complètement fossilisé. Il a fait un bruit
métallique quand j'ai tapé dessus.

20 septembre 1917

Ab Jefferson, de chez Pinkerton, est venu aujourd'hui en personne. J'ai essayé de faire passer ça pour une visite de courtoisie. Nous sommes allés faire un tour et il m'a dit qu'ils avaient trouvé trois femmes portant le nom de María Garcia à Guadalajara, toutes récemment arrivées. A donné les adresses.

J'ai été obligé d'arrêter la voiture. Il m'a tapoté le dos.

« C'est un des noms les plus courants au Mexique, Pete. Ce sont sans doute des paysannes.

— C'est un début.

— Vous voulez que j'envoie quelqu'un ?

— Non. »

Je leur ai écrit à toutes les trois, en les suppliant de me reprendre. Passé le reste de la journée couché sur le canapé. L'ombre ne se penche plus sur moi. Elle s'est repliée dans un coin.

Chapitre 63

ELI MCCULLOUGH

Début des années 1870

Le prix du bœuf avait grimpé quatre ans de suite, mais en 1873, avec la récession générale, la plupart des éleveurs se remirent à tuer des bêtes pour vendre leur cuir.

Pour moi c'était hors de question. J'avais alors près de trente-trois mille hectares à moi et plus de dix-huit mille en bail. Je ne réduisis pas mon troupeau. On limita les pertes en tirant sur tout cavalier surpris dans l'enceinte de la propriété. Comme il se doit.

Un gars à pied, on le laissait passer : il ne sera pas dit que j'aie jamais privé les gens honnêtes de moyens de subsister – tout le monde à Carrizo savait qu'un homme qui peinait à nourrir sa famille pouvait me prendre un veau, à condition de m'en laisser la peau. Mais il n'y a bien que les balles et les murs qui garantissent l'honnêteté des voisins. En une nuit sur mes terres, n'importe quel voleur de bétail pouvait se faire un an de revenus, un an de ma vie. S'il y avait eu entre nous et le fleuve quelque chose pour empêcher les bêtes de passer...

On trouve encore des tas de vieux pistolets dans la région. Les os pourrissent plus vite que le fer. Comme il se doit.

Madeline et les petits avaient déménagé dans une maison plus grande à Austin. Les enfants allaient à l'école et prenaient des cours particuliers. J'aurais préféré incendier le ranch plutôt que de les faire venir ici, malgré Madeline qui réclamait depuis un moment une vraie maison près de la Nueces pour qu'on puisse tous vivre ensemble. Je remettais toujours à plus tard. Ici, il n'y avait pas d'école. Et puis elle n'aurait pas vu d'un bon œil ma façon de traiter les intrus.

Un jour, sans raison, je me retrouvai d'une humeur de chien. J'étais à cran, irrité du moindre regard. Je finis par aller faire un tour ; ça devait être la chaleur.

Le lendemain, la nouvelle se propagea à grands cris dans les rues : Quanah Parker et les derniers Comanches s'étaient rendus. Il n'en restait qu'un petit millier en tout et pour tout – autant que jadis dans le seul village de Toshaway ; le Texas tout entier était désormais ouvert aux Blancs. Je dis à Madeline que j'avais besoin d'être seul, je sellai mon cheval et je remontai le Colorado. Je chevauchai sans discontinuer, mais aussi loin que je m'enfonçai, il y avait toujours des porchers et des bateliers. Je chevauchai jusqu'au milieu de la nuit, et lorsque enfin tout fut calme, je grimpai sur un promontoire, fis du feu et hurlai à la lune. Mais mon cri resta sans réponse.

J'en avais lourd sur la conscience. Je n'étais pas assez bête pour croire que j'aurais pu sauver les derniers Comanches libres au canyon de Palo Duro, mais sait-on jamais. Un seul homme peut faire pencher la balance.

Je me dis que j'aurais très bien pu retourner chez les *Numunuu* quand la guerre avait éclaté. Soudain je pris la mesure du temps écoulé : quinze ans. Incroyable. Et qu'avais-je accompli ? Je restai assis là, le regard perdu au loin, à ruminer tout ça. Ce n'était pas que je n'aimais pas ma famille. Mais il est certaines choses que personne ne peut vous donner.

Soudain le feu me devint insupportable. D'un coup de pied, j'envoyai les bûches valser dans la rivière et je regardai s'éteindre leur lueur. Puis je remontai à cheval et rentrai chez moi. Le jour sombre était levé quand j'arrivai ; je remplis une lampe et m'enfermai dans mon bureau.

Là, je posai devant moi mes livres de comptes et les titres de ce tout que je possédais. De l'argent à la banque, des actions du Pacific Express, un investissement dans l'acier à Pittsburgh, une scierie à Beaumont. Je pensai aux pluies qui avaient été bonnes, aux pâturages que je venais de prendre en bail, à tous les nouveaux bœufs que l'herbe verte allait nourrir. Et en pensant à tout cela, bien assis dans mon fauteuil, je commençai à me sentir mieux.

Chapitre 64

J. A. McCullough

Ted ne l'avait pas tant quittée que priée de le libérer. Pris d'une dernière montée de sève, il s'était entiché d'une femme deux fois plus jeune que lui. Jeannie était furieuse, et inquiète aussi, inquiète que cette femme – une institutrice – le voie surtout comme une commodité. Ce qui ne servit qu'à le mettre hors de lui. Tu aurais pu me garder, dit-il, cent fois, mille fois, tu aurais pu me garder. Sauf que non, elle n'aurait pas pu. Ça n'était pas dans son tempérament.

C'est vrai qu'elle se sentait seule et qu'elle était parfois prise d'un manque physique de sa présence, ce qu'elle n'avait pas éprouvé depuis des lustres. Mais la légèreté l'emportait. Elle se demandait vraiment si elle était normale. Elle n'avait jamais eu besoin de beaucoup d'affection, elle n'attendait pas grand-chose des autres. Mais il y avait bien sûr le revers de la médaille : elle n'avait pas grand-chose à donner non plus.

L'angoisse que Ted ait peut-être été son dernier amant s'avéra ridicule. Elle eut d'autres compagnons, des hommes qui pouvaient avoir des femmes plus jeunes, et qui d'ailleurs ne s'en privaient pas, mais des compagnons tout de même – il y avait des choses qu'ils ne pouvaient pas partager avec ces jeunesses, et puis elle soupçonnait, bien qu'aucun ne le lui ait dit, qu'il devait être usant, à la longue, d'être celui du couple qui avait le moins de sex-appeal. Elle se demanda ce que ça faisait de se regarder dans la glace et de se voir, cheveux blancs, peau molle, les charmes fanés et des taches de vieillesse en pagaille, à côté de quelque jeune et parfait spécimen de l'espèce humaine.

Avait-elle eu raison ? Elle n'avait pas fait de compromis. Ce faisant, elle s'était sauvée. *Je suis la dernière dans mon genre*, pensa-t-elle, *la dernière la dernière la dernière...* Mais ça aussi, c'était une forme de vanité : de quoi pouvait-on être le dernier ou la dernière quand il y avait encore des milliards d'êtres à venir ?

Le veuvage de Milton Bryce, une autre chance peut-être – presque cinquante ans qu'ils se connaissaient, et puis ils en avaient parlé, de la possibilité de faire équipe en quelque sorte. Ils s'étaient embrassés, sans autre caresse. Soixante-dix ans passés tous les deux. Un type bien, mais sans le moindre début d'étincelle. Autant être seule. Elle n'était pas comme ces vieilles filles, là. Il y avait des expériences qu'elle n'avait pas faites, certes, et peut-être qu'elle était passée à côté de quelque chose, mais le Colonel non plus ne s'était pas remarié. Et il y avait une raison à ça.

Peut-être que des ennuis de santé lui auraient fait voir les choses autrement. Mais même alors elle n'aurait pas voulu qu'un amant s'occupe d'elle – après vingt ans de vie commune, elle était encore réticente à utiliser les toilettes ou à se brosser les dents devant Ted, et elle ne sortait jamais du lit sans passer quelque chose. Ce n'était pas de la pudeur. C'était simplement qu'à ne rien garder pour soi, il ne restait plus que le réconfort.

Elle avait toujours envisagé (toujours su, se dit-elle) qu'il se pourrait qu'elle enterre Thomas. Il y avait des gens dont la volonté de vivre emportait tout, des gens capables de traverser des déserts à genoux. Thomas n'était pas de ceux-là. Et puis elle avait fini par penser qu'il y échapperait peut-être ; ça faisait plus de dix ans qu'il était avec le même compagnon (amant, se dit-elle, mari). Mais voilà que tout à coup celui-ci était mourant, et les implications pour Thomas étaient évidentes. Elle n'était pas plus à plaindre que d'autres. Toutes les histoires finissaient ainsi. Et pourtant, d'une certaine façon, elle avait l'impression d'avoir provoqué ce qui arrivait à son fils : en l'envisageant, en l'anticipant, c'est comme si elle l'avait, par quelque sorcellerie, convoqué, arraché du futur où la mort d'un enfant était censée demeurer.

Quant à l'homme qui partageait la vie de Thomas – Richard –, elle ne l'avait jamais aimé. Il manquait d'assurance et il en faisait des tonnes pour compenser. Thomas et Susan le trouvaient hilarant, mais il n'était pas drôle du tout. Elle détesta aller le voir à la clinique. *Tu as tué mon fils*, voilà tout ce qu'elle avait en tête. Elle devait reprendre l'avion pour Midland le lendemain matin. « Quand est-ce que tu reviens ? » demanda Thomas. *Pour l'enterrement*, pensa-t-elle. Même mourant, Richard la détestait. Et elle le lui rendait bien. Mais quelque chose dans l'expression de son fils la toucha.

«D'accord, dit-elle, je reviendrai demain.»

Elle cherchait à vendre une partie du gisement de Spraberry à Walt et Amos Benson. Ils voulaient la faire baisser à 16,26 dollars l'arpent, elle en voulait 19. C'était cher, mais l'actualité était chargée.

«Viens au ranch, dirent-ils. On fera l'ouverture de la chasse aux cailles.»

Elle aurait adoré; les Benson étaient de vieux amis. Walt avait perdu sa femme quelques années auparavant, et il y avait toujours eu quelque chose... Mais elle ne pouvait pas, elle devait retourner à San Francisco. Elle ne voulut pas leur dire pourquoi.

Elle avait donc repris l'avion et passé la nuit à la clinique, à veiller l'homme émacié qui était couché là, sachant que bientôt ce serait au tour de son fils. Les parents de Richard n'avaient pas été prévenus. Elle se demanda si elle ne devrait pas trouver leurs coordonnées et les appeler. Elle décida que oui, ils avaient le droit de savoir, se remit à hésiter. Elle n'avait jamais rien tant redouté, elle passa accord après accord, elle donnerait sa vie, tout son argent – négociant avec Dieu toute la nuit. Rien ne tout ça ne comptait. Elle allait perdre son fils. Le lendemain matin, elle dormit deux heures dans son Gulfstream et se réveilla à Midland pour un nouveau rendez-vous avec les Benson. Elle leur dit que Saddam Hussein allait envahir le Koweït.

«D'où le prix que tu nous proposes?»

Elle était trop fatiguée pour expliquer.

«Jeannie, qu'est-ce qui se passe?»

Elle voulait aller chez eux, s'asseoir sur le patio et boire du vin avec Walt ; elle voulait arrêter de penser à son fils. Au lieu de quoi le chauffeur la ramena à l'aéroport.

Tout ça pour de l'argent. De l'argent dont elle n'avait pas besoin, de l'argent dont ni sa fille ni son fils n'avaient besoin. Parmi les gens qu'elle connaissait, personne n'avait besoin d'argent. Et pourtant, de toute évidence, elle était prête à faire n'importe quoi pour de l'argent. Elle était prête à passer ses journées à Midland et ses nuits à San Francisco. Elle était folle. Elle accepta le prix des Benson.

Walt l'invita de nouveau à venir au ranch. Ils se regardèrent longuement – c'était maintenant ou jamais, elle l'avait déjà repoussé des années auparavant, il n'essayerait plus. Mais elle retourna à San Francisco, prit une chambre au Fairmont et passa deux mois à aider Thomas à vider l'appartement, déchiré devant chacune des affreuses toiles de Richard. Et puis Thomas survécut. On l'avait mis sous traitement, le traitement l'avait sauvé. Il se remit à l'appeler « Mère », n'utilisant « Jeannie » que quand il était hors de lui.

Elle savait qu'on la plaignait. Savait que son existence semblait vide. Mais c'était tout le contraire. On ne pouvait pas vivre à la fois pour soi et pour les autres. Même étendue chez elle, elle était libre. Elle échappait à ces cliniques où on vous maintenait en vie en dépit du bon sens, où vous n'aviez pas votre mot à dire sur votre propre fin.

Retour dans la pièce immense où la lumière était maintenant aveuglante. Les rayons du soleil traversaient le toit. Meubles sens dessus dessous, un vrai champ de bataille. Ça ne l'affectait pas.

Il y avait dans l'air un certain parfum, apaisant, sucré. Elle le reconnut : le baume de Judée. Est-ce que les bourgeons des peupliers de Virginie étaient déjà sortis ? Elle ne se souvenait plus. Elle ne se souvenait plus ni du jour, ni de l'année, mais Hank et elle avaient planté toute une rangée d'arbrisseaux au bord de l'étang – énormes, à présent, une vraie peupleraie. Elle laissait le ranch en meilleur état qu'elle ne l'avait reçu. Elle se souvint du Colonel frottant les bourgeons sur ses doigts, de la persistance de l'odeur toute la journée, chaque fois que la main s'approchait du visage – à chaque gorgée d'eau, c'était cette odeur que vous buviez. Le Colonel lui avait montré, elle l'avait montré à Hank. Et maintenant tous deux l'attendaient. Elle le sentait.

Chapitre 65

ULISES GARCIA

Il avait d'abord entendu, puis vu son jet atterrir, la veille ; c'était un sacré spectacle, cet avion capable de transporter au moins trente personnes et qui en déposait une seule. Un Gulfstream. L'avion préféré des narcotrafiquants. Une voiture était venue la chercher sur la piste.

Rien que de la regarder de loin, ça lui donnait le trac. Il avait travaillé toute la journée, pourtant il n'avait rien pu avaler au déjeuner.

Plus tard, il l'avait vue parcourir le ranch à l'arrière de sa Cadillac. Le menton haut, elle passait en revue l'ensemble de ses biens. À l'heure du dîner, il avait tenu à faire le détour par la maison, histoire de l'entrapercevoir peut-être, quand il avait remarqué une vieille dame assise toute seule sur le grand perron, qui consultait des documents.

Il s'était approché et avait touché le bord de son chapeau. « Bonsoir, madame, je m'appelle Ulises Garcia. »

Elle l'avait regardé, visiblement irritée par l'interruption. Mais il lui avait souri et voilà qu'elle n'avait finalement pas pu s'empêcher de sourire aussi. «Bonsoir, monsieur Garcia.»

Comme il ne trouvait rien d'autre à dire, il lui avait souhaité une bonne soirée et il était parti, furieux contre lui-même.

Le lendemain, l'avion était toujours là. Tandis qu'il rentrait au baraquement dans le soleil couchant, il se dit que c'était maintenant ou jamais. Si elle le rejetait, il lui faudrait bien sûr quitter le ranch. Or c'était un bon travail; Bryan Colms l'aimait bien, et les autres vaqueros aussi, même s'ils le trouvaient un peu frimeur.

Mais ce serait lâche de ne pas essayer. Après le dîner, il mit sa plus belle chemise et rangea ses papiers dans une petite pochette en cuir, cadeau de son grand-père.

Chapitre 66

13 octobre 1917

Reçu de Guadalajara deux télégrammes me disant de venir, mais pas de la vraie María. Aujourd'hui une lettre est arrivée. Très courte.

«Bien eu ton mot. De bons souvenirs mais histoire sans avenir.»

J'attends d'être certain que Sally soit sortie et puis j'appelle Ab Jefferson pour lui raconter.

«On pourrait facilement la faire venir ici, dit-il.

— Comment donc?

— Ça s'est déjà fait, monsieur McCullough.»

Alors seulement je comprends. «Non. Hors de question.»

Pas terrible, mon plan. J'ai écrit à Charlie et Glenn pour leur expliquer du mieux que je pouvais. Je ne m'attends pas à ce qu'ils me pardonnent – surtout

Charlie, qui est autant le fils du Colonel que le mien. Demain étant dimanche, je vais devoir attendre.

14 octobre 1917

Réveillé ce matin joyeux comme jamais depuis qu'elle est partie, avant que ne revienne le malaise familier. Je ne me savais pas si plein de peur.

Si elle accepte de me voir, ce ne sera pas comme avant, quand elle était réfugiée. Nous serons de vieux amis qui n'ont plus rien en commun. Ce qui nous liait : illusoire. Mieux vaut s'épargner ça. Mieux vaut rester sur ce que j'ai et que j'aime.

15 octobre 1917

Pas dormi de la nuit. Pris trois tenues de rechange et mon revolver. Dans quelques minutes, je passerai le portail du ranch McCullough pour la dernière fois. D'une façon ou d'une autre.

La banque de Carrizo n'aura pas assez, je vais donc à San Antonio. Ronald Derry me connaît depuis vingt ans – il ne fera pas de difficultés. Encore que. Deux cent cinquante mille dollars pour des droits pétroliers. *Des droits pétroliers*, je dirai. *Vous connaissez les paysans, ils veulent tous du liquide.*

Et puis je passerai la frontière. Bien sûr, l'argent n'est pas à moi. S'ils décident d'appeler mon père...

Je ne me fais guère d'illusions quant à mes chances d'arriver à Guadalajara vivant. Je suis sain de corps et d'esprit. Ceci est mon testament,

Chapitre 67

Eli McCullough

Avec la reddition des Comanches, c'était une zone de la taille du Vieux Sud qui s'ouvrait à l'implantation blanche, et tous les propriétaires de baleinières ou d'hôtels de la côte Est se rêvèrent rois de l'élevage.

Il y avait là des Français et des Écossais, des comtes et des ducs en queue-de-pie, et des Yankees fiers comme des paons, rayonnants comme des sous neufs. Ils surpayaient la terre, surpayaient le bétail, surpayaient les chevaux, et tout ça pour essayer de faire comme nous. En attendant, les prairies du sud du Texas étaient déjà exsangues ; les éleveurs qui avaient de la jugeote menaient leurs troupeaux dans le Montana pour les engraisser là où il restait de l'herbe.

La moitié des vachers sortaient de Harvard : chaussettes en fil d'Écosse, pistolets choisis sur catalogue, étriers en argent achetés à des bonimenteurs. Ils étaient venus grandir avec l'Ouest. C'est-à-dire le voir finir.

J'annonçai que je me retirerais avant 1880. Ce qui en moi n'était pas mort ne supportait plus la vue des bovins, détestait la rumination permanente de ce qu'ils me feraient gagner ou perdre, mais le reste ne pouvait penser à rien d'autre. Comment les protéger, comment en tirer le meilleur prix possible, et, quand ils ne rapportèrent plus, où faire de l'argent ailleurs. J'étais pris au piège de ce que j'avais construit, et qui me détruisait ; les bêtes comptaient plus que ma femme et mes enfants. Au fond, j'étais comme Ellen Wilbarger et son laudanum. Elle n'en avait pas besoin avant d'y goûter. Ensuite elle n'avait plus pu s'en passer.

Madeline pensait que je fricotais avec une *señorita* quelque part. C'était me faire trop d'honneur. Le mal était bien plus profond.

J'avais installé ma famille à San Antonio, mais je n'en passais pas moins ma vie dans la *brasada*, de trou d'eau poussiéreux en trou d'eau poussiéreux, et Madeline ne s'en portait pas mieux. Elle m'ordonna de faire construire une vraie maison près de la Nueces, sans quoi... Je lui dis que je n'en avais plus que pour quelques années de cette vie – je sentais bien que j'y laissais des plumes.

« Comment ça ? »

Je voulus lui expliquer, puis renonçai. Le diable en personne m'avait fermé la bouche.

Elle faisait les cent pas dans le salon, une trace de fard sur les joues – légère, mais notable –, influence d'un groupe de veuves de la prairie qu'elle s'était mise à fréquenter. Les domestiques vaquaient à leurs affaires de domestiques et les garçons jouaient dehors.

« Je déteste cette maison, dit-elle.

— Pourtant c'est une sacrée belle maison.» C'était une grande bâtisse blanche de style espagnol, aussi grande que celle dans laquelle elle avait grandi, avec une jolie vue sur le fleuve. Elle m'avait coûté deux ans de revenus et les traites étaient à l'avenant.

«Je préférerais encore vivre dans une bicoque.

— On partira bientôt.

— Pourquoi pas maintenant ?

— Parce que.

— Je me fiche d'avoir la plus grosse maison. Maintenant ou plus tard. Je crois que tu m'as confondue avec ma sœur.»

Elle sourit mais je voulais qu'on parle sérieusement. «Donne-moi trois ans, lui dis-je. Après ça, quoi qu'il arrive, je ne touche plus à une vache.

— Autant dire que tu ne le feras jamais.

— Il n'y a pas d'école, là-bas.

— On en construira une. Ou bien on prendra un précepteur. Ou bien on garde cette maison-ci et on fait des allers-retours avec un précepteur la moitié du temps.» Elle leva vivement les mains. «Il y a des tas de possibilités. Je ne te parle pas de construire une voie ferrée.

— N'empêche que ce serait du gâchis de construire une maison et puis de partir.

— L'idiot qui achètera la terre achètera la maison avec. En attendant, moi je suis là avec tes fils qui passent leur temps à faire semblant d'être toi alors qu'ils ne te connaissent pas.

— Ce n'est pas le bon endroit pour construire, j'en suis sûr.»

Elle n'écoutait déjà plus. Elle réfléchissait. «Le député retourne à Washington», dit-elle. Le député, c'était le nouveau mari de sa mère. «Il y a une jolie maison à vendre à côté de la leur. J'y emménage avec les garçons si tu ne me convaincs pas du contraire.»

Je m'éloignai d'elle et allai à la fenêtre. En mon for intérieur, je savais que le mieux serait de la laisser partir, mais impossible de faire sortir les mots. Dehors, je regardai Everett, ma vieille chemise en daim sur le dos et une plume dans les cheveux, qui traquait ses frères. Je lui promettais de lui apprendre à fabriquer un arc depuis si longtemps qu'il avait cessé de réclamer, je m'en apercevais seulement. Pete et Phineas déterraient quelque chose dans le jardin – ils n'avaient pas la flamme de l'aîné. J'avais aussi promis à Everett de l'emmener quelques jours avec moi quand on ferait le rassemblement de printemps. La vérité, c'est que ça me plaisait que les garçons aillent à l'école. Je n'avais pas voulu les former à la vie en extérieur; elle ne serait bientôt plus bonne que pour les amateurs et les parias.

Madeline parlait toujours: «Ou bien tu peux nous installer au bord de la Nueces.»

Je ne dis rien.

«Parfait. Septembre, alors.

— Ça ne laisse même pas le temps de construire une hutte.

— Eh bien, embauche deux fois plus d'ouvriers. Dix fois plus s'il le faut. Je m'en fiche. Mais dans trois mois, les garçons et moi n'habiterons plus ici.»

À Abilene, pas une semaine sans qu'un nouveau tailleur ouvre boutique: après chaque transhumance, la plupart des vachers vendaient leur cheval, s'achetaient un costume et sautaient dans le train pour rentrer chez eux. Ceux qui avaient vu les shows de Ned Buntline ou de Bill Cody, le fameux « Buffalo Bill », s'en gargarisaient pendant des mois, comme si ces spectacles étaient plus vrais que leur propre vie. Les autres passaient l'hiver à lire du Bret Harte.

Les transhumances se faisaient de plus en plus courtes. L'International and Great Northern envisageait de construire une ligne de chemin de fer sur la propriété. L'herbe disparaissait mais qu'est-ce que ça pouvait bien faire – les trains amenaient des fermiers et de nouveaux arrivants, des gens qui voulaient vivre en ville. Quand ils finirent par construire la ligne, les terres que j'avais achetées une bouchée de pain valaient quarante dollars l'arpent.

Sans les enfants, je serais parti vivre au Klondike, dans le Grand Nord canadien. Cette région-ci était perdue, comme une femme passée par les bordels de l'armée. Je n'aurais jamais cru qu'elle puisse se peupler à ce point. Je n'aurais jamais cru qu'il y ait tant de monde sur terre.

Chapitre 68

J. A. McCullough

En entrant dans la grande salle, elle avait trouvé son père assis près de la cheminée. Il ne l'avait pas vue, elle resta dans l'ombre. Il avait tiré un fauteuil jusqu'à l'âtre de pierre, il lisait un carnet à reliure de cuir. Chaque fois qu'il avait terminé une page, il l'arrachait et se penchait pour la jeter dans les flammes. Il y avait trois autres carnets posés par terre près de lui – des journaux intimes, on aurait dit. Elle l'observa plusieurs minutes avant de s'approcher. «Qu'est-ce que tu fais?»

Il transpirait, le visage pâle, comme s'il avait de la fièvre. Il resta un moment silencieux.

«Ton grand-père était un menteur», finit-il par dire. On aurait dit qu'il allait se mettre à pleurer, mais il se contenta de rester assis là. Elle repensa au père de sa camarade de classe, qu'elle avait aussi trouvé près du feu, les yeux embués de larmes, et elle se demanda si c'était un truc de père.

Il se ressaisit. «Ce n'est pas tout ça, j'ai du travail.» Il se leva, ramassa les quatre carnets et les jeta dans la cheminée. Puis il l'embrassa sur le sommet du crâne. «Bonne nuit, ma chérie.»

Une fois certaine qu'il était parti, elle prit le tisonnier et tira les carnets du feu. Les flammes y avaient à peine touché.

Elle ne les avait pas montrés à ses frères, ni à personne d'autre d'ailleurs, sentant bien qu'il ne fallait pas. Qu'elle seule devait savoir.

Toute la journée, Jonas avait été bizarre ; après l'école, au lieu d'aller dans les pâturages retrouver leur père, il était monté dans sa chambre. Elle l'avait observé pendant le dîner : quelque chose n'allait pas, la grippe, sans doute, il avait à peine touché à son assiette.

Les domestiques avaient débarrassé ; Paul et Clint étaient partis jouer aux cartes dans la bibliothèque. En sortant sur le balcon pour lire, elle aperçut dehors dans le noir une silhouette qui descendait vers les écuries, la tête rentrée dans les épaules, comme de honte – elle sut aussitôt que c'était Jonas.

La raison qui fit qu'elle le suivit lui échapperait toujours. Elle alla jusqu'aux écuries et s'assit dans l'obscurité, aux aguets. Une lumière s'alluma. Elle se demanda si son frère avait rendez-vous avec une fille, et qui ça pourrait bien être. Mais voilà qu'il faisait sortir tous les chevaux, poussant chacun à avancer d'une claque sur la croupe.

Elle se rapprocha. Debout dans la nuit noire, par les fentes entre les planches, elle le regarda descendre des balles de foin et les empiler sous le grenier. Quand il estima le tas suffisant, il l'arrosa d'une jarre de kérosène.

«Qu'est-ce que tu fais ?» dit-elle en ouvrant la porte.

Les yeux braqués sur elle, il s'avança dans la lumière.

«Jeannie.» Il avait l'air interdit.

«Qu'est-ce que tu fais ?

— C'est le seul moyen pour qu'il me laisse partir.» Elle ne comprenait pas.

«Papa», dit-il. Il haussa les épaules. «Je me suis dit que j'allais voir ce que ça donnait si je me mettais à lui coûter de l'argent pour de bon. Il n'y a que ça qu'il comprenne. Tu peux tout raconter, si tu veux, je m'en fiche.

— Je ne dirai rien.

— Alors fais le tour des écuries et vérifie que je n'ai pas oublié de cheval. Je ne me fais pas confiance.»

Elle était passée partout, vérifiant chaque box.

Il avait fabriqué une torche avec un bâton et une vieille chemise et elle regarda par la porte ouverte tandis qu'il l'arrosait de kérosène et y mettait le feu. Il y eut un bruit et beaucoup de lumière, puis il sortit et ferma la porte derrière lui. Ils s'assirent sur la colline et regardèrent la lumière se mettre à filtrer par toutes les fentes du bâtiment, comme si un petit soleil se levait à l'intérieur. De la fumée s'échappait déjà dans la nuit. Puis son frère se leva, la serra contre lui et lui prit la main ; ils rentrèrent en silence jusqu'à la maison de leur père.

Chapitre 69

ULISES GARCIA

Il s'était rasé et avait soigneusement peigné ses cheveux mouillés. Il portait un pantalon et une chemise propres, une chemise toute neuve, comme le pantalon d'ailleurs. Ses bottes étaient cirées. Il prit la pochette de cuir contenant les actes de naissance et le vieux Colt de son arrière-grand-père, hors d'état mais où il était clairement gravé *P. McCullough*.

Il contourna le perron, pour voir où elle était, et tomba sur une porte-fenêtre ouverte.

En s'approchant, il la vit qui lisait, dans un fauteuil.

Elle le reconnut.

«J'imagine que vous cherchez Dolores.

— Non, dit-il.

— J'aime faire du feu ici, même si je dois laisser les portes ouvertes pour ne pas avoir trop chaud.

— Ça a l'air agréable.»

Elle attendait qu'il dise autre chose.

«Je travaille pour vous.

— Je me souviens.»

Il sembla s'écouler une éternité avant qu'il n'arrive à parler. La tête lui tournait.

«Je suis l'arrière-petit-fils de Peter McCullough. Je voulais travailler pour vous parce que...» Il ne pouvait pas poursuivre, il passerait pour un fou.

Elle restait impassible.

De la pochette en cuir, qu'il avait nettoyée et graissée avant de venir, il sortit toutes les lettres et tous les documents. Il avança de quelques pas, lui tendit le tout, puis recula. Tandis qu'elle lisait, il regarda autour de lui. Une pièce gigantesque, qui devait faire trente mètres sur quarante. Un plafond de dix mètres, avec poutres apparentes, comme une église. On pourrait y faire entrer trois ou quatre fois les maisons dans lesquelles il avait grandi. Il se mit à penser à celle des Arroyo.

Elle avait lu les premières pages, mais tournait les suivantes trop vite pour avoir le temps de les lire.

«Nous sommes parents», répéta-t-il.

Le regard de la vieille dame ne trahissait rien, mais ses mains s'étaient mises à trembler.

«Je vais devoir vous demander de partir», dit-elle.

Il montra les papiers du doigt.

«Vous allez quitter cette maison sur-le-champ. Mr Colms vous réglera ce qui vous est dû.»

Il voulut dire quelque chose, mais elle ne faisait plus attention à lui. Comme s'il n'avait pas été là, elle prit appui sur les accoudoirs de son fauteuil pour se relever et se dirigea vers la table basse en marbre où se trouvait le téléphone.

Elle composa un numéro et leurs regards se rencontrèrent.

«Ici Mrs McCullough. Il y a chez moi un homme qui refuse de partir. Oui, il est juste là, dans la même pièce que moi.»

Elle hocha la tête et lui fit signe de sortir. Il sentit son corps se diriger vers la porte.

«Son nom? Martinez, quelque chose comme ça.»

C'était comme si on l'avait ébouillanté. Il avança d'un pas décidé pour récupérer ses papiers. Lui prêtant une tout autre intention, elle se recula trop vite et perdit l'équilibre. Il eut beau tendre la main pour la rattraper, elle l'esquiva et tomba devant la cheminée. Le choc de sa tête contre l'âtre fit un bruit sourd. Elle lâcha le téléphone. Quelqu'un parlait à l'autre bout du fil.

«Mrs McCullough?» murmura-t-il.

Elle ne répondit pas. Ses paupières tremblaient, ni tout à fait closes, ni tout à fait ouvertes.

«Je ne vous ai pas touchée», lui dit-il.

Elle ne répondit pas. Elle était immobile. Ses yeux étaient maintenant ouverts mais son regard ne se fixait sur rien; elle allait mourir, il le savait.

Il ramassa ses documents, les rangea dans sa pochette et vérifia autour de lui qu'il n'oubliait rien. Il l'avait tuée. Sans même la toucher. Par sa simple existence.

Au moment où il allait sortir, il vit un pick-up émerger de derrière la colline et recula aussitôt. On le trouverait, on comprendrait ce qui s'était passé; il y avait des techniques pour ça. Il ne l'avait pas touchée. *Un Mexicain dans la maison d'une dame riche*, se dit-il. *On s'en fichera que tu l'aies touchée ou pas.*

Il attendit que le véhicule poursuive son chemin, puis chercha une autre sortie à travers la maison. Et quelle maison. Des tapis si épais que ses pas ne faisaient aucun bruit, des tableaux et des statues partout, une lumière tamisée ; on se serait cru dans un film. Il s'arracha à cette fascination en arrivant à la cuisine ; au fond, une porte ouvrait vers l'extérieur.

Il avait la bouche sèche. Il alla à l'évier et but au robinet. Il ne l'avait pas touchée. *Ils vont te tuer. Ils s'en ficheront.* C'était évident.

L'eau lui fit du bien. Son cœur s'était calmé. Balayant de la main quelques gouttes tombées sur sa chemise, il pensa à toutes les explications qu'il pourrait donner. Mais personne ne le croirait. À leur place, lui-même n'y croirait pas.

Il aurait plus tard du mal à savoir comment ça lui était venu, mais il avait eu une fulgurance : il y avait là une énorme gazinière qu'il dégagea du mur. Le gaz venait directement de la propriété, c'était ce que disaient toujours les gars, directement du sol en dessous. Il tira son Leatherman de sa ceinture, et passant derrière la cuisinière, dévissa le tuyau de cuivre.

Sur le perron, il ferma doucement la porte derrière lui. La propriété s'étendait tout autour dans le crépuscule ; rien à perte de vue qui n'appartînt aux McCullough.

Il pourrait voler un pick-up mais il se retrouverait à pied une fois à la frontière. Il y avait de la lumière chez le gardien, chez Bryan Colms, au baraquement. Il se dirigea vers l'écurie privée des McCullough, priant pour n'y trouver personne. Pas de véhicule garé devant. Il n'alluma pas.

Il était déjà rentré pour curer les box et il savait quelle jument il voulait. Il lui passa une bride, lui jeta une couverture sur le dos et se dépêcha de la seller. Bryan Colms s'obstinait à dire qu'elle était grise, mais elle était blanche, évidemment.

Puis il la fit sortir de l'écurie et descendit la pente, la maison dans le dos, avant de partir au galop. Les étriers étaient un peu courts.

Il n'était pas encore bien loin quand il entendit le bruit le plus spectaculaire de sa vie. La jument prit le mors aux dents, mais il s'en moquait, du moment qu'ils allaient vers le fleuve. Il osa un coup d'œil derrière lui ; un nuage de poussière enveloppait la maison, qui tenait toujours debout. Il vit des lueurs, puis des flammes. Quelques kilomètres plus tard, il se retourna : l'horizon tout entier était embrasé.

Une fois au fleuve, il s'arrêta pour regarder les alentours. Le ciel était immense. Il avait laissé derrière lui les lumières de l'Amérique qui masquaient les étoiles. Il commençait à ne plus sentir ses jambes et il avait des crampes dans le ventre et le dos. « Tu es un sacré bon cheval », dit-il. Il lui embrassa l'encolure.

Ils descendirent tranquillement sur la berge. La traversée ne posait pas de problème, le fleuve était peu profond ; on avait même du mal à appeler ça un fleuve.

Qu'avait dit l'historien ? Dix-neuf ou vingt personnes. Ils étaient passés chez lui, et le type lui avait montré des photos des Rangers et des gens du coin posant avec les corps des membres de sa famille.

« C'est qui ? avait-il demandé. Sur la photo, c'est qui ? »

L'historien avait haussé les épaules. «Personne ne sait. Personne ne sait à quoi ressemblaient les Garcia.»

Les traits des Blancs, debout au soleil, étaient nets, alors que les visages des hommes couchés là auraient pu être de glaise. Après un nouveau haussement d'épaules, l'historien lui avait montré d'autres clichés, la cabane de rondins du Colonel McCullough, des cow-boys disparus depuis longtemps, des chevaux, de vieilles voitures. Les cadavres des Garcia n'étaient pour lui qu'une image parmi d'autres.

Ensuite il n'avait plus pensé qu'à ça; c'était comme de se découvrir un cancer, l'idée de tous ces oncles et tantes, ces grands-oncles et grands-tantes, cette énorme famille, anéantie. Il chevauchait toujours. Mais, bien sûr, il appartenait à parts égales aux deux côtés. Il n'était pas une victime. La moitié de sa famille avait tué l'autre. C'était tout cela qu'il portait en lui.

Les Américains... Il laissa son esprit vagabonder. Ils croyaient que personne n'avait le droit de leur prendre ce qu'eux-mêmes avaient volé. Mais c'était pareil pour tout le monde : chacun s'estimait le propriétaire légitime de ce qu'il avait pris à d'autres.

Il ne valait pas mieux. Les Mexicains avaient volé la terre des Indiens, mais ça, il n'y pensait jamais : il ne pensait qu'aux Texans qui avaient volé la terre des Mexicains. Et les Indiens qui s'étaient fait voler leur terre par les Mexicains l'avaient eux-mêmes volée à d'autres Indiens.

Son père était venu demander de l'aide à cette femme qui la lui avait refusée. Sa grand-mère auparavant avait essuyé le même refus. Et voilà qu'à lui aussi on avait dit non. Pourtant cette même femme avait donné vingt millions à un musée. Des millions pour les morts, rien pour les vivants ; c'étaient les gens comme elle qui récupéraient le pouvoir. Il faudrait qu'il s'en souvienne. Il était jeune encore. Il s'en souviendrait.

En attendant il allait retourner chez son grand-père, et de là, se dit-il, aller à Mexico, où les cartels ne posaient pas trop de problèmes. La faute aux affaires, ou à la politique, allez savoir. En tout cas il en avait maintenant confirmation : le temps où on pouvait marcher la tête haute parce qu'on était un homme, parce qu'on avait attrapé un aigle au lasso, ce temps-là était révolu. Les Américains, visiblement, le savaient depuis longtemps.

Encore quelques kilomètres et il s'arrêterait pour la nuit. Et après... Qui sait. Mais il serait quelqu'un. Oui, tout le monde connaîtrait son nom.

Chapitre 70

J. A. McCullough

Elle avait vu le petit Garcia entrer ; elle l'avait reconnu depuis l'autre bout de la pièce. Il avait suffi qu'il ouvre la bouche pour qu'elle sache qu'il disait la vérité.

Elle ne tenait plus à l'intérieur d'elle-même. Toute sa vie elle avait su qu'elle finirait par s'enfoncer dans le noir, mais voilà que la terre était plus verte que jamais et le soleil en pleine course – elle s'était trompée. Elle voyait ses frères loin devant. Ils étaient jeunes et elle résolut de les rattraper.

Chapitre 71

Peter McCullough

Il atteignit Guadalajara après quatre jours de route. Il s'arrêta devant chez elle, une petite maison d'adobe à la peinture jaune écaillée et au jardin bien tenu.

Cette nuit-là, quand elle se fut endormie, il passa un pantalon et une chemise et sortit voir si personne n'avait volé la voiture. Il faisait sombre, tout était calme; presque tous les voisins avaient éteint. Il avait d'ailleurs été surpris que tant de maisons aient l'électricité.

Il se demanda s'il avait volé l'argent par lâcheté, par peur de changer d'avis, puis décida que ça n'avait pas d'importance. Il rentra la réveiller. Ils chargèrent la voiture et partirent dans la nuit.

Pendant un temps, ils avaient bougé toutes les deux ou trois semaines, descendant dans des hôtels sous des noms divers. Le sud du pays était plus calme; ils eurent un premier enfant à Mérida et un second près d'Oaxaca. Mais à la fin de la guerre, il commença à avoir peur qu'on les retrouve et en 1920, après la chute de Carranza, ils s'installèrent à Mexico.

Il y avait un nouveau gouvernement et la ville grouillait de monde. Des banquiers, des industriels, des exilés, des artistes, des musiciens, des anarchistes. Des cathédrales, de grands marchés, des *pulcherías* aux couleurs tapageuses, des peintures murales partout, des tramways qui roulaient toute la nuit. Les chaussées étaient encombrées de voitures, d'ânes, de cavaliers, de paysans aux pieds nus. Il pensait que ça le rendrait fou. Mais non. Appuyé sur le rebord d'une fenêtre de leur appartement, il regardait la rue ; il n'avait jamais vu tant de monde.

« Tu n'aimes pas les villes, avait-elle dit.

— C'est mieux pour les enfants. »

Mais ce n'était pas tout. Il perdait la mémoire : Pedro et Lourdes Garcia étaient extraordinairement jeunes, ses parents aussi, c'est à peine s'il se souvenait de son enfance, c'est à peine s'il se souvenait de l'année précédente. Peut-être l'observait-on d'un recoin sombre, mais le cas échéant, il n'en sut jamais rien. Chaque soir après le coucher du soleil, il se mettait à cette fenêtre et posait les mains sur la pierre chaude. Ces millions de vies qui passaient juste au-dessous, ces millions d'autres qui viendraient, tous ces êtres étaient comme lui, libres, et on les oublierait.

Chapitre 72

ELI McCULLOUGH

1881

Je m'étais dit qu'en 1880 au plus tard j'aurais vendu. Les pluies avaient été bonnes et les veaux de deux ans étaient partis à quatorze dollars cinquante par tête, et puis voilà qu'un riche Allemand qui voulait se constituer un ranch au Kansas me promit dix dollars pour ceux qui auraient un an au printemps. Mes gars vendirent leurs chevaux et sautèrent dans le train ; moi, j'envoyai un câble à Madeline pour lui faire savoir que j'aurais un peu de retard. Je lui avais fait construire sa maison sur la Nueces, mais elle avait fait le deuil de me voir me poser chez moi.

Je pris mon temps pour rentrer, faisant le détour par nos anciennes terres de chasse comanches. Au bord de la Canadian, des vaches broutaient là où jadis nous campions – je les fis fuir ; les cornouillers avaient poussé, haut et droit, hors d'atteinte. J'eus beau chercher des jours durant, je ne trouvai pas les tombes de Toshaway, Fleur-de-Prairie et Oiseau Libre. Le sol n'était plus que rocaille et les arbres avaient tous fini dans des cheminées.

Quant à la tombe de mon frère, j'ai parfois été certain que les Indiens nous avaient fait remonter le canyon de Yellow House, à d'autres moments j'ai été tout aussi sûr que c'était le Blanco, ou le Tule, ou le Palo Duro. Je parcourus tout le Llano, le long du Caprock, espérant que quelque chose en moi tressaillirait, qu'une fois sur place je le sentirais. Mais je ne sentis rien.

Lorsque j'arrivai chez moi, tous mes gars m'attendaient sur la galerie.

«Rien d'autre à foutre ?»

Alors seulement je vis l'état de la maison.

«Qu'est-ce qui s'est passé ?» dis-je.

Pas de réponse.

«Qui a fait ça ?»

Ils avaient été enterrés sous un peuplier de Virginie, au sommet d'une colline qui dominait la maison. Une belle vue. Madeline, Everett, et Fairbanks, un de nos commis.

Madeline avait été abattue dans la cour et Everett alors qu'il essayait de la ramener à l'intérieur. Les trois gars qui avaient survécu, dont deux furent blessés, avaient ensuite pu repousser les bandits. La seule chose de sûre, c'est que c'était des Indiens renégats. Personne ne savait de quelle tribu.

«Est-ce qu'ils les ont scalpés ?»

Sullivan me suivit sur la colline. C'était un intuitif. J'avais pris une pelle, je me mis à creuser. Quand on sentit le gaz des tombes et qu'il vit que je n'allais pas m'arrêter, il me plaqua contre terre. *Une mesure de blé pour une pièce d'argent, mais ne touche pas à l'huile et au vin.* Ni ma femme ni mon fils n'avaient été scalpés ; Peter et Phineas n'avaient pas une seule égratignure.

D'après l'armée, les coupables étaient un groupe de Comanches. Ils avaient suivi leur piste jusqu'au Mexique, mais s'étaient arrêtés à la frontière. Sullivan me conduisit à leurs traces dans le corral. C'étaient des Lipans. Le bout des mocassins apaches est beaucoup plus large que celui des Comanches, qui forme une sorte de pointe ; les franges sont plus courtes et traînent moins – les Apaches ont de plus grands pieds. Et puis les flèches avaient quatre entailles.

Sur vingt-trois gars, tous furent volontaires. Le plus âgé avait vingt-huit ans, le plus jeune seize. Pourchasser des Indiens, ils avaient tous cru l'époque révolue. Ah, remonter le temps, livrer les grands combats de leurs ancêtres... vous auriez dû voir leurs visages radieux.

La bande de Lipans s'était séparée sept fois en terrain rocheux et la piste remontait à plusieurs semaines, mais si j'ai jamais eu une raison de croire en l'existence du Créateur, c'est celle-ci : il avait plu juste avant l'attaque, puis il avait fait très sec – leurs traces étaient inscrites dans le sol aussi clairement que des empreintes préhistoriques. Douze cavaliers. Des marques de sabots non ferrés menant au bord du fleuve.

On le traversa sans ralentir. À Coahuila, les traces s'interrompaient : le sol était dur et aride. Sans descendre de cheval, je lus dans le livre de la Terre : j'étais Toshaway, j'étais Pizon, j'étais les Lipans eux-mêmes, redoutant de regarder derrière moi, conscient d'avoir tué quand je n'aurais pas dû, conscient aussi que les chevaux volés sauveraient ma tribu une année de plus.

Les autres ne voyaient rien. Sinon un homme en deuil sur un cheval pâle. Ils me suivaient d'une foi aveugle.

Quand vint le crépuscule, on se tenait sur une colline qui dominait la dernière bande d'Apaches Lipans. Cinq cents ans qu'ils vivaient sur ces terres. On attendit l'extinction de tous leurs feux.

Alors on fit sauter les tipis à la dynamite et on tira sur les fuyards. Un brave magnifique armé d'un simple couteau chargea en entonnant son chant de mort. Un vieil homme aveugle brandit un mousquet et sa fille se précipita, sachant que le fusil n'était pas chargé ; elle le pointa vers nous, on la tua aussi. Tout ce qu'il restait d'une nation : des squaws, des infirmes, des vieillards. Nos armes étaient si chaudes qu'elles tiraient toutes seules ; malgré les foulards enroulés autour des poignées, pas une main qui ne finît marquée au fer.

Quand il n'y eut plus personne, on abattit tous les chiens et tous les chevaux. Je pris la blague à tabac du chef, une vessie de bison tannée et brodée de perles. Dans son bouclier, tassées entre les deux couches de cuir, des pages de Gibbon, *Histoire du déclin et de la chute de l'Empire romain*.

Au lever du jour, on découvrit un garçonnet de neuf ans encore vivant. On le laissa comme témoin. À midi, en arrivant au fleuve, on s'aperçut que l'enfant nous avait suivis avec son arc – trente kilomètres à tenir le rythme de cavaliers. Trente kilomètres à courir après la mort.

Cet enfant-là vaudrait mille hommes aujourd'hui. Debout sur la berge, il nous regarda nous éloigner. Autant que je sache, il me cherche encore.

REMERCIEMENTS

Je remercie mon éditeur américain, Dan Halpern, un artiste, qui comprend ; Suzanne Baboneau et mes agents, Eric Simonoff et Peter Strauss, ainsi que Libby Edelson et Lee Boudreaux.

Ma reconnaissance va aux organismes suivants pour leur généreux soutien : le Dobie Paisano Fellowship Program, les fondations Guggenheim, Ucross, Lannan et Noah & Alexis.

Toute erreur incomberait à l'auteur, mais l'expertise des personnes suivantes lui a été infiniment précieuse : Don Graham, Michel Adams, Tracy Yett, Jim Magnuson, Tyson Midkiff, Tom et Karen Reynolds (ainsi que Debbie Dewees), Raymond Plank, Roger Plank, Patricia Dean Boswell McCall, Mary Ralph Lowe, Richard Butler, Kinley Coyan, « Diego » McGreevy et Lee Shipman, Wes Phillips, Sarah et Hugh Fitzsimons, Tink Pinkard, Bill Marple, Heather et Martin Kohout, Tom et Marsha Caven, Andy Wilkinson, toute l'équipe du James A. Michener Center for Writers, André Bernard pour m'avoir prêté une oreille bienveillante, Ralph Grossman, Kyle Defoor, Alexandra Seifert, Jay Seifert et Melina Seifert. Ma reconnaissance va aussi à Jimmy Arterberry, du Comanche National Historic Preservation Office, à Juanita Pahdopony et Gene Pekah, du Comanche

Nation College, à Willie Pekah, à Harry Mithlo et au Comanche Language and Cultural Preservation Committee, bien que cela n'implique en rien qu'ils cautionnent ce qui est écrit ici. On estime que le peuple comanche a perdu quatre-vingt-dix-huit pour cent de sa population au milieu du dix-neuvième siècle.

Repose en paix, Dan McCall.

Du même auteur :

UN ARRIÈRE-GOÛT DE ROUILLE, Denoël, 2010.

Le Livre de Poche s'engage pour l'environnement en réduisant l'empreinte carbone de ses livres. Celle de cet exemplaire est de :

700 g éq. CO$_2$

Rendez-vous sur www.livredepoche-durable.fr

PAPIER À BASE DE FIBRES CERTIFIÉES

Composition réalisée par INOVCOM

Imprimé en France par CPI
en mars 2016
N° d'impression : 3016303
Dépôt légal 1re publication : avril 2016
LIBRAIRIE GÉNÉRALE FRANÇAISE
31, rue de Fleurus - 75278 Paris Cedex 06

Composition réalisée par DV-COM

Imprimé en Espagne par CPI
en août 2016
N° d'imprimeur : 301523
Dépôt légal 1re publication : août 2016
LIBRAIRIE GÉNÉRALE FRANÇAISE
31, rue de Fleurus – 75278 Paris Cedex 06